Le grand livre du jazz

Joachim-Ernst Berendt

Le grand livre du jazz

Traduit de l'américain par
Paul Couturiau

Éditions du Rocher

Titre original : *Das Große Jazzbuch*

Sommaire

Exemples musicaux

« Il faut aimer pour être capable de jouer. »

Louis ARMSTRONG.

« L'idée, c'est l'extension de la tradition. »

Anthony DAVIS.

« Il y a quelque chose dans la musique qui va au-delà de la mélodie, au-delà de l'harmonie : la musique. »

Giuseppe VERDI.

Préface

Le jazz, ainsi que l'exprima Eric Dolphy, est une « musique humaine ». Duke Ellington, lui aussi, parlait souvent d'« humanité » lorsqu'il évoquait la musique noire. JoAnne Brackeen dit que le jazz consiste à « rendre l'humanité spirituelle ». Je serais heureux si un peu de tout cela transparaissait dans ces pages. Les portraits présentés dans la partie intitulée « Les Musiciens du jazz » furent écrits avec un objectif en tête : présenter un musicien important symbolisant un style ou une décennie (même s'il ne fut pas possible de respecter ce principe avec une cohérence académique totale). C'est délibérément que j'ai choisi de proposer des portraits « simples ». Certains lecteurs ont jugé que cette démarche contrastait avec celle ayant régi la composition des autres parties. Ceci n'est nullement fortuit — ces portraits sont conçus de manière à fournir un point d'entrée possible au livre et à son sujet. Le lecteur érudit devrait considérer que cet ouvrage remplit en outre une fonction introductive ; ses éditions précédentes ont ouvert à maintes personnes la voie au jazz — leur permettant d'aborder ensuite des ouvrages plus spécialisés et détaillés. Si vous jugez ces chapitres trop « simplistes », n'hésitez pas à les survoler. Quoi qu'il en soit, l'humanité véritable *est* « simple », bien que cette vision ne soit pas acceptée par les membres aliénés de notre société industrialisée moderne.

De nombreux lecteurs des éditions précédentes considèrent que les sections et les chapitres de ce livre ne doivent pas nécessairement être lus dans l'ordre de leur présentation. Vous pouvez, si vous le désirez, commencer par « Les Éléments du jazz » ; ou par la définition de cette forme de musique proposée en fin de volume. Si vous appréciez plus particulièrement les chanteurs, pourquoi ne pas vous plonger d'emblée dans la lecture des chapitres qui leur sont consacrés ;

si vous jouez d'un instrument, reportez-vous à la section relative à celui-ci.

J'ai inclus très peu de références à des disques dans le corps même du texte, les fluctuations du marché du disque sont en effet trop fréquentes. C'est la raison pour laquelle une discographie est reprise en annexe ; elle fut compilée en respectant le principe suivant : chaque musicien de quelque importance mentionné dans l'ouvrage est représenté par un disque minimum ; je cite en revanche les albums les plus importants des grands noms du jazz, pour autant qu'ils soient toujours disponibles.

Des détails complémentaires relatifs aux principes directeurs de ce livre sont inclus dans la « Postface », dont la lecture est recommandée à tous ceux qui désirent *travailler* sur cet ouvrage (ainsi qu'aux critiques et aux auteurs de jazz). C'est également dans cette partie que j'exprime ma gratitude à tous ceux qui m'ont apporté leur aide : critiques, traducteurs, collègues — et par-dessus tout, musiciens.

Je ne puis prétendre avoir évité tout risque d'erreur. Je ne puis m'attendre en outre à ce que mes interprétations personnelles soient acceptées par tout le monde. Je ne considère pas qu'un critique musical doive avoir la prétention de rendre des jugements « définitifs ». Ce livre et ses multiples éditions ont toutefois aidé tant de lecteurs que j'envisage comme un défi et un devoir de poursuivre ce travail, même si j'affirme après chaque nouvelle édition : « Jamais plus ! »

J.E.B.
Baden-Baden, janvier 1982.

Les styles du jazz

Le jazz a toujours été le centre d'intérêt d'une minorité — toujours ! Même à l'époque du Swing, durant les années trente, le jazz des musiciens noirs inventifs n'était [à l'exception de quelques rares enregistrements] reconnu que par quelques-uns. Il n'en demeure pas moins que prendre une part active au jazz revient à œuvrer pour une majorité, la musique populaire de notre temps s'en nourrissant régulièrement. La musique qui agrémente les séries télévisées et les hit-parades ; celle que vous entendez dans les halls d'hôtels et dans les ascenseurs, dans les publicités et dans les films ; celle sur laquelle vous dansez, du charleston au rock, au funk et au disco ; tous ces sons qui nous parviennent tous les jours — toute cette musique est issue du jazz (parce que le *beat* s'est introduit dans la musique occidentale par la porte du jazz).

Prendre une part active au jazz signifie améliorer la qualité des « sons qui nous entourent » — en d'autres termes le niveau de la qualité musicale qui implique la qualité spirituelle, intellectuelle, humaine — et le niveau de notre conscience. En ces temps où des sons musicaux accompagnent aussi bien le décollage d'un avion qu'une vente promotionnelle de détergent, les « sons qui nous entourent » influencent de manière directe notre mode de vie et la qualité de notre existence. C'est pourquoi nous sommes en droit d'affirmer que prendre une part active au jazz signifie introduire dans nos vies un peu de sa puissance, de sa chaleur et de son intensité.

Il existe en conséquence une relation directe et vérifiable entre les différents types, les différentes formes et les différents styles de jazz d'une part et les périodes de leur création de l'autre.

L'élément le plus impressionnant du jazz — outre sa

valeur musicale — est selon moi son développement stylistique. L'évolution du jazz montre la continuité, la logique, l'unité et la nécessité intérieure qui caractérisent tout art véritable. Ce développement constitue un tout — et ceux qui en extraient une phase et la considèrent comme étant la seule valable ou au contraire comme l'exemple même d'une aberration, détruisent cette globalité de conception. Ils déforment l'unité de cette évolution à grande échelle sans laquelle on est en droit de parler de modes, mais certes pas de styles. Je suis convaincu que les styles du jazz sont authentiques, et reflètent leur époque particulière au même titre que le classicisme, le baroque, le romantisme et l'impressionnisme reflètent leur période dans la musique de concert européenne.

Permettez-moi de suggérer une manière d'appréhender la richesse et l'étendue des différents styles de jazz : après avoir lu la partie consacrée aux styles primitifs, au ragtime et au new orleans, passez quelques chapitres et abordez sans ambages celui consacré au free jazz, en écoutant à chaque fois certains enregistrements caractéristiques (que vous trouverez sans difficulté à l'aide de la discographie reprise en fin de volume) ! Quelle autre forme artistique a-t-elle développé des styles aussi contrastés et pourtant aussi nettement liés en un laps de temps d'à peine cinquante années ?

Il est important d'être conscient du caractère fluide, semblable à un courant, de l'histoire du jazz. Ce n'est certes pas une coïncidence si le terme *stream* (courant) a souvent été utilisé par les critiques comme par les musiciens de jazz pour définir différents styles — il est intéressant de noter que le *mainstream* (courant principal) qualifiait tout d'abord le Swing, et s'applique désormais à la tendance essentielle du jazz actuel. Il existe un courant puissant qui s'écoule du new orleans jusqu'à la musique contemporaine. Même les interruptions ou les révolutions dans cette histoire, telles l'émergence du be-bop ou, plus tard, du free jazz, apparaissent *a posteriori* comme étant des développements organiques, voire inévitables. Il est possible que le courant s'écoule parfois en cataracte ou qu'il forme des tourbillons ou des rapides, mais il n'en poursuit pas moins son cours.

Maints grands musiciens de jazz ont ressenti cette connexion entre leur style de jeu et l'époque à laquelle ils vivaient. La joie tranquille du dixieland correspond aux années précédant la première guerre mondiale. La frénésie des années vingt s'exprima dans le style de Chicago. Le Swing incarne la standardisation massive de la vie avant la seconde guerre mondiale ; le Swing était peut-être, pour reprendre les termes de Marshall Stearns, « la réponse très humaine à la folie des grandeurs américaine ». Le be-bop saisit l'animation nerveuse des années quarante. Le cool reflète la résignation des hommes qui vivent bien, mais savent que les bombes H constituent une forme moderne d'épée de Damoclès. Le hard bop est un cri de protestation, mais il deviendra vite conformisme avec la mode du funky et de la musique soul. Cette protestation trouvera toutefois une expression intransigeante et souvent colérique dans le free jazz. On retrouve ensuite, dans le jazz des années soixante-dix, une nouvelle phase de consolidation — non dans un sens de résignation, mais plutôt dans le sens d'une sagesse douloureusement acquise, un désir d'accomplir tout ce qui est possible pour échapper au chaos et à l'autodestruction. Ce qui vient d'être dit d'une manière généralisée et simplifiée est d'autant plus valable sur un plan individuel pour les multiples styles des musiciens et des orchestres.

Maints musiciens de jazz ont considéré avec scepticisme les efforts visant à faire revivre les styles du passé. Ils savent qu'une telle démarche va à l'encontre de la nature du jazz. Le jazz est un art vivant, or tout ce qui vit se modifie. Lorsque la musique de Count Basie connut un succès mondial dans les années cinquante, celui-ci demanda à Lester Young, qui avait été l'un des principaux solistes de son orchestre, de participer à une séance d'enregistrement avec les anciens membres du groupe pour reconstruire le style Basie des années trente. Lester répondit : « Je ne peux pas le faire. Je ne joue plus comme ça. Je joue différemment ; je vis différemment. On est aujourd'hui. Ça, c'était hier. Nous changeons, nous évoluons. » Il est évident que cette remarque vaut également pour les reconstructions contemporaines des styles de jazz historiques.

Vers 1890 : le ragtime

Le jazz est né à La Nouvelle-Orléans : c'est un truisme, avec tout ce que cela renferme de vérité et d'erreur. Il est vrai que La Nouvelle-Orléans fut la ville la plus importante dans la genèse du jazz. Il est faut qu'elle fût la seule. Le jazz — la musique d'un continent, d'un siècle, d'une civilisation — était beaucoup trop « dans l'air » pour qu'on puisse le réduire au produit breveté d'une ville unique. Des manières de jouer évoluèrent à Memphis et à Saint Louis, à Dallas et à Kansas City, ainsi que dans d'autres villes du Sud et du Midwest. Ceci aussi est la marque d'un style : différentes personnes en différents lieux faisaient des découvertes artistiques semblables — ou similaires — indépendamment les uns des autres.

Il est devenu habituel de parler du style néo-orléanais comme du premier style de jazz. Il fut toutefois précédé par le ragtime. Sa capitale n'était pas La Nouvelle-Orléans, mais Sédalia, Missouri, où vivait Scott Joplin. Joplin, né au Texas en 1868, était le principal compositeur et pianiste de ragtime ; nous disposons ainsi d'un élément capital relatif au ragtime : il s'agissait d'une musique composée, essentiellement pour le piano. Étant *composée*, il lui manquait une caractéristique essentielle du jazz : l'improvisation. Néanmoins, le ragtime swingue — du moins dans un sens rudimentaire — et est donc considéré comme faisant partie intégrante du jazz. La pratique consistant non seulement à interpréter des rags mais encore à les utiliser comme thèmes pour des improvisations de jazz apparut très tôt.

Le ragtime était écrit dans la tradition de la musique pour piano du XIXe siècle. Il peut respecter la forme trio du menuet classique, ou comprendre une succession de plusieurs strophes musicales, agencées à la manière d'une valse de Strauss. Le ragtime reflète le XIXe siècle également dans son jeu. On y trouve tous les éléments relatifs à cette période — de Chopin, et surtout de Liszt, aux marches et aux polkas — refondus dans la conception rythmique et le mode de jeu dynamique des Noirs. Et c'est bien ainsi que cette musique était perçue — ragtime (*ragged time*) suggérant un manque de syntaxe, d'unité.

LES STYLES DU JAZZ

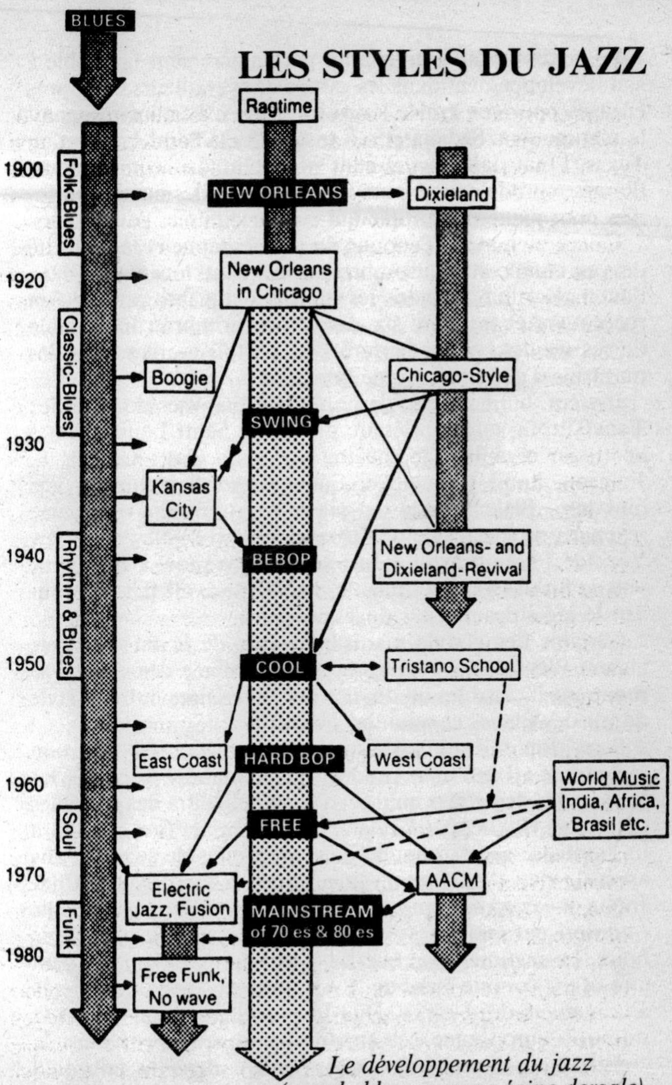

Le développement du jazz (avec le blues comme épine dorsale).

Le ragtime trouva un champ particulièrement favorable à son développement dans les camps de travailleurs émigrants engagés pour construire les voies ferrées. Partout résonnait le ragtime — à Sédalia et à Kansas City, à Saint Louis et au Texas, l'État dans lequel était né Joplin. Les compositeurs de rags reproduisaient leurs morceaux sur des bandes perforées pour piano mécanique qui étaient diffusées par milliers.

C'était bien avant l'époque du phonographe et la majorité de ces compositions sombrèrent pendant longtemps dans l'oubli. Il fallut attendre les années cinquante pour qu'on redécouvre et transfère sur disques un nombre considérable de ces vieilles bandes perforées — parfois égarées dans des magasins d'antiquités ou de brocante.

Il y eut, outre Joplin, de nombreux pianistes de ragtime : Tom Turpin, un propriétaire de bar de Saint Louis ; James Scott, un organiste de théâtre à Kansas City ; Charles L. Johnson, Louis Chauvin et Eubie Blake. Soixante-dix ans plus tard, Blake — âgé de quatre-vingt-dix ans — fit une réapparition spectaculaire au grand festival de Newport-New York de 1973 ; il avait même son propre show à Broadway vers la fin des années soixante-dix. Blake avait fait redécouvrir le rag à des milliers de jeunes gens.

Certains des grands pianistes de rag de la fin du siècle étaient Blancs, et il est significatif que même des experts se montrent incapables de déceler des différences entre le style de jeu des Blancs et celui des Noirs.

Scott Joplin était passé maître en matière d'invention mélodique. Il eut une production étonnante et parmi les quelque six cents rags qu'il écrivit, on retiendra des mélodies telles que *Maple Leaf Rag* et *The Entertainer* (qui connaîtra un immense succès populaire en 1973, près de soixante ans après le décès de Joplin, grâce au film *L'Arnaque*). Chez Joplin — comme dans le ragtime lui-même — la vieille tradition européenne se mêlait à la sensibilité rythmique noire. Le ragtime, plus que toute autre forme de jazz, peut être décrit comme étant de la « musique blanche interprétée à la manière des Noirs ». Que Joplin fût très à l'aise dans la tradition européenne est apparent non seulement dans la construction de ses rags, mais encore dans le fait qu'il composa deux opéras.

L'un des premiers musiciens à se libérer des contraintes de l'interprétation des rags imposée par le compositeur et à adopter une approche plus libre et plus jazz du matériau mélodique fut Jelly Roll Morton. Il fut également l'un des musiciens importants avec lesquels débuta la tradition néo-orléanaise. « J'ai inventé le jazz en 1902 », déclara-t-il et sur sa carte de visite professionnelle il se présentait comme le « créateur du ragtime ». Ces deux prétentions sont excessives, mais il est vrai que Morton occupe une place importante dans l'histoire du jazz en tant que premier pianiste connu à avoir improvisé sur des thèmes rags — essentiellement les siens — ou dérivés du ragtime.

Morton démontra que la personnalité du musicien est plus importante en jazz que le matériau fourni par le compositeur.

Jelly Roll porta la tradition du ragtime jusqu'au Chicago des années vingt, et même jusqu'en Californie. D'autres pianistes — James P. Johnson, Willie « The Lion » Smith, et le jeune Fats Waller — firent vivre le ragtime, ou tout au moins la tradition du ragtime, à New York durant les années vingt. Rares étaient les pianistes de cette époque dont les origines ne remontaient pas, d'une manière ou d'une autre, au ragtime. Même certains pianistes de boogie-woogie (nous y reviendrons par la suite) utilisaient des thèmes ou des éléments de ragtime.

Le début du siècle : le new orleans

La Nouvelle-Orléans était, au début du siècle, une sorte de tour de Babel de peuples et de races. La ville avait subi la domination espagnole et française avant d'être cédée à la jeune république des États-Unis. Les Français et les Espagnols, suivis par les Anglais et les Italiens, bientôt rejoints par les Allemands et les Slaves se trouvèrent confrontés aux descendants des innombrables Africains amenés par les marchands d'esclaves. En outre, les différences au sein de la population noire étaient aussi importantes sur le plan de la nationalité et de la culture que celles existant entre un Anglais et un Espagnol.

Tous ces immigrants volontaires ou non aimaient avant

tout leur propre musique, qu'ils désiraient garder vivace en souvenir du pays. A La Nouvelle-Orléans, on entonnait des chants du folklore anglais, on se déchaînait sur des danses espagnoles, on jouait de la musique de danse et de ballet française, et on marchait au son des fanfares prussiennes ou françaises. On entendait résonner dans les multiples églises les hymnes et les cantiques des puritains et des catholiques, des baptistes et des méthodistes — et se mêlant à tous ces sons, il y avait les *shouts* (cris) des vendeurs ambulants noirs ainsi que les danses et les rythmes noirs. Vers la fin des années 1880, les Noirs se rassemblaient périodiquement à Congo Square pour pratiquer des rites vaudou — préservant ainsi un culte dont les origines se perdent dans des traditions africaines anciennes et à moitié oubliées. Récemment convertis au christianisme, ils célébraient le nouveau dieu par des chants et des danses évoquant curieusement ceux par lesquels ils honoraient les divinités de leur pays natal. L'ancienne Nouvelle-Orléans devait être une ville incroyablement musicale. Nous connaissons trente orchestres qui s'y produisirent durant la première décennie de ce siècle. Pour bien apprécier cette information, il convient de savoir que la *Delta City* comptait alors un peu moins de 200 000 habitants.

Tout cela créa une atmosphère qui fit de La Nouvelle-Orléans de cette époque un symbole de romantisme étrange, d'exotisme, pour les voyageurs des quatre coins du monde. Prétendre que cette ville du delta du Mississippi fut le seul lieu de naissance du jazz relève sans conteste du mythe, mais il est indéniable que La Nouvelle-Orléans fut un point où maints aspects importants de cette musique se cristallisèrent pour la première fois. La Nouvelle-Orléans était un creuset — pour la musique de la campagne, telle que les *work songs* des ouvriers noirs des plantations ; pour les *spirituals* entonnés durant les offices religieux en plein air ; et pour les vieilles chansons « primitives » de *blues-folk*. Tous ces éléments se fondirent dans les premières formes de jazz.

Le compositeur des blues W.C. Handy raconta que la musique interprétée à Memphis vers 1905 n'était guère différente de celle de La Nouvelle-Orléans. « Mais ce n'est qu'en 1917 que nous avons découvert qu'ils faisaient une musique semblable à la nôtre. Tous les orchestres de cirque jouaient de cette manière. » L'ensemble du delta du Mississippi résonnait de sons nouveaux — créés indépendamment les uns des autres. « Le fleuve et la ville étaient également des éléments importants pour le jazz. »

La Nouvelle-Orléans n'en occupe pas moins une place à part. Jusqu'aux années trente plus de la moitié des musiciens de jazz importants en étaient originaires. Il y eut probablement quatre raisons décisives à ce fait.

Primo, la vieille culture franco-espagnole de la Ville du Delta.

Secundo, les tensions et les défis dus au fait que, ainsi que nous allons le voir, deux populations noires totalement différentes s'affrontaient.

Tertio, la vie musicale intense de la ville (en termes de musique « sérieuse » ou populaire européenne) avec laquelle les Noirs étaient constamment en contact.

Et enfin, le fait que tous ces éléments divers étaient réunis à Storyville, le quartier des prostituées, sans préjugés ni conscience de classe.

Les deux populations noires de La Nouvelle-Orléans étaient les Créoles et les « Nègres américains ». Il est néanmoins évident que les Créoles étaient — au sens géographique du terme — aussi « américains » que les autres Nègres — voire plus. Les Créoles de Louisiane provenaient de la vieille culture coloniale française. Ils n'étaient pas — comme les autres Noirs — des descendants d'esclaves ayant acquis leur liberté à la fin de la guerre de Sécession. Leurs ancêtres étaient libres depuis beaucoup plus longtemps. Nombre d'entre eux avaient été libérés par de riches planteurs ou marchands français en remerciement de services rendus. Le terme « Nègre libre » était très important dans l'ancienne Nouvelle-Orléans.

Les Nègres créoles avaient adopté la culture française. On comptait parmi eux de nombreux hommes d'affaires aisés. Leur langue principale n'était pas l'anglais mais le « créole », un patois français enrichi de termes espagnols et africains. Ils portaient des noms français : Alphonse Picou, Sidney Bechet, Barney Bigard, Albert Nicholas, Buddy Petit, Freddie

Keppard, Papa et Louis Delisle Nelson, Kid Ory, etc. Être créole était un honneur. Jelly Roll Morton s'appliquait à faire savoir qu'il était créole et que son véritable nom était Ferdinand Joseph La Menthe.

Comparés aux Créoles, les « Nègres américains » étaient beaucoup plus « africains ». Leurs maîtres étaient d'origine anglo-saxonne, et ils ne bénéficiaient donc pas de l'attitude plus libérale des cercles franco-espagnols. Les « Nègres américains » constituaient le prolétariat noir de La Nouvelle-Orléans. Les Créoles entretenaient à leur égard des préjugés de classe, de couleur qui « à cette époque étaient encore plus féroces à l'encontre des autres Nègres que l'attitude des Blancs envers les hommes de couleur en général », ainsi que le remarqua le guitariste Johnny Saint Cyr.

Il y avait en conséquence deux groupes très différents de musiciens néo-orléanais, et cette distinction s'exprimait dans la musique. Le groupe créole était plus cultivé ; le groupe américain avait plus de vitalité. L'instrument prédominant parmi le groupe français était la clarinette, qui jouissait d'une longue tradition en France. Cette école stylistique française demeura vivace jusqu'au milieu des années trente dans le jeu des principaux clarinettistes de Swing. En fait, Eric Dolphy fut le premier à s'en dégager totalement, vers la fin des années cinquante.

Il est impossible d'ignorer l'influence française à La Nouvelle-Orléans. Nombre d'éléments contribuant à l'atmosphère fascinante de la ville, sans laquelle la vie du jazz aurait été inconcevable, trouvent leur origine en France. Ainsi en va-t-il du fameux Mardi gras, qui est devenu l'expression du désir de vivre de la ville. Même les funérailles, durant lesquelles un orchestre escorte le défunt jusqu'au cimetière en jouant une musique triste avant de ramener la procession au son d'accents joyeux, dérive d'une habitude française ; celle-ci survit encore dans des régions rurales du sud de la France.

Le style new orleans est ainsi né du mélange des multiples tendances ethniques et musicales de La Nouvelle-Orléans, qui se produisait presque automatiquement dans le climat de « laissez-faire[1] » propre à Storyville. Il se caractérise par

1. En français dans le texte. *(N.d.T.)*

un « contrepoint libre » joué par les trois instruments mélodiques : le cornet (ou la trompette), le trombone et la clarinette. Le « lead[1] » est assuré par le son brillant du cornet, contrasté de manière efficace par le trombone pesant et lourd. La clarinette lie les deux cuivres en un schéma complexe de lignes mélodiques. Cette ligne de front est supportée par la section rythmique : basse (cuivre ou à cordes), percussion, banjo ou guitare, et parfois piano.

Le rythme new orleans primitif est très proche de celui de la marche européenne : l'effet particulièrement « flottant » du rythme jazz, qui tient au fait que le 1er et le 3e temps demeurent forts, mais que les 2e et 4e sont accentués, n'a pas encore fait son apparition. L'accent est toujours mis sur le 1er et le 3e temps comme dans les marches.

Les premiers orchestres de new orleans ressemblaient aux fanfares et aux orchestres de cirque de l'époque à d'autres égards également, à savoir l'instrumentation et la fonction sociale.

Le style new orleans est le premier exemple du jeu « hot ». *Hot* exprime bien la chaleur et l'intensité émotionnelles de la musique, et l'expression s'est imposée pour désigner le son, le phrasé, l'« attaque », et le vibrato particuliers caractérisant ce style. Dès cet instant, tout va s'individualiser. On ne joue plus d'un instrument, on le fait « parler » — il en arrive ainsi à exprimer les sentiments propres du musicien.

Les années 1910 : le dixieland

A La Nouvelle-Orléans jouer du jazz n'était pas le privilège exclusif de l'homme noir. Il semble qu'il y ait eu des orchestres blancs dès le départ. « Papa » Jack Laine en dirigea dès 1891. Il est connu comme étant le « père » du jazz blanc. Les orchestres traversaient les rues de la ville à pied ou sur des charrettes — dénommées *band wagons*. Lorsque deux orchestres se rencontraient il s'ensuivait un concours, un « tournoi ». Il arrivait qu'un groupe noir et un groupe blanc s'engagent dans une telle compétition, et si ce

1. La partie principale dans un ensemble musical. *(N.d.T.)*

dernier était conduit par Papa Laine, il « écrasait » souvent son adversaire.

D'emblée, il y eut un style de jeu blanc : moins expressif, mais parfois plus habile sur le plan technique. Les mélodies étaient plus coulantes, l'harmonie « plus pure », les sonorités plus orthodoxes. Il y avait moins de notes coulées, moins de vibratos expressifs, moins de *portamenti* et de *glissandi*. A chaque fois que ces effets étaient utilisés, c'était de manière nettement délibérée, en sachant que l'on était *aussi capable* de jouer « correctement » ; la musique obtenue frisait souvent l'excentricité, quand elle ne sombrait pas carrément dans le ridicule. En revanche, la musique des orchestres noirs, qu'elle soit joyeuse ou cafardeuse, donnait toujours le sentiment qu'*elle devait être ainsi faite*.

Les premiers groupes blancs à succès sont en fait des descendants directs de Papa Laine. Il ne fait aucun doute que les premiers orchestres de jazz étaient blancs : en tout premier lieu l'Original Dixieland Jazz Band, puis le New Orleans Rythm Kings. L'ODJB, ainsi qu'on le nommera, avec son style dynamique, collectif (il n'y avait presque pas de solos), fit connaître les premiers classiques du jazz. Citons entre autres *Tiger Rag* et *Original Dixieland One-Step* (enregistrés en 1917) ainsi que *At the Jazz Band Ball* (enregistré en 1919). Les New Orleans Rythm Kings, avec leurs merveilleux solistes, Léon Rappolo, clarinette, et George Brunis, trombone, accordaient plus de place aux improvisations solos. Ils enregistrèrent leur premier disque en 1922, et ne tardèrent pas à devenir célèbres.

En 1917, l'ODJB joua au restaurant Reisenweber à Colombus Circle (New York) et remporta un succès fantastique. Dès cette époque, le mot « jazz » — d'abord orthographié « jass » — se répandit dans le grand public. Le chef d'orchestre Tom Brown prétend avoir utilisé le mot la première fois en public à Chicago en 1915. Il apparut toutefois dès 1913 dans un journal de San Francisco. Auparavant, « jass » (et ses ancêtres « jasm » et « gism ») étaient des expressions d'argot s'appliquant à la vitesse et à l'énergie dans les performances athlétiques — et sexuelles.

Il est devenu courant de qualifier l'ensemble du jazz blanc de La Nouvelle-Orléans de « dixieland », le distinguant ainsi du style essentiellement new orleans, mais la frontière entre les deux demeure floue. Cette remarque vaut surtout pour les dernières années ; des musiciens blancs jouant dans des orchestres noirs ou vice versa, il devenait absurde de s'interroger afin de savoir de quel style il s'agissait.

Avec le ragtime, le new orleans et le dixieland, l'histoire du jazz avait commencé. Ce qui existait auparavant appartient à ce que Marshall Stearns a baptisé la « préhistoire du jazz ». Le jazz n'appartient pas à l'Afrique, où il était inconnu à l'époque de sa naissance, et où à l'heure actuelle encore il est moins bien compris que dans la plupart des autres régions du monde, bien qu'il y soit apprécié. Le commentaire le plus fréquemment cité à cet égard est celui de Barry Ulanov : « On retrouve plus le son du jazz dans le violon tzigane d'Europe centrale que dans un corps de percussionnistes africains. » Et Leonard Feather de surenchérir : « Le jazz des origines ressemble beaucoup plus, sur le plan de la construction mélodique et harmonique, à des rengaines des années 1850 telles *Arkansas Traveler* et *Turkey in the Straw* qu'à n'importe quelle musique africaine. » Le batteur Art Blakey, de retour d'un voyage en Afrique où il avait étudié la musique noire, déclara : « Il est impossible de mélanger les produits de la culture africaine et ceux propres à la nôtre. » (Nous reviendrons à plusieurs reprises sur cette question dans le cours de ce livre.)

Le jazz est né de la rencontre du Noir et du Blanc. C'est la raison pour laquelle il vit le jour dans la région où cette rencontre se vivait de la manière la plus intense : le sud des États-Unis. Le jazz n'est concevable, jusqu'à ce jour, que par rapport à cette interaction. Il perd sa raison d'être fondamentale lorsqu'on insiste trop sur l'un ou l'autre élément, à plus forte raison si on lui accorde un caractère exclusif, comme d'aucuns le firent parfois.

Le contact interracial, qui s'est révélé si important dans l'évolution et le développement du jazz, symbolise cet esprit de « réunion » par ce qui caractérise le jazz en termes musicaux, nationaux, internationaux, sociaux, sociologiques, politiques, expressifs, esthétiques, éthiques et ethnologiques.

Les années 1920 : Chicago

Nous avons choisi de diviser l'évolution du jazz en décennies afin de proposer une perspective d'ensemble. Il est certain que le ragtime et le new orleans étaient vivaces au début du siècle, mais il est tout aussi vrai que les deux styles continuèrent à être interprétés par la suite — et jusqu'à ce jour. L'élément décisif n'est toutefois pas de savoir durant combien de temps un style fut cultivé, mais quand il vit le jour et quand il exprima sa plus grande vitalité et sa plus grande puissance musicale. De ce point de vue, il est un fait qu'un style nouveau est apparu environ tous les dix ans — et souvent au début d'une décennie. Il est trois éléments essentiels caractérisant le jazz des années vingt : la grande période de la musique new orleans à Chicago, le blues classique et le style de Chicago.

Le développement du jazz néo-orléanais à Chicago est relié, en général, à l'engagement des États-Unis dans la première guerre mondiale. Ce rapport apparaît quelque peu douteux, mais il n'est pas impossible qu'il ait été un facteur parmi d'autres. La Nouvelle Orléans devint un port de guerre. Le secrétaire de la Marine voyait dans les activités de Storyville un danger pour le moral des troupes. Le quartier fut donc fermé par décret officiel.

Cette décision privait de leur gagne-pain non seulement les belles dames de Storyville, mais encore les musiciens. Nombreux furent ceux qui quittèrent la ville. La majorité se rendirent à Chicago. La « Ville du Vent » sur le lac Michigan était depuis longtemps une source de fascination pour maints musiciens de La Nouvelle-Orléans. Il y eut donc un grand exode des musiciens new orleans vers Chicago, mais il est clair que ce ne fut qu'une partie de la migration générale des Noirs du sud vers le nord. Il s'ensuivit que le premier style de jazz, quoique nommé new orleans, connut en fait sa grande période dans le Chicago des années vingt. C'est là que les plus fameux enregistrements de new orleans virent le jour, le phonographe devenant de plus en plus populaire après la première guerre mondiale.

King Oliver était le leader du plus important orchestre de new orleans à Chicago. Ce fut là que Louis Armstrong forma son Hot Five puis son Hot Seven, Jelly Roll Morton ses Red Hot Peppers, Johnny Dodds ses New Orleans Wanderers, etc. Le style néo-orléanais que l'on connaît à l'heure actuelle n'est pas le jazz archaïque, dont il n'existe que de rares enregistrements, qui se jouait à La Nouvelle-Orléans au cours de la première décennie du siècle, mais la musique produite à Chicago par les musiciens néo-orléanais durant les années trente.

Le blues connut, lui aussi, sa grande période dans le Chicago des années vingt. Il est indéniable que les chansons de blues existaient bien avant l'apparition du jazz — depuis au moins le milieu du XIXe siècle. On les entendait à cette époque dans les quartiers ruraux du sud, le plus souvent sans le beat régulier du jazz et sans le mode classique à douze mesures qui caractérise le blues actuel. Les chanteurs de blues itinérants voyageaient — comme ils le font toujours de nos jours — de ville en ville, d'une plantation à l'autre, avec un banjo (ou une guitare) et un balluchon contenant toutes leurs possessions matérielles ; ils chantaient leurs morceaux, avec leurs fameuses « blue notes », connus aujourd'hui sous le nom de country blues ou de blues « archaïques ».

Lorsque les premiers *marching bands* commencèrent à jouer dans les rues de La Nouvelle-Orléans, il y avait une différence certaine entre leur « jazz » naissant et le blues. Le blues rural ne tarda pas cependant à s'intégrer dans le mainstream et dès lors blues et jazz devinrent à ce point mêlés que ce dernier n'est plus, pour reprendre l'expression d'Ernest Borneman, que « l'application du blues à la musique européenne, ou vice versa ». Même les musiciens de jazz les plus modernes et les plus « free » de notre époque sont redevables au blues — en fait, la conscience du blues est plus élevée dans le jazz actuel que dans maints styles antérieurs.

Les années vingt sont considérées comme étant la période du blues « classique ». Bessie Smith était sa plus grande représentante. Nous discuterons dans des chapitres ultérieurs de Bessie Smith elle-même, de l'harmonie, de la mélodie et de la forme du blues. Il existe de bonnes raisons pour traiter, dans un chapitre particulier, le blues comme un « élément du jazz ». En effet, ce fut non seulement un certain « style » de jazz dans les premiers temps, mais encore une musique qui marqua de son empreinte toutes les formes de jazz et l'histoire de la musique. Mon intention ici est de donner un résumé du développement du jazz dans son ensemble afin de permettre une orientation plus simple dans les chapitres ultérieurs.

Il se développa à Chicago, autour des grands instrumentistes de New Orleans et des célèbres chanteurs de blues, une vie jazz à peine moins active que celle de La Nouvelle-Orléans de l'Age d'Or. Centrée dans le « South Side », le quartier noir de la ville, il lui manquait l'exubérance joyeuse des beaux jours de La Nouvelle-Orléans, mais elle reflétait l'animation fiévreuse de la métropole et, de plus en plus, les problèmes de discrimination raciale.

Stimulés par la vie jazz du South Side, de jeunes Blancs, étudiants, musiciens amateurs et professionnels, commencèrent à élaborer ce qui allait devenir le « Chicago style ». Ils avaient été tellement inspirés par les grands du jazz néo-orléanais qu'ils désiraient reproduire leur style. En tant qu'imitation, leur musique fut un échec ; mais en revanche ils créèrent une veine nouvelle : le « Chicago style ». La profusion des lignes mélodiques, si typiques du style new orleans, en est plus ou moins absente. Lorsque l'orchestration fait intervenir ensemble plusieurs intruments mélodiques, ceux-ci jouent le plus souvent des lignes parallèles. La notion d'improvisation collective va de plus en plus céder le pas à l'expression individuelle avec accompagnement. Dès cet instant, le solo ne cessera de gagner en importance en jazz. Maints enregistrements du style de Chicago ne comportent guère plus d'une séquence de solos, ou de « chorus », selon la terminologie jazz.

Ce n'est qu'à ce moment que le saxophone, qui pour nombre de profanes représente l'incarnation du jazz, commença à acquérir de l'importance. Chicago peut être considéré comme ayant produit le deuxième style de jazz « cool » (le premier étant le ragtime). Bix Beiderbecke est le principal représentant de ce style. Nous en parlerons plus en détail dans le chapitre qui lui est consacré.

Les années 1930 : le Swing

Les plus anciens styles de jazz sont regroupés sous la dénomination « two-beat jazz » (jazz à deux temps). Ce rythme paraissait s'épuiser vers la fin des années vingt. A Harlem, et plus encore à Kansas City, une forme de jeu nouvelle se développa en 1928-1929. Le Swing commença avec le second grand exode de l'histoire du jazz — le voyage de Chicago vers New York. Le Swing se présente en quelque sorte comme un « four-beat jazz » (un jazz à quatre temps), l'accent étant mis sur les quatre temps de la mesure. Ceci est vrai sur un plan général, mais il existe des exceptions troublantes, comme c'est si souvent le cas en jazz. Louis Armstrong (et certains musiciens du Chicago style) étaient déjà familiers du style à quatre temps dans les années vingt. En revanche, le grand orchestre de Jimmie Lunceford utilisait, au sommet de l'ère du Swing, une mesure qui alternait entre 2/4 et 4/4.

Le mot « swing » est un terme clef du jazz, utilisé dans deux sens différents. Voilà qui risque de susciter une certaine confusion. Le swing implique tout d'abord un élément rythmique dont le jazz dérive la tension que la musique classique tire quant à elle de sa structure formelle. Ce swing est présent dans tous les styles, phases et périodes du jazz. Il est à ce point essentiel que d'aucuns ont été jusqu'à affirmer que si la musique ne swingue pas, ce n'est pas du jazz.

L'autre utilisation du terme fait référence au style de jazz dominant des années trente — le style par lequel le jazz conquit ses plus grands succès commerciaux avant l'émergence du jazz fusion. Durant l'« ère du Swing », Benny Goodman devint le « Roi du Swing ».

Il y a donc une différence entre le fait de dire qu'un morceau de jazz swingue ou que c'*est* du Swing. Tout morceau de jazz qui appartient au style Swing swingue — s'il est réussi. En revanche, tous les morceaux de jazz qui swinguent ne sont pas nécessairement du Swing. Je vous propose donc afin d'éviter toute confusion de parler de Swing (avec une majuscule) pour désigner le style, et de swing (avec une minuscule) lorsqu'il est question de l'élément rythmique. La plupart des théoriciens du jazz du monde entier ont adopté cette pratique. J'aurai l'occasion de revenir plus en détail, dans le chapitre consacré au rythme, sur la nature du swing (sans majuscule).

Un trait caractéristique de l'ère du Swing fut l'apparition des grands orchestres. Le style « riff » se développa à Kansas City — par exemple dans les orchestres de Bennie Moten, et plus tard de Count Basie. Ceci consistait en une application du vieux et important schéma *call-and-response* (appel-et-réponse) (originaire d'Afrique) aux sections d'un grand orchestre de jazz. Celles-ci sont les trompettes, les trombones et les saxophones. Le style blanc de Chicago apporta une autre contribution au jazz des grands orchestres : une approche plus « européenne » de la musique. Les différents styles se fondaient dans l'orchestre de Benny Goodman : un peu de la tradition néo-orléanaise, grâce à Fletcher Henderson qui réalisait les arrangements pour le groupe, un peu de la technique riff de Kansas City ; et un peu de cette précision blanche qui fit perdre une partie considérable de son expressivité à ce type de jazz. En revanche, la qualité mélodique simple et l'intonation pure de l'orchestre de Goodman permit de « vendre » le jazz à une large audience.

Il semble contradictoire que le soliste acquit plus d'importance parallèlement au développement des grands orchestres. Le jazz a toujours été tout à la fois collectif et individuel. Qu'il puisse, plus que tout autre musicien, être les deux *à la fois*, est très révélateur de sa nature. C'est le « phénomène sociologique » du jazz (nous y reviendrons) qui reflète la situation sociale de l'homme moderne.

Ainsi, les années trente devinrent également l'époque des grands solistes : les saxos ténors Coleman Hawkins et Chu Berry ; le clarinettiste Benny Goodman ; les batteurs Gene Krupa, Cozy Cole et Sid Catlett ; les pianistes Fats Waller et Teddy Wilson ; les saxos altos Benny Carter et Johnny Hodges ; les trompettes Roy Eldridge, Bunny Berigan et Rex Stewart ; et beaucoup, beaucoup d'autres...

Ces deux tendances — orchestrale et soliste — se fondaient souvent. La clarinette de Benny Goodman paraissait encore plus brillante sur le fond de son grand orchestre. La trompette de Louis Armstrong prenait un relief certain accompagnée d'un big band. Et le ton volumineux du saxo ténor de Coleman Hawkins ou de Chu Berry paraissait profiter du contraste du son « dur » du grand orchestre de Fletcher Henderson.

Les années 1940 : le be-bop

Le Swing était devenu une gigantesque entreprise commerciale vers la fin des années trente. On parlait alors du « plus grand commerce musical de tous les temps » (ce qui était vrai, mais il convient de préciser que les ventes de disques des années trente et quarante étaient encore modestes comparées aux dimensions du show-business actuel). Le mot « Swing » devint un outil promotionnel pour toute sorte de biens de consommation, des cigarettes aux articles d'habillement féminin, tandis que la musique se conformant à des exigences commerciales devint une répétition interminable de clichés.

Lorsqu'un style ou un mode de jeu devient trop commercial, l'évolution se poursuit souvent en jazz dans la direction opposée. Un groupe de musiciens qui avaient quelque chose de nouveau à dire se retrouvèrent engagés dans une réaction saine, quoique pas toujours délibérée, à la mode générale du Swing.

Cette nouvelle musique se développa — tout d'abord par à-coups — à Kansas City, ensuite, et surtout, dans les pépinières de musiciens de Harlem (en particulier dans un endroit nommé le Minton's Playhouse) et une fois encore au début d'une décennie. Contrairement à la légende cette musique *ne* s'épanouit *pas* à la suite de la rencontre d'un groupe de musiciens désireux de faire du neuf, à tout prix, l'ancien n'étant plus attrayant. Le vieux style se portait toujours très bien — c'était toujours le « plus grand commerce musical de tous les temps ». Il n'est pas exact non plus que le nouveau style fût le résultat de l'effort conscient d'un groupe uni. Il se forma dans l'esprit et à travers l'instrument de musiciens différents, travaillant indépendamment les uns des autres, en des lieux divers. Il est vrai cependant que le Minton's devint le point focal — au même titre que La Nouvelle-Orléans quarante ans auparavant. Il était absurde de la part de Jelly Roll Morton de prétendre avoir « inventé » le jazz ; il le serait tout autant d'affirmer que tel ou tel musicien des années quarante a « inventé » le jazz moderne.

Le nouveau style fut baptisé en définitive be-bop, un terme qui semble traduire la vocalisation de l'intervalle musical tant apprécié à l'époque : la quinte diminuée. Le terme « be-bop » naquit de manière parfaitement spontanée lorsque quelqu'un essaya de « chanter » ces sauts mélodiques. Telle est l'explication que fournit le trompette Dizzy Gillespie, l'un des représentants principaux du nouveau style, pour expliquer l'origine du terme. Il existe toutefois autant de théories relatives à l'origine de ce mot qu'à celle de la plupart des expressions de jazz.

La quinte diminuée devint l'intervalle le plus important du be-bop — ou du bop, ainsi qu'on ne tardera pas à le nommer. Auparavant, cette figure aurait été considérée comme erronée, ou tout au moins comme une « mauvaise » sonorité, bien qu'elle ait été utilisée dans des accords de passage, ou pour produire les effets d'harmonique spéciaux chers à Duke Ellington et au pianiste Willie « The Lion » Smith, dès les années vingt. Mais elle caractérisait désormais tout un style, la base harmonique étroite des anciennes formes de jazz étant constamment élargie. Dans les dix ou douze années qui suivirent, la quinte diminuée allait devenir (ainsi que nous le verrons) une « blue note », aussi courante que les troisième et septième mineures du blues traditionnel.

Les musiciens les plus importants qui se rassemblaient au Minton's étaient Thelonious Monk, piano ; Kenny Clarke, batterie ; Charlie Christian, guitare ; Dizzy Gillespie, trompette ; ainsi que le saxo alto Charlie Parker. Ce dernier devait devenir le véritable génie du jazz moderne au même titre que Louis Armstrong était celui du jazz traditionnel.

L'un de ces musiciens — Christian — compte non seulement parmi les fondateurs du jazz moderne, mais encore parmi ceux qui façonnèrent à partir du Swing les fondements de son développement. Il existe un groupe de pionniers qui étaient tout à la fois la « dernière » génération du Swing et les créateurs du be-bop. Presque chaque instrument a son précurseur du be-bop ; Roy Eldridge pour les trompettistes ; Clyde Hart pour les pianistes ; Lester Young pour les saxos ténors ; Jimmy Blanton, pour les bassistes ; Jo Jones et Dave Tough pour les batteurs ; Charlie Christian, pour les guitaristes.

Le son caractéristique du be-bop paraissait être, pour l'auditeur de l'époque, des phrases nerveuses, précipitées qui devenaient parfois des fragments mélodiques. Toute note inutile était proscrite, tout étant extrêmement concentré. Ainsi que le déclara un jour un musicien de bop : « Tout ce qui est évident est exclu. » C'est une forme de sténographie musicale, qu'il convient d'écouter de la même manière qu'on lirait des notes de sténo, établissant des relations ordonnées à partir de quelques signes hâtifs.

Les improvisations sont encadrées par le thème présenté à l'unisson au début et à la fin de chaque partie et interprété en général par deux cuivres, dans la plupart des cas une trompette et un saxophone (Dizzy Gillespie et Charlie Parker en sont les archétypes). Cet unisson seul — même avant que les musiciens ne commencent à improviser — introduisit un nouveau son et une nouvelle attitude. La psychologie musicale sait que l'unisson, où qu'il apparaisse — de l'« Hymne à la Joie » de Beethoven (et même plus tôt, dans le motif principal du premier mouvement de la Neuvième Symphonie) à la musique des Bédouins d'Afrique du Nord en passant par les chœurs du monde arabe — annonce : Écoutez bien, voici *notre* déclaration. C'est *nous* qui parlons. Et vous à qui nous nous adressons, vous êtes différents de nous et il est même probable que vous soyez nos adversaires.

Confrontés à l'influence alors avant-gardiste du son bop, de nombreux amateurs de jazz ne savaient que penser de ce nouveau tournant dans l'évolution de la musique. Ils s'orientèrent donc, avec force détermination, vers le passé, vers les formes fondamentales du jazz. On demandait une musique « simple ». Il y eut donc une renaissance — un « revival » — du style new orleans, qui se répandit à travers le monde entier.

Cette évolution s'amorça comme une révision saine des racines du jazz — de la tradition qui jusqu'à ce jour nourrit le jazz sous toutes ses formes, dans toutes ses phases. Mais la renaissance ne tarda pas à déboucher sur un jazz « traditionnel » simplifié et riche en clichés, dont se détournèrent les musiciens noirs. (A l'exception des jazzmen survivants de La Nouvelle-Orléans, pour qui le jazz traditionnel était la forme d'expression logique, aucun musicien noir important ne participa à ce « dixieland revival » — aussi étrange que cela paraisse.) Les amateurs s'opposaient souvent à la commercialisation du dixieland, mais il n'était pas rare qu'ils y succombent dès qu'ils accédaient au statut de professionnels.

Les « boîtes de jazz » de Saint-Germain-des-Prés, à Paris, devinrent, après la seconde guerre mondiale, le quartier général du mouvement traditionaliste, fortifié en cela par la philosophie existentialiste. Les jeunes existentialistes découvrirent bientôt que leur philosophie s'accordait mal en définitive avec une musique reflétant les attitudes insouciantes et heureuses du début du siècle, plutôt que l'agitation de leur époque. Ils évoluèrent donc vers des formes de jazz plus contemporaines, et le centre du mouvement revivaliste se déplaça vers l'Angleterre. Là, l'organisation des concerts de dixieland bénéficiait du même effort commercial et remportait le même succès que les présentations des chanteurs de rock'n'roll.

Le be-bop et la renaissance new orleans ont été présentés, dans la section qui leur est consacrée, de la même manière contrastée que les percevaient les amateurs de jazz de l'époque : en tant qu'extrêmes antagonistes. Aujourd'hui — et en fait depuis la naissance du free jazz dans les années soixante — ces pôles se sont rapprochés, les jeunes auditeurs n'étant plus à même d'apprécier cette opposition. Pour eux, Charlie Parker appartient presque autant à la tradition du jazz que Louis Armstrong.

Nous avons employé dans notre description du be-bop des termes tels que « précipité », « nerveux », « fragments mélodiques », « sténo ». Il convient toutefois de reconnaître que face à ce qui est « précipité », « nerveux », « fragmenté » et « sténo » de nos jours, la majeure partie du jazz des années quarante semble presque posséder une complétude classique pour un jeune auditeur contemporain. Il est toutefois permis d'espérer que les amateurs et les critiques de jazz tireront la leçon de cette phase et se montreront plus prudents dans l'emploi de concepts et de mots excessifs. Les critiques qui annonçaient la « fin du jazz » ou même la « fin de la musique » en réaction à la « nervosité » du bop paraissent quelque peu ridicules, pourtant ils étaient nombreux à l'époque. Il en est qui adoptent à présent la même attitude à l'encontre de ce qui leur paraît « nerveux » et bruyant.

Nous devrions, disposant de trente-cinq ans de recul, marquer une pause et nous interroger sur ce que sont devenus les grands musiciens qui ont créé le be-bop. Seul l'un d'eux, Max Roach, est toujours inventif dans le courant actuel : par exemple, avec son groupe actuel de percussions, ou à l'occasion de concerts en duo avec des musiciens tels que Cecil Taylor, Anthony Braxton, Dollar Brand ou Archie Shepp. Un autre père du be-bop, Dizzy Gillespie, est également créatif, mais lui dans le style be-bop. Les autres sont soit figés sur le plan artistique, soit décédés — la plupart à la suite d'une maladie psychologique ou physique, ou après avoir succombé à l'héroïne ou à l'alcool. Et même ceux qui sont morts jeunes — Charlie Parker, décédé à trente-cinq ans — avaient déjà donné le meilleur d'eux-mêmes à un âge où les autres artistes commencent à peine à acquérir leur véritable stature.

Comparons les musiciens de be-bop aux grandes personnalités de l'art européen — Stravinsky, Schoenberg, Picasso, Kandinsky, Chagall, etc. Ils vécurent jusqu'à un âge mûr et demeurèrent créatifs jusqu'à la fin et le monde les respecte et les admire. En revanche, une mort prématurée a souvent été le lot des musiciens de be-bop et personne ne leur consacre d'articles ni d'essais. Il semble que ce soit le prix que les artistes de jazz américains doivent payer à la société — qui accepte cette situation sans ciller.

C'est également ce qui rend cette musique si puissante et impressionnante, et l'œuvre de ces artistes trop tôt pétrifiés ou décédés d'autant plus admirable. Il n'est donc pas étonnant que nous assistions au début des années quatre-vingts à une renaissance du be-bop que personne n'aurait prévue il y a quelques années à peine. Toute une génération de jeunes gens jouent cette musique ; ils sont pour la plupart Blancs, bien équilibrés, et nullement dépendants de l'héroïne. Ce phénomène advient quelque vingt-cinq ans après la mort de Charlie Parker, trente-cinq après l'effondrement de Bud

Powell, « le père du piano be-bop », et trente après la disparition du trompettiste bop Fats Navarro, qui venait de fêter son vingt-sixième anniversaire.

Les années 1950 : le cool et le hard bop

La « frénésie et l'excitation du bop » céda la place, vers la fin des années quarante, à une tendance plus calme, plus paisible. Celle-ci se manifesta tout d'abord dans le jeu du trompettiste Miles Davis. Il avait joué, alors qu'il était âgé de dix-huit ans et membre du quintette de 1945 de Charlie Parker, dans le style « nerveux » de Dizzy Gillespie ; peu de temps après il se mit à souffler d'une manière plus détendue, plus *cool.* La même caractéristique se retrouva dans les improvisations au piano de John Lewis et les arrangements que Tadd Dameron écrivit durant la seconde moitié des années quarante pour le grand orchestre de Dizzy Gillespie et pour diverses petites formations. John Lewis, étudiant en anthropologie à New Mexico, décida d'abandonner la science au profit de la musique en 1948, à la suite d'un voyage à Paris avec le grand orchestre de Dizzy Gillespie. Les solos de trompette de Miles Davis de 1947 — avec Charlie Parker — tels que *Chasin' the Bird*, ou le solo de piano de John Lewis dans le *Round Midnight* de Dizzy Gillespie enregistré en concert à Paris en 1948 sont les premiers solos cool de l'histoire du jazz... hormis ceux du saxo ténor de Lester Young (avec Count Basie) à la fin des années trente — c'est lui en fait qui ouvrit la voie à la conception cool avant même que l'ère du be-bop n'ait commencé.

Le style connu sous le nom de « cool jazz » débuta en fait avec ces trois musiciens : Miles Davis, John Lewis et Tadd Dameron.

La conception cool domina le jazz de la première moitié des années cinquante, mais il est intéressant de noter qu'elle trouva son expression la plus valable et la plus représentative quasiment dès l'origine : dans les enregistrements célèbres réalisés par la marque Capitol en 1949 et 1950 du Miles Davis Orchestra, qui fut constitué pour un bref engagement au Royal Roost de New York en 1948. Nous discuterons plus en détail de ce groupe — d'une importance capitale pour l'ensemble de la conception sonore et musicale de la décennie — dans le chapitre consacré à Davis.

Lennie Tristano (1919-1978) — un pianiste aveugle de Chicago qui se rendit à New York en 1946 et y fonda sa « Nouvelle École de Musique » en 1951 — donna un fondement théorique au jazz cool à travers sa musique et sa pensée. Les musiciens de l'école de Tristano (en particulier l'alto Lee Konitz, le ténor Warne Marsh, et le guitariste Billy Bauer) sont dans une large mesure responsables d'avoir donné au profane l'impression que le jazz cool était une musique froide, intellectuelle et dépourvue d'émotion. Il ne fait toutefois aucun doute que Tristano et ses musiciens improvisaient avec une liberté remarquable, et que l'improvisation linéaire se situait au centre de leurs intérêts. Ainsi Tristano lui-même se faisait-il annoncer comme « Lennie Tristano et sa musique intuitive » ; il désirait insister sur le caractère intuitif de sa conception et se débarrasser de sa réputation de créateur d'une musique élaborée de manière intellectuelle. Il n'en demeure pas moins que la musique de Tristano conserve pour de nombreux auditeurs une froideur qui souvent n'est pas loin de réfrigérer. L'évolution du jazz moderne trouva bientôt des formes moins abstraites, plus sensuelles, plus vitales.

Le problème consistait, ainsi que le formula Stearns, à « jouer cool sans être froid ».

L'influence de l'école de Tristano demeure perceptible à travers tout le jazz moderne, quoique de manière très éloignée du mode de froideur « tristanoïste ». Cela se vérifie sur le plan harmonique, et plus encore sur le plan mélodique par une préférence marquée pour les longs développements linéaires.

Après Tristano, le centre du mouvement se déplaça tout d'abord vers la côte Ouest. Là se développa, en relation directe avec le Miles Davis Capitol Band, un « West Coast jazz », souvent interprété par des musiciens qui gagnaient leur vie en jouant dans les orchestres de studio de Hollywood. Le trompettiste Shorty Rogers, le batteur Shelly Manne, et le clarinettiste et saxophoniste Jimmy Giuffre devinrent les têtes de file du West Coast jazz. Leur musique contenait des éléments de la tradition musicale académique européenne ; le contenu jazz direct et vital passait souvent au second plan. Les experts affirmaient que New York demeurait la véritable capitale du jazz. C'est là que se faisait le vrai jazz vital moderne, mais ancré dans la tradition. Le jazz de la côte Ouest se trouvait confronté au jazz de la côte Est.

Il est devenu apparent depuis lors que les deux « côtes » n'étaient pas des entités stylistiques aussi tranchées que les slogans publicitaires des compagnies de disques le donnaient à entendre. La tension réelle dans l'évolution du jazz des années cinquante ne s'exerçait pas tant entre deux côtes, qu'entre une direction classique et un groupe de jeunes musiciens, en majeure partie noirs, qui jouaient une forme moderne du be-bop, dénommée hard bop.

Le nouveau classicisme du jazz — ainsi que le qualifia le critique André Hodeir — trouva ses « classiques » dans la musique que Lester Young et Count Basie interprétaient dans les années trente, tout d'abord à Kansas City, puis à New York. Maints musiciens des deux côtes, blancs ou noirs, s'orientèrent vers cette musique : Al Cohn, Joe Newman, Ernie Wilkins, Manny Albam, Johnny Mandel, Chico Hamilton, Buddy Collette, Gerry Mulligan, Bob Brookmeyer, Shorty Rogers, Quincy Jones, Jimmy Giuffre. Un nombre impressionnant d'« hommages à Count Basie » furent enregistrés durant les années cinquante. Le nom de Basie est garantie de clarté, de qualité mélodieuse, de swing et sans aucun doute de cette « noble simplicité » dont Winckelman, un érudit allemand du XVIIIe siècle, parle dans sa définition célèbre du classicisme. (Il est étonnant de constater combien il est possible d'employer fréquemment, et presque de manière littérale, les termes des classiques allemands de l'époque de Goethe en parlant du classicisme du jazz moderne. Il suffit de substituer aux noms et aux concepts de l'art et de la mythologie grecs, ceux de Count Basie, Lester Young, swing, beat et blues.)

Face à ce classicisme se dressait une génération de jeunes musiciens, dont les principaux représentants vivaient à New York, quoique la plupart fussent orginaires de Détroit ou de Philadelphie. Leur musique était du bop le plus pur, enrichi par une meilleure connaissance des fondamentales harmoniques et par un plus grand degré de perfection instrumentale et technique. Ce hard bop fut le jazz le plus dynamique de la seconde moitié des années cinquante. Il fut l'œuvre de groupes dirigés entre autres par les batteurs Max Roach et Art Blakey et par le pianiste Horace Silver ; par des musiciens tels que les trompettistes Clifford Brown, Lee Morgan et Donald Byrd, les ténors Sonny Rollins, Hank Mobley, etc. — sans oublier le John Coltrane des débuts.

Le hard bop innovait sans sacrifier la vitalité. Il arrive en effet trop fréquemment en matière de jazz que la nouveauté s'exprime au détriment de la vitalité. Ainsi le batteur Shelly Manne dut-il sacrifier au raffinement musical surprenant de son jeu une bonne part de sa spontanéité et de son punch. Son confrère Elvin Jones réussit en revanche à découvrir des rythmes possédant simultanément une complexité de structure *et* une vitalité qu'on n'avait jamais entendues auparavant dans le cadre d'une telle combinaison. Horace Silver redécouvrit de nouvelles manières de combiner la structure à trente-deux mesures, qui est le fondement de la plupart des improvisations de jazz, avec d'autres formes — les combinant en « groupes » ou en « blocs » de formes (ainsi que l'avaient fait avant lui les pianistes de ragtime, Jelly Roll Morton, et d'autres musiciens des débuts du jazz sous l'influence de la forme sérielle de la valse viennoise). Le saxo ténor Sonny Rollins créa à travers ses improvisations des structures grandioses, alors considérées comme « polymétriques », tout en parcourant les matériaux harmoniques donnés avec une liberté et une aisance que même l'école de Tristano était incapable d'égaler.

Marshall Stearns a dit : « En vérité, le jazz moderne tel qu'il est interprété à New York par Art Blakey et ses Messengers, Jay et Kai, Max Roach et Clifford Brown, Art Farmer et Gigi Gryce, Gillespie, Davis, et d'autres... n'a jamais perdu de son feu. Les harmonies du cool jazz — et du bop — furent reprises, l'attitude de résignation disparut, la sonorité légère subsista, mais la musique conserva toujours une acuité mordante. En un mot : elle s'est modifiée, mais est demeurée sur un plan fondamental "hot" et "swing"... Le terme "cool" a perdu sa signification — à moins qu'il ne soit pris dans un sens général de “sensible” et “souple”.» Cette dernière phrase s’applique aux deux directions du jazz des années cinquante : le classicisme et le nouveau bop.

Il est également vrai que ces deux mouvements avaient découvert une nouvelle relation avec le blues. Le pianiste-compositeur Horace Silver et quelques autres ont imposé une manière de jouer baptisée « funky » : un blues lent ou moyen, joué fort sur le temps, avec tout le feeling et l’expressivité caractéristiques du vieux blues. Ce dernier ne fut pas le seul à jouer un rôle nouveau et marquant en jazz, il y eut également les gospels des églises noires. Le mode de jeu fut nommé « soul », il est lié à Horace Silver mais également au chanteur et pianiste Ray Charles et au vibraphoniste Milt Jackson. Les musiciens de jazz de toutes confessions sur les deux côtes se lancèrent dans le funky et le soul avec un enthousiasme remarquable. Ils agirent ainsi d’une manière qui donne à penser que des influences extra-musicales se faisaient sentir, aucune raison purement musicale n’étant apparente. Un lecteur suggéra, dans une lettre à l’éditeur du magazine *Down Beat* (printemps 1958), que « le musicien cool songe peut-être, en utilisant le cadre funky-blues, à son contenu caché... Celui-ci exprime une relation “chaleureuse” — plutôt que “froide” (cool) — à la vie... Si le contenu du blues véritable est triste, il ne s’agit pas d’une tristesse désespérée ». La lettre se poursuit par une discussion d’une « transformation spirituelle » du musicien de jazz cool. Le romancier Jack Kerouac, qui s’intéressa de près au jazz, suggéra que ce phénomène répondait peut-être à des pulsions religieuses.

L’attrait du funky et du soul exprime le désir d’appartenance, le besoin de « quelque chose » qui fournisse une apparence de sécurité dans un monde empreint d’un réalisme froid. Le soul dont les racines plongent dans la musique gospel des églises connut un succès à grande échelle dans la musique populaire de la fin des années soixante ; le style funky, qui émane du blues, rencontra le même accueil durant les années soixante-dix où il donna naissance au « funk ». Le point important à ne pas oublier est que ces formes étaient nées du jazz ou, de manière plus générale, de la tradition et de la sensibilité noire.

Cette recherche d'un sentiment de sécurité et d'appartenance devint encore plus claire une décennie plus tard, dans le free jazz. Ainsi, Albert Ayler transplanta-t-il la musique de cirque, le country et les marches — des motifs appartenant nettement au « bon vieux temps » sûr et sain — dans ses improvisations libres, atonales et extatiques. D'autres musiciens de free jazz accentuèrent à l'excès leur haine du monde blanc et trouvèrent un domaine de substitution leur offrant l'acceptation et la sécurité du groupe dans une communion avec quiconque partageait cette haine — une réaction psychologique familière pour qui connaît un peu la psychanalyse.

Durant la période du jazz cool, la musique contrapuntique et linéaire de Jean-Sébastien Bach procurait une satisfaction à ce besoin d'appartenance dans le Modern Jazz Quartet du pianiste John Lewis. Toute une série de fugues jazz fleurirent pendant la première moitié des années cinquante ; elles s'estompèrent lorsque la puissance et la vitalité reprirent le devant de la scène avec le hard bop.

Les années 1960 : le free jazz

Les innovations du jazz des années soixante — du free jazz — furent :

1. Une percée dans l'espace ouvert de la « tonalité libre ».
2. Une nouvelle conception rythmique, caractérisée par une désintégration du mètre, du temps et de la symétrie.
3. L'intégration de la « musique mondiale » dans le jazz, qui s'ouvrait soudainement à toutes les grandes cultures musicales — de l'Inde à l'Afrique, du Japon à l'Arabie.
4. Une accentuation de l'intensité inconnue des styles de jazz précédents. Le jazz avait toujours été supérieur en intensité aux autres formes de musique occidentale, mais jamais auparavant l'intensité n'avait été accentuée avec une telle sensualité extatique, orgiaque — parfois quasi religieuse — que dans le free jazz. De nombreux musiciens de free jazz faisaient de l'intensité un véritable « culte ».
5. Une extension de la sonorité musicale dans le domaine du bruit.

Vers le début des années soixante la musique de jazz investit le domaine de la tonalité libre, parfois même de l'atonalité, à l'instar de la musique de concert quarante ou cinquante ans plus tôt. Les spécialistes du jazz espéraient cette évolution depuis une quinzaine d'années ; elle fut anticipée dès 1949 dans *Intuition* et *Digression* de Lennie Tristano ; quelques musiciens importants des années cinquante — en particulier George Russel et Charles Mingus — lui avaient ouvert la voie. Une « nouvelle musique », un « nouveau jazz », était né — n'hésitant pas, comme maintes innovations dans le domaine des arts, à commencer par choquer délibérément le grand public. La puissance et la dureté du nouveau jazz, s'additionnant à un pathos révolutionnaire, en partie extra-musical, bouleversa le jazz des années soixante. Cette véhémence fut d'autant plus forte que de nombreuses tensions avaient été refoulées durant les années cinquante, alors que la percée était imminente mais qu'on l'évitait avec une angoisse presque pathologique. Toutes ces tensions refoulées se déversèrent en avalanche sur un public d'amateurs de jazz ravis, qui s'était accommodé d'Oscar Peterson et du Modern Jazz Quartet.

Pour la plus jeune génération de musiciens de free jazz, la musique qui les avait précédés paraissait épuisée dans ses possibilités de jeu et de procédure, de structure harmonique et de symétrie métrique. Elle était devenue rigide, engoncée dans ses clichés et ses formules prévisibles ; la situation était semblable à ce qu'on avait connu vingt ans plus tôt, lorsque naquit le be-bop. Tout semblait se dérouler selon le même schéma immuable. Toutes les possibilités des formes traditionnelles et de la tonalité conventionnelle paraissaient épuisées. C'est la raison pour laquelle les jeunes musiciens recherchaient de nouvelles manières de jouer — et pendant ce temps le jazz redevenait ce qu'il avait été dans les années vingt lorsque le public blanc l'avait découvert : une grande aventure, folle, excitante, audacieuse. Enfin, on retrouvait les improvisations collectives, avec des lignes se frottant et se croisant de manière sauvage et libre. Ceci aussi évoque La Nouvelle-Orléans — avec des nuances sur lesquelles nous aurons l'occasion de revenir.

Don Heckmann, critique et musicien, dit un jour : « Je

pense que tout au long de l'histoire du jazz l'esprit d'improvisation a eu tendance à s'affranchir des restrictions harmoniques. »

La tonalité libre est toutefois perçue d'une manière fondamentalement différente en jazz et dans la musique de concert européenne. Le free jazz de l'avant-garde new-yorkaise renfermait ce que l'on nomme des « centres tonals » (cf. le chapitre traitant de l'harmonie) en quantités de beaucoup supérieures à, disons, la musique d'avant-garde « sérielle » européenne. Ceci signifie que la musique participe vaguement à la gravitation générale de la dominante à la tonique, mais possède une vaste étendue de liberté à tous les autres égards.

Cette évolution fut si spontanée et si peu académique qu'il n'est pas permis d'utiliser le terme européen « atonalité » dans un sens exclusivement conventionnel. Il n'est nullement surprenant que de nombreux musiciens de free jazz aient exprimé leur mépris explicite à l'encontre de la musique académique et de son vocabulaire (Archie Shepp : « Lorsque mes propres rêves me suffisaient, je faisais abstraction de la tradition musicale occidentale. ») Dans le nouveau jazz, l'« atonalité » — ou, mieux : la « tonalité libre » — a de multiples significations : elle englobe toutes les étapes, des « centres tonals » intimistes à la liberté harmonique complète. Confrontés à l'atonalité radicale, de plus en plus de musiciens prennent conscience du fait qu'il est impossible de remplacer le système harmonique par « rien » — par une absence de système.

En dépit de la brièveté de son histoire, le jazz a une « tradition atonale » beaucoup plus longue que la musique européenne. Les « shouts » et les « field hollers », le blues archaïque des plantations du Sud, en fait presque tous les précurseurs musicaux du jazz — qui survécurent également en tant qu'éléments du jazz — jouissaient d'une liberté tonale complète ; le plus souvent pour la simple et bonne raison que les chanteurs ignoraient tout de la tonalité européenne. Les musiciens du bon vieux temps de La Nouvelle-Orléans ne se souciaient pas des lois harmoniques. Certains enregistrements de Louis Armstrong datant des années vingt — *Two Deuces* avec Earl Hines, par exemple

— comptent parmi ses plus belles œuvres, pourtant ils contiennent des notes qui sont « fausses » en termes de tonalité européenne académique.

Marshall Stearns, qui attira l'attention sur tous ces points dès qu'ils furent esquissés à la faveur de l'ère du hard bop, prédit : « La subtilité des libertés harmoniques, que les musiciens de jazz savaient parfaitement intégrer dans le système de l'intonation parfaite de la musique européenne, se dirige nettement vers un but prévisible : la liberté du cri de la rue et du "field holler". »

En d'autres termes, il existe une tradition d'atonalité — ou tout au moins de liberté harmonique — tout au long de l'histoire du jazz, alors que l'atonalité fut introduite dans la musique européenne par une avant-garde — l'avant-garde « classique » commençant avec Schoenberg, Webern et Berg. Ainsi, l'atonalité du jazz est-elle devenue le point de jonction de la tradition et de l'avant-garde — un point de départ véritablement sain et avantageux dont il est rare que bénéficie un art en évolution.

Il ne fait aucun doute que des musiciens tels Ornette Coleman, Archie Shepp, Pharoah Sanders et Albert Ayler sont plus proches de la liberté harmonique « concrète », évocatrice de la musique folk du « cri des champs » et du blues populaire archaïque que de l'atonalité européenne intellectuelle et abstraite. Ornette Coleman, par exemple, ignorait qu'il existait aussi une tonalité libre dans la musique européenne jusqu'à ce qu'il rencontre John Lewis et Gunter Schuller en 1959-1960. A cette époque il avait déjà développé sa conception musicale personnelle.

Nous nous sommes trouvés pendant plusieurs années dans une situation telle que la liberté du free jazz était souvent comprise comme une liberté par rapport à tout système musical formé en Europe — l'accent étant mis sur « formé en Europe ». L'émancipation formelle et harmonique à l'égard de la musique du « continent blanc » s'intégrait dans une émancipation raciale, sociale, culturelle et politique plus vaste. La « musique noire », telle que perçue par nombre de ces musiciens et par LeRoi Jones (Amiri Baraka), l'un de leurs plus éloquents porte-parole, devint « plus noire » que jamais du fait de la rupture de son lien le plus puissant avec la tradition européenne qu'étaient les lois harmoniques. (Cf. les citations de Jones et de l'un de ses amis dans le chapitre consacré à Ornette Coleman et à John Coltrane.)

Il existe un parallèle entre le jazz et la musique de concert européenne, mais uniquement dans la mesure où tous deux affichent un mépris croissant à l'encontre du caractère mécanique du système traditionnel de l'harmonique fonctionnelle. Ce système est devenu un obstacle au développement de la musique en substituant de plus en plus sa mécanique fonctionnelle propre aux décisions individuelles, et son abolition est une évolution logique que connurent d'autres arts, cultures et traditions. Lorsqu'un principe structurant est épuisé et que les artistes créatifs ont la conviction que tout ce qui pouvait être dit dans ses limites l'a été, il convient de l'abandonner. Je crois que personne, après soixante années de musique de concert moderne, ne prétendra sérieusement que ce principe traditionnel soit le *seul* valable.

La prétention de l'harmonique européenne à la validité exclusive est contredite non seulement par des considérations artistiques et physiques, mais encore par les multiples principes et systèmes différents ayant prouvé leur valeur dans les autres cultures du monde. L'affirmation voulant qu'un système unique possède les réponses à toutes les questions est devenue indéfendable, en particulier compte tenu des développements politiques et culturels actuels. Il reste, par ailleurs, à déterminer dans quelle mesure la conception harmonique libre est la solution. Il est toutefois erroné de rejeter cette conception sous prétexte qu'elle est « incompréhensible », car il est indubitable qu'elle fut perçue de manière immédiate et sans discussion préalable par une minorité d'auditeurs et par une majorité de jeunes musiciens de jazz aux quatre coins du monde.

Le jazz devrait être considéré comme un phénomène spirituel et culturel s'intégrant aux mouvements spirituels et culturels de ce siècle. On trouvera des parallèles qui n'ont rien de fortuit entre la libération du jazz par rapport à l'harmonique fonctionnelle et des développements similaires dans d'autres arts contemporains. Nous avons évoqué la musique de concert. Le parallèle avec la littérature moderne est tout aussi évident. Les tendances antigrammaticales et antisyntaxiques de maints auteurs modernes — Raymond Queneau, Arno Schmidt, Helmut Heissenbüttel, Butor, William Burroughs et surtout James Joyce, et bien d'autres écrivains s'exprimant dans toutes les langues importantes — correspondent à bien des égards aux tendances antiharmoniques des musiciens de free jazz. La séduction de la syntaxe et de la grammaire attire de plus en plus le langage dans un tunnel fonctionnel et causal similaire à celui dans lequel s'est engagée la musique sous l'influence de l'harmonique fonctionnelle. Chaque étape dérivait directement et nécessairement des précédentes de sorte que l'artiste créatif ne disposait en définitive pour toute alternative que de choisir dans un catalogue déterminé par la syntaxe, la grammaire et l'harmonique.

La philosophie moderne, qui s'éloigne de plus en plus des systèmes clos, nous offre une illustration supplémentaire du même phénomène : lorsqu'un système philosophique était établi, toute réflexion ultérieure au sein de ce système affichait les mêmes caractéristiques de réponse mécanique à des règles grammaticales ou harmoniques.

Tous les nouveaux styles de jazz ont créé de nouveaux concepts rythmiques. Le free jazz ne fait pas exception à la règle. Deux faits fondamentaux déterminent les concepts rythmiques différents dans l'histoire du jazz du new orleans au hard bop : 1) un mètre fixe, généralement 2/4 ou 4/4 (jusqu'à l'apparition de la valse et d'autres mètres inégaux dans les années cinquante), est répété constamment ; 2) la mesure propre au jazz produit des accents qui ne correspondent pas nécessairement à ceux que placeraient dans le même mètre des musiciens ayant reçu une formation classique. Le free jazz abattit les deux piliers rythmiques du jazz conventionnel — le mètre et la mesure. La mesure fut remplacée par la « pulsion » et le mètre, qu'ignorèrent certains batteurs de jazz comme s'il n'avait jamais existé, fut remplacé par de larges arcs de tension rythmiques, construits avec une intensité incroyable. (Nous aurons l'occasion de revenir sur ce point dans les chapitres consacrés au rythme et aux percussions.) Sunny Murray, l'un des principaux batteurs de free jazz, qualifia de « mesure cliché » le rythme traditionnel de la batterie, comparable à l'esclavage et à la pauvreté. La percussion libre traduit « une aspiration à une condition meilleure ».

Le fait d'avoir accès à la musique mondiale fut aussi important pour le jazz que les innovations harmoniques et rythmiques. Le jazz se développa au sein d'une dialectique — la rencontre entre le Noir et le Blanc. La contrepartie du jazz fut, pendant les soixante premières années de son histoire, la musique européenne. L'interaction avec la tradition musicale européenne n'était nullement une activité marginale. Presque tous les styles de jazz naquirent au sein de et grâce à cette interaction dialectique.

Au cours de ce processus, le domaine de la « musique européenne » devenait sans cesse plus large. Pour les pianistes de ragtime du début du siècle il s'agissait des compositions de piano du XIXe siècle. Pour les musiciens de La Nouvelle-Orléans, cela signifiait l'opéra français, la musique de cirque espagnole, et les marches européennes. Bix Beiderbecke et ses collègues de Chicago découvrirent Debussy dans les années vingt. Les arrangeurs de Swing apprirent l'art de l'orchestration des derniers romantiques de la période symphonique... Enfin, lorsque l'évolution eut dépassé le jazz cool, les musiciens avaient intégré presque tous les éléments de la musique européenne qu'il leur était possible d'utiliser, du baroque à Stockhausen.

Ainsi, le rôle de la musique européenne en tant que contrepartie stimulante du jazz — ou tout au moins que seule contrepartie — était révolu. Outre cette raison musicale, il y en avait d'autres extra-musicales — raciales, sociales et politiques — ainsi que nous l'avons déjà signalé. C'est pourquoi les musiciens de jazz découvrirent de nouveaux partenaires avec une ferveur croissante : les grandes cultures musicales non européennes.

Les cultures arabes et indiennes exercèrent sur eux une fascination toute particulière. On constate des tendances islamiques chez les Afro-Américains depuis le milieu des années quarante ; en d'autres termes, depuis l'époque où est né le jazz moderne. Des dizaines de musiciens de jazz se sont convertis à l'islam, et d'aucuns adoptèrent des noms arabes. Le batteur Art Blakey fut connu pendant quelques années de ses amis musulmans sous le nom de Abdullah Ibn Buhaina ; durant les années quarante le saxophoniste Ed Gregory s'était déjà rebaptisé Sahib Shihab.

Dans ce rejet de la « religion blanche », l'émancipation par rapport à l'homme blanc trouve une expression particulièrement efficace. L'écrivain noir James Baldwin dit : « Quiconque désire devenir un être humain vraiment moral doit commencer par se détacher de toutes les prohibitions, de tous les crimes et de toutes les hypocrisies de l'Église chrétienne. L'idée de Dieu n'est valable et utile que si elle contribue à nous rendre plus grands, plus libres et plus aptes à aimer. » Des millions de Noirs américains croient — « après deux cents ans de vaines tentatives » — que le Dieu chrétien ne permet pas d'atteindre un tel objectif. Aussi, affirme Baldwin, « il est temps que nous nous en débarrassions ».

Il n'y avait qu'un petit pas à franchir entre la conversion religieuse à l'islam et l'intégration de son patrimoine musical. Des musiciens tels Yusef Lateef, Ornette Coleman, John Coltrane, Randy Weston, Herbie Mann, Art Blakey, Roland Kirk, Sahib Shihab et Don Cherry aux États-Unis ; et entre autres George Gruntz et Jean-Luc Ponty en Europe — tous n'étant pas de confession musulmane — ont exprimé leur fascination à l'égard de la musique arabe dans leurs compositions et leurs improvisations.

L'intérêt pour la musique indienne, avec sa grande tradition classique, fut encore plus marqué que celui pour la musique arabe. Ce qui fascinait le plus les musiciens de jazz dans la musique indienne était sa richesse rythmique. La grande musique classique de l'Inde se fonde sur les talas et les ragas.

Les talas sont des séries et des cycles rythmiques d'une diversité immense — de 3 à 108 temps. Il importe de savoir que les musiciens indiens, et les auditeurs entraînés, sont capables d'apprécier même les talas les plus longs — 108 temps — comme une série et comme une structure musicale prédéterminée et de se les remémorer en tant que tels.

Les talas offrent en général un grand choix de structures rythmiques possibles. Un tala formé en dix temps, par exemple, peut être conçu comme une série de « 2-3-2-3 » ou « 3-3-4 » ou « 3-4-3 » temps.

La série permet une grande liberté d'improvisation ; les musiciens peuvent s'égarer loin les uns des autres. Mais la tension caractéristique de la musique indienne se fonde dans une large mesure sur le fait que les lignes d'improvisation individuelles doivent en définitive se retrouver sur le premier temps, baptisé « sam ». Après les mouvements mélodiques divergents, cette rencontre est souvent perçue comme un soulagement presque orgiaque.

C'est cette richesse rythmique de la musique indienne qui séduit tout particulièrement les musiciens de jazz. Ils désirent se libérer de l'uniformité 4/4 du temps jazz conventionnel et constant sur le plan métrique, tout en recherchant des structures rythmiques et métriques qui créent une intensité compatible avec le jazz.

Contrastant avec le tala bien défini au niveau rythmique, le raga est une ligne mélodique dans laquelle se retrouvent de nombreux éléments qui ont été classés de manière différente dans la musique européenne : thème, tonalité, tempo, phrasé, et la forme déterminée par le flux mélodique. Ainsi, un raga particulier peut nécessiter qu'une certaine note ne soit utilisée qu'après que toutes les autres notes du raga ont été exécutées. Il est des ragas à ne jouer que le matin, ou la nuit, ou à l'occasion de la pleine lune ou encore avec des pensées religieuses à l'esprit. Et surtout les ragas sont des « modes », ils correspondent donc idéalement à la tendance à la modalité du jazz moderne (cf. le chapitre consacré à l'harmonie).

Un grand nombre de musiciens de jazz ont étudié avec les grands maîtres de la musique classique indienne. Le terme « classique » est important, car il ne s'agit nullement de musique folklorique. Elle est en effet aussi « classique » que son équivalente européenne. L'audace avec laquelle des dizaines de musiciens de jazz des années cinquante et soixante ont abordé les grandes cultures musicales exotiques va bien au-delà des développements comparables dans la musique de concert européenne moderne. A quelle intensité et à quelle complexité irrésistibles accède-t-on lorsque Don Ellis réalise des compositions pour grand orchestre telles que *3-3-2-2-2-1-2-2-2* et *New Nine* de talas indiens ; lorsque Miles Davis et Gil Evans transforment le *Concerto d'Aran-*

juez de Joaquin Rodrigo en un flamenco jazz ; lorsque Yusef Lateef convertit des éléments japonais, chinois et égyptiens en blues dans son disque *A Flat, G Flat and C* ; et lorsque Sahib Shihab, Jean-Luc Ponty et George Gruntz jouent avec des bédouins arabes sur l'album *Noon in Tunisia*. Comparées à cela l'utilisation des sons indiens et balinais par Debussy, Messiaen et Roussel ou l'influence des rythmes chinois chez le compositeur allemand moderne Boris Blacher, paraissent timides et marginales.

Les nouveaux musiciens de jazz transforment la musique du monde en des sons qui swinguent. Ils agissent ainsi avec la joie libératrice de l'aventurier et de l'explorateur et avec une ferveur dont la générosité quasi messianique et universelle s'exprime dans le titre de bon nombre de leurs albums : *Spiritual Unity* et *Holy Ghost* d'Albert Ayler ; *Complete Communion* de Don Cherry ; *Communication* de Carla Bley ; *Globe Unity* de Schlippenbach ; *Try Love* de Yusef Lateef ; *Peace* d'Ornette Coleman ; *Love, Love Supreme, Elation* et *Ascension* de John Coltrane ; ou dans des morceaux tels que *Sun Song, Sun Myth* et *Nebulae* extraits d'*Heliocentric Worlds* de Sun Ra and his Solar Arkestra. On perçoit le message de ces titres lorsqu'on les envisage dans un contexte unique : « ... de l'unité spirituelle à la communication et à la communion complètes avec le globe considéré comme une entité — et, à travers cela, l'amour et la paix pour tout le monde et le salut dans une extase pan-religieuse... L'ascension et l'aspiration cosmiques vers des soleils, des nébuleuses mythologiques et des mondes héliocentriques. »

Il importe de noter que les musiciens de jazz ne firent qu'accentuer sur le plan artistique et musical ce que les membres les plus conscients de la communauté noire découvraient en dehors de la musique. Ainsi, en mars 1967 les professeurs et les étudiants d'un collège de New York fréquenté essentiellement par des Noirs boycottèrent tous les concerts de musique classique européenne, non pas par manque d'intérêt pour cette forme d'expression — bien au contraire, l'activité musicale était supérieure à la moyenne dans cet établissement — mais parce qu'ils jugeaient injuste qu'on ne leur propose que des concerts de musique européenne, et jamais du jazz ou de la musique indienne, arabe, africaine, etc. : « Cette sélection est arbitraire et se fonde sur l'histoire européenne et non pas sur la nôtre. »

La pénétration des sons musicaux dans le domaine du bruit est liée à la découverte de la musique du monde mais plus encore à un accroissement de l'intensité. Pendant des siècles, des cultures musicales exotiques ont produit des sons qui ne paraissent pas nécessairement « musicaux » à une oreille ayant reçu une formation classique. Leur intensité explosive a littéralement fait sauter les barrières sonores conventionnelles des instruments de nombreux musiciens de free jazz : les saxophones résonnent comme le « bruit blanc » intensifié de la musique électronique, les trombones comme des bruits de tapis roulant, les trompettes comme des vaisseaux d'acier échappant à la pression atmosphérique, les pianos comme des câbles crépitant, les vibraphones comme des souffles de vent dans des branches métalliques ; les groupes improvisant collectivement produisent des grondements évoquant quelques créatures mythologiques primitives.

En fait, la frontière entre le son musical et le bruit, qui paraît si claire et si naturelle à un auditeur moyen, n'est pas définissable de manière physique ; elle se fonde sur des conventions traditionnelles, tacites. La musique peut, fondamentalement, employer tout ce qui est audible. C'est en fait son objectif essentiel. Il est impossible de l'atteindre lorsque certains sons seulement sont jugés appropriés à la musique alors que les autres sont rejetés.

Stockhausen dit : « Des sons autrefois qualifiés de bruit sont désormais intégrés dans le vocabulaire de notre musique... Tous les sons sont musique... la musique qui utilise tous les sons est la musique d'aujourd'hui, pas de demain, dans notre ère spatiale où le mouvement, la direction et la vitesse des sons sont des éléments calculés d'une composition. Le propos est de rafraîchir et de renouveler le monde des sons que nous connaissons en utilisant tous les moyens disponibles de notre temps, comme le fit chaque période de l'histoire. »

Ces considérations de Stockhausen résultent essentiellement de ses propres expériences en matière de musique électronique. Mais il est vrai qu'elles s'appliquent à tout processus acoustique créé par l'homme : il est possible de jouer du piano non seulement sur les touches, mais encore en plongeant en son ventre et faisant vibrer directement les cordes ; les violons peuvent être battus ; les trompettes sont utilisables sans embouchure, en tant que tuyau d'insufflation. Les personnes qui tournent en dérision ces manières d'utiliser des instruments prouvent tout simplement que pour elles la musique n'est rien de plus que le respect de règles conventionnelles. Un instrument existe pour produire des sons. Il n'est aucune loi gouvernant le processus de cette production. Bien au contraire, le musicien a pour tâche de trouver constamment des sons nouveaux. Pour ce faire, il est en droit d'utiliser des instruments conventionnels de manière originale, d'inventer de nouveaux instruments, etc. Cette tâche constitue désormais un défi majeur pour de nombreux musiciens. Plusieurs percussionnistes britanniques modernes écrivirent des déclarations détaillées dans un numéro du magazine d'avant-garde *Microphone*, mais le batteur de jazz Tony Oxley se contenta d'une phrase : « L'activité la plus importante consiste pour moi à enrichir mon vocabulaire. » Cette opinion est caractéristique de bien des musiciens contemporains.

Nous vivons à une époque qui a engendré des sons nouveaux d'une diversité inimaginable : les avions à réaction et les explosions atomiques, les bruits d'oscillation et le craquement fantomatique résonnant dans les immeubles d'assemblage de l'industrie de précision. Les habitants des grandes villes sont soumis à un barrage de décibels que les hommes d'époques antérieures auraient jugé insupportable physiquement et qui les aurait plongés dans des paroxysmes de confusion psychologique. Les scientifiques ont amplifié les sons produits par la croissance des plantes de plusieurs millions de décibels jusqu'à les rendre assourdissants. Nous savons désormais que les poissons, que les romantiques du siècle dernier considéraient comme étant les créatures les plus paisibles, évoluent en réalité dans un environnement de sons continus. Chaque être humain vivant aujourd'hui est affecté par cette expansion du domaine de l'audible. Faut-il que les musiciens, dont le sujet est justement le son, soient les seuls à ne pas réagir à cette influence ?

Le free jazz devint en quelques années une forme d'expression des plus variées, maîtrisant toute la gamme des émotions humaines. Il convient de se libérer de la conception erronée selon laquelle cette musique n'exprime que la colère, la haine et la contestation. Cette impression partiale fut créée essentiellement par un petit groupe de critiques et de musiciens de jazz new-yorkais, qui ne sont nullement représentatifs de l'ensemble du free jazz. Outre la contestation, il y a la ferveur religieuse de John Coltrane, la gaieté d'Albert Ayler, la « froideur » intellectuelle et néanmoins drôle de Paul Bley ou de Ran Blake, l'amplitude cosmique de Sun Ra, et la sensibilité de Carla Bley.

Durant les années soixante, de plus en plus de jeunes musiciens et amateurs de jazz s'ouvrirent aux nouvelles sonorités. Tandis que la critique et une partie du public criaient au « chaos », le nouveau jazz trouvait son audience — non seulement aux États-Unis, mais encore en Europe, où se développa un type autonome de musique libre, le free jazz européen. Il existe peu de pays où le free jazz tienne une place aussi importante qu'en Allemagne — tout d'abord en Allemagne fédérale, et de plus en plus en Allemagne démocratique depuis la fin des années soixante. On est bien fondé de croire qu'après l'AACM de Chicago (cf. le chapitre suivant) le groupe de musiciens de free jazz le plus homogène, tant musicalement qu'individuellement, est celui des représentants allemands de la musique libre.

Une affirmation ne cesse de revenir dans les innombrables critiques suscitées par ce nouveau style de musique, à savoir : la nouvelle liberté débouchera en définitive sur le chaos. Toutefois, après l'enthousiasme initial compréhensible provoqué par la liberté nouvelle, les musiciens découvrant que la liberté ne constitue pas le seul point important. Le batteur de free jazz Sunny Murray avait déjà déclaré : « Le premier quidam venu pourra vous donner un exemple de liberté complète. Donnez-lui vingt dollars et il vous jouera quelque chose de vraiment libre. » Des commentaires de ce genre son devenus toujours plus fréquents depuis la fin des années soixante. Cette évolution s'explique notamment par le fait que les musiciens constataient que le free jazz développait ses propres clichés. Or les clichés du free jazz — auxquels il manquait une tradition — apparurent encore plus vides que ceux du jazz conventionnel qui venaient d'être détruits avec véhémence. Il s'ensuivit que la majorité des musiciens de free jazz manifestèrent un nouvel intérêt dynamique pour la tradition du jazz. Mais il y a d'autres raisons au fait que le « chaos » est un concept inapproprié. Considérons l'histoire de la musique européenne.

Une « musique nouvelle » est apparue à trois reprises au cours de cette histoire. Il y eut tout d'abord l'*Ars Nova*, qui apparut vers 1350 ; son représentant le plus important fut Guillaume de Machaut. Deux siècles et demi plus tard, vers 1660, naquit *le Nuove Musiche* avec la musique monodique de la *Stilo Rappresentativo* illustrée par Orazio Vecchi et Monteverdi. En ces deux occasions les autorités musicales, religieuses et séculières, s'accordèrent pour affirmer que la musique nouvelle marquait le début du chaos en musique. Dès lors, cette crainte ne s'éteignit jamais : Johann A. Hiller parlait « avec dégoût » de la « grossièreté » de Bach. Les copies de la première édition des quatuors de Mozart lui furent retournées, la gravure étant « très imparfaite ». « On crut que maints accords et dissonances étaient en fait des erreurs de gravure » (Franz Roh).

Les réactions des critiques contemporains de Beethoven sont toujours valables de nos jours : « Tous les spécialistes de la musique neutre étaient d'accord pour reconnaître qu'il n'existait rien dans l'histoire de la musique qui fût aussi criard, incohérent et révoltant à l'oreille. » (Cette remarque s'appliquait à l'ouverture de *Fidelio* !) Brahms, Bruckner, Wagner furent tous rangés, à une époque ou à une autre, dans la « confrérie des faiseurs de chaos ». Puis vint la troisième « musique nouvelle » — avec ses célèbres scandales, ses erreurs d'interprétation et de compréhension. Qu'il suffise de rappeler le tumulte provoqué par la première du *Sacre du Printemps* de Stravinsky à Paris en 1913, les divers scandales causés par Schoenberg, ou la première de *Pelléas et Mélisande* de Debussy en 1902 (l'œuvre fut qualifiée de « musique cérébrale », représentative des « tendances nihilistes »). Aujourd'hui ces « œuvres » appartiennent au domaine « classique », et paraissent bien « démodées » à la jeune avant-garde. Qui plus est, les compositeurs d'Hollywood utilisent des harmonies et des sons empruntés à ces compositions.

Il en alla de même en matière de jazz. Tout d'abord, la « musique nouvelle » de La Nouvelle-Orléans paraissait « chaotique » à l'oreille « avertie » : une errance sauvage et libre dans un territoire neuf et confus. Pourtant au début des années cinquante le jazz néo-orléanais était devenu une musique de danse pour jeunes bourgeois.

Lorsque apparut le be-bop en 1943, l'opinion quasi universelle fut que le chaos avait finalement triomphé, que la fin du jazz était proche. Aujourd'hui, la trompette et la voix de Dizzy Gillespie nous apparaissent aussi gaies et familières que le fameux *When the Saints Go Marching In.*

La conclusion à tirer de tout cela est que le terme « chaos » n'est rien de plus qu'une rengaine qui rime avec « histoire de la musique » aussi sûrement que « plaisir » et « loisir ». Cette remarque vaut également dans le cas du free jazz.

Un monde bourgeois qui reconnaît volontiers l'importance de son besoin de sécurité doit nécessairement prendre conscience du chaos qui l'entoure s'il veut éviter de désespérer totalement de la vie. En conférant ordre au chaos, en lui donnant une expression artistique, le free jazz offre une voie vers cette prise de conscience. Il n'est bien entendu possible d'organiser le chaos que si on l'aborde de front. C'est là que le « son du chaos » fait son apparition — tout d'abord dans la musique européenne classique, puis dans le jazz des années soixante.

Le free jazz veut nous obliger à renoncer à voir dans la musique un moyen de s'affirmer. L'homme, qui construit des ordinateurs et envoie des satellites vers Vénus, dispose de meilleurs moyens de s'affirmer. Quoi qu'il en soit, l'individu dont les problèmes raciaux et la politique du pouvoir reflètent toujours le style du XIXe siècle ne mérite pas de s'affirmer.

Lorsque je parle d'affirmation de soi en musique, je fais allusion à la manière dont nous avons tous écouté la musique : en anticipant toujours quelques mesures — et en nous sentant rassurés lorsque celles-ci répondaient exactement (ou presque) à notre attente. Nous pouvions ainsi être fiers d'avoir eu raison. La musique n'avait d'autre fonction que de favoriser cette autosatisfaction. Tout se déroulait parfaitement — et les quelques endroits où se produisaient des déviations ne faisaient qu'accroître la fascination.

Il faut écouter le free jazz en faisant fi de ce besoin d'affirmation. La musique ne suit plus l'auditeur ; c'est à l'auditeur de suivre la musique — de manière inconditionnelle — où qu'elle l'entraîne. Les membres d'un groupe d'avant-garde allemand, le Manfred Schoof Quintet, ont parlé du « vide » absolu, de la « tabula rasa », indispensable à ce genre d'expérience musicale. On a constaté aux États-Unis que les enfants étaient émerveillés par le free jazz. Ils écoutaient tout simplement ce qui se passait. Ils allaient là où les entraînaient les sons. Il n'y a dans leur esprit ou dans leur système sensoriel qui s'exclame au milieu de chaque phrase musicale : « Voilà comment cela doit se poursuivre ; voilà où doit aller la musique, et si elle n'y va pas c'est mal. » Ils ne demandent rien et en conséquence reçoivent tout. Les adultes, pour qui un morceau de musique — ou un poème ou un tableau — n'a presque d'autre fonction que de satisfaire leurs exigences, ne doivent pas se leurrer : outre la garantie d'une affirmation de soi, ils ne reçoivent rien.

Les années 1970

« La fusion doit se produire en vous. Sinon, elle n'adviendra pas du tout » (John McLaughlin).

Nous avons été capable, jusqu'à ce stade, de faire correspondre un style particulier à chaque décennie — en y perdant quelque peu sur le plan des distinctions subtiles, mais en y gagnant considérablement sur le plan de la clarté. Il nous faut toutefois abandonner ce principe en abordant les années soixante-dix. Cette décennie se caractérise par (au moins) cinq tendances distinctes :

1. Le jazz rock ou fusion : la combinaison de l'improvisation jazz, des rythmes rock et de l'électronique.

2. Une tendance vers la musique de chambre romantique européenne, une « esthétisation » du jazz, pour ainsi dire. Une multitude de solos et de duos non accompagnés firent soudain leur apparition, souvent sans le support d'une section rythmique — ni batterie, ni basse. On se passait désormais de divers éléments qui étaient jusqu'alors considérés comme indispensables au jazz : une puissance explosive, une tension, une expressivité prodigieuse, une intensité, une extase, et une absence de peur de la « laideur »... Comme le dit un critique américain, le jazz était « enjolivé » — ou, comme nous venons de le suggérer, « esthétisé ».

3. Le nouveau mainstream. Le courant principal du jazz poursuit son petit bonhomme de chemin, sans être tellement affecté par les modes et les tendances. Ses représentants sont les héritiers de la grande tradition du jazz du new orleans et de Louis Armstrong à Miles Davis et John Coltrane. L'époque où le « mainstream » était uniquement synonyme de Swing, comme dans les années cinquante, est révolue depuis longtemps. Miles Davis fut, durant la première moitié des années soixante-dix, une sorte de guide pour nombre de musiciens du mainstream moderne (cf. le chapitre qui lui est consacré) ; durant la seconde moitié de cette décennie ce fut John Coltrane (cf. le chapitre qui lui est consacré ainsi qu'à Ornette Coleman) ou plutôt son héritage, qui remplit ce rôle : un « classicisme John Coltrane » se développa.

4. La musique de la génération du nouveau free jazz. Lorsque la musique de fusion envahit la scène au début des années soixante-dix, et devint aussitôt un succès commercial, maints critiques écrivirent : le free jazz est mort. C'était là un jugement hâtif. La musique free était devenue underground (et à cette époque « underground » était également synonyme d'Europe). Les années 1973-1974 marquèrent le retour du jeu free, concentré sur l'« AACM » de Chicago, une association de musiciens fondée par le pianiste compositeur Muhal Richard Abrams. Au cours des années soixante-dix, les musiciens de free jazz, menés par les membres de l'AACM, conquirent une place de plus en plus importante. En 1979, l'éditeur de *Down beat* Charles Suber écrivit que

la véritable surprise du Sondage des Critiques de 1979 fut de voir que nombre de musiciens plébiscités — individuellement ou collectivement — étaient liés à l'AACM. Il paraît toutefois contradictoire que le free jazz des années soixante-dix fût d'une part plus soucieux de son devenir, et d'autre part (tout au moins pour les musiciens noirs) plus fermement et plus délibérément rattaché aux racines africaines de la musique noire. Les artistes de l'AACM ne qualifiaient plus leur musique de « jazz » mais — avec fierté — de « Grande Musique Noire ». (Nous reviendrons sur l'AACM dans le chapitre consacré aux combos de jazz.)

Le compositeur et multi-instrumentiste Anthony Braxton, produit de l'AACM, fut le premier musicien de free jazz à obtenir un certain succès commercial aux États-Unis dans les années soixante-dix.

5. Le développement progressif d'un nouveau type de musiciens qui transcendaient et intégraient le jazz, le rock et diverses cultures musicales.

On enregistre, bien entendu, parmi ces tendances d'innombrables chevauchements et regroupements. Tous ces styles de jeu se développèrent à travers l'interaction du free jazz avec la tonalité et la structure musicale conventionnelles, les éléments traditionnels du jazz, la musique de concert européenne moderne, et les éléments de cultures musicales exotiques (surtout indienne), avec le romantisme européen, le blues et le rock. « Ce n'est plus désormais le style de jeu seul qui est libre, c'est tout à la fois », déclara le clarinettiste Perry Robinson. L'aspect fondamentalement neuf est bien entendu le fait que la nature catégorique de tous ces éléments disparaissait. Les éléments n'existent plus en tant qu'entités distinctes, comme dans les amalgames antérieurs ; ils perdent leur nature singulière et deviennent musique pure.

Le jazz des années soixante-dix est essentiellement froid, même s'il paraît chaleureux. Il existe un même type de relation « classique » entre les styles des années soixante-dix et des années soixante, qu'entre le cool jazz des années cinquante et le be-bop des années quarante.

La liberté du free jazz n'était pas simplement synonyme

de caprice et de chaos. De nombreux musiciens de free jazz le savaient et insistèrent d'emblée sur ce point — mais au début des années soixante-dix, même les profanes en étaient conscients. La question de savoir quels objectifs s'était fixés la liberté des années soixante trouva sa réponse dans la musique des années soixante-dix. Les musiciens comprenaient désormais pourquoi la liberté avait été nécessaire : non pas pour que chacun puisse faire ce que bon lui semblait, mais plutôt pour permettre aux musiciens de jazz d'utiliser librement tous les éléments dont ils avaient maîtrisé les caractéristiques autoritaires et automatiques.

Ainsi, sur le plan de l'harmonie, les musiciens de jazz n'abandonnèrent-ils pas toute l'harmonie en apprenant à jouer avec une « tonalité libre ». Ils se dégagèrent simplement du fonctionnement automatique, mécanisé de l'harmonie scolaire conventionnelle, qui déterminait les progressions harmoniques dès l'instant où une structure harmonique avait été établie. Les musiciens de free jazz ont brisé cette circularité « autoritaire », mécanisée du processus harmonique — et ce faisant, ils se sont donné les moyens de jouer esthétiquement de « belles » harmonies.

On trouve un autre exemple de cela en matière de rythme : nous voyons aujourd'hui que le mètre régulier du jazz conventionnel n'a pas été dissous pour être détruit, comme se l'imaginèrent certains fanatiques aux premiers temps du free jazz. Il fut dissous, tout au contraire, parce que la nature automatique, mécanique de la mesure constante était remise en question. En fait, un mètre régulier et constant était tellement considéré comme allant de soi durant les soixante premières années de l'histoire du jazz que les décisions artistiques personnelles en ce secteur étaient quasiment impossibles. Depuis la première moitié des années cinquante plus rien n'est considéré comme allant de soi en matière de rythme. Il est désormais possible d'employer tous les types de rythmes et de mètres, constants ou non, avec d'autant plus de liberté et d'indépendance. Le free jazz fut un processus de libération. Ce n'est que maintenant que les musiciens de jazz peuvent être vraiment libres — libres également de jouer tout ce qui était strictement tabou pour nombre de musiciens créatifs de l'époque du free jazz : les tierces et les quintes justes, les progressions harmoniques fonctionnelles, les valses, les mesures à quatre temps, les formes et les structures perceptibles, et les sons romantiques.

Le jazz des années soixante-dix « mélodise » et structure la liberté du jazz des années soixante.

Pour les profanes, les années soixante-dix sont essentiellement la décennie de la musique de fusion, ou, comme on la nommait en Europe, du jazz-rock. Mais ainsi que je l'ai déjà dit, de nombreux éléments fusionnèrent dans cette musique, outre le jazz et le rock.

Les premiers signes de cette fusion apparurent vers la fin des années soixante dans des groupes tels que le Gary Burton Quartet, chez le flûtiste Jeremy Steig du Jeremy and the Satyrs, le quintet de John Handy, le pianiste Mike Nock du Fourth Way, le quartet de Charles Lloyd, les Free Spirit de Larry Coryell, le premier groupe Lifetime de Tony Williams, et chez divers big bands dits « compacts » inspirés de Blood, Sweat & Tears.

Il est intéressant de noter que le développement de la musique de fusion fut initialement plus marqué en Grande-Bretagne (s'amorçant dès 1965) qu'aux États-Unis — mais c'est également là qu'il s'acheva le plus rapidement (vers 1969). On pourrait dire, en exagérant un peu, que les années soixante étaient déjà la décennie de la musique de fusion en Grande-Bretagne — dans des groupes tels que Graham Bond Organisation de l'organiste Graham Bond, Colosseum, les Cream, Soft Machine ; et chez des musiciens tels que le guitariste John McLaughlin, le bassiste Jack Bruce, les batteurs Ginger Baker et Jon Hiseman et le saxophoniste Dick Heckstall-Smith.

Et pourtant, il ne fait aucun doute que ce fut Miles Davis qui permit la percée du jazz de fusion avec son album *Bitches Brew*, paru en 1970. Miles fut le premier à réaliser une intégration équilibrée et musicalement satisfaisante du jazz et du rock. Il fut le catalyseur du jazz-rock — non seulement grâce à ses albums mais encore du fait que maints musiciens importants de la décennie sont issus de ses groupes.

Il est intéressant de noter à quelle époque se produisit cette évolution. *Bitches Brew* est paru, nous venons de le voir, en 1970, en plein « crépuscule des dieux » de l'âge rock : Jimi Hendrix, Janis Joplin, Brian Jones, Jim Morrison et Duane Allman mouraient, les Beatles se séparaient. Le pire désastre de l'ère rock se produisait à Altamont, en Californie, à l'occasion d'un concert des Rolling Stones : quatre personnes trouvaient la mort, des centaines d'autres étaient blessées ; la merveilleuse bonne volonté de Woodstock était détruite ; et Woodstock — le miracle de la « Nation Woodstock », d'une société jeune, pleine d'amour, de tolérance et de solidarité — montrait son véritable visage. A New York et à San Francisco, le Fillmore East et le Filmore West, les hauts lieux de la musique rock, fermaient définitivement leurs portes. Soudain l'âge du rock avait perdu ses vibrations, l'âge avait perdu son rock. Aucun nouveau groupe, aucun nouveau venu ne se dressait au-dessus de la mêlée. Vers la fin de cette période, Don McLean chantait le triste refrain de la résignation, le fameux *American Pie* qui parlait « du jour où la musique mourut », l'hymne marquant la fin de l'ère rock. C'est ainsi que le monde entier reçut la chanson, qui se trouva en tête des hit-parades pendant plusieurs semaines.

Tous les événements énumérés ci-dessus se produisirent entre 1969 et 1972. Le nouveau jazz se développa de manière parallèle, intégrant rock et jazz. L'année 1969 fut marquée par la parution de l'album *In a Silent Way* de Miles Davis, qui ouvrit la voie à *Bitches Brew*. En 1971 se formaient Weather Report et le Mahavishnu Orchestra. Dès 1972 le nouveau jazz était établi, grâce aux groupes que nous présenterons dans le chapitre consacré aux combos. Quiconque se soucie d'« intégration », quiconque ne pratique pas l'ostracisme jazz *ou* rock, ne peut que conclure que ce parallèle chronologique ne fut pas totalement accidentel. L'âge rock — ou tout au moins ses meilleurs éléments — s'était fondu dans le nouveau jazz. Ce dernier sensibilisait la musique rock des années soixante au même titre que celle-ci avait sensibilisé le rock'n'roll des années cinquante.

Ce point devient plus clair lorsqu'on constate que le rock a influencé le jazz sur quatre aspects essentiels : 1. l'électrification des instruments ; 2. le rythme ; 3. l'attitude à l'égard des solos, et conséquemment, 4. l'importance plus grande accordée à la composition et aux arrangements ainsi qu'à l'improvisation collective. Sur chacun de ces plans le jazz sophistiqua une caractéristique que les musiciens de rock étaient incapables de développer plus avant.

Sur le plan de l'électronique, les instruments et accessoires suivants furent ajoutés à la panoplie de l'instrumentation jazz : pianos électriques, orgues, et autres claviers électroniques, guitares et autres instruments électriques (notamment saxophones, trompettes et même batteries), souvent utilisés avec les pédales wah-wah et fuzz, les écholettes, les modificateurs de phases, les modulateurs de timbre, et les unités de feedback ; les varitones et les multividers, etc. (pour le redoublement d'octave et l'harmonisation automatique des lignes mélodiques) ; les guitares à deux manches (combinant les possibilités de la guitare à six cordes et celles de la guitare à douze cordes, ou celles de la guitare et de la basse) ; et les synthétiseurs divers, monophoniques au début de la décennie, polyphoniques par la suite.

Les techniques d'enregistrement acquirent une importance similaire. Le studio moderne est devenu un « instrument » à part entière, aussi capital que ceux des musiciens. Un bon ingénieur du son doit avoir la même connaissance de base et la même sensibilité qu'un musicien — en plus de ses compétences techniques — car il « joue » de ses consoles. Les musiciens ont, en revanche, acquis un savoir technologique qui dans de nombreux cas n'a rien à envier à celui d'un ingénieur. La manipulation des sons est devenue un art : grâce aux phaseurs, aux brideurs ou aux machines à chorus, le son se modifie, scintille, « migre ». Certaines de ces techniques sont également employées lors de l'enregistrement d'albums de jazz conventionnel, mais de manière bien évidemment beaucoup plus discrète que dans le cas du jazz rock ou du jazz fusion.

On aurait tendance à croire à première vue que les musiciens de jazz ont purement et simplement emprunté cet équipement à la musique rock et pop ; mais un examen plus minutieux révèle que la guitare électrique, par exemple, était déjà présente dans certains orchestres dès la fin des années trente — son premier véritable virtuose fut le grand Charlie Christian, qui jouait en 1939 dans le sextette de Goodman.

L'orgue électronique devint populaire grâce au rhythm n'blues interprété par des musiciens tels que Wild Bill Davis ; il pénétra dans la conscience de masse à la faveur des succès de l'organiste de jazz Jimmy Smith après 1956. Le monde musical découvrit le son étincelant du piano électrique dans le merveilleux *What'd I Say* de Ray Charles, en 1959. La musique rock blanche n'incorpora cet instrument qu'après que Miles Davis eut enregistré *Filles de Kilimandjaro* avec Herbie Hancock et Chick Corea au piano électrique en 1968. Sonny Stitt (en 1955) et Lee Konitz (1968) furent les premiers musiciens à recourir à des cuivres amplifiés électroniquement, ainsi qu'à des varitones et à des multividers. Le synthétiseur vient de la musique de concert, où il fut testé et développé depuis 1957 par H.A. Moog en collaboration avec Walter Carlos. Les modulateurs de timbre, les modificateurs de phase et les techniques de feed back virent le jour dans les studios électroniques de la musique de concert.

L'impression que tous ces sons appartiennent au rock est en majeure partie le résultat de la gigantesque machine publicitaire des médias et de l'industrie d'enregistrement rock. C'est ainsi que ces sons ont atteint une conscience de masse générale. Il convient toutefois de restituer les choses dans leur contexte et de reconnaître que la production de sons « purement » électroniques fut avant tout le fait de la musique de concert d'avant-garde. Les pionniers de l'amplification et de la manipulation électronique des instruments conventionnels furent les musiciens noirs.

A cet égard il paraît intéressant de rappeler que la chanteuse noire Billie Holiday fut la première à prendre conscience du potentiel du microphone pour un usage totalement nouveau de la voix humaine. D'aucuns ont affirmé que le style de Billie Holiday, qui passait à l'époque pour nouveau et « révolutionnaire », tenait essentiellement à un emploi particulier du microphone — à une manière de chanter inconcevable sans micro. Le style « microphone » est devenu si courant dans divers secteurs de la musique populaire qu'il est difficile d'imaginer combien il était révolutionnaire quand Billie Holiday le créa.

Charles Keil et Marshal McLuhan insistent sur le talent particulier des Afro-Américains lorsqu'il s'agit de rendre audibles les nouvelles possibilités de l'électronique. Keil considère que « si la thèse de McLuhan est correcte, l'ère électronique ou "postlettrée" avec ses forces auditives à haute puissance, devrait conférer à la culture noire un fantastique élan technologique ».

Bref, nous venons de démontrer que l'électronisation des instruments fut préparée par les musiciens noirs et que les sons « purement » électroniques furent tout d'abord élaborés dans les studios de la musique de concert électronique. La scène rock ne fit que populariser ces sons. Le jazz, le rhythm n'blues, la musique de concert électronique, le rock et le pop ont travaillé main dans la main. Une telle coopération, couvrant tant d'aspects différents de la musique, permet de conclure que l'introduction de l'électronique dans le domaine musical correspondait à une demande de l'époque. Les instruments mais plus encore les besoins auditifs de l'homme moderne sont « électronisés » — cette remarque vaut pour toutes les classes sociales, des habitants des ghettos et des taudis aux spectateurs des festivals musicaux du monde intellectuel. Le compositeur Steve Reich a déclaré que l'électronique était devenue « ethnique » ; l'électronique « transporte » la musique que « les gens » désirent entendre — au même titre que la peau des animaux et le bois transportaient autrefois la musique en Afrique. La musique d'une époque est toujours « transportée » par l'élément qui constitue le déterminant général de la vie — or cette fonction est remplie aujourd'hui par l'électronique.

Ce qui précède vaut particulièrement pour cette partie de la population qui « croit en l'électronique » — ces personnes qui considèrent que tout ce qui est réalisable doit être effectivement réalisé, ce qui, aujourd'hui, implique automatiquement l'électronique. Ainsi, cette insistance sur l'électronique — et d'aucuns diront : cette insistance excessive — indique un consensus avec le monde technologique actuel. Cet accord est en contradiction flagrante avec l'attitude d'opposition qu'adoptent maints représentants de cette musique. Il est évident que le consensus est plus profond que l'opposition, parce qu'il est exprimé par le matériau et par le son de la musique, alors que l'opposition n'est exprimée quant à elle que par l'attitude.

Il convient également d'aborder dans ce contexte la question de la puissance de la sonorité. Celle-ci pose autant de problème à un observateur extérieur que le « beat » constant de la mesure de base il y a trente ans. La puissance du volume sonore a déjà fait couler beaucoup d'encre. J'ai entendu proférer toutes les opinions imaginables à ce sujet : c'est physiologiquement néfaste, disproportionné par rapport au potentiel de l'oreille humaine, donc cela met en danger les facultés auditives et même cela finit par les détruire. On rencontre toujours un oto-rhino disposé à confirmer cela en se fondant sur son « expérience quotidienne » et la presse bourgeoise adore faire écho à ce genre d'« information ». Il n'en demeure pas moins que le volume est également à même de créer des sensibilités : il y a quelques années à peine, personne n'aurait soupçonné qu'il était possible de découvrir les multiples subtilités que créèrent le Mahavishnu Orchestra ou le groupe Weather Report, pour ne citer que deux exemples. Le volume sonore constitue un nouveau défi : celui qui sera capable de le relever parviendra à travailler avec des maxima acoustiques que l'oreille paraissait incapable de différencier. En d'autres termes, la puissance du volume élargit les capacités humaines et, par voie de conséquence, la conscience humaine — et c'est ici que se situe le défi. A une époque où les sons de la vie quotidienne ont atteint un niveau de décibels aux proportions inimaginables, la musique ne peut et ne doit pas demeurer fixée au volume sonore d'hier et encore moins d'avant-hier. Ceci reviendrait à confiner le progrès artistique aux limites dans lesquelles nous vivons — dans le sens esquissé dans le chapitre consacré au jazz des années soixante, lorsqu'il fut question du « bruit ».

Restons-en là pour l'électronique et envisageons la question du rythme. Les imperfections des combinaisons jazz-rock des années soixante étaient dues essentiellement au fait que les rythmes rock conventionnels des groupes populaires étaient par trop indifférenciés pour une musique aussi sensible que le jazz actuel. Des batteurs tels qu'Elvin Jones, Tony Williams ou Sunny Murray produisaient déjà au début des années soixante des rythmes totalement originaux et qui n'avaient pas d'équivalents dans la musique occidentale de par leur complexité et leur puissance sonore. En comparaison, les performances des meilleurs batteurs rock paraissent retardataires. Il est intéressant de noter que seuls les batteurs de jazz ont réussi en général à aborder l'attitude extravertie et agressive des rythmes rock de telle manière qu'ils engendraient des structures correspondant aux critères les plus élevés du jazz. Au début des années soixante-dix, les principaux batteurs du genre étaient Billy Cobham (du Mahavishnu Orchestra) et Alphonse Mouzon (de la première formation Weather Report). Tous deux formèrent par la suite leurs propres groupes.

Le troisième aspect de l'influence rock sur le jazz correspond à la nouvelle approche du solo. A toutes les époques le jazz atteignait son apogée dans les improvisations en solo d'artistes exceptionnels. Or un nombre sans cesse croissant de collectifs de free jazz virent le jour durant les années soixante, qui en arrivèrent à douter de la validité du principe du solo conventionnel — ce mouvement apparut aux États-Unis mais explosa en Europe. Nombre de ces musiciens de jazz sentaient — consciemment ou non — que la pratique de l'improvisation individuelle, voulant que seule compte la performance de l'artiste vedette, reflétait trop fidèlement la moralité du système capitaliste. Une remise en question de la valeur du principe d'improvisation individuelle, se développant parallèlement à l'affirmation de cette critique sociale et politique, avait d'ailleurs vu le jour quelques années auparavant. La tendance à improviser de manière collective s'imposa de plus en plus. Le bassiste Charles Mingus amorça cette évolution, en effet les improvisations collectives étaient déjà courantes dans ses groupes dès la fin des années cinquante. Il était alors impossible de prévoir que quelques années plus tard de tels « collectifs » constitueraient le fer de lance de tout un développement musical — et plus encore en Europe qu'aux États-Unis. Des groupes de la stature du Mahavishnu Orchestra exprimaient un tel degré de cohésion complexe lorsqu'ils improvisaient qu'il était quasiment impossible de préciser lequel des cinq musiciens conduisait à un moment précis, pour ne rien dire des solos au sens traditionnel du terme. Le pianiste Joe Zawinul déclara à propos de son groupe, Weather Report : « Dans ce groupe, ou personne ne joue en solo, ou nous jouons tous en solo en même temps. »

D'emblée les compagnies d'enregistrement et les producteurs remplirent un rôle plus important dans le jazz rock et le jazz fusion que dans n'importe quel style de jazz précédent. Eux plus que les musiciens décidaient de ce qui serait enregistré. Ils prenaient leurs décisions en songeant plus au côté commercial que musical de l'affaire. En l'espace de cinq ans l'élan musical du jazz fusion s'embourba — comme cela s'était produit en Grande-Bretagne quelques années auparavant.

Le critique Robert Palmer écrivait dès 1975 : « La musique électrique de fusion jazz rock est une mutation qui commence à montrer des signes d'épuisement adaptatif... Les groupes de fusion s'imaginent que s'en tenir aux accords relativement simples est une bonne idée. Faute de quoi le son devient empâté et surchargé. Ceci signifie que les subtilités du phrasé jazz, les textures à couches multiples de la batterie de jazz et le riche langage harmonique de la musique sont abandonnés... »

Les années soixante-dix produisirent une quantité impressionnante d'albums de jazz rock. Lesquels survivront ? Au niveau de qualité le plus élevé, citons les deux premiers albums de Miles Davis, tous les enregistrements du premier Mahavishnu Orchestra (aucun des disques produits par les autres formations du Mahavishnu), quelques œuvres (et c'est ici que surgissent les réserves) de Chick Corea, d'Herbie Hancock et de Weather Report et quatre ou cinq autres albums. Voilà qui ne représente pas grand-chose lorsqu'on considère qu'à l'apogée du be-bop — ou avant cela au cours de l'ère Swing — des enregistrements importants, éternels, paraissaient chaque mois ; aujourd'hui, soit quelque trente à quarante années plus tard, ils sont régulièrement réédités, prouvant qu'ils ont brillamment triomphé de l'épreuve du temps. On ne peut s'empêcher de se demander ce qu'il subsistera du jazz rock ou de la musique de fusion dans trente ou quarante ans.

En quelques années, nombre des meilleurs musiciens de jazz rock ont pris conscience de ce que la qualité de leur musique allait s'amenuisant. En particulier durant la seconde partie des années soixante-dix, ils revinrent vers la musique acoustique tant en concert que lors des enregistrements en studio. (L'expression « musique acoustique » désigne les sons « non électroniques » des instruments conventionnels — le terme est quelque peu impropre étant donné que toute musique est par essence « acoustique ».) Lorsque deux des plus talentueux artistes de jazz rock, Herbie Hancock et Chick Corea, décidèrent de faire une tournée commune, ils renoncèrent aux accessoires électroniques qu'ils utilisaient couramment et optèrent pour le « bon vieux » grand piano de concert. Le groupe VSOP rassembla des musiciens jouant sur des instruments « acoustiques », alors que tous avaient connu le succès dans le jazz rock électronique ; citons notamment Herbie Hancock, Tony Williams, Freddie Hubbard, Wayne Shorter. Il est remarquable de noter combien tous ces musiciens « s'épanouirent » lorsqu'ils purent « enfin » jouer « simplement de la musique » à l'aide d'instruments « normaux » débarrassés de tous les accessoires électroniques compliqués.

Il y a à peine quelques années, les musiciens de rock et ceux de free jazz représentaient deux pôles irréconciliables. Les adeptes du rock considéraient que le free jazz était une musique ésotérique, d'une compréhension extrêmement ardue. En revanche les musiciens de free jazz jugeaient le rock primitif, simpliste, ne visant qu'à engendrer des succès financiers. Il est certain que ce caractère populaire persistera, mais depuis le début des années soixante-dix, de plus en plus de groupes apparaissent qui créent une nouvelle union du free jazz, du rock et de tous les autres éléments mentionnés précédemment.

L'une des raisons expliquant que l'intégration des éléments rock dans le jazz ait été aussi souple tient au fait que le rock a puisé la majorité de ses éléments dans le jazz — en particulier dans le blues, les spirituals, les gospels, et la musique populaire des ghettos noirs, le rhythm n'blues. Le beat rock régulier, les phrases gospel et soul, la forme et le son blues, la sonorité dominante de la guitare électrique, etc. existaient bien avant l'apparition du rock. Le batteur Shelly

Manne dit : « Si le jazz emprunte au rock, il ne fait qu'emprunter à lui-même. » Un personnage clef de ce développement est le guitariste de blues B.B. King, qui créa presque tous les éléments auxquels recourent aujourd'hui les jeunes guitaristes de rock et les habitués des hit-parades. Parmi ceux-ci l'une des figures marquantes est certes celle d'Eric Clapton, qui eut l'honnêteté de reconnaître : « Certaines personnes me qualifient de révolutionnaire. C'est absurde — je me suis contenté de copier B.B. King... »

Cela rejoint la déclaration de Gary Burton : « Le rock ne nous a pas influencés. Nous avons seulement les mêmes racines. »

Nous avons vu comment l'improvisation était devenue progressivement collective. On observe cette tendance dans les styles de jazz moderne les plus divers, du free jazz au mainstream contemporain et au jazz fusion. Mais ainsi que cela se produit toujours en jazz, une contre-tendance a vu le jour ; le vibraphoniste Gary Burton a donné le ton avec ses solos non accompagnés par une section rythmique conventionnelle. Nombreux furent les musiciens qui réalisèrent depuis la fin des années soixante de tels solos non accompagnés ou encore des performances en duo ; citons les pianistes McCoy Tyner, Chick Corea, Keith Jarrett, Cecil Taylor, Oscar Peterson ; les saxophonistes Archie Shepp, Anthony Braxton, Steve Lacy, et Roland Kirk ; le vibraphoniste Karl Berger ; le trompettiste Leo Smith ; le tromboniste George Lewis ; les guitaristes John McLaughlin, Larry Coryell, Attila Zoller, John Abercrombie, Ralph Towner, et tant d'autres — mentionnons encore en Europe : Gunter Hampel, Martial Solal, Derek Bailey, Terje Rypdal, Albert Mangelsdorff, Alexander von Schlippenbach, John Surman ; et au Japon : Masahiko Satoh, entre autres.

Il va de soi qu'il y avait déjà eu des solos non accompagnés dans l'histoire du jazz. Coleman Hawkins enregistra le premier solo de cuivre *a cappella* en 1947, *Picasso*. Le jeu non accompagné était surtout apprécié par les grands pianistes, depuis les maîtres du ragtime de la fin du siècle dernier à Art Tatum en passant par James P. Johnson et Fats Waller.

Louis Armstrong fut un pionnier même en matière de solo non accompagné ; souvenons-nous de son duo avec Earl Hines en 1928, *Weather Bird*, et des dizaines de cadences et de breaks en solo.

Ces musiciens n'avaient toutefois fait qu'ouvrir la voie à ce qui devint, depuis la première moitié des années soixante-dix, une tendance nette reflétant l'aliénation sociale et l'isolement du musicien de jazz — et de l'homme moderne, en général — une tendance située à l'opposé de l'esprit collectif décrit ci-dessus.

Il est permis de qualifier de romantique ce goût pour la performance solo non accompagnée des années soixante-dix ; il s'agit d'un moyen de se couper de la puissance sonore de l'amplification électrique et de favoriser une forme d'expression intime, sensible et hautement personnalisée — un symptôme d'une évolution vers un romantisme nouveau, objectif, évident. Il est remarquable que l'Europe ait joué un rôle particulier dans l'histoire de ce passage au solo et au duo — ainsi que dans le mouvement parallèle vers une « esthétisation » du jazz. Les premiers concerts de l'histoire du jazz où tous les artistes jouèrent sans accompagnement eurent lieu lors du festival de jazz qui se tint à l'occasion des Jeux Olympiques de Munich et lors des Berlin Jazz Days en 1972 (ces deux manifestations furent produites par l'auteur de ce livre). Parmi les artistes qui y participèrent citons Gary Burton, Chick Corea, Albert Mangelsdorff, Jean-Luc Ponty, John McLaughlin, Pierre Favre, Gunter Hampel et le pianiste de ragtime Eubie Blake. La firme de disques munichoise ECM développa une approche de la musique et une sonorité très caractéristique, qui devinrent exemplaires de cette tendance vers l'esthétisme.

L'apparition progressive d'un nouveau type de musicien (qui s'était déjà amorcée avec le free jazz, mais qui se généralise désormais) promet cependant d'être plus importante que tous les phénomènes décrits plus haut. D'une part, ce nouveau type de musicien demeure en contact avec la scène jazz ; d'autre part il utilise le jazz comme un simple point de départ voire comme un composant parmi tant d'autres. Ces artistes ont intégré dans leur musique des éléments provenant de maintes cultures : surtout d'Inde et du Brésil, mais également d'Arabie, de Bali, du Japon, de Chine, des diverses cultures africaines, etc., et même occasionnellement de la musique de concert européenne. Leur sentiment fut résumé par McCoy Tyner en ces mots : « Je perçois des connexions entre toutes ces différentes formes de musique. La musique du monde entier est interreliée... Je vois dans la musique quelque chose de total... » Le tromboniste de free jazz Roswell Rudd, qui fut professeur d'ethnologie musicale à l'université du Maine, dit : « Nous commençons petit à petit à comprendre qu'il existe une "musique mondiale" et qu'il est possible de l'interpréter... Aujourd'hui, nous sommes en mesure d'écouter la musique du monde entier, des jungles d'Amazonie aux hauteurs de Malaisie et jusqu'aux peuples de Philippines récemment découverts. Toute cette musique est désormais à notre disposition... L'important consiste maintenant à développer une nouvelle manière d'entendre et de voir, qui englobe ces multiples cultures. »

Le prototype de cette nouvelle génération de musiciens est Don Cherry, l'ancien partenaire d'Ornette Coleman. Au début des années soixante, nous l'aurions qualifié de trompettiste de free jazz. Mais comment le désigner aujourd'hui ? Cherry est engagé plus que tout autre musicien dans la musique du monde. Il a en outre appris à jouer des instruments provenant de diverses cultures : Tibet, Chine, Inde ou Bali. Sa réponse à la question ci-dessus est simple : « Je suis un musicien du monde. » Il ajoute qu'il réalise une « musique primale ».

C'est John Coltrane qui se trouve à l'origine de ce mouvement vers un nouveau type de musicien — même s'il n'en fut pas un lui-même. Le clarinettiste Tony Scott, qui vécut plusieurs années en Asie et fut l'un des premiers à incorporer des éléments de maintes cultures musicales asiatiques, et le flûtiste Paul Horn, qui enregistra plusieurs solos émouvants au Taj Mahal en Inde, en sont des exemples notoires, depuis le début des années soixante. A partir des années soixante-dix de plus en plus de « musiciens du monde » ont vu le jour et cette tendance se poursuivra. Parmi les plus jeunes mentionnons le joueur de sitar et de tabla Collin Walcott, le guitariste et compositeur brésilien

Egberto Gismonti, les membres du groupe Oregon du guitariste Ralph Towner, et Stephan Micus (qui sera présenté à la fin du chapitre consacré aux « Instruments divers »).

Précisons en guise de conclusion qu'il existe même un centre d'étude qui inclut la musique mondiale dans son « programme » : le *Creative Music Center* du vibraphoniste allemand Karl Berger à Woodstock dans l'État de New York. Berger dit : « Lorsque nous avons ouvert nos portes dans les années soixante-dix, nous aurions pu nous baptiser "l'école de jazz". Ce qui nous intéresse aujourd'hui, ce que nous jouons, ce que nous enseignons, c'est la musique mondiale. »

Les années 1980

Tout ce que nous pouvons dire du jazz des années quatre-vingts au moment de terminer la révision de cet ouvrage c'est que les tendances annoncées par les années soixante-dix se poursuivent. Il en est toutefois trois nouvelles qui s'amorcèrent vers la fin de la dernière décennie.

1. Un retour remarquable du Swing. Il apparaît soudain toute une génération de jeunes musiciens qui ressemblent à ceux qui jouaient du rock ou du jazz fusion, mais qui interprètent une musique réminiscente de grands maîtres de l'ère Swing : des ténors tels Ben Webster ou Coleman Hawkins, ou des trompettistes tels Harry Edison ou Buck Clayton. Le saxo ténor Scott Hamilton de Providence, Rhode Island, est sans doute de tous celui qui remporte le plus de succès. Ne négligeons pas le trompettiste Warren Vaché ni le guitariste Cal Collins.

Une compagnie de disques a même été créée qui se spécialise dans le son du « New Swing Age » : la firme Concord Jazz de Californie. D'autres compagnies produisent également des albums s'inscrivant dans cette lignée ; par ailleurs les rééditions de classiques du Swing jouissent d'une grande popularité.

2. Un « comeback » encore plus remarquable et encore plus vaste du be-bop, sous l'impulsion de l'excellent saxo-

phoniste ténor Dexter Gordon. Il a vécu dans un quasi-isolement en Europe pendant plusieurs années, le plus souvent à Copenhague. Il revint à New York vers la fin 1976 pour un concert au Village Vanguard. Ce devait être un bref engagement mais ce fut un véritable triomphe non seulement pour Dexter Gordon (qui depuis n'a plus quitté les États-Unis) mais encore pour le be-bop. Cette renaissance du be-bop a pris une telle ampleur au début des années quatre-vingts que 90 p. 100 des clubs de New York diffusent de la musique be-bop.

Il s'agit de la troisième vague de be-bop — après le bop original des années quarante et le hard bop de la fin des années cinquante. Le hard bop avait incorporé l'expérience du cool jazz — surtout les plus longues phrases mélodiques — le nouveau be-bop du début des années quatre-vingts intègre de même tous les éléments nouveaux. Deux musiciens paraissent omniprésents dans cette nouvelle vague du bop, et pourtant ils sont tous deux décédés : Charles Mingus et John Coltrane. Il est également des musiciens ayant incorporé leur expérience en matière de free jazz dans le stype be-bop, créant une sorte de « free bop » : le batteur Barry Altschul et les saxophonistes Arthur Blythe, Oliver Lake, Dewey Redman et Julius Hemphill.

Le plus surprenant est la perfection musicale avec laquelle toute une génération de jeunes musiciens américains interprètent à nouveau le be-bop. Certaines des compositions de Charlie Parker comptent parmi les plus difficiles pour un musicien de jazz. Pendant des décennies, rares furent les musiciens de jazz capables d'improviser sur leurs harmonies complexes — en particulier parce que Parker aimait les jouer sur un tempo se situant à la limite des capacités humaines. Or, en ce début des années quatre-vingts, des dizaines de partitions de Charlie Parker sont interprétées et enregistrées par de jeunes musiciens — le plus souvent selon un tempo surpassant même l'original de Parker. L'une des plus belles compositions de Parker, *Donna Lee*, qui avait été quasiment oubliée pendant plusieurs dizaines d'années, est devenue en quelque sorte le signe de reconnaissance des jeunes musiciens de be-bop du monde entier.

Le Max Roach-Clifford Brown Quintet « classique » présente également un intérêt particulier, lui qui se trouva à l'origine du passage vers le hard bop dans les années cinquante. Son influence est particulièrement évidente dans certaines petites formations actuelles, composées de jeunes musiciens. Le saxo ténor Billy Harper, par exemple, a réalisé une synthèse fascinante de la tradition parkérienne, des réminiscences de Coltrane et du Max Roach-Clifford Brown Quintet, ainsi que de la musique de gospel. Le jeune pianiste Anthony Davis a composé une *Suite for Monk* en mémoire à la grande musique de Thelonious, et le pianiste et compositeur Heiner Stadler enregistra un double album en hommage à Charlie Parker et à Monk. Certaines compagnies d'enregistrement se sont spécialisées dans le be-bop : Muse Records à New York, Bee Hive à Chicago, et Steeple Chase au Danemark.

Plusieurs musiciens de be-bop ont vécu dans l'obscurité pendant de longues années. Nombreux sont ceux qui revinrent sur la scène new-yorkaise au début des années quatre-vingts, parmi lesquels certains des grands « Américains en Europe » qui avaient quitté les États-Unis — surtout au début des années soixante — pour aller porter le message du jazz sur les rives orientales de l'Atlantique. D'aucuns résident toujours en Europe mais se produisent désormais régulièrement aux États-Unis : le ténor Johnny Griffin aux Pays-Bas ; le trompettiste Art Farmer à Vienne, le pianiste Mal Waldron à Munich, le bassiste Red Mitchell à Stockholm. Les deux trombonistes Jay Jay Johnson et Bob Brookmeyer — le premier étant l'inventeur du jeu de trombone moderne dans les années quarante, le second un représentant du jazz de la côte Ouest des années cinquante — ont abandonné leur isolement californien pour enregistrer de nouveaux albums. Quant au trompettiste Woody Shaw, qui s'était déclaré « en exil intérieur » à San Francisco au début des années soixante-dix, il est enfin reconnu sur la scène new-yorkaise comme étant le trompettiste de be-bop contemporain le plus créatif.

3. Prenant le jazz-rock pour modèle, le « free funk » vit le jour : une combinaison d'improvisations libres pour les cuivres avec des rythmes et des sonorités émanant du funk,

de la new wave et même de la musique punk. Le porte-parole du « free funk » — ou de la « no wave music » ainsi qu'il se plaît à la nommer — est le guitariste James Blood Ulmer, qui avait acquis une certaine renommée au début des années soixante-dix aux côtés d'Ornette Coleman. Sa musique est d'ailleurs toujours fortement influencée par ce dernier. On y retrouve par ailleurs le côté direct, simple et l'agressivité et le volume sonore du rock de la new wave. Parmi les autres groupes ayant évolué dans cette direction citons le Decoding Society du batteur Ronald Shannon Jackson, le septet Dizzazz de l'alto Luther Thomas et le Defunkt de Joe Bowie.

Il y en aura bientôt de nouveaux. Même le vieux maître Ornette Coleman joue « no wave » avec ses anciens disciples.

Prospectives

Il est devenu évident que la majeure partie des tendances actuelles importantes du jazz sont de nature conservatrice. L'ensemble du jazz peut être considéré comme une série d'alternances entre les styles hot et cool. Le jazz de La Nouvelle-Orléans était un style hot, celui de Chicago présentait des aspects plus cool ; le Swing mêlait les deux : des tendances cool chez des musiciens blancs tels que Benny Goodman ou Artie Shaw et hot chez des musiciens noirs comme Count Basie, Duke Ellington, Chick Webb, Jimmie Lunceford. Le be-bop, avec ses tendances révolutionnaires, fut bien évidemment un style hot, suivi par la douceur du cool jazz. Puis vint une nouvelle révolution, le free jazz « hot » — qui précéda les années soixante-dix relativement cool.

Il paraît en conséquence logique que les années quatre-vingts apportent une nouvelle révolution. Or, il semble que l'éruption d'un nouveau style hot soit inconsciemment retardée — d'une manière évoquant la situation des musiciens de hard bop qui, vers la fin des années cinquante, ouvrirent la voie au free jazz. Il est possible que nous vivions une évolution semblable à l'heure actuelle, que les musiciens qui préservent les éléments conservateurs de la scène jazz contribuent sans en être conscients à l'élaboration d'un nouveau style. Les révolutions sont impensables — en jazz comme dans toute forme d'expression artistique — sans une conscience vitale de ce qui fut auparavant.

Il est indéniable que le jazz a acquis une ampleur qui aurait été inimaginable il y a à peine quelques années. Nous avons évoqué, dans les deux derniers chapitres, huit tendances qui influencent la scène actuelle. Il y en eut en réalité bien d'autres, si l'on considère les développements marginaux. Voilà qui contraste de manière marquée avec les décennies précédentes, où un style dominait généralement et où on pouvait en deviner un ou deux autres au maximum. Theodor W. Adorno, le sociologue et philosophe musical allemand, parlant de l'adaptation par Anton Webern du *Ricercar* de Bach dit qu'il « ... éclata ce qui n'était que style... ». C'est précisément ce que font d'innombrables musiciens de jazz contemporains. L'adaptation de Bach par Webern a des accents évoquant la fin du romantisme, parfois réminiscents de Richard Wagner ou de Schoenberg. Tous ces éléments, affirme Adorno, devaient déjà être présents dans l'œuvre originale de Bach.

Une telle remarque s'applique également au jazz : le nouveau be-bop a des accents contemporains. Ses éléments modernes devaient déjà être présents chez Charlie Parker — voire dans le jazz de La Nouvelle-Orléans. Une nouvelle génération de musiciens de jazz contemporains a fait éclater les styles — et cette tendance s'accentuera encore dans les années qui viennent. C'est la raison pour laquelle les jeunes musiciens réagissent de manière aussi violente lorsque les critiques ou les fans de jazz veulent les rattacher à quelque style ou à quelque mode de jeu particulier. Ils ont réalisé une union nouvelle de tous les éléments qui étaient épars dans les différents styles et dans les différents modes de jeu. Le cliché musical a acquis une importance nouvelle dans cette union — une importance ressentie par le passé mais dont personne n'eut jamais conscience.

Permettez-moi cette affirmation audacieuse : le jazz des années quatre-vingts et quatre-vingt-dix devra créer de nouveaux clichés. L'emploi par les critiques du terme « cliché » dans un sens exclusivement négatif a fait beaucoup de tort au jazz ; en effet une musique vitale, communicative est impossible sans clichés. Songez à cela : c'est presque toujours le cliché qui crée l'émotion. Une musique dépourvue de certains termes que nous connaissons dans d'autres contextes, de phrasés familiers, de structures rencontrées maintes fois dans des harmonies ou des sonorités similaires et auxquels nous avons associé (de manière consciente ou non) certains processus émotionnels — une musique dépourvue de tout cela ne peut être adoptée ni ressentie.

Il convient que nous précisions ce que nous entendons par « cliché ». Il est certain qu'il y aura toujours des clichés dans le sens négatif du terme, et nous devrons les reconnaître pour ce qu'ils sont. Il faudra éviter et condamner les simples répétitions trop évidentes, mécaniques, automatiques — comme celles que l'on rencontre dans les clichés du jazz fusion. L'erreur commise par les critiques, et de manière plus générale par la conscience jazz, au cours des vingt dernières années fut de considérer que tout ce qui existait auparavant relevait du cliché.

Après avoir détruit les clichés pendant vingt ans, nous prenons brusquement conscience du fait qu'il ne nous reste — je ne veux pas dire « rien » mais — presque rien. Herbie Hancock dit : « C'était comme si vous deviez constamment employer des mots qui n'avaient jamais été utilisés auparavant. » Quiconque fait cela de manière constante ne tarde pas à paraître stupide — ou irréfléchi, inhumain, insensible. Je reviendrai sur ce point.

Ne vous y trompez pas : si vous reprochez à un conte de fées de commencer par ces mots entendus des milliers de fois : « Il était une fois... », vous ne connaissez rien aux contes de fées. Les critiques qui s'écrient « Cliché ! » à chaque fois qu'ils entendent une cadence blues font montre du même type d'ignorance car la cadence blues est au jazz ce que « Il était une fois... » est aux contes de fées. (Je reviendrai également sur ce point à l'occasion de notre tentative de définition du jazz.)

Les critiques qui écrivent après chaque festival que « une fois encore on ne nous a rien présenté de neuf », révèlent en définitive leur propre manque de maturité. Quiconque ne recherche que la nouveauté n'est plus capable de trouver les éléments anciens, chaleureux, humains et communicatifs — ce qui signifie le plus souvent qu'il est désormais incapable de trouver ces éléments en lui, qu'il s'est coupé d'une partie de lui-même.

La volonté de recevoir quelque chose de nouveau à l'occasion de chaque festival, année après année, est une exigence inhumaine, froide, industrielle, abstraite. L'art est amour — et l'amour est un acte qui n'existe par essence que si on le fait. Quiconque affirme après cet acte qu'il n'offrait « rien de neuf » se prive de sa propre capacité d'aimer. C'est exactement ce que je relève dans ce genre de critique : une absence d'amour. Cette remarque s'applique également au type de musique qui désire présenter des éléments neufs à tout prix : elle manque d'amour. Le jazz — plus peut-être que toute autre forme de musique — est un acte d'amour, de reconnaissance et de recommencement.

Les musiciens du jazz

« Je joue ce que je vis », dit Sidney Bechet, l'un des grands noms du vieux new orleans. Charlie Parker surenchérit : « La musique, c'est votre expérience, vos pensées, votre sagesse. Si vous ne la vivez pas, elle ne sortira pas de votre instrument. »

Nous allons voir maintenant comment les sonorités personnelles des grands solistes de jazz, éléments techniques y compris, dépendent de leur personnalité. La vie du musicien de jazz est constamment transformée en musique — sans égard pour la « beauté », la « forme » et les multiples concepts qui distinguent musique et vie dans la tradition européenne. C'est la raison pour laquelle il est important de parler de la vie des jazzmen. C'est la raison pour laquelle le désir de l'amoureux de jazz de connaître les détails relatifs à la vie des grands musiciens est parfaitement légitime. Il est également logique que de tels détails constituent une partie importante de la littérature de jazz. Ils nous aident à comprendre la musique proprement dite et sont en conséquence très différents des anecdotes rapportées par la presse spécialisée au sujet des vedettes d'Hollywood.

« Un individu doit avoir vécu pour jouer du bon jazz, faute de quoi il ne fera que de la copie », dit le bassiste Milt Hinton. Nous ne pouvions retenir dans ce livre que quelques hommes illustrant cette vue. Il est toutefois des musiciens qui symbolisent en quelque sorte l'histoire d'un style, qui représentent une période spécifique. Louis Armstrong occupe cette position pour la période du new orleans ; Bessie Smith pour le blues et le chant jazz ; Bix Beiderbecke pour le style de Chicago ; Duke Ellington pour les orchestres de Swing ; Coleman Hawkins et Lester Young pour le Swing de type combo ; Charlie Parker pour le be-bop et le jazz moderne ; Miles Davis pour toute l'évolution menant du cool jazz à la musique des années soixante-dix ; Ornette Coleman et John Coltrane pour la révolution dans le jazz des années soixante ; et John McLaughlin pour la musique de fusion des années soixante-dix.

Louis Armstrong

Il n'est pas un trompettiste de jazz qui, jusqu'à l'apparition de Dizzy Gillespie dans les années quarante, ne « descendît » de Louis Armstrong — ou « Satchmo », comme on le surnomma — et même après l'avènement de Gillespie tous les trompettistes furent au moins indirectement redevables à Armstrong.

L'ampleur prodigieuse de cette dette devint évidente lorsque l'imprésario George Wein transforma le festival de jazz de Newport de 1970 en une gigantesque célébration du soixante-dixième anniversaire d'Armstrong. Les plus célèbres trompettistes de jazz du monde entier rivalisèrent pour rendre l'hommage le mieux approprié à Louis. Bobby Hackett se présenta comme étant « l'admirateur Numéro Un de Louis Armstrong », Joe Newman se récria : ce n'était pas Hackett mais lui-même qui devait être considéré comme étant « le fan Numéro A » de Louis ; Jimmy Owens affirma que s'il ne pouvait prétendre au titre d'« admirateur Numéro Un », ni à celui de « fan Numéro A » d'Armstrong, il n'en était pas moins son « fan le plus jeune ». Dizzy Gillespie déclara quant à lui : « La position de Louis Armstrong dans l'histoire du jazz est... INCONTESTABLE. S'il n'avait existé nous ne serions pas ici. J'aimerais donc profiter de ce moment pour remercier Louis Armstrong de m'avoir assuré mon gagne-pain. »

Des musiciens autres que trompettistes ont également exprimé leur reconnaissance à Armstrong. Frank Sinatra a fait remarquer que Louis Armstrong avait transformé la musique populaire en art.

Lorsque Louis Armstrong mourut deux jours après avoir célébré son soixante-et-onzième anniversaire, le 6 juillet 1971, Duke Ellington dit : « S'il y eut jamais un M. Jazz, ce fut Louis Armstrong. Il était et sera toujours l'essence du jazz. Tout trompettiste qui a choisi d'adopter l'idiome américain a subi son influence... il est ce que je nommerai un "standard" américain, un véritable Américain... Je l'aime. Dieu le bénisse. »

Louis Armstrong passa sa jeunesse dans l'agitation d'un grand port sur le Mississippi — dans le vieux quartier créole de La Nouvelle-Orléans. Les limites symboliques de ce quartier étaient constituées par une prison, une église, une école pour les pauvres et une salle de danse. Ses parents — son père travaillait en usine, sa mère était servante — se séparèrent peu après sa naissance. Personne ne s'occupa beaucoup de lui. Les autorités envisagèrent une ou deux fois de l'incarcérer dans une maison de correction, mais ne prirent aucune mesure jusqu'à ce qu'un soir de Nouvel An Louis décharge un pistolet chargé à blanc dans les rues de la ville. Louis se retrouva donc en maison de correction. Il devint membre des chœurs de l'école qui se produisaient à l'occasion d'enterrements et de festivités diverses. Louis reçut son premier cours de musique sur un vieux cornet bosselé, son instructeur était le leader de l'orchestre de la maison de correction.

L'un des premiers groupes dans lesquels se produisit Louis fut celui du tromboniste néo-orléanais Kid Ory. Le petit Louis se baladait avec son cornet lorsqu'il vit le groupe d'Ory jouer dans la rue. Quelqu'un lui demanda à qui appartenait l'instrument qu'il tenait à la main. « C'est le mien », répondit Louis. Personne ne voulut le croire, aussi Louis se mit-il à jouer...

Lorsque le quartier des prostituées de Storyville fut fermé durant la première guerre mondiale par le secrétaire de la Marine et que commença le grand exode des musiciens, Louis choisit de rester au pays. Il ne se rendit à Chicago que lorsque King Oliver l'invita en 1922 à se joindre à son groupe, qui se produisait alors au Lincoln Gardens. Le groupe d'Oliver était le principal orchestre de jazz — avec le King en personne et Louis au cornet, Honoré Dutrey au trombone, Johnny Dodds à la clarinette, son frère Baby Dodds à la batterie, Bill Johnson au banjo et Lil Hardin au piano. Le groupe commença à décliner lorsque Armstrong le quitta, en 1924. Il est certain qu'Oliver réalisa plusieurs enregistrements excellents par la suite — songeons à la série datant de 1926-1927 avec ses Savannah Syncopators — mais d'autres groupes étaient alors devenus plus importants (les Red Hot Peppers de Jelly Roll Morton, les groupes de Fletcher Henderson et du jeune Duke Ellington). La fin de la carrière d'Oliver présente le spectacle tragique d'un homme appauvri, édenté, incapable de jouer et de subvenir à ses besoins, d'un homme qui fuit ses amis parce qu'il a honte, d'un homme qui a pourtant été le « Roi du Jazz ». Ce destin fut celui de maints artistes de jazz. Louis Armstrong y échappa de manière quasi surnaturelle. Les hauts et les bas qui caractérisent la vie de tant de musiciens de jazz l'affectèrent à peine. Pour lui, il n'était qu'une direction : toujours plus haut.

La supériorité de Louis Armstrong se traduit notamment par le fait que tout au long de sa carrière il n'eut que deux ensembles dignes de lui... un seul en fait, le premier ayant été organisé pour les besoins d'enregistrements : le Hot Five (par la suite, Hot Seven) de 1925 à 1928. L'autre groupe fut le Louis Armstrong All Stars de la fin des années quarante — avec le tromboniste Jack Teagarden, le clarinettiste Barney Bigard et le batteur Sid Catlett. Armstrong acquit une renommée prodigieuse dans le monde entier avec ces All Stars — et tous étaient sans conteste des « stars ». C'est avec eux qu'il donna l'un des plus fabuleux concerts de sa carrière, à Boston, en 1947 ; celui-ci fit par la suite l'objet d'un album.

Les musiciens qui entourèrent Satchmo dans ses Hot Five ou Hot Seven comptaient parmi les plus grandes personnalités du jazz traditionnel. Le clarinettiste Johnny Dodds était du nombre, ainsi que le tromboniste Kid Ory, qui avait engagé Louis Armstrong à La Nouvelle-Orléans. Ils seront rejoints par le pianiste Earl Hines. Celui-ci créa un style au piano qui s'inspirait du jeu de Louis à la trompette ; ce style devint un modèle pour maints pianistes dans le monde entier.

Rares sont les artistes dont l'œuvre et la personnalité sont liées aussi intimement que celles d'Armstrong. On serait en droit de s'imaginer qu'elles étaient devenues interchangeables — en conséquence même les lacunes musicales d'Armstrong acquéraient efficacité grâce à son charisme. Dans le texte de pochette du disque reprenant la bande sonore du film d'Edward R. Murrow *Satchmo the Great*, Armstrong déclare : « Lorsque je m'empare de ma trompette... le monde entier est derrière moi, et je ne me concentre sur rien d'autre que sur l'instrument... Je veux dire que je ressens la trompette de la même manière que du temps où je jouais à La Nouvelle-Orléans. C'est mon gagne-pain et c'est ma vie. J'aime les notes. C'est la raison pour laquelle j'essaie de bien les jouer... C'est aussi la raison pour laquelle je me suis marié quatre fois. Les femmes ne supportaient pas la trompette... je veux dire que si j'ai une discussion avec ma femme, ça ne m'empêche pas de tirer plaisir de mon jeu, je sais que je peux toujours souffler dans ma trompette après son départ... Je me suis exprimé par mon instrument... Je suis tombé amoureux de lui et il est tombé amoureux de moi... Nous jouons la vie, quelque chose de naturel... C'est pour le plaisir, pour la mise en scène, ce serait la même chose si nous nous trouvions dans une arrière-cour en train de répéter. Tout ce qui se produit là est réel... Oui, je suis heureux. Je fais ce qu'il faut, je joue pour les plus grands et pour les plus petits... Ils viennent en Allemagne avec leurs lorgnettes, ils vous regardent et tout ça, et au moment où ils ont pigé la musique, ils laissent tomber les lorgnettes, et ils swinguent, vieux !... Lorsque nous avons joué à Milan... j'ai dû me précipiter à la Scala après mon concert et me tenir à côté de ces gros bonnets du genre "Verdi" et "Wagner"... et poser pour des photos, parce qu'ils disaient que notre musique était la même. Nous jouions tous avec notre cœur. »

De tels passages nous en apprennent plus sur la nature et sur la musique d'Armstrong que toutes les dissertations d'un critique. Les découvertes musicales sont aussi simples et immédiates que la musique elle-même : Louis Armstrong fait sonner le jazz « juste ». Il a uni l'expression émotionnelle et la technique musicale. Après Armstrong il ne fut plus possible d'excuser une fausse note en l'attribuant à la vitalité ou à l'authenticité. Depuis Armstrong, le jazz se devait de sonner aussi juste que n'importe quelle autre musique.

Voici un extrait d'un article écrit à l'occasion du décès d'Armstrong par le critique Ralph Gleason : « Il prit les outils de l'organisation musicale européenne — accords, notations, mesures, etc. — et y ajouta les rythmes des églises de La Nouvelle-Orléans et (par définition) de l'Afrique, il intégra dans la musique les blue notes, les trucs consistant à plier et à tordre les notes, et il interpréta tout cela avec une technique inégalée. Il alla aussi loin que possible en utilisant le blues et les chansons populaires de l'époque comme charpentes de ses improvisations structurales. »

Beaucoup de jeunes gens qui aiment jouer avec le terme « révolution » ont oublié qu'Armstrong fut le plus grand révolutionnaire du jazz. Sans doute songent-ils à Charlie Parker, à Cecil Taylor ou à John Coltrane lorsqu'ils parlent de révolutions musicales. Pourtant la différence entre la musique avant et après Armstrong est plus grande que celle existant entre la musique avant et après Parker, Taylor ou Coltrane. Aussi est-il permis d'affirmer que la révolution jazz amorcée par Armstrong fut de toutes la plus importante.

Un jeune batteur de jazz fusion, Bob Melton, vit juste lorsque après la mort d'Armstrong il adressa une lettre au rédacteur en chef de la revue *Down beat* dans laquelle il disait : « Nous avons perdu quelques grands ces cinq dernières années. Aujourd'hui, nous venons de perdre l'innovateur le plus audacieux de tous... Je suis un jeune batteur "chevelu", de "jazz rock"... Je viens de me passer vingt fois de suite une version enregistrée en concert en 1947 d'*Ain't Misbehavin* avec Pops... Je l'ai écoutée aussi souvent parce que je me suis rempli la tête ces trois dernières années de ténors "free" et de guitaristes rock, et j'ai oublié combien Armstrong était audacieux... Est-ce bien le mot ?... J'ai oublié combien *il était foncièrement novateur...* Je regrette en particulier que tant de jeunes de ma génération... n'aient jamais entendu le message de Pops, et que ceux qui l'ont entendu ne l'aient pas écouté. Vous connaissez cette remarque stupide au sujet des gens de plus de trente ans en qui il ne faut pas avoir confiance ? Pops est l'une des rares personnes en qui j'avais confiance ! »

Entre l'Armstrong du Hot Five et du Hot Seven et celui des All Stars des années quarante et cinquante se dresse l'Armstrong des grands ensembles. Cette période commença juste après qu'il eut quitté King Oliver et fut devenu membre

— pendant un an — de l'orchestre de Fletcher Henderson, en 1924. Armstrong apporta une telle stimulation au groupe relativement commercial et médiocre qui entourait Henderson à cette époque qu'il est permis d'affirmer que l'année 1924 marque la véritable naissance du jazz de big band. Il est significatif et logique de noter qu'Armstrong, la personnalité la plus importante de la tradition du jazz néo-orléanais, fut également le cofondateur de la phase du jazz qui allait remplacer la grande époque du new orleans : l'ère du Swing des années trente, avec ses big bands. Il convient toutefois de préciser que même ses enregistrements avec le Hot Five et le Hot Seven le situèrent au-delà de la forme new orleans, avec ses entrelacs à trois voix de la trompette, du trombone et de la clarinette. Armstrong est l'homme qui, avec les enregistrements les plus importants des Hot Five et Seven, démonta cette construction... Voici un fait caractéristique de maintes évolutions stylistiques du jazz : les personnalités importantes d'un style ont souvent ouvert la voie au style suivant alors qu'elles se trouvaient à l'apogée du leur. Seuls les « fans » demandent un immobilisme dans un genre particulier. Les musiciens ont toujours voulu aller de l'avant.

Armstrong jouant dans l'orchestre de Fletcher Henderson au Roseland Ballroom de New York fit sensation parmi les musiciens. Lui-même trouva une riche inspiration dans la section compacte — pour l'époque — du big band. Il acquit par la suite la conviction que sa trompette s'épanouirait mieux sur un fond de grand orchestre que sur celui d'un petit ensemble — un sentiment que ne partagèrent que peu d'amateurs de jazz.

Cette conviction était sans doute liée au fait que d'emblée Armstrong désira toucher un grand public — une envie qui fut peut-être le principal moteur de sa carrière musicale. Il faut sans doute y voir la raison pour laquellc il s'engagea si souvent dans le domaine de la musique populaire vers la fin de sa vie. En fait, ne peut-on affirmer tout simplement que la musique d'Armstrong visait essentiellement à être « populaire », quelles que soient les idées plus ou moins naïves de maints fans de jazz ?

George Avakian déclara un jour : « Certains signes montrent que le souci principal de Louis est de satisfaire son public. » De nombreux amateurs de jazz ignorèrent le succès qu'Armstrong remporta dans les hit-parades avec *Hello Dolly*. Leur détermination donnerait à penser qu'ils étaient en quelque sorte déçus par son succès. Or pour Armstrong — et peut-être plus encore pour son épouse, Lucille — 1964 marqua l'apogée de sa carrière. C'est en effet cette année-là qu'il apparut au sommet des « charts » — les listes des disques les plus populaires du monde — et ravit la première place aux Beatles ; il la gardera pendant plusieurs semaines avec *Hello Dolly*.

Chanter était aussi important pour Armstrong que jouer de la trompette — et pas seulement durant ses dernières années, lorsque sa santé déclinante le mettait quasiment dans l'impossibilité de souffler dans son instrument. Armstrong fut et demeura un brillant chanteur. Il fut conscient tout au long de sa carrière du fait qu'il atteindrait un plus grand public en tant que chanteur qu'en tant qu'instrumentiste.

Rex Stewart, l'un des meilleurs trompettistes qui fût, dut admettre : « Louis a dispensé tant de dons au monde qu'il est presque impossible de déterminer dans quel secteur son impact fut le plus fort. Mon vote va à son prodigieux talent pour la communication. Aussi profondément créatif que fut son talent à la trompette, je placerais cette activité en deuxième position. Il fut surtout vénéré par les autres professionnels, alors que sa façon de chanter graveleuse porta son message aussi loin, vers des régions et des lieux où non seulement sa musique était mal connue, la langue différente mais encore où la barrière supplémentaire d'un système politique assimilait le jazz à une forme d'expression décadente. Mais quand Satchmo chantait, tout changeait. Les gens percevaient la vérité. »

Louis dit à l'occasion d'un programme de télévision produit lors du festival de jazz de Newport de 1970 : « Eh bien, les gens m'aiment, moi et ma musique, et vous savez quoi, moi aussi je les aime et je n'ai jamais de problèmes avec eux. A l'instant où je monte sur scène ils savent qu'ils vont recevoir quelque chose de bien et pas de la frime et ils savent pourquoi ils sont là et c'est pour ça qu'ils viennent... Je suis moi-même le public. Je suis mon propre public et je n'aime pas m'entendre jouer mal, c'est comme ça que je sais que vous non plus vous n'aimez pas ça... Certains critiques disent que je suis un clown, mais un clown c'est formidable. Rendre les gens heureux, c'est ça le bonheur. La plupart de ces critiques sont incapables de faire la différence entre deux notes... Lorsque je joue, je pense tout simplement à mes bons moments... et les notes viennent d'elles-mêmes. Il faut aimer pour être capable de jouer. »

Durant toute sa vie, Armstrong entendit parler de l'imminence de « la mort du jazz », des années vingt aux années soixante-dix. Le génie communicatif d'Armstrong n'y a jamais cru : « Je m'achèterais une firme de disques et je n'enregistrerais que ce que les gens qualifient de "fini" — et on se ferait des millions de dollars. Tu rassembles ces gars qui n'attendent que cette séance d'enregistrement et tu ne peux pas te tromper. Tout le monde attend le succès, mais ils perdent de vue la musique qui est à l'origine de tout ça », confia-t-il à Dan Morgenstern.

Le succès de Louis Armstrong est, dans une large mesure, dû à sa personnalité. Quiconque l'a connu ou a travaillé avec lui est en mesure de raconter une expérience révélatrice de la chaleur et de la sincérité de cet homme. En 1962, j'ai produit un show télévisé à New York avec les Armstrong All Stars. Satchmo venait d'adresser ses amitiés à ses fans allemands, les priant de garder sa *sauerkraut* et sa *wurst* au chaud pour sa prochaine tournée. Le show était terminé et bientôt les lumières s'éteignirent sur un studio désert. Je me rendis dans une pièce voisine pour discuter du montage du film. Satchmo était parti... Trois quarts d'heure plus tard, la porte de l'ascenseur s'ouvrit sur Louis Armstrong. Il m'expliqua qu'il était installé dans un taxi lorsqu'il avait réalisé qu'il ne m'avait pas salué avant de partir. Intrigué, je lui demandai s'il avait oublié quelque chose. Non, m'affirma-t-il. Satchmo était tout simplement revenu pour me dire au revoir. Jack Bradley, le photographe, me confirma : « Eh oui, il est comme ça. »

Dans les années soixante, il fut à la mode de traiter Armstrong d'« Oncle Tom », car il ne s'était pas impliqué dans le mouvement de libération des Noirs. Pourtant Satchmo avait déclaré en 1957 à un journaliste du *Herald* de Grand

Forks (dans le Nord Dakota) : « Cette manière qu'ils ont de traiter les miens dans le Sud — le Gouvernement peut aller se faire foutre ! » Il annula ensuite une tournée en Union soviétique organisée par le Département d'État, refusant de se rendre à l'étranger pour un gouvernement dirigé par un tel président : « Supposons que les gens là-bas me demandent ce qui ne va pas dans mon pays. Que suis-je censé répondre ? Ma vie dans le monde musical est merveilleuse, mais je ressens la situation de la même manière que n'importe quel nègre... » Ses mots résonnèrent autour du monde.

En 1965, il était en tournée en Scandinavie et alors qu'il regardait un reportage télévisé consacré aux protestations des Noirs à Selma, Alabama, il confia à un journaliste : « Ils frapperaient Jésus s'il était noir et défilait dans la rue. »

Louis Armstrong éprouvait incontestablement et sincèrement un sentiment de solidarité, une vraie compassion pour toute détresse humaine, mais il n'était pas un homme politique. « Il aime tellement les hommes qu'il trouverait du bon même chez un criminel. Il n'est pas capable de haïr », écrivit un jour un critique anglais.

« De combien d'artistes américains peut-on dire qu'ils ont construit notre siècle ? » demanda Martin Williams. Il répondit lui-même : « Je ne sais que dire de nos écrivains, de nos peintres, de nos compositeurs de concert. Mais je suis certain que Louis Armstrong a construit notre siècle. »

J'ai dit moi-même lors d'une émission de télévision réalisée à l'occasion du décès de Louis Armstrong en 1972 : « Il n'est pas un son aujourd'hui, que ce soit à la radio, à la télévision, ou sur disque, qui ne puisse être ramené d'une manière ou d'une autre à Louis Armstrong. Il convient de le comparer aux autres grands artistes innovateurs de ce siècle — Stravinsky, Picasso, Schoenberg, James Joyce... Il fut, parmi ceux-ci, le seul Américain. Sans Armstrong le jazz n'existerait pas — et sans le jazz il n'y aurait pas de musique populaire moderne ni de rock. Tous les sons qui nous entourent aujourd'hui seraient différents sans Satchmo ; d'ailleurs ils ne seraient pas. Sans Armstrong le jazz serait resté la musique folklorique locale de La Nouvelle-Orléans — aussi obscure que des dizaines d'autres musiques folkoriques ».

« La musique folk ? » demanda-t-il un jour. « Ben, mon vieux, je ne connais pas autre chose que la musique folk. Je n'ai jamais entendu chanter un cheval. »

Le poète soviétique Evgueni Evtouchenko écrivit ce poème à l'époque où la nouvelle du décès de Louis Armstrong faisait le tour du monde :

Fais ce que tu faisais par le passé,
et joue.
Réconforte les anges,
Ainsi les pécheurs ne seront pas trop
malheureux en Enfer
Dispense un peu plus d'espoir dans leur vie
Donne à Armstrong une trompette
Ô archange Gabriel.

Bessie Smith

Papa, Papa, you're in a good man's way
Papa, Papa, you're in a good man's way
I can find one better than you any time of day

You ain't no good, so you'd better haul freight
You ain't no good, so you'd better haul freight
Mamma wants a live wire, Papa, you can take the gate.

I'm a red hot woman, just full of flamin' youth
I'm a red hot woman, just full of flamin' youth
You can't cool me, daddy, you're no good, that's the truth.

« Il n'y avait pas d'affectation chez elle. Tout était vrai : une femme qui extirpait son cœur avec un couteau pour l'exposer à la vue de tous... » Ces mots sont de Carl Van Vechten.

Bessie Smith est la plus grande chanteuse de la période « classique » du blues : les années vingt. Elle enregistra 160 disques, elle apparut dans un petit film, et elle connut un tel succès à l'apogée de sa carrière, au début et vers le milieu des années trente, que la vente de ses disques sauva de la faillite l'ancienne *Columbia Record Company*. Elle vendit près de dix millions de disques. Bessie est « l'Impératrice du blues ».

Sa personnalité produisait un effet prodigieux. Elle déclenchait souvent chez ses auditeurs des réactions semblables à des expériences religieuses. Ils s'écriaient « amen » lorsqu'elle achevait un blues — comme ils le faisaient dans les églises à la fin des spirituals ou des gospels. Nul autre qu'elle n'illustrait mieux à l'époque la relation existant entre les spirituals et le blues.

Mahalia Jackson, la grande chanteuse de spirituals moderne, le « gospel song », dit : « Quiconque chante le blues se trouve dans un puits profond hurlant ses appels à l'aide. » Le blues parle de maintes choses qu'on a perdues : l'amour, le bonheur, la liberté et la dignité humaine.

Le blues raconte souvent son histoire à travers un voile d'ironie. La coexistence de la douleur et de l'humour est caractéristique du blues. C'est un peu comme si ce qu'on chante devenait plus supportable du fait qu'on ne le prend pas trop au sérieux ; même les situations les plus désespérées révèlent parfois un côté amusant. Il arrive que l'élément comique surgisse parce que l'infortune est telle que les mots ne permettent pas de la présenter de manière adéquate. En outre le blues renferme toujours l'espoir. Songeons à *Trouble in Mind* : « ... *I won't be blues always cause the sun will shine in my back door some day*[1]... »

Bessie Smith chante comme si elle espérait que le soleil brille un jour « à la porte de derrière ». Et le soleil a brillé. Bessie a gagné beaucoup d'argent. Mais elle a tout perdu. Elle le dépensa à s'acheter de l'alcool, et tout ce dont elle avait envie ; elle le donna à des parents et à des gens qui paraissaient dans le besoin ; elle le gaspilla pour les hommes qu'elle aimait.

Bessie Smith est née durant la dernière décennie du XIXe siècle dans le Tennessee. Personne ne prit soin d'elle, mais elle commença à chanter très tôt. Un jour la chanteuse de blues Ma Rainey — « la mère du blues » — vint en ville. Ma entendit Bessie et la prit sous sa férule, l'intégrant dans sa troupe.

1. « ... Je n'aurai pas toujours le cafard parce qu'un jour le soleil brillera à la porte de derrière. »

Bessie chanta dans les cirques et dans les spectacles sous tente dans les villes et les villages du Sud. Frank Walker l'entendit et lui fit signer un contrat. En 1923 elle enregistra son premier disque : *Downhearted Blues*. Il fit sensation. Il se vendit à 800 000 exemplaires — presque tous achetés par des Noirs. Un seul de ses disques connut le succès auprès du public blanc au cours de ces années et encore pour de bien mauvaises raisons : *Empty Bed Blues*, enregistré en 1928 avec le trombone Charlie Green, fut interdit à Boston ayant été jugé obscène. « Mais, dit George Haefer, il est difficile de croire que le censeur de Boston ait compris les paroles de la chanson, sans parler de la musique. Le mot "lit" *(bed)* est responsable de tout. »

Outre Bessie Smith, le blues classique connut de nombreuses grandes chanteuses : Ma Rainey, Mamie Smith — qui fut la première à enregistrer un blues en 1920 —, Trixie Smith et Clara Smith — aucune de ces Smith n'était apparentée à Bessie —, Ida Cox — qui créa *Hard Times Blues* et, redécouverte en 1961, enregistra un disque à plus de soixante-dix ans —, ou Bertha « Chippie » Hill, qui enregistra *Trouble in Mind* avec Louis Armstrong en 1926 et à nouveau en 1946 avec les Blues Serenaders de Lovie Austin. Mais Bessie les surclasse toutes.

Il est difficile de décrire la magie de sa voix. Peut-être celle-ci tient-elle au fait que la dureté et l'âpreté de sa voix sont toujours empreintes d'une peine profonde — même dans ses chansons les plus légères et les plus drôles. Bessie représentait en chantant un peuple qui avait vécu des siècles d'esclavage et qui avait dû affronter, après l'Émancipation, des situations parfois plus inhumaines encore qu'aux jours les plus sombres de l'esclavage. Le fait que sa douleur trouva son expression dépourvue de sentimentalisme dans la rigueur même de la voix est peut-être son secret.

Bessie Smith bénéficiait souvent, lors de ses enregistrements, de l'accompagnement de musiciens de premier ordre tels que Louis Armstrong, James P. Johnson, Jack Teagarden, Chu Berry, Benny Goodman, Tommy Ladnier, Eddie Lang, Frankie Newton, Clarence Williams et tant d'autres parmi la fine fleur du jazz. Fletcher Henderson — qui dirigeait le principal orchestre de jazz de l'époque — fut responsable pendant plusieurs années de ses combos de soutien et il mit ses meilleurs musiciens à son service.

Il n'est pas une seule chanteuse de jazz qui ne soit influencée dans une certaine mesure — directement ou non — par Bessie Smith. Louis Armstrong dit à son propos : « Elle me faisait toujours vibrer, par la manière dont elle phrasait une note avec un quelque chose dans la voix qu'aucune autre chanteuse de blues ne possédait. Elle avait la musique dans l'âme et ressentait tout ce qu'elle faisait. Sa sincérité à l'égard de sa musique fut une source d'inspiration. »

Son déclin commença vers la fin des années vingt. En 1930, Bessie Smith, qui cinq années auparavant était l'artiste la plus couronnée de succès de sa race (et l'une des plus appréciées en Amérique), se retrouvait dans une situation si précaire qu'il lui fallait accepter des engagements non plus dans les grands théâtres du Nord, mais dans les spectacles itinérants de son Sud natal.

Bessie Smith mourut le 26 septembre 1937 à la suite d'un accident de voiture près de Clarksdale, Mississippi.

J'avais repris, dans une édition précédente de cet ouvrage, une anecdote relative au décès de Bessie Smith qui reflète une conviction toujours largement répandue dans les milieux du jazz : la chanteuse serait décédée parce que l'hôpital pour Blancs où elle fut conduite avait refusé de soigner une patiente noire ; elle se serait vidée de son sang « sur les marches » de l'hôpital.

Il est certain que cette histoire correspond à une situation réelle dans le Deep South américain de l'époque. Il semble néanmoins certain (cf. B. J. Skelton du *Press Register* de Clarksdale, dans le magazine *The Second Line*, vol. 9, n° 9-10, 1959) que les milieux du jazz ont été mal informés dans le cas de Bessie Smith. Elle est décédée dans une ambulance qui la conduisait vers un hôpital noir de Clarksdale. Il a également été établi que la version erronée fut colportée par les membres du Chick Webb Band, qui jouèrent à Memphis peu après la tragédie.

La vie et l'œuvre de Bessie Smith ne s'achèvent pourtant pas ici. En 1971, *Columbia Records* ressortit l'œuvre complète de Bessie Smith sur cinq doubles albums. L'« Impératrice du

Blues » reçut ainsi un honneur sans précédent dans la musique populaire : trente-quatre ans après sa mort, elle décrocha une gloire mondiale pour la deuxième fois. Les analyses de marché ont révélé que ce furent essentiellement les jeunes qui achetèrent les résultats de ce « plus important et plus grandiose projet de réimpression de l'histoire ». Voilà qui confirme que John Hammond, le plus grand fan de Bessie Smith, celui qui la redécouvrit, avait raison lorsqu'il affirmait : « Bessie chantait dans les années vingt et trente le blues d'aujourd'hui. »

Cette renaissance de la musique et du nom de Bessie Smith eut une autre conséquence. Sa tombe — un monticule à peine identifiable dans la rangée 12, lotissement 20, section 10 du *Mount Lawn Cemetery* de Sharon Hill, Pennsylvania — reçut enfin une pierre tombale. Les citoyens noirs de Philadelphie et Janis Joplin, la chanteuse blanche du Texas qui avait tant appris de Bessie, payèrent la facture de 500 dollars. L'épitaphe dit : *La plus grande chanteuse de blues du monde ne cessera jamais de chanter* — Bessie Smith — 1895-1937.

Bix Beiderbecke

Bix Beiderbecke fait partie de ces musiciens qui sont dissimulés par le mythe élaboré autour de leur nom au point qu'il est difficile de découvrir la réalité de l'homme. C'était un être inhibé qui ne paraissait jamais satisfait de lui et se fixait toujours des objectifs inaccessibles : « Je crois que c'est à cause de son perfectionnisme qu'il buvait autant : il désirait pousser la musique au-delà de ses limites. La frustration qui résultait de cette impossibilité était un facteur important », dit le trompettiste Jimmy McPartland, qui fut particulièrement proche de lui sur le plan musical.

Paul Whiteman se souvient : « Bix Beiderbecke, Dieu bénisse son âme, était fou des compositeurs modernes — Schoenberg, Stravinsky et Ravel... Un soir je l'emmenai à l'opéra. On jouait *Siegfried.* Quand il entendit les cris d'oiseau dans le troisième acte, avec ces intervalles qui sont modernes aujourd'hui, lorsqu'il prit conscience du fait que les *leitmotive* de l'opéra étaient arrangés, dérangés, masqués, démontés et reconstruits de toutes les manières concevables, il en arriva à la conclusion que le bonhomme Wagner n'était pas aussi stupide que ça et que les musiciens de Swing quant à eux n'étaient pas aussi savants qu'ils l'imaginaient. »

On a souvent mal interprété la présence de Bix dans les orchestres de danse de Whiteman et de Jean Goldkette. Les fans affirment qu'il n'avait pas le choix, le jazz ne lui permettant pas de gagner sa vie. Cependant Bix fut le musicien qui connut le plus de succès durant la deuxième moitié des années vingt. Sa position lui permettait de jouer où il le désirait, et de gagner beaucoup d'argent. George Avakian a dit : « Personne ne lui a jamais mis un revolver dans le dos pour l'obliger à jouer dans ces groupes. » En réalité, Bix a rejoint Whiteman — le symbole de la musique commerciale de l'époque — parce qu'il était fasciné par les arrangements fantaisistes écrits pour l'orchestre. Il y retrouvait pour le moins un reflet des palettes orchestrales colorées de Ravel, Delius, Stravinsky et Debussy.

Plus tard, dans les années trente et quarante — les collectionneurs de disques du monde entier achetèrent les anciens enregistrements de Paul Whiteman pour se passer et se repasser les huit ou seize mesures de solo soufflées par Bix — ces disques furent régulièrement republiés jusqu'à ce jour. (En fait nulle autre forme musicale de la première moitié de ce siècle n'est demeurée aussi vivace sur disque que le jazz. En opéra, les rééditions de Caruso et de quelques autres grandes vedettes sont toujours des exceptions. En jazz en revanche, les rééditions des principaux enregistrements des plus grands musiciens des cinquante premières années du jazz sont devenues la règle.)

Il convient de reconnaître, si on l'envisage d'un point de vue moderne, que la différence n'est pas très grande entre les prestations de Beiderbecke dans l'orchestre de Whiteman et celles des disques de jazz qu'il enregistra avec ses amis. Rares sont les musiciens avec lesquels il joue qui lui arrivent au talon. Il n'y a pas grand-chose à retirer de l'ensemble de ces enregistrements si ce n'est les parties de cornet de Bix : les passages d'ensemble qu'il dirige et les solos qu'il improvise.

Bix Beiderbecke est — plus que tout autre musicien —

l'essence du style de Chicago. Voici quelques autres musiciens qui appartiennent à l'école de Chicago (quoique d'aucuns y débutèrent mais acquirent leur véritable importance dans d'autres styles) : le saxophoniste Frankie Trumbauer, les trompettistes Muggsy Spanier et Jimmy McPartland ; les batteurs Gene Krupa, George Wettling et Dave Tough ; les frères Dorsey (Jimmy à l'alto et à la clarinette, Tommy au trombone) ; le ténor Bud Freeman ; le violoniste Joe Venuti, l'un des rares violonistes de jazz de l'époque ; les guitaristes Eddie Lang et Eddie Condon ; les trombonistes Glenn Miller et Jack Teagarden ; les clarinettistes Pee Wee Russell, Frank Teschemacher, Benny Goodman, et Mezz Mezzrow ; le pianiste Joe Sullivan ; et une douzaine d'autres.

Leur histoire est tragique à plus d'un égard. Il est rare qu'un tel enthousiasme pour le jazz se concentrât en un même lieu. Il n'en demeure pas moins que la plupart de leurs enregistrements datant de cette époque ne sont guère satisfaisants. La raison en est peut-être qu'il n'existait pas un groupe représentant, à un niveau supérieur, le style de Chicago. Il n'est pas d'ensemble équivalent au Hot Seven de Louis Armstrong ou aux Red Hot Peppers de Jelly Roll Morton qui viennent immédiatement à l'esprit quand on évoque le style new orleans ; ni aux orchestres de Count Basie ou de Benny Goodman, ni aux combos de Teddy Wilson pour le Swing ; pas plus qu'au Charlie Parker Quintet pour le bop. Sur un plan général — qui sera développé dans le chapitre consacré aux combos — le style de Chicago s'est montré incapable de produire un enregistrement satisfaisant de part en part. Seuls les passages solos sont, le plus souvent, remarquables : le son inimitable de la clarinette de Frank Teschemacher, les improvisations du ténor de Bud Freeman, les lignes d'alto « cool » de Frankie Trumbauer, et surtout le cornet de Bix Beiderbecke.

D'aucuns ont suggéré que le style Chicago n'était pas vraiment un « style » à proprement parler. Ses meilleurs enregistrements se rapprochent tellement du dixieland ou du new orleans qu'il semble que l'élément le plus typique du style de Chicago soit la qualité inachevée de ses quelques disques valables. Il y a pourtant certains signes de reconnaissance musicaux — en particulier l'accent quelque peu novateur mis sur les contributions solo — qui différencient le style de Chicago du new orleans et du dixieland. Qui plus est, l'unité et les rapports *humains* étaient si puissants chez les musiciens de Chicago et se reflétaient dans leur musique avec une telle sincérité qu'on hésite même à l'heure actuelle à les « descendre en flammes » sur des critères théoriques et académiques.

Bix Beiderbecke était originaire de Davenport, Iowa. Il y était né en 1903 dans une famille d'immigrants allemands. Ses ancêtres avaient été pendant des générations ecclésiastiques et organistes en Poméranie et en Mecklembourg. L'un des prénoms de son père était Bismarck, le fils en hérita — mais il immortalisa son diminutif Bix. Enfant, Bix chantait dans la chorale de l'église luthérienne de Davenport.

Bix était un prodige musical. On raconte qu'il découvrit le jazz grâce aux bateaux à aubes qui descendaient le Mississippi ; d'aucuns transportaient des orchestres de La Nouvelle-Orléans, et la musique se répercutait sur les flots.

Bix se prit bientôt d'une telle passion pour la musique que ses proches commencèrent à le trouver étrange. Il fut renvoyé de l'école parce que rien ne l'intéressait hormis la musique. L'image du jeune Beiderbecke errant dans les rues tel un rêveur, son cornet fatigué emballé dans un journal, devint proverbiale parmi tous ceux qui le connaissaient.

Avec Beiderbecke le romantisme allemand — et l'ensemble de sentiments qui l'accompagnent — fit son apparition dans le jazz. Peut-être fut-ce cet héritage romantique, avec ses grands appels de l'âme et sa mélancolie, qui fit se développer chez Bix un état d'esprit semblable à celui du peuple noir à la suite de son expérience américaine. Ce qui était, chez le musicien de La Nouvelle-Orléans, l'héritage musical de l'Afrique — préservé à un niveau subconscient — était chez Beiderbecke la « fleur bleue » du romantisme allemand. Il était une sorte de Novalis transporté dans l'« ère du jazz » des années vingt, où il se rencontrait avec les personnages assoiffés de vie de F. Scott Fitzgerald.

Beiderbecke fut — exception faite des vieux pianistes de ragtime — le premier grand soliste « cool » de l'histoire du jazz. Il est possible de tracer une ligne droite entre sa conception cool et celle de Miles Davis.

Il commença à se produire en public à dix-huit ans. En 1923, il jouait au sein du premier groupe appartenant véritablement au style de Chicago, les Wolverines. En 1924, il rencontra le saxophoniste Frank Trumbauer, avec lequel il enregistra nombre de ses meilleurs disques. Il se joignit ensuite à toute une série de groupes — celui de Jean Goldkette, puis de Hoagy Carmichael, etc., jusqu'à ce que vers la fin des années vingt Bix devienne l'un des rares musiciens qui conférèrent à la musique de Paul Whiteman sa saveur jazz.

Vers 1927, il devint évident que Bix souffrait d'une maladie pulmonaire. Il n'y prêta pas attention. Il continuait à jouer sans arrêt, et lorsqu'il ne jouait pas il buvait ou allait assister à des concerts symphoniques. Il étudiait le monde harmonique de Debussy, surtout au piano. Il écrivit quelques morceaux dans lesquels il saisit l'esprit impressionniste — d'une manière étonnamment naïve et simple. Les titres sont révélateurs : *In a Mist, In the Dark, Flashes.*

Au cornet, il était avant tout un musicien de jazz ; au piano, il était plus redevable à la tradition européenne.

En définitive, Whiteman l'envoya en cure à Davenport. (Il continuait néanmoins à lui verser son salaire.) Il était malheureusement trop tard. Bix était incapable de rester longtemps à la maison. Une fille — l'une des rares de sa vie — le persuada d'emménager à Queens et lui trouva un appartement.

Bix vécut ses dernières semaines chez le bassiste George Krashow. Voici une anecdote qui illustre combien Bix inspira d'amour à chacun. Il avait l'habitude de se lever vers trois ou quatre heures du matin pour jouer du cornet. On a peine à imaginer un musicien de jazz agissant de la sorte et n'ayant pas droit aux plaintes des voisins. Ce fut pourtant le cas de Bix. Les voisins dirent à Krashow : « Je vous en prie, ne lui dites pas que nous en avons parlé... nous serions désolés qu'il arrête. »

Beiderbecke succomba dans l'appartement de Krashow. Il existe toujours des Beiderbecke en Allemagne — dans la « Lüneburger Heide » au sud de Hambourg. Un jour je leur ai parlé de Bix, ils ne le connaissaient pas.

Duke Ellington

L'orchestre de Duke Ellington est un mélange complexe d'éléments spirituels et musicaux. Il ne fait aucun doute que la musique qu'il créait était celle de Duke Ellington, pourtant il est tout aussi vrai qu'elle appartenait à chacun des membres du groupe. Maints morceaux d'Ellington furent des réalisations véritablement collectives, mais néanmoins dirigés par Ellington. D'aucuns se sont employés à décrire la naissance des enregistrements d'Ellington, mais le processus était d'une subtilité qui échappe aux mots. Duke, ou son alter ego le regretté arrangeur et compositeur Billy Strayhorn, ou encore l'un des membres du groupe, apportait un thème au studio. Ellington le jouait au piano. La section rythmique enchaînait. L'un ou l'autre cuivre entrait dans le jeu. Le saxophoniste baryton Harry Carney improvisait éventuellement un solo. La section des cuivres lui construisait un support adéquat et Ellington, installé au piano, écoutait, accentuant légèrement les harmonies — et tout à coup il le *savait* : c'était ainsi qu'il convenait de jouer le morceau et pas autrement... La partition ne faisait ensuite que reproduire ce qui avait été improvisé — au sens réel du terme.

La volonté dynamique avec laquelle Ellington imposait ses idées à ses musiciens tout en leur donnant l'impression qu'il ne faisait que les aider à révéler et à développer leurs pouvoirs latents, était l'un de ses multiples talents. Compte tenu de la relation existant entre Duke et ses musiciens — que les mots, je le répète, sont incapables de traduire — tout ce qu'il écrivit semble avoir été conçu pour lui et son orchestre — à un point tel qu'il est bien difficile à autrui de le copier. On rapporte qu'à une certaine époque Paul Whiteman et Ferdie Grofé, son arrangeur, se rendirent tous les soirs dans le club où se produisait Ellington, afin d'assimiler certains des sons typiquement ellingtoniens. Ils finirent par y renoncer : « Il est impossible de le déposséder. »

Duke Ellington a écrit d'innombrables mélodies populaires — des mélodies évoquant Jerome Kern, Richard Rodgers, Cole Porter ou Irving Berlin. Mais même les plus célèbres d'entre elles — *Sophisticated Lady, Mood Indigo, Creole Love Call, Solitude, Caravan* — sont rarement devenues de gros succès commerciaux. Aussi mémorables et mélodiques soient-elles, il semble qu'elles perdent trop de leur essence lorsqu'elles ne sont pas interprétées par Ellington lui-même.

A dix-huit ans Ellington désirait être peintre. En devenant musicien il ne renonça à son rêve qu'en apparence. Il utilisa désormais les sons et non plus les couleurs pour peindre. Ses compositions — avec leurs multiples couleurs de timbre et d'harmonie — sont des tableaux musicaux. Leurs titres le suggèrent parfois de manière non équivoque : *The Flaming Sword, Beautiful Indians, Portrait of Bert Williams, Sepia Panorama, Country Girl, Dusk in the Desert, Mood Indigo*, etc. Même lorsqu'il dirigeait son orchestre, Ellington demeurait un peintre : de la manière grandiose dont il lui faisait face, avec quelques gestes précis de la main, il plaçait des taches de couleurs sur une toile faite de sons.

Peut-être est-ce la raison pour laquelle il concevait sa musique comme étant « la transformation des souvenirs en sons ». Les souvenirs sont des images. Ellington dit : « Le souvenir des faits passés est important pour un musicien de jazz. Je me souviens d'avoir écrit un jour un morceau de soixante-quatre mesures à propos d'un souvenir : j'étais un petit garçon dans son lit et j'entendais un homme qui sifflait dans la rue, ses pas résonnaient en s'éloignant. »

Ellington n'a jamais manqué une occasion d'exprimer sa fierté à l'égard de la couleur de sa peau. Nombre de ses œuvres les plus importantes puisent leurs thèmes dans l'histoire des Noirs : *Black, Brown and Beige*, les tons des nègres américains qui étaient « noirs » quand ils arrivèrent au Nouveau Monde, devinrent « bruns » à l'époque de l'esclavage et « beige » aujourd'hui — non seulement sur le plan de la couleur de la peau mais encore dans leur être profond ; *Liberian Suite* — une œuvre en six mouvements commandée par la petite république de la côte Ouest de l'Afrique à l'occasion de son centenaire ; *Harlem*, une création qui capte l'atmosphère de la ville noire au cœur de New York ; *Deep South Suite* qui nous rappelle où se situent les origines du jazz, ou encore *New World A-comin*, qui évoque un monde meilleur sans discrimination raciale.

« Je veux créer la musique du nègre américain », déclara Ellington, en mettant l'accent sur « américain ». Il était conscient du fait que le nègre américain était plus proche du monde de l'homme blanc que de l'Afrique noire. Un homme lui écrivit qu'il pouvait prendre sa musique de jungle et la ramener aussitôt que possible en Afrique ; Ellington lui répondit avec une courtoisie extrême que cela lui était malheureusement impossible du fait que le sang du nègre américain s'était mêlé au fil des générations à celui de l'auteur de la lettre au point qu'il ne serait plus accepté en Afrique. Mais, ajouta-t-il, si son correspondant n'y voyait pas d'objection, il se rendrait en Europe. « Là, nous sommes acceptés. »

Maints critiques ont affirmé qu'Ellington se rapprochait souvent trop de la musique européenne. Ils citaient à l'appui de leurs dires son intérêt pour les formes orchestrales plus amples, plus développées et plus élaborées que celles du jazz classique. Mais dans cet intérêt se révèle une insuffisance dans le façonnement de ces formes qui n'a rien d'européen : à savoir une naïveté étonnante, aimable. Cette naïveté était également présente dans les medleys — de longues séries mêlant plusieurs de ses succès — qui agaçaient souvent ses admirateurs partisans d'une musique plus recherchée, moins « facile ». Le Duke ne comprenait pas pourquoi l'idée du « pot-pourri » de succès devait être proscrite de toute musique artistique.

En 1923 il se joignit à un petit ensemble de cinq musiciens, dont trois allaient devenir célèbres dans sa formation : le saxophoniste alto Otto Hardwicke, le batteur Sonny Greer et le trompettiste Arthur Whetsol. Le combo se baptisa The Washingtonians — d'après la capitale des États-Unis, où Ellington avait vu le jour en 1899, et où il passa une jeunesse relativement protégée et insouciante.

Les Washingtonians se rendirent à New York où — ainsi que le raconta le Duke — ils durent parfois trouver cinq portions dans un hot-dog afin de ne pas mourir de faim. Six mois plus tard ils renonçaient.

Ellington tenta à nouveau sa chance trois ans après. Cette fois-ci fut la bonne. On le retrouva bientôt dirigeant l'orchestre du cabaret le plus sélect de Harlem, le Cotton Club, qui bien que situé dans le quartier noir de la ville attirait les touristes blancs — ceux-ci avaient ainsi le sentiment d'avoir

« vraiment pénétré Harlem ». Les premiers enregistrements célèbres d'Ellington datent de cette époque : *East St Louis Toodleoo, Jubilee Stomp, Birmingham Breakdown* et *Black and Tan Fantasy.*

Ellington préserva dans les années cinquante la cellule originale de son orchestre du Cotton Club. Aucun autre chef d'orchestre ne réussit mieux que lui à assurer la cohésion de son groupe. La plupart des orchestres à succès changeaient de personnel plusieurs fois par an, alors qu'Ellington n'enregistra que six ou sept modifications significatives en vingt ans. Parmi les solistes importants qui accompagnaient Ellington au Cotton Club citons le trompettiste Bubber Miley, le trombone Joe « Tricky Sam » Nanton, et le saxophoniste baryton Harry Carney. Ellington créa son « jungle style » avec Miley et Nanton. Les sons expressifs de la trompette et du trombone évoquaient les grognements nocturnes dans la jungle.

Le « jungle style » est l'un des quatre styles attribués à Duke Ellington. Les trois autres sont (d'une manière quelque peu simpliste mais néanmoins synoptique) : le « mood style », le « concerto style » et le « standard style », inspiré plus ou moins directement de Fletcher Henderson, le plus important chef d'orchestre des années vingt, et n'apportant au départ pas grand-chose de neuf. La nouveauté résidait toutefois dans les couleurs et les sons typiquement ellingtoniens. Il y eut en outre tous les mélanges imaginables de ces « styles ».

Le « style concerto » se scinde quant à lui en deux tendances : de véritables petits concertos pour différents solistes de l'orchestre d'Ellington — tels que le fameux *Concerto for Cootie* écrit pour le trompettiste Cootie Williams ; et d'autre part les tentatives évoquées ci-dessus pour écrire du jazz suivant des formes plus amples.

L'histoire de Duke Ellington est l'histoire de l'orchestre en jazz. Aucun big band important — et ceci vaut également pour les orchestres de danse commerciaux — ne niera avoir subi, de manière directe ou non, l'influence du Duke. La liste des innovations et des techniques introduites par Ellington et adoptées par la suite par les autres orchestres ou musiciens est sans comparaison.

En 1927, il fut le premier à utiliser la voix humaine

comme un instrument. La voix en question était celle d'Adelaïde Hall ; le morceau s'intitulait *Creole Love Call.* Il créera par la suite des effets similaires avec la colorature soprano de Kay Davis. Aujourd'hui l'expression « voix utilisée comme un instrument » est devenue courante.

En 1937, il ouvrit avec *Caravan*, écrit avec son tromboniste portoricain Juan Tizol, la voie à ce qu'on nomma le « jazz cubain » et que l'on a rebaptisé aujourd'hui « jazz latin » : la combinaison des rythmes latino-américains avec les mélodies et les harmonies du jazz nord-américain.

Duke Ellington fut le premier à utiliser les chambres d'écho dans ses enregistrements. Elles sont désormais d'un usage courant. En 1938, le solo de Johnny Hodges dans *Empty Ballroom Blues* fut le premier solo ayant recouru à une chambre d'écho.

Vers la fin des années vingt, on trouve trace dans plusieurs morceaux d'Ellington de la quinte diminuée, l'intervalle si caractéristique du bop.

C'est également dans l'orchestre d'Ellington que, par l'intermédiaire d'Harry Carney, le saxophone baryton fit son apparition dans le monde du jazz.

L'histoire de la basse de jazz a, pendant des années, été associée de manière si étroite à l'orchestre de Duke Ellington que nous pourrions tout aussi bien l'évoquer ici que dans le chapitre consacré à cet instrument. Il y a une évolution linéaire entre le premier enregistrement avec basse amplifiée — *Hot and Bothered* avec le bassiste Wellman Braud en 1928 — et le jeu d'Oscar Pettiford ou de Jimmy Blanton, qui, au sein de l'orchestre d'Ellington de 1940, fit de la basse l'instrument qu'elle est aujourd'hui.

Tout ce que nous pouvons dire de la sonorité et de l'instrumentation jazz remonte presque sans exception à Ellington.

Élément encore plus important : Duke Ellington anticipa de plusieurs décennies cette créature étrange et paradoxale qu'est le « compositeur de jazz ». Il fut le seul de 1925 à 1945 à composer, comme le feront par la suite John Lewis, Ralph Burns, Jimmy Giuffre, Bill Russo, George Russell, Gerry Mulligan, Charles Mingus, Carla Bley, Gil Evans, Oliver Nelson...

Incomparable également la manière dont Ellington aborde la question du piano en jazz — nous y reviendrons plus avant. Le piano devint une extension de ses mains tandis qu'il dirigeait l'orchestre. Il ne jouait que ce qui était indispensable, indiquait les harmonies, comblait les trous, et laissait tout le reste à ses musiciens. Ses breaks au piano étaient semblables à ceux d'un batteur. Duke les exécutait souvent debout. Ils sont emplis d'une tension admirable, et lorsqu'on écoute l'un de ses rares solos, on perçoit aujourd'hui encore que ses racines plongeaient dans le vieux, dans le pur ragtime.

Les deux orchestres les plus célèbres d'Ellington furent celui de la fin des années vingt, avec Bubber Miley et « Tricky Sam » Nanton, et celui des années quarante, avec le bassiste Jimmy Blanton et le ténor Ben Webster. Le jazz des big bands modernes vit le jour avec ce dernier, *Koko* étant son plus grand succès. Après cela, on parla en plusieurs circonstances du déclin d'Ellington. D'aucuns lui conseillèrent de congédier son orchestre, ou de ne le rassembler que quelques mois par an afin de consacrer le reste du temps à composer. Mais Duke avait besoin de ses musiciens : « Je veux les avoir autour de moi, confia-t-il à Leonard Feather, pour qu'ils jouent ma musique. Je ne veux pas créer de la musique pour la postérité, je veux qu'elle sonne juste en ce moment même ! »

Par ailleurs, Duke Ellington lui-même mit fin aux rumeurs de « déclin » répandues à la légère par les critiques. L'événement se produisit au festival de Newport de 1956. Duke Ellington n'était que l'une des multiples attractions. Personne n'escomptait que sa prestation sortît de l'ordinaire, or elle s'avéra être le temps fort du festival. Duke interpréta son vieux (1937) *Diminuendo and Crescendo in Blue*, l'une de ses premières compositions longues ; Paul Gonsalves produisit vingt-sept chorus d'un saxo ténor pour le moins stimulant, et l'orchestre dégagea une vitalité et une puissance à laquelle Ellington ne nous avait plus habitués depuis longtemps.

Ce fut l'une des grandes nuits du jazz des années cinquante. Duke Ellington nous rappela une vérité que d'aucuns avaient eu tendance à oublier : il était toujours le « grand bonhomme » du jazz de big band. Une série de nouveaux chefs-d'œuvre virent le jour : d'abord et surtout la suite *Such Sweet Thunder*, dédiée au festival de Shakespeare de Stratford, Ontario. Avec ses commentaires spirituels, ses persiflages et ses caricatures des grands personnages shakespeariens, ce fut l'une des plus belles œuvres longues d'Ellington.

En 1967, Billy Strayhorn mourut ; en 1970 ce fut Johnny Hodges. Aucun décès n'avait autant bouleversé Ellington que celui de ces deux grands musiciens, depuis la mort en 1932 du trompettiste Bubber Miley qui avait inventé le « style jungle » entre 1925 et 1929 (Miley avait été remplacé par un autre soliste exceptionnel, Cootie Williams). Les solos riches et sensuels de Johnny Hodges reflétaient depuis 1928 le côté romantique, chaleureux et impressionniste du caractère d'Ellington. Le compositeur et arrangeur Billy Strayhorn avait inscrit maints morceaux importants au répertoire du groupe, notamment *Lush Life*, *Chelsea Bridge* et *Take the A Train*, l'indicatif de l'orchestre d'Ellington. Il s'accordait tellement bien, en tant qu'orchestrateur, au Duke que même les spécialistes éprouvaient souvent des difficultés à différencier les créations d'Ellington de celles de Billy « Sweet Pea » Strayhorn.

La perte de Strayhorn libéra de nouveaux pouvoirs créatifs chez Ellington. Durant les années soixante, il avait eu tendance à confier le travail de composition et d'arrangement à Strayhorn. Voilà qu'il reprenait le flambeau. Il créa plusieurs grandes œuvres importantes : *The Sacred Concert* et le *Second Sacred Concert* ; le *70th Birthday Concert* de Duke Ellington (qui fut en 1969 le « disque de jazz de l'année » dans le monde entier) ; la *Far East Suite* (dans laquelle Ellington brode d'une manière très personnelle sur une tournée en Asie organisée par le Département d'État) ; et — surtout — la *New Orleans Suite*, qui devint le « disque de l'année » en 1970. Ellington y rend hommage à l'héritage néo-orléanais de la tradition jazz, et le transforme en une musique ellingtonienne.

Les spécialistes ont affirmé que ces années ayant fait suite au décès de Strayhorn marquèrent l'une des périodes les plus riches et les plus fertiles du demi-siècle d'activité d'Ellington — tant sur le plan des compositions que du nombre de concerts et de tournées.

En 1970 l'orchestre d'Ellington entreprit l'une des plus longues tournées jamais réalisées par un orchestre de jazz : l'Union soviétique, l'Europe, l'Amérique latine — trois mois d'activité ininterrompue. Une fois de plus le public eut l'impression qu'à soixante-dix ans Ellington était le musicien le plus jeune et le plus dynamique d'un orchestre dont il était pourtant l'aîné. Lorsque les autres membres du groupe trahissaient parfois la fatigue, Ellington fascinait l'audience par son humour, son esprit et son charme. Vers la fin des concerts, il rassemblait autour de lui quatre ou cinq solistes pour improviser une musique qui atteignait alors de véritables sommets de vitalité.

En 1969, nous avons transformé les Berlin Jazz Days en une grande fête anniversaire pour les soixante-dix ans d'Ellington et des dizaines de musiciens célèbres rendirent hommage au Duke — pas uniquement les plus âgés, mais aussi des personnalités telles que Miles Davis et Cecil Taylor. Un critique écrivit qu'Ellington s'était révélé « le plus jeune musicien du festival ».

Cinq années plus tard, le 25 mai 1974, Duke Ellington — le plus grand de tous les orchestrateurs de jazz — succombait à une pneumonie dans un hôpital de New York. Quelques semaines auparavant, *Down beat*, lui avait consacré un numéro spécial à l'occasion de son soixante-quinzième anniversaire, numéro riche en éloges. Le monde de la musique tout entier lui rendit hommage, de Léonard Bernstein à Miles Davis. Ce fut sans doute le batteur Louie Bellson qui trouva les mots les plus émouvants : « Vous, le maestro, vous m'avez donné une bonne éducation sur le plan musical et vous m'avez aidé à devenir un bon être humain. Votre amitié estimable sera à jamais avec moi. Vous, le citoyen modèle du monde. Votre musique est Paix, Amour et Bonheur. »

La musique de Duke Ellington sera à jamais avec nous — pas seulement grâce au Duke Ellington Orchestra, dirigé désormais par son fils Mercer qui continue à jouer les compositions du grand homme. C'est avec une certaine déception qu'on écoute aujourd'hui cet orchestre, mais aussi avec une nuance de respect pour le fils du grand Duke Ellington.

Quoi qu'il en soit la musique de Duke continue à vivre surtout grâce aux centaines de musiciens qui l'assimilèrent et qui à leur tour transmettent leurs expériences et leur évolution à leurs étudiants et successeurs : un courant d'« Ellingtonia » qui coulera tant que le jazz existera.

Coleman Hawkins et Lester Young

Le son du jazz moderne était — pour employer un terme cher à l'arrangeur Bill Russo — « ténorisé », jusqu'à la fin des années soixante, lorsque la guitare et les instruments électroniques acquirent une place de premier plan. L'homme qui le ténorisa fut Lester Young.

Il est plus de musiciens importants jouant du saxophone ténor que de tout autre instrument. Le son du groupe Capitol de Miles Davis a été décrit comme étant l'orchestration de la sonorité du ténor de Lester Young. L'autre son jazz important des années cinquante — celui des « Four Brothers » de l'orchestre de Woody Herman — était également ténorisé. Presque tous les ténors importants, et même les trompettistes, les trombonistes, les pianistes ainsi que les saxos altos et barytons des années cinquante furent influencés par Lester Young.

Avec Lester « Pres » (forme abrégée de Président) Young, le cool jazz, le jazz des années cinquante, vit le jour bien avant le be-bop, le jazz des années quarante. Tout commença par les solos de Lester dans l'orchestre de Count Basie : *Song of the Island* et *Clap Hands, Here comes Charlie* enregistrés en 1939, ou *Lady Be Good*, enregistré par un combo de Count Basie en 1936 — et d'ailleurs, dès que Lester Young devint membre de l'orchestre de Fletcher Henderson en 1934. Lester se souvient : « Tout l'orchestre me tirait la gueule parce que j'avais pris la place de Hawk. Je n'avais pas le même son que lui. Je traînais dans la maison des Henderson et Leora Henderson me réveillait tôt le matin et me passait des disques d'Hawkins afin que j'apprenne à jouer comme lui. Je voulais jouer à ma façon, mais j'écoutais. Je ne désirais pas la vexer. »

Coleman Hawkins et Lester Young ! Ces deux noms

correspondent à deux grandes époques du jazz, « Bean » et « Pres » jouent tous deux du ténor, et assument quasiment la même position dans la phase du jazz qu'ils représentent. Il me semble en conséquence qu'il n'aurait pas été possible de trouver deux personnalités illustrant mieux l'ampleur du jazz. A une extrémité se situe Coleman Hawkins — le rhapsodiste extraverti, à la sonorité volumineuse. Violent et hardi dans les morceaux rapides, érotiquement expressif dans les morceaux lents, d'une vitalité toujours communicative, ne rechignant jamais devant la puissance d'émission ni la quantité de notes, il est un Rubens du jazz... A l'extrémité opposée se dresse Lester Young — le lyrique introverti, à la tonalité souple et douce, aimable et charmant dans les morceaux rapides, plein d'un tendre abandon dans les morceaux lents, réservé pour ce qui est de l'émission, n'exprimant jamais une nuance plus qu'il n'est absolument nécessaire. Il est un Cézanne du jazz, ainsi que le nomma Marshall Stearns — une comparaison qui indique non seulement sa position artistique mais encore historique : de même que Cézanne ouvrit la voie à la peinture moderne, Young ouvrit la voie au jazz moderne.

Il serait toutefois simpliste de cantonner l'un à la tradition et l'autre à la modernité. Tous deux sont issus de la tradition ; tous deux sont « modernes ». Coleman Hawkins jouait dans les Jazz Hounds, le groupe qui accompagnait la chanteuse de blues Mamie Smith ; Lester Young était né à La Nouvelle-Orléans et durant son enfance avait été soumis aux mêmes influences que les anciens musiciens de new orleans : les parades de rues, le Mardi gras, et les enterrements de La Nouvelle-Orléans. Lorsque naquit le jazz moderne des années quarante, Coleman Hawkins fut le premier musicien dit « traditionnel » à jouer avec les jeunes révolutionnaires be-bop. Et durant la seconde moitié des années cinquante, la période ayant précédé le décès de Young (il s'abandonnait depuis quelques années à l'alcool et à la marijuana et n'était plus que l'ombre de lui-même), son aîné Coleman Hawkins conservait toute sa vitalité et son indestructible puissance.

Hawkins est « le père du saxophone ténor ». Il ne fait aucun doute qu'il y eut d'autres ténors avant lui, mais l'instrument n'était pas reconnu comme faisant partie intégrante des cuivres de jazz. Il se rangeait dans la catégorie des faiseurs de bruits étranges — au même titre que le saxhorn ou le saxo basse.

Coleman Hawkins avait vingt et un ans lorsqu'il accompagna Mamie Smith à New York en 1923. Il interprétait le blues et le jazz à la manière de l'époque — dans l'esprit sans doute de King Oliver et de Louis Armstrong — et il fut l'un des rares musiciens noirs à jouer avec les Chicagoans blancs. Cette même année, il entra dans l'un des grands orchestres les plus importants — celui de Fletcher Henderson. Il y resta jusqu'en 1934. Il fut le premier véritable soliste au saxophone ténor, au sens des grands virtuoses de l'époque Swing. Il fut l'un des premiers à enregistrer des disques avec les jeunes musiciens européens qui venaient à peine de recevoir le message du jazz : en 1934 avec Jack Hylton en Angleterre, en 1935 avec les Ramblers en Hollande et avec Django Reinhardt à Paris. Et lorsque naquit le jazz moderne, il fut à nouveau — je me répète — l'un des premiers à rejoindre le mouvement. Hawkins se trouvait toujours là où l'on créait du jazz vivant et original.

Son premier solo enregistré célèbre date de 1926 ; il s'agit d'une interprétation de *Stampede* avec Fletcher Henderson. Il enregistra ensuite en 1929 *One Hour* avec les Mound City Blue Blowers, qui regroupaient certains représentants du style de Chicago. En 1934 ce fut *Talk of the Town*, à nouveau avec Henderson — sans doute la première interprétation solo d'une ballade de l'histoire du jazz, le fondement même de tout ce que nous entendons par ballade en jazz moderne. (Miles Davis confia : « C'est en écoutant Hawk que j'ai appris à jouer des ballades. ») Il y eut ensuite les enregistrements européens tels que *I Wanna go back to Harlem* avec les Dutch Ramblers, ou *Stardust* avec Django Reinhardt. Quand Hawkins revint aux États-Unis en 1939, il créa presque aussitôt le plus grand succès de sa carrière : *Body and Soul*, un disque de jazz qui devint un hit international. Hawkins n'y comprenait rien : « J'ai joué comme ça pendant toute ma vie... ce morceau n'avait rien de particulier. » En 1943 il réalisa un solo à couper le souffle sur *The Man I Love* avec Oscar Pettiford à la basse et Shelly Manne à la batterie. Puis vint en 1947 *Picasso* — une longue improvisation pour saxophone ténor non accompagné, se fondant sur les harmonies du morceau auquel on identifie souvent Hawkins — *Body and Soul.* Elle évoque sur le plan de la structure et de l'écriture la chaconne de la Partita en ré mineur pour violon solo de Jean-Sébastien Bach ; elle présente la même vitalité et la même linéarité baroque.

Dans tous ces enregistrements, comme dans presque tout ce qu'il a interprété, Hawkins est le maître du chorus. On a dit qu'un solo de Hawkins constitue l'exemple classique de la manière de développer une phrase en une élaboration solo. Et presque toutes les phrases d'Hawkins pourraient devenir autant de thèmes pour une improvisation de jazz. Un seul musicien peut lui être comparé à cet égard — celui-là même qui sur tous les autres plans se situe à ses antipodes : Lester Young.

Alors que tout ce qui concerne Hawkins, l'être humain, est simple et compréhensible, tout ce qui concerne Lester est étrange et complexe. Nat Hentoff, alors propriétaire d'une agence de spectacles, raconte qu'il a cessé de travailler avec Lester parce qu'il était incapable de lui parler. « Je lui parlais, dit-il, et tout ce qu'il répondait se résumait à "bells" ("Cloches") ou "ding dong" ! J'ai décidé en définitive que si je désirais discuter avec des dingues j'irais au Bellevue... »

Lester quitta l'orchestre de Count Basie, où il s'était révélé et auquel il était lié au même titre qu'Hawkins l'avait été à celui d'Henderson, parce que Basie avait prévu une séance d'enregistrement un vendredi 13 — or Lester refusait de jouer ce jour-là.

Son jargon était presque un langage en soi ; il était en conséquence difficile d'avoir une conversation intelligible avec lui. Personne n'a inventé autant de néologismes jazz que Young — y compris le mot « cool », de sorte que non seulement le style mais encore l'expression lui sont dus. Il appelait ses collègues « lady » et qualifiait les tenanciers de club de « Pres » ; il demandait au pianiste Bobby Scott des nouvelles de son « left people » lorsqu'il voulait se moquer de son habitude (partagée par maints pianistes modernes) de reproduire des lignes faisant songer aux cuivres de la main droite alors que la gauche demeurait quasiment inactive. Norman Granz rapporte que Lester prétendit pendant un certain temps qu'il parlait une langue étrangère : « C'était de la foutaise, mais il vous disait ça avec sérieux et conviction. »

Lester avait la sensibilité d'un Baudelaire ou d'un James Joyce. Un agent dit de lui : « Il vit dans son propre monde. » Ce qui se situait hors de son univers n'existait tout simplement pas. Il n'en demeure pas moins que ce monde dans lequel il vivait était merveilleux, tendre, amical et charmant. « Tout ce qui blesse un être humain, le blesse », dit le batteur Jo Jones.

Jones confie : « Quiconque joue d'un instrument et fait du jazz exprime ses pensées profondes. Lester jouait maintes phrases musicales qui étaient en réalité des mots. Il parlait littéralement au moyen de son saxe. C'était ça ses conversations. Je suis capable de traduire 85 p. 100 de ce qu'il joue en une soirée. Je saurais mettre par écrit ses pensées simplement en l'entendant souffler dans son saxe. Benny Goodman a même écrit un morceau à partir d'une phrase de Lester — *I want some money.* » Lester parlant au moyen de son saxe, il aimait écouter les chanteurs : « Quand j'écoute des disques, je passe la majeure partie du temps à écouter les chanteurs. »

Lorsqu'il improvisait sur une mélodie, Lester Young s'efforçait de transmettre les paroles de cette mélodie à l'auditeur de manière directe, sans avoir recours aux mots. Ainsi, il enregistra certains de ses plus beaux solos en tant qu'accompagnateur de Billie Holiday, la plus grande chanteuse depuis Bessie Smith — peut-être tout simplement la plus grande, et quoi qu'il en soit la personnification du chant Swing au même titre que Bessie Smith fut la personnification du blues classique. La manière dont Pres suivait « Lady Day » — ainsi qu'il la nomma — établit les critères de l'accompagnement du chant en jazz ; souvenons-nous de *Time on My Hands, Without Your Love*, ou *Me, Myself and I.*

Voici en quelque sorte ce que Lester nous dit lorsqu'il improvise librement sur son saxo ténor : « Je suis né près de La Nouvelle-Orléans, le 27 août 1909. J'ai vécu à La Nouvelle-Orléans jusqu'à l'âge de dix ans. Durant la saison de carnaval, on voyageait tous avec le spectacle de ménestrels, à travers le Kansas, le Nebraska, le Sud Dakota, etc.

« J'ai joué de la batterie de dix à treize ans. J'ai laissé tomber parce que j'avais la flemme de tout ranger. Je regardais les filles après le spectacle, mais le temps que je range mes accessoires elles s'étaient tirées.

« Pendant les cinq ou six années qui suivirent j'ai joué de l'alto, puis du baryton lorsque je me suis joint à l'orchestre d'Art Bronson. J'ai fui mon père alors que j'avais dix-huit ans... J'ai joué avec Art Bronson et ses Bostonians pendant trois ou quatre ans... toujours est-il que je jouais du baryton et que ça me fatiguait. Je suis vraiment flemmard, vous savez. Aussi quand le ténor est tombé malade, j'ai pris sa place...

« J'entendais toujours l'ochestre de Basie à la radio et je me suis dit qu'il avait besoin d'un ténor. Ils jouaient au Reno Club à Kansas City. C'était dingue, tout l'ochestre était parti, il ne restait que le ténor. Alors je me suis dit que c'était le moment, j'ai adressé un télégramme à Basie...

« Mais Basie c'était comme l'école. J'avais l'habitude de m'endormir à l'école, parce que je connaissais ma leçon et qu'il n'y avait rien d'autre à faire. Le professeur s'occupait de ceux qui n'avaient pas appris à la maison, mais moi j'avais appris, alors je m'endormais... vous deviez rester assis là et jouer encore et encore. Juste rester assis sur cette chaise.

« J'ai rejoint Fletcher Henderson à Detroit en 1934. Basie était alors à Little Rock, et Henderson me proposait un plus gros cachet. Basie a dit que je pouvais partir... je ne suis resté avec Henderson que pendant six mois. L'orchestre ne travaillait pas beaucoup... puis je suis revenu chez Basie jusqu'en 1944 et il y a eu l'armée. »

L'armée a brisé Lester Young. Nat Hentoff l'a raconté. Il était épuisé, son individualité et sa sensibilité étaient étouffées. L'armée fit entrer la haine dans sa vie ; la haine en particulier des Blancs — c'est tout au moins l'opinion d'Hentoff. Pour un musicien dont le message était lyrisme, tendresse et amabilité, il ne restait pas grand-chose.

L'autre point qui le perturbait — de manière subconsciente et parfois consciente — était le fait que presque tous les ténors jouaient « à la Pres »... jusqu'à ce que vers la fin de sa vie apparaisse Sonny Rollins et les musiciens de son école. Le pire est qu'il y avait un homme qui jouait du Lester Young mieux que Lester Young lui-même : Paul Quinichette ; Lester le surnommait « Lady Q ». Le manager de Pres évoqua l'époque où tous deux jouaient au Birdland — le célèbre mais hélas ! défunt club de jazz new-yorkais — et où Lester sortit de scène en disant : « Je ne sais plus si je dois jouer comme moi ou comme Lady Q, parce qu'il joue tellement comme moi. »

Quelle ironie du sort : d'une part rien ne traduisait mieux l'ampleur du succès artistique de Lester que le fait que toute une génération de ténors adopte sa manière de jouer ; d'autre part cet individualiste forcené jugeait intolérable que tout le monde joue comme lui — et en conséquence lui comme eux.

La plupart des disques que Lester enregistra dans les années cinquante — tels ceux qu'il réalisa pour la marque Verve de Norman Granz — ne projetaient qu'un pâle reflet du grand « Président ». Il y avait toutefois quelques étincelles qui permettaient de retrouver une partie du génie de ce grand musicien — par exemple, sur le disque « Jazz Giants of 1956 », avec Teddy Wilson, Roy Eldridge, Vic Dickenson et d'autres grands de l'époque Swing.

Lester voyagea pendant des années autour du monde avec le personnel de la tournée de Norman Granz « Jazz at the Philharmonic ». Soir après soir il observait Flip Phillips mettre le public à genoux par l'exhibitionnisme de ses solos de ténor. Il avait en horreur cette manière extatique de jouer du ténor, mais il en arrivait à l'adopter souvent lui-même — et cela aussi devait le faire souffrir. Lester Young vécut pendant des années dans un état d'intoxication presque permanent jusqu'à ce qu'il meure en mars 1959 après un engagement tragique au Blue Note, un club de jazz parisien. Ben Benjamin, le propriétaire du club, se souvient : « Lester était très malade à l'époque où il travaillait pour moi. Il était presque apathique. Il désirait rentrer au pays parce que, disait-il, il était incapable de se faire comprendre des médecins français. Il avait des ulcères, et je crois qu'il buvait un peu trop... »

Lester revint rendre l'âme à New York. Le matin même de son arrivée il s'éteignit à l'hôtel Alvin, au « carrefour des musiciens », à l'intersection de la 52e Rue et de Broadway, où il avait vécu les dernières années de sa vie.

La seule chose que Lester conserva tout au long des périodes de crise de sa vie, et jusqu'à ses derniers jours, ce fut sa sonorité — de même que Coleman Hawkins conserva la sienne. Celui-ci déclara un jour : « La seule chose qu'on ne peut te voler c'est ta sonorité. Elle seule est importante. »

La sonorité de Lester trouve son origine dans celle de Frankie Trumbauer et Bud Freeman, les représentants du Chicago-style. « Trumbauer était mon idole... Je crois que je serais encore capable d'interpréter tous les solos de ses disques. Il jouait du saxophone en ut, et moi j'ai essayé de reproduire au ténor la sonorité d'un saxophone en ut. C'est pour ça que mon son est différent de celui des autres... J'aimais beaucoup Bud Freeman. Personne ne joue comme lui. » Une ligne droite relie le style de Chicago au cool jazz en passant par Lester Young.

On retrouve même le nom de Lester Young au début du be-bop. Écoutons Kenny Clarke : « On a commencé à parler de Bird (Charlie Parker) parce qu'il jouait comme Pres à l'alto. Les gens ont commencé à s'intéresser à ce qu'il faisait. On trouvait que c'était phénoménal parce que c'était Lester Young qui donnait le ton à l'époque, c'était lui qui créait le style... On est allé écouter Bird au Monroe (un club de Harlem) pour cette seule raison : il sonnait comme Pres... jusqu'à ce qu'on se rende compte qu'il avait quelque chose de personnel à donner... quelque chose de nouveau. » Parker lui-même avoua : « J'étais dingue de Lester. Il jouait de manière si nette, si belle, mais je n'étais pas influencé par Lester. Nos idées étaient différentes. »

Elles suivaient en fait des directions divergentes. Il serait possible de démontrer que le jazz moderne dans son ensemble — jusqu'au free jazz compris — s'est développé en oscillant entre les deux pôles constitués par les conceptions de Lester Young et de Charlie Parker. Lester arriva en premier lieu ; lorsque vint Parker, *son* influence devint dominante — puis dans les années cinquante, l'heure de Pres sonna à nouveau, une foule de musiciens jouant « cool » à la manière de Lester Young... L'influence du Bird repassa au premier plan avec le hard bop. Et avec cette influence et la sonorité du saxo ténor de Sonny Rollins nous en revenons — et bouclons la boucle — à Coleman Hawkins. Son style dur, dramatique trouvait désormais sa juste place — après que le désir de Lester Young de rendre le monde « gentil et accueillant » se fut révélé vain, quoique ayant été partagé par maints musiciens de jazz pendant de nombreuses années. Hawkins, dont la carrière avait commencé quelque dix ans avant celle de Lester Young, lui survécut également dix ans. Sa santé était aussi robuste que son jeu (sauf durant les dernières années de sa vie) au point que quelques semaines seulement avant son décès, survenu en juin 1969, il se produisait encore en concert à la télévision. Les saxophonistes ténors free qui entre-temps avaient modifié le jazz de manière radicale — Archie Shepp, Pharoah Sanders, Albert Ayler, etc. — s'accordaient tous à reconnaître que Coleman Hawkins était l'homme qui avait donné les premières impulsions à ces inflexions élargies de la sonorité du ténor. Archie Shepp le déclara sans ambiguïté : « Je joue du Hawk aujourd'hui. »

Pour Coleman Hawkins, cet âge riche qu'il avait vécu — de Mamie Smith en 1922 à la période post-Coltrane de 1969 — n'était pas aussi variée que nous l'imaginons aujourd'hui. C'était *un* style et *une* époque. Le style se nommait jazz, et de l'origine jusqu'à nos jours et au-delà, l'ère était celle du jazz. Le progrès était un mot étranger à Hawkins. Il dit un jour au critique Stanley Dance : « Ce que Charlie Parker et Dizzy faisaient était "super" pour un tas de gens, mais pour moi ce n'était que de la musique. » S'il enregistra avec les jeunes musiciens de be-bop c'était uniquement parce qu'« ils avaient besoin d'aide ». Quand Dance lui parla de Mamie Smith, de Fletcher Henderson et du bon vieux temps, Hawkins répondit : « Je ne crois pas avoir jamais été un enfant. »

Charlie Parker et Dizzy Gillespie

Léonard Feather nous raconte : « Quelques semaines avant sa mort, Parker rencontra Gillespie à Basin Street. Il était désespéré, pitoyable, suppliant. "Retravaillons ensemble, pressa-t-il Dizzy. Je veux jouer avec toi avant qu'il ne soit trop tard." »

« Dizzy est incapable d'avaler que Bird lui ait dit ça, se souvient Loraine, l'épouse de Dizzy. Aujourd'hui encore, ses yeux se remplissent de larmes, lorsqu'il y pense... »

Charlie Parker et Dizzy Gillespie sont les Dioscures du be-bop.

Charlie Parker est né à Kansas City le 29 août 1920. Après son décès en 1955, les médecins déclarèrent qu'il pouvait tout aussi bien avoir 55 ans que 35.

Dizzy Gillespie est originaire de la Caroline du Sud. Il est né le 21 octobre 1917. Tout au long de sa vie il parut avoir cinq à huit ans de moins qu'il n'avait en réalité.

Tous deux grandirent au milieu de la discrimination raciale et dès leur plus jeune âge ils connurent les humiliations qui vont de pair avec cette situation.

Personne ne s'est beaucoup occupé du jeune Charlie. Durant toute sa jeunesse l'amour et la chaleur d'un foyer lui firent défaut.

Dizzy eut une jeunesse protégée et grandit dans un environnement familial équilibré.

Aucun membre de la famille de Charlie Parker n'était porté vers la musique. A treize ans, il jouait du saxo baryton. Quelques années plus tard il pratiquait en outre l'alto.

Le père de Dizzy Gillespie était un musicien amateur. Il apprit à ses enfants à jouer de divers instruments. A quatorze ans, Dizzy était surtout porté vers l'alto. Un an plus tard il travaillait aussi la trompette.

On n'a jamais su pourquoi Charlie Parker devint musicien. Le saxophoniste alto, Gigi Gryce — l'un de ses meilleurs amis — dit : « Parker était un vrai génie. S'il était devenu plombier, je suis convaincu qu'il aurait été le meilleur. »

Il semble qu'il fut décidé dès le départ que Dizzy deviendrait musicien. Il étudia la théorie et l'harmonie.

A quinze ans Charlie fut contraint de gagner sa vie. « On devait jouer, dit-il, de neuf heures du soir à cinq heures du matin sans interruption. On se faisait en général entre 1 $ et 1,25 $ la nuit. »

A quinze ans Dizzy terminait ses études, payées par son père...

En 1937, Charlie — il avait dix-sept ans — devint membre de l'orchestre de Jay McShann, un groupe de riff et de blues typique de Kansas City. Parker affirme qu'il était « fou de Lester Young », mais il est permis de se demander s'il avait un modèle véritable. Il est probable que ses collègues jugèrent tout d'abord son style « atroce » parce qu'il jouait comme personne d'autre.

En cette même année 1937, Dizzy succéda à Roy Eldridge dans l'orchestre de Teddy Hill.

Roy était le grand modèle de Dizzy. L'orchestre de Hill était la prolongation de celui de Luis Russel, qui lui-même était issu du groupe de King Oliver en 1929. Ainsi, la généalogie jazz remontant de Dizzy à King Oliver et à Louis Armstrong est étonnamment courte.

L'école et la tradition véritables de Parker étaient le blues. Il l'entendait en permanence à Kansas City et le soir il en jouait avec Jay McShann.

Dizzy Gillespie lui aussi plonge ses racines dans la tradition du jazz, mais dans son cas il s'agit plutôt de la tradition heureuse de la musique new orleans et dixie.

Les titres des premiers enregistrements réalisés par les deux hommes sont symboliques :

Charlie Parker enregistra *Confessin' the Blues* le 30 avril 1941, à Dallas, Texas, avec l'orchestre de Jay McShann (il y a toutefois des enregistrements antérieurs — par

Dizzy Gillespie enregistra vers le milieu de 1937, peu après être devenu membre de l'orchestre de Teddy Hill, le *King Porter Stomp* de Jelly Roll Morton.

exemple celui du 30 novembre 1940, également avec Jay McShann, pour la station de radio KFBI à Wichita, Kansas).

Tout d'abord, Charlie Parker ne s'éloigna guère de Kansas City. Il menait une vie triste et sans joie et découvrit les narcotiques presque en même temps que la musique. On suppose que Parker était « intoxiqué » depuis ses quinze ans.

Les inhibitions et les complexes de sa vie commencèrent au moment où il devint musicien. Charlie Parker joua avec Jay McShann jusqu'en 1941. Il y eut toutefois quelques interruptions. Il se retrouva en prison pour avoir refusé de payer sa course de taxi — il y passa vingt-deux jours. Il fit en outre une fugue à Chicago. Il y arriva sale et déguenillé comme s'il « descendait d'un train de marchan-

Dizzy se rendit en Europe avec l'orchestre de Teddy Hill au cours de l'été 1937. Teddy Hill écrit : « Certains gars menacèrent de ne pas venir si le forcené nous accompagnait. Mais il s'avéra que le jeune Dizzy, malgré toutes ses excentricités et ses mauvaises plaisanteries, était l'élément le plus stable du groupe. Il était capable d'économiser tellement d'argent qu'il en prêtait volontiers aux autres ; il désirait avoir un petit pécule si les choses tournaient mal aux États-Unis. »

Dizzy Gillespie connut le succès dès qu'il commença à jouer. C'est à Paris qu'on remarqua pour la première fois que son jeu était différent. Un batteur français écrivit à l'époque : « Il y a dans l'orchestre de Teddy Hill un très jeune trompettiste qui promet beaucoup. Il est regrettable qu'il n'ait pas eu l'occasion d'enregistrer ici. Il est — avec le tromboniste Dickie Wells — le musicien de loin le plus talentueux du dises ». Mais il avait cette sonorité « comme on n'en avait jamais entendu... »

Charlie fut plongeur pendant trois mois dans un restaurant de deuxième ordre de Harlem — il percevait un salaire de 9 $ par semaine. A certains moments il ne disposait même pas d'un instrument pour jouer. « J'étais toujours dans un état de panique » est l'une de ses phrases les plus célèbres. Il dormait dans des garages et était complètement désespéré. « Le pire, c'est que personne ne comprenait ma musique. »

Parker participa à une jam-session à Kansas City avec l'orchestre de Count Basie et personne n'aima son jeu ; le batteur Jo Jones « jeta dans un mouvement d'humeur une cymbale au milieu de la salle. Bird remballa son instrument et sortit. »

groupe. Son nom est Dizzy Gillespie. »

A son retour d'Europe, Dizzy Gillespie devint un musicien à succès, jouant dans différents orchestres. En 1939, il se joignit à celui de Cab Calloway.

Cab Calloway n'aimait pas le jeu de Dizzy. Il n'appréciait pas plus son goût pour les mauvaises plaisanteries, et parfois pour la bagarre. Au cours d'un concert à Hartford, quelqu'un (pas Dizzy) jeta une boulette de papier mâché sur scène, et celle-ci vint frapper le directeur d'orchestre. Lorsque le rideau fut baissé, Cab reprocha l'incident à Dizzy. Milt Hinton se souvient : « Il s'ensuivit une altercation. Cab frappa Dizzy, et Dizzy se précipita sur lui avec un couteau. Je lui ai attrapé la main... mais Cab fut blessé dans la mêlée ; il n'en prit conscience que lorsqu'il fut dans sa loge. »

Parker dit : « J'étais fatigué des accords de passage stéréotypés qu'on utilisait constamment à l'époque, et je ne cessais de me dire qu'il devait exister autre chose. Je l'entendais parfois, mais j'étais incapable de le jouer. »

Dizzy dit : « Quand j'étais jeune tout ce que je voulais jouer c'était du Swing. Eldridge était mon maître. J'essayais toujours de jouer comme lui ; mais je n'y arrivais pas vraiment. Ça me perturbait. Aussi j'ai essayé de trouver autre chose. Ça s'est développé jusqu'à devenir ce qu'on nomme maintenant le bop. »

« Un soir je travaillais *Cherokee*, et j'ai remarqué qu'en utilisant les intervalles supérieurs d'un accord comme ligne mélodique et en les soutenant par des accords de passage appropriés, j'étais capable de jouer ce que j'entendais. Je naissais. »

L'un des premiers disques que Dizzy enregistra avec Cab Calloway portait le titre curieux *Chop, Chop, Charlie Chan* ; c'était le 8 mars 1940. Douze ans plus tard Parker apparut sur le dernier disque qu'il enregistra avec Dizzy sous le pseudonyme « Charlie Chan » (Chan était le prénom de son épouse).

Lorsqu'il ne jouait pas avec Jay McShann, Charlie Parker trouvait des petits travaux domestiques. Il participait à toutes les jam-sessions qu'il trouvait.

Dès 1939 Dizzy avait commencé à réaliser des arrangements. Des orchestres à succès tels ceux de Woody Herman, de Jimmy Dorsey et d'Ina Ray Hutton les lui achetaient.

En 1941 il se rendit à New York avec l'orchestre de McShann. Ils jouèrent au Savoy Ballroom à Harlem.

Dizzy Gillespie vint jouer avec le groupe.

Bird et Dizzy s'étaient rencontrés à Kansas City en 1939, mais ce fut probablement ce soir-là qu'ils jouèrent véritablement ensemble pour la première fois.

L'orchestre de McShann quitta bientôt New York. Parker les accompagna jusqu'à Detroit. Il était fatigué des arrangements routiniers et il quitta le groupe, sans mot dire. Il n'avait jamais beaucoup apprécié les grandes formations.

Dizzy devenait de plus en plus un musicien de big band. Après la rixe avec Calloway il travailla avec les big bands de Benny Carter, Charlie Barnet, Lucky Millinder, Earl Hines (1943), Duke Ellington et Billy Eckstine (1944).

Après avoir quitté l'orchestre de McShann, Charlie Parker se rendit presque tous les soirs au Minton's à Harlem. Un orchestre y jouait composé du pianiste Thelonious Monk, du guitariste Charlie Christian, du trompettiste Joe Guy, du bassiste Nick Fenton, et du batteur Kenny Clarke. Monk déclarera plus tard : « Personne ne venait là dans l'intention délibérée de faire quelque chose de neuf. On faisait notre boulot au Minton's, c'est tout. Pourtant le Minton's devint le point de cristallisation du bop. C'est là que Charlie Parker et Dizzy Gillespie se retrouvèrent.

Monk raconte que le talent et l'autorité de Charlie Parker furent reconnus dès qu'il apparut au Minton's. Tous ressentaient son génie créatif. Un point psychologique : regardez des photos sur lesquelles apparaît Charlie Parker ; vous constaterez qu'il se tient toujours légèrement à l'écart des autres musiciens.

Billy Eckstine se souvient : « Diz est pareil à un renard, vous savez. C'est l'un des types les plus malins. Sur le plan musical il sait ce qu'il fait à l'endroit et à l'envers. Il enregistre tout ce qu'il entend — même quand vous avez l'impression qu'il n'y a prêté aucune attention. Après il rentre chez lui et réfléchit à ce qu'il a entendu. »

Charlie Parker et Dizzy Gillespie devinrent inséparables. En 1943, ils jouaient ensemble dans l'orchestre d'Earl Hines ;

en 1944 ils étaient aux côtés de Billy Eckstine. La même année ils codirigeaient un combo sur la 52e Rue, qui devint la « rue du bop ». En 1944 ils enregistrèrent leur premier disque ensemble.

Écoutons Tony Scott : « Bird est arrivé un soir et il s'est installé avec Don Byas. Il a joué *Cherokee* et tout le monde en a été sidéré... Quand Bird et Diz fréquentèrent la Rue de manière régulière quelques années plus tard, tout le monde fut stupéfait, incapable de jouer comme eux. Bird et Diz finirent par enregistrer des disques et alors les gars purent les imiter et élaborer à partir de ça. Tout le monde faisait des expériences vers 1942, mais personne n'avait déjà de style. Bird donna l'impulsion décisive. »

Écoutons Leonard Feather : « Les fans de Dizzy singeaient sa barbiche, son béret, ses lunettes et même sa démarche. » Dizzy a créé à cette époque ce qui allait devenir dans le monde entier la « mode be-bop ». Les fanzines faisaient de la publicité pour les « cravates be-bop ».

Charlie Parker avait découvert dans la forme quintette du be-bop, le type d'instrumentation lui convenant le mieux : un saxo, une trompette et une section rythmique de trois instruments. Le quintette de Charlie Parker devint aussi significatif pour le jazz moderne que le Hot Five de Louis Armstrong l'avait été pour le jazz traditionnel.

Au fond de lui, Dizzy est un homme de big band. En 1945 il créa sa première grande formation. Il dirigea des big bands de manière presque permanente de 1946 à 1950. En 1948 il se rendit en Europe avec l'un d'eux. Son concert de Paris exerça une influence décisive sur le jazz européen.

Il devint bientôt évident que Dizzy Gillespie était à l'époque le musicien de be-bop le plus fréquemment cité. Si

Parker donna à cette musique ses élans créatifs, Gillespie lui conféra la séduction et la puissance sans lesquelles elle n'aurait pas conquis le monde.

Billy Eckstine dit : « Bird fut responsable plus que tout autre du jeu de be-bop véritable. Mais Dizzy permit son implantation. »

Avec son Charlie Parker Quintet Bird réalisa les enregistrements combo les plus importants du be-bop : *Koko*, qui se fonde sur les accords de *Cherokee*, le morceau qui attira l'attention sur lui ; *Now the Time*, un blues ; *Chasin the Bird*, avec l'intro fugato du trompettiste Miles Davis — qui introduisait ainsi la mode des fugues dans le jazz moderne, etc. Il enregistra *Cool Blues* avec Erroll Garner, alliant l'aspect cool et le blues dans le titre même du morceau.

Things to Come devint le disque le plus important du big band de Gillespie, une vision apocalyptique des événements à venir : une masse de lave ardente et bouillonnante, de laquelle émergeaient l'espace de quelques secondes des personnages fantomatiques qui disparaissaient aussitôt après. Mais par-dessus tout il y avait le son triomphant de la trompette de Dizzy. La « musique du chaos », comme disaient certaines personnes à l'époque, mais aussi la musique de la victoire de l'homme sur le chaos.

Le saxophone alto de Charlie Parker devint la voix la plus expressive du jazz moderne — chaque note émergeant de la tradition du blues — souvent imparfaite mais toujours issue des profondeurs d'une âme torturée.

La trompette de Dizzy Gillespie devint la voix la plus claire, la plus claironnante mais également la plus souple de l'histoire du jazz. Presque toutes les phrases qu'il jouait étaient parfaites.

Bird devint l'improvisateur et l'homme des chorus par excellence, plus intéressé par le flux des lignes qu'il pro-

Dizzy Gillespie s'intéressa de plus en plus à l'aspect percussion du nouveau jazz. Selon les mots de Billy Ecksduisait que par toute autre chose. Parker accueillit dans son quintette un trompettiste de dix-neuf ans : Miles Davis, qui allait devenir le principal improvisateur de la phase suivante du jazz moderne. Parker encouragea Davis, qui avait commencé en imitant Gillespie et Parker, à se trouver un style propre.

Quelques années plus tard, alors qu'il était sous contrat avec Norman Granz, Parker enregistra avec l'orchestre de Machito. Les résultats n'étaient guère représentatifs du Bird. La formule de Parker demeurait le quintette : la plus petite formule orchestrale permettant de créer une « forme » à travers l'exposition du thème à l'unisson au début et à la fin, tout en conservant une liberté d'improvisation totale pour le reste.

Reprenons les mots de Charlie Parker lui-même : « Je serais heureux si ce que je joue était tout simplement nommé "musique". »

Charlie Parker déclara un jour : « La vie a toujours été cruelle pour les musiciens, comme elle l'est aujourd'hui. tine : « Si vous écoutez Diz paraphraser, vous constaterez qu'il paraphrase la partie de la batterie et de la basse parce que celles-ci correspondent parfaitement à ce qu'il fait. Prenez *Dop-Bop-Sh'Bam.* C'est un morceau pour la batterie. *Salt Peanuts* en est un autre... »

Dizzy s'intéressait aux rythmes afro-cubains. Il jouait avec des musiciens de l'orchestre cubain de Machito. En 1947 il engagea dans sa formation le batteur Chano Pozo introduisant ainsi dans le jazz moderne une richesse de rythmes ouest-africains anciens.

Dizzy Gillespie répondit à la question de savoir comment évoluerait le jazz : « Il en reviendra probablement à son point de départ : un homme tapant sur un tambour. »

Selon Leonard Feather, Dizzy Gillespie ne s'est jamais pris au sérieux, pas plus que la musique qu'il créait d'ail-

On rapporte que sur son lit de mort Beethoven brandit son poing à la face du monde parce qu'on ne l'avait pas compris. Personne à son époque n'avait compris ce qu'il écrivait. Mais c'est ça la musique. »

En 1946, Charlie Parker eut la première dépression importante de sa vie. Elle se produisit durant l'enregistrement de *Lover Man* dans les studios d'enregistrement de Dial. Lorsque Charlie rentra chez lui après la séance, il mit le feu à sa chambre d'hôtel et se précipita dans le hall nu et hurlant.

Selon Orrin Keepnews : « Il ne fait aucun doute que c'était un homme torturé et certains insistent sur sa solitude. » Il lui arrivait souvent de passer des nuits blanches, errant sans but dans le métro. En tant que musicien, il ne réussit jamais à se vendre lui et sa musique sur scène. Il se tenait là et jouait, sans plus.

leurs — contrairement aux multiples musiciens et amoureux de musique qui consacrent leur temps à tout étudier, discuter et imiter.

Leonard Feather : « Les autres musiciens qui prirent part au processus d'incubation de ce qui allait devenir le bop sont morts ou luttent par intermittence contre l'emprise de la drogue. Il semble que Gillespie n'ait jamais souffert d'aucune frustration ni d'aucune névrose majeure... »

Plus il devenait apparent que Dizzy ne pouvait garder sa grande formation de manière permanente, plus il devint consciemment l'amuseur de sa musique. Il s'efforça en tant que « clown du be-bop » de vendre ce qui était par ailleurs invendable. Il était non seulement le meilleur trompettiste de bop mais encore son principal chanteur. Il conservait toujours une supériorité contrôlée.

Durant les années 1948-1950, Dizzy et Bird enregistrèrent avec de grands ensembles à cordes — Bird à New York, Dizzy en Californie. Ce fut le seul succès financier important de la carrière de Parker. Les plus fanatiques des fans s'arrachèrent les cheveux : Bird et Dizzy versaient dans le « commercial ». La manière de réagir des deux hommes est révélatrice :

Parker souffrit des préjugés de ses fans, lui pour qui enregistrer avec des cordes était la réalisation d'un rêve de toujours ; les cordes possèdent cette aura symphonique qu'il avait toujours admirée.

Charlie Parker n'était jamais satisfait de lui-même. Il ne sut jamais répondre à la question de savoir lequel de ses enregistrements était le meilleur. Quand on lui demandait qui étaient ses musiciens préférés on avait la surprise de constater que le premier jazzman qu'il citait ne venait qu'en troisième position : il s'agissait de Duke Ellington. Avant lui il plaçait Brahms et Schoenberg, et après lui Hindemith et Stravinsky. Mais plus que n'importe quel musicien il aimait Omar Khayyam, le poète persan.

Leonard Feather : « Charlie buvait de plus en plus dans une tentative désespérée pour ne plus céder aux narcotiques, tout en évitant les terreurs de la réalité sobre. »

Gillespie, pour qui ces enregistrements ne revêtaient pas plus d'importance que les autres de sa carrière, tourna en dérision l'ignorance de ceux qui parlaient de « commercialisation ».

En 1954, lors d'une fête donnée à l'occasion de l'anniversaire de son épouse, quelqu'un tomba sur la trompette de Dizzy, qui se plia de telle sorte que le pavillon pointait vers le haut. Feather raconte : « Lorsque sa colère fut apaisée, Dizzy essaya de jouer de sa trompette et constata que le son parvenait mieux à son oreille... Le lendemain il se rendit chez un fabricant de trompettes pour lui demander s'il était possible de commercialiser l'idée... » Dizzy désirait la faire breveter. Mais il s'avéra que le modèle d'un instrument semblable avait été déposé 150 ans auparavant.

A une époque où rares étaient les musiciens qui n'étaient pas influencés dans une certaine mesure par le Bird — où son influence avait même pénétré le monde de la danse et de la musique populaire — Parker ne jouait plus qu'occasionnellement. Selon Orrin Keepnews : « Vers la fin, il avait renoncé à lutter. En 1954, il adressa un poème à Doris (son ex-épouse)... il exprimait en partie un credo qui aurait pu être le sien : "Écoute les mots ! Pas la doctrine. Écoute les paroles ! Pas la signification... La mort est imminente... Mon feu est inextinguible." »

Le 12 mars 1955, il mourait. Il regardait la télévision et rendit son dernier soupir en riant d'une plaisanterie des frères Dorsey. Le mythe Parker commença presque aussitôt. Parmi ceux qui lui rendirent hommage il y eut le disc-jockey Al « Jazzbo » Collins : « Je ne crois pas qu'il y eut dans toute l'histoire du jazz un musicien plus apprécié et moins compris. »

Dizzy Gillespie devint le premier « homme d'État mondial » des tournées internationales de jazz organisées par le Département d'État américain. Il réussit à reformer un big band grâce aux fonds de Washington. Il fit une série de tournées dans le monde entier — tout d'abord en Asie et dans le sud-est de l'Europe, puis en Amérique latine. A Athènes il donna le concert le plus triomphal de sa carrière au plus fort de la crise cypriote de 1956. Les Grecs étaient furieux à l'égard des Américains. Les journaux demandaient pourquoi les Américains envoyaient une bande de musiciens de jazz au lieu d'armes pour chasser les Britanniques de Chypre. Le concert de Dizzy commença dans une atmosphère des plus tendues. Mais lorsque les quatre musiciens blancs et les neuf noirs attaquèrent le *Tour de Force* de Dizzy, écrit peu avant la tournée, le public leur réserva une véritable ovation. Athènes débordait d'enthousiasme à l'égard de l'orchestre de Dizzy, et le climat politique se modifia de manière si radicale qu'un journal titra : « Dizzy Gillespie est meilleur diplomate que tous les professionnels jamais envoyés dans cette région par les États-Unis. »

Plus que tout autre, Dizzy a porté l'idiome bop à travers tous les styles et toutes les manières de jouer suivants : cool et hard bop, free jazz et jazz rock — et pourtant il est demeuré l'inimitable Dizzy Gillespie. Pour le jeune public des années soixante-dix et quatre-vingts, il se situe juste à côté de Louis Armstrong. Il n'est plus conscient du fait que John Birks Gillespie était aux débuts de sa carrière l'antipode même de Satchmo.

« Bird est vivant ! » Ceci est encore vrai aujourd'hui — et je dirais même surtout aujourd'hui. Tout saxophoniste alto important des années soixante-dix porte l'empreinte de Parker : Ornette Coleman, Phil Woods, Lee Konitz, Charlie Mariano, Sonny Stitt, Gary Bartz, Jackie McLean, Frank Strozier, Cannonball Adderley, Charles McPherson, Anthony Braxton, Oliver Lake... ; et vers la fin de la décennie apparut sur scène un jeune musicien qui donne l'impression d'être un « Bird d'aujourd'hui », Arthur Blythe.

« Le new bop » est devenu un style majeur au début des années quatre-vingts. Plus que jamais durant le quart de siècle ayant suivi son décès, les compositions de Charlie Parker sont interprétées avec une fréquence étonnante par les jeunes musiciens.

Miles Davis

« Ne devons-nous pas reconnaître, demandait André Hodeir dès 1956, que la seule réalisation esthétique véritable de la grande période de Parker et Gillespie fut le fait de Miles Davis ? » Le critique britannique Michael James avait dit : « Il n'est nullement exagéré d'affirmer que jamais auparavant dans le jazz le phénomène de la solitude n'avait été étudié de manière aussi intransigeante (que chez Miles Davis). »

Notre première citation établit la situation historique de la musique de Davis, la seconde sa situation esthétique. Toutes deux sont contenues — tout au moins jusqu'au début des années soixante-dix — dans la sonorité qu'il produisit. Sa tonalité — d'une grande pureté, pleine de tendresse, presque dépourvue de vibrato ou d'attaque — représente une image du monde ; image contenue dans chaque son de Miles...

La sonorité de Miles Davis est le son de la tristesse et de la résignation. La tristesse et la résignation, couplées à une protestation inconditionnelle, moins musicale que personnelle, existent indépendamment des autres propos de Miles. Il ne fait aucun doute qu'il proféra maintes déclarations amusantes, plaisantes et amicales, mais il les prononça toujours avec des accents de tristesse et de résignation.

L'arrangeur Gil Evans dit : « Miles serait incapable de jouer comme Louis (Armstrong) parce que le son interférerait avec ses pensées. Miles dut commencer avec une absence presque totale de son et en développer un qui convienne aux idées qu'il désirait exprimer. Il ne pouvait se permettre de livrer ses pensées à un vieux mode d'expression. Souvenez-vous et vous constaterez que sa sonorité était beaucoup moins élaborée dans les premiers temps qu'aujourd'hui. »

Gil Evans est l'homme qui traduisit la sonorité de Miles Davis en langage orchestral. Evans écrivait des arrangements pour l'orchestre de Claude Thornhill dans les années quarante, à l'époque où Lee Konitz faisait partie du groupe. Il dit : « Au départ, la sonorité de l'orchestre était presque une réduction à une inactivité musicale, une immobilité... tout bougeait à une vitesse minimum... et était abaissé pour créer un son. Celui-ci flottait tel un nuage. »

La rencontre de l'improvisateur Miles Davis et de l'arrangeur Gil Evans fut l'un des grands moments de l'histoire du jazz. Il en résulta le Miles Davis Capitol Band, formé pour un engagement de deux semaines en septembre 1948 au Royal Roost et qui ne vécut en fait que ces deux semaines. Evans se souvient : « La formation fut déterminée par le fait que c'était le plus petit nombre d'instruments susceptible de préserver la sonorité tout en exprimant toutes les harmonies de l'orchestre de Thornhill. Miles désirait donner à sa musique ce type de sonorité. » Le groupe rassemblait Miles à la trompette, J.J. Johnson ou Kai Winding au trombone, Lee Konitz au saxophone alto, Gerry Mulligan jouait du saxophone baryton, et il y avait en outre deux instruments rarement utilisés en jazz : le cor et le tuba ; la section rythmique était composée d'Al Haig ou John Lewis au piano, Joe Shulman ou Nelson Boyd à la basse et Max Roach ou Kenny Clarke à la batterie.

Mulligan et Lewis écrivirent eux aussi des arrangements pour ce groupe, mais le son caractéristique était créé par Evans en collaboration avec Davis ; c'est Evans qui arrangea ses deux morceaux les plus importants, *Boplicity* et *Moon Dreams.* Avec ceux-ci était créée la texture du son qui deviendrait un modèle pour toute l'évolution du jazz cool. Il va de soi que ce n'était pas seulement la sonorité Thornhill reproduite avec moins d'instruments. C'était une sonorité jazz, et si elle était comparable à un nuage, il s'agissait de nuages percés à maints endroits de rayons de soleil improvisés, qui venaient frapper l'auditeur à travers le voile subtil du brouillard.

Le morceau le plus « moderne » enregistré par ce groupe fut *Israel* de John Carisi, un trompettiste qui avait été l'élève du compositeur symphonique moderne d'origine allemande Stefan Wolpe, avec qui étudièrent maints jazzmen de premier plan. *Israel* est un blues en mineur qui ouvrit, avec ses sons stridents et fragiles, de nouveaux horizons ; il est intéressant de noter qu'il empruntait néanmoins au cœur même de la tradition du jazz : au blues.

Cet orchestre de Davis, enregistré par Capitol en 1949 et 1950, se situait par le nombre de musiciens entre le combo et le big band. Sept années plus tard — en 1957 — Miles Davis franchit un pas supplémentaire. Il enregistra avec un grand orchestre, et il demanda tout naturellement à Gil Evans — qui avait peu fait parler de lui entre-temps — d'assurer les arrangements. « Gil, dit Gerry Mulligan, est le seul arrangeur avec qui j'ai travaillé qui soit vraiment capable de noter un truc de la manière dont le soliste le jouerait. » Et Miles surenchérit : « Je n'ai rien entendu depuis Charlie Parker qui me bouleverse autant que ses compositions. »

Gil rassembla une grande formation unique en son genre. Il n'y avait pas de section de saxophones ; il la remplaça — conservant néanmoins les trompettes et les trombones conventionnels — par une combinaison étrange produisant une sonorité irréelle : cor, tuba, saxophone alto, clarinette, clarinette basse et flûte. Dans certains morceaux — tel *Miles Ahead*, un thème de Miles Davis — Gil réalisa une « continuation » du son de l'orchestre Capitol ; on comprit alors que l'ancien Capitol avait essayé de copier la sonorité non pas du groupe de Claude Thornhill de la fin des années quarante, mais de ce grand orchestre de Gil Evans-Miles Davis de 1957. Elle est consciencieusement épurée de toute trace d'attaque enflammée. Elle est calme, lyrique, statique — chaque gradation est prévue. La préférence est toujours accordée aux grandes lignes aussi bien en termes de mélodies que de dynamique. Mais elle s'élève au-dessus du vieux rythme swinguant prodigué par la basse de Paul Chambers et la batterie d'Art Taylor.

La collaboration Evans-Davis atteignit d'autres sommets avec l'album *Porgy and Bess* adapté de la musique de

Gershwin (1958) et — surtout — avec le superbe *Sketches of Spain* (1959), incorporant des compositions espagnoles aux accents de flamenco. Miles apportait ce faisant une contribution décisive à une tendance du jazz qui a depuis lors gagné en importance : l'ouverture du jazz à la musique mondiale.

Il ne fait aucun doute que Miles est un improvisateur. Mais il improvise en accordant une part importante à l'arrangement et à la composition. A dix-huit ans le jeune Miles avait demandé à Dizzy Gillespie et à Charlie Parker comment il fallait jouer pour que ce soit bien ; il est probable qu'il suivit de manière littérale le conseil de Dizzy : « Apprends à jouer du piano, vieux, après tu seras capable d'inventer des solos dingues qui te seront propres. » Marshall Stearns, à qui nous devons cette anecdote, conclut : « Ce fut le tournant dans le jeu de Miles Davis. » Ceci correspond à l'histoire rapportée par Evans relative à l'engagement du Royal Roost : « Il y avait une pancarte à l'extérieur : "Arrangements par Gerry Mulligan, Gil Evans et John Lewis." Miles l'a fait mettre au premier plan ; personne n'avait jamais accordé une telle importance aux arrangeurs auparavant. »

Jusque vers le milieu des années cinquante, Miles avait réalisé ses plus beaux enregistrements au sein de quartettes, accompagné uniquement par une section rythmique — souvent avec John Lewis ou Horace Silver au piano. Jusqu'alors il n'avait jamais connu un succès durable auprès du public. La situation se modifia à l'occasion du Festival de Newport de 1955.

Soudain on entendait partout le nom de Miles Davis — qui n'était connu auparavant que des fans et des critiques bien informés. Par la suite, le succès ne l'a jamais quitté. Pour la première fois dans l'histoire du jazz, le musicien le mieux payé et celui qui réussissait le mieux n'était pas blanc, mais noir : Miles Davis. Il n'est guère difficile de comprendre pourquoi Miles devint le modèle de toute une génération de musiciens noirs, non seulement sur le plan musical mais encore du fait de sa personnalité. Des parents noirs commençaient — même en Afrique — à nommer leur fils « Miles », parfois même « Miles Davis. »

Les quintettes que dirigea Miles Davis depuis cette époque ont une importance cruciale. Le premier — avec John Coltrane (ténor), Paul Chambers (basse), Red Garland (piano) et Philly Joe Jones (batterie) — fut tout particulièrement acclamé. Il fixa les critères de tous les quintettes qui allaient suivre — en fait, de tous les quintettes de jazz moderne entre 1956 et 1970. Un autre groupe très influent de Miles Davis fut celui avec lequel il enregistra le disque *Kind of Blue* (1959), dans lequel jouait le pianiste Bill Evans. Pour la première fois la nouvelle liberté récemment découverte par des musiciens tels que Mingus, Coltrane, Evans et Miles lui-même devint une force d'intégration pour un groupe, conduisant à un lyrisme et à une sensibilité inconnue auparavant dans ce genre de musique. Je reprends dans le chapitre consacré aux combos les plus importants une liste étonnante de tous les musiciens qui devinrent célèbres après avoir travaillé dans une formation de Davis.

Un facteur important de la popularité de Miles est par ailleurs sa manière de jouer de la trompette avec sourdine — presque comme s'il « respirait » dans le microphone. Le solo qu'il enregistra de cette manière dans le *Round Midnight* de Thelonious Monk fut particulièrement réussi ; le solo avec sourdine de *All of You* est considéré, surtout parmi les musiciens, comme l'un des plus beaux solos de jazz des années cinquante. L'emploi de la sourdine par Miles rend encore plus évident le fait qu'il n'y a pas d'attaque précise. Le son ne commence plus à un moment défini, exposé avec clarté, comme c'était le cas dans le jazz traditionnel et en particulier chez la majorité des trompettistes. Sa sonorité commence à un moment qu'il est impossible de définir ; elle paraît émerger du néant, et s'achève d'une manière aussi vague. Elle se fond dans le vide sans que l'auditeur sache très bien à quel moment. La trompette bouchée de Miles jouée très près du micro révèle les premières traces de deux aspects importants de ses œuvres ultérieures : 1. le sentiment encore fugitif (vers le milieu des années cinquante !) que l'électronique est « la prolongation de la musique par d'autres moyens » ; et 2. la recherche inconditionnelle du succès qu'il partage avec Louis Armstrong, son véritable antipode. Les ambitions de Miles l'ont souvent amené à écouter avec attention et à absorber la musique des musiciens à succès — vers le milieu des années cinquante (ainsi que le montra Gunter Schuller) le pianiste Ahmad Jamal, vers la fin des années soixante Jimi Hendrix et Sly Stone, et plus tard certains musiciens de funk.

Mais revenons-en aux années cinquante : Miles Davis est le plus important musicien créatif d'un mouvement du jazz qui peut être défini comme ayant appliqué les découvertes du bop à Lester Young. La différence fondamentale entre la musique de Young et celle de Davis et de ses successeurs est que Miles joue en sachant qu'entre lui et Lester il y eut le bop. La remarque d'André Hodeir : « Miles Davis est le seul trompettiste qui était capable de donner à la musique de Parker cette qualité intime dans laquelle réside une bonne partie de son charme » peut être interprétée de cette manière : la « qualité intime » est celle de Lester Young.

La qualité intime se retrouve également dans la simplicité du jeu de Miles. Nul autre musicien de jazz ne l'a développé avec un tel degré de raffinement et de sophistication. La contradiction fondamentale entre complexité et simplicité cesse d'exister dans le jeu de Miles. Miles, dans un désir de jouer de manière simple, tend (depuis la seconde moitié des années cinquante) à libérer ses improvisations de la structure sous-jacente des progressions d'accords. Il fonde son travail solo sur des « échelles ». Il raconte au sujet de la version grand orchestre du *Porgy and Bess* de Gershwin : « Quand Gil a écrit l'arrangement de *I love You, Porgy*, il n'a écrit qu'une échelle pour moi. Pas d'accords. Cela vous donne plus de liberté et d'étendue pour entendre des choses. » L'une des compositions les plus marquantes de Miles, *So What*, se fonde dans ses seize premières mesures sur une échelle unique, soulagée dans le pont par une seconde, elle revient à la première dans les huit dernières mesures.

Miles et John Coltrane, qui faisait alors partie de son quintette, firent de cette méthode d'improvisation se fondant sur les « échelles » une pratique courante pour le jazz moderne, ouvrant ainsi la voie à la liberté totale du free jazz. On nomme également cette méthode : improvisation « modale » (cf. le chapitre consacré à l'harmonie.)

Les phrases simples, formées souvent d'à peine quelques

notes, que Miles élaborait sur de telles « échelles », ont non seulement une base esthétique mais encore pratique : d'un point de vue instrumental les possibilités de Miles Davis, trompettiste, sont limitées en particulier si on le compare à son principal concurrent parmi les trompettistes modernes, Dizzy Gillespie, un merveilleux musicien qui semble capable d'exécuter n'importe quoi sur son instrument. Si Miles désirait rester au niveau de Dizzy, voire le dépasser, il devait transformer ses limitations instrumentales en une qualité. Voilà qui explique le culte de la simplicité. Il est intéressant de noter que les directeurs de studio d'enregistrement s'accordent à dire que Miles choisit toujours de faire graver les prises les plus proches de la perfection sur le plan de la technique instrumentale même s'il a fait preuve d'une plus grande richesse d'inspiration et d'invention dans d'autres. Il semble que Miles désire que son public ignore qu'il y a de fréquentes failles dans son jeu.

La « sophistication de la simplicité » est peut-être liée au fait que Miles — en dépit des multiples voies nouvelles qu'il a ouvertes au jazz — choisit souvent la tradition quand il doit choisir entre celle-ci et l'avant-garde. Il déplora un jour que le pianiste Thelonious Monk jouât de « faux accords », il ne fait cependant aucun doute que les accords de Monk n'étaient pas « faux » mais seulement trop abstraits et modernes pour l'oreille de Miles à cette époque. Miles se plaignit amèrement au directeur d'enregistrement qui avait engagé Monk pour cette séance. Il n'en demeure que — n'en déplaise à Miles — ces disques comptèrent parmi les plus importants et les plus parfaits sur le plan artistique des années cinquante (Miles, Monk et Milt Jackson sur Prestige).

Un exemple supplémentaire du traditionalisme de Miles Davis nous est fourni par les propos violents qu'il tint pendant des années à l'encontre de l'un des plus importants représentants du jazz d'avant-garde, le regretté Eric Dolphy — il dut d'ailleurs revenir plus tard sur certaines de ses insultes.

Le jour où un fanatique de l'ultra-modernisme déclara qu'Art Blakey était « dépassé », Miles répondit : « Si Art Blakey est démodé, alors moi je suis Blanc. » Voici une déclaration de Miles au sujet de l'avant-garde des années soixante : « Qu'est-ce que cela a de tellement avant-garde ? Lennie Tristano et Lee Konitz créaient il y a quinze ans des idées plus étranges que tous ces nouveaux trucs. Mais en ce temps-là cela avait un sens. »

Le saxophoniste ténor Stan Getz fit des commentaires déplaisants sur Coleman Hawkins, lui reprochant d'être fondamentalement « vieux jeu », Davis rétorqua en lui faisant remarquer que s'il n'y avait pas eu Hawk, Getz n'aurait sans doute jamais été capable de jouer ainsi qu'il le faisait.

Miles prononçait souvent des jugements violents, non seulement à l'encontre de concurrents (ce qui serait compréhensible) mais encore à l'égard de ses collègues. Le critique Leonard Feather réalisa un « blindfold test[1] » au cours duquel Davis proféra de telles insultes à propos de maints musiciens de jazz célèbres que le magazine *Down beat* hésita à reproduire toutes ses grossièretés. Davis insulta ainsi Clark Terry, Ellington, Dolphy, Jaki Byard, Cecil Taylor, etc.

Il convient par ailleurs de noter qu'aucun musicien — à l'exception de Charles Mingus, George Russell et Dolphy — ne rapprocha plus systématiquement que Miles Davis le jazz « tonal » des années cinquante du jazz « tonal libre » des années soixante. Dan Morgenstern a raison de nommer Miles l'un des « pères spirituels » du nouveau jazz. Vers le milieu des années soixante, Davis avait un quintette dont les membres jouaient — à l'époque ! — « free » ou presque « free » sur leurs propres disques (surtout sur la marque Blue Note) : Tony Williams (batterie), Herbie Hancock (piano), Ron Carter (basse) et Wayne Shorter (ténor) — nous parlerons de ces musiciens dans le chapitre consacré aux instruments. Seul Miles évita de franchir le dernier pas. Mais le fait demeure : les musiciens du jazz « tonal libre » l'admiraient et le prenaient comme modèle.

L'objectif de Davis dans ce secteur de tension entre le traditionalisme et l'avant-garde n'est pas la licence, mais plutôt une liberté contrôlée. « Vous ne devez pas penser pour jouer mal. Ce n'est pas ça la liberté. Il faut une liberté contrôlée. »

1. Un *blindfold test* est un jeu consistant à écouter des disques en s'efforçant de reconnaître les musiciens ayant participé à l'enregistrement. *(N.d.T.)*

Cette « liberté contrôlée » opposait Miles Davis à maints musiciens d'avant-garde extrémistes des années soixante. Mais dans le cadre du nouveau jazz des années soixante-dix, la « liberté contrôlée » devint le mot clef — pas uniquement pour la musique de Miles, mais encore pour toute une génération de jeunes musiciens qui continuaient là où le « jazz électrique » de Davis paraissait s'être arrêté.

En 1972, le critique japonais Shoichi Yui n'hésita pas à affirmer que Davis représentait « à ce stade le sommet absolu du développement ». Il allait jusqu'à prétendre que Davis était supérieur à Louis Armstrong et Charlie Parker, qui avaient chacun dominé le monde du jazz pendant quelques années seulement, tandis que Davis « a été la personnalité dominante de la fin des années quarante à ce jour — plus longtemps que n'importe qui ». L'influence d'Armstrong, par exemple, date essentiellement de l'époque où il joua avec Fletcher Henderson, en 1924, jusqu'à celle de sa première visite en Europe, en 1932. La période durant laquelle Charlie Parker réalisa ses enregistrements les plus importants est encore plus brève. (De la séance de *Groovin High* avec Gillespie et de la première séance de Parker lui-même en 1945 — où il créa entre autres *Now's the Time* — jusqu'à la séance pour Norman Granz en 1951, avec Miles Davis, au cours de laquelle il enregistra *KC Blues* : six années plus tard !)

Il est difficile de dire ce qui est le plus admirable : la puissance avec laquelle un musicien tel que Parker enregistra nombre de disques inventifs en un bref laps de temps dans une explosion éruptive concentrée — ou la permanence de Miles Davis qui pendant un quart de siècle n'a cessé de poser de nouveaux jalons capitaux pour la majorité des musiciens de jazz.

Il convient de se souvenir, si l'on veut se faire une idée de cette période de vingt-cinq ans, que Davis a traversé essentiellement quatre phases stylistiques différentes — y compris tous les chevauchements et les interconnexions qui ont, bien évidemment, existé entre ces phases :

1. Be-bop : de ses interprétations avec Charlie Parker en 1945 jusqu'en 1948.

2. Cool jazz : depuis le lancement du Miles Davis Capitol Orchestra en 1948 jusqu'aux enregistrements avec grand orchestre de sa collaboration avec Gil Evans en 1957-1958.

3. Hard bop : depuis le succès du premier Davis Quintet avec John Coltrane au Festival de Newport de 1955, via les multiples Davis Quintets suivants — tel celui avec Bill Evans — jusqu'en 1968 (durant cette période on note une tendance nette vers l'improvisation modale).

4. Électrique : depuis *In a Silent Way* en 1969 et *Bitches Brew* en 1970 jusqu'à...

Le terme « jazz électrique » inventé par un disc jockey américain caractérise à merveille la musique de Miles Davis depuis *Bitches Brew* — incorporant les sons électroniques. Des disques tels que *Jack Johnson* et *Live Evil* appartiennent aussi à ce mouvement — avec des musiciens tels le saxophoniste Wayne Shorter et le guitariste britannique John McLaughlin, et surtout avec le son collectif de différents pianistes jouant sur des instruments électriques. Parmi ceux-ci, citons : Chick Corea, Larry Young, Herbie Hancock, Keith Jarrett, le Brésilien Hermeto Pascoal et — en particulier — le Viennois Joe Zawinul qui a joué un rôle spécial, voire catalyseur, dans cette phase de l'œuvre de Davis.

Plus importantes encore furent les impulsions fournies par les musiciens de rock Jimi Hendrix et Sly Stone. Miles déclara, plein d'assurance, qu'il serait capable de former un meilleur groupe de rock que celui de Jimi Hendrix lui-même.

Il est intéressant de noter que la musique de Miles Davis accorda une part de plus en plus grande aux percussions, en particulier après qu'il eut engagé le percussionniste Mtume, un musicien inspiré par la musique africaine. Davis rendit hommage à l'ouverture du jazz à la musique mondiale en utilisant des instruments indiens tels que sitar et tabla.

Miles jouait désormais de la trompette avec une pédale wah-wah et au moyen d'un amplificateur. Le plus souvent, le son pur, clair, « solitaire », toujours quelque peu triste de l'ancien Miles est à peine reconnaissable. Miles touchait cependant un large public de jeunes — une performance que n'avait réalisée aucun musicien noir depuis Louis Armstrong. Il a donné une fois encore l'impulsion décisive à un développement exposé dans le chapitre consacré au jazz des années soixante-dix, et sur lequel nous reviendrons dans le chapitre sur les combos.

Le succès époustouflant du « Miles électronique » fut tel que le monde du rock et de la musique populaire voulut accaparer Miles Davis. Il était censé jouer, au cours de l'été 1970, avec des musiciens rock tels Eric Clapton et Jack Bruce au Randall's Island Festival de New York. Dans le monde entier les amateurs de musique retinrent leur souffle pendant plusieurs semaines. Miles renonça au projet en dernière minute. Il ne jouerait qu'avec son groupe : « Je ne veux pas être un Blanc. Rock est un mot d'homme blanc. »

Miles Davis occupait la même position de premier plan dans le monde du jazz du début des années soixante-dix que Louis Armstrong ou Charlie Parker durant des périodes antérieures. Il ne tenait toutefois pas son rôle avec l'aisance naturelle d'un Satchmo. Miles — au même titre qu'Armstrong — veut « réussir » auprès d'un vaste public. Mais il reflète la fierté, l'assurance et la révolte caractéristiques de la génération noire actuelle ; il fait de la « musique noire », mais il ne peut ignorer le fait que son audience — les personnes qui achètent ses disques et celles qui assistent à ses concerts — est en majeure partie blanche. Miles déclara dans une interview réalisée par Michael Watts du *Melody Maker* : « Peu importe qui achète les disques tant qu'ils arrivent jusqu'aux Noirs de sorte qu'on se souvienne de moi quand je serai mort. Je ne joue pas pour les Blancs, vieux. Je veux entendre un Noir dire : “Ouais, j'aime Miles Davis”. »

Ainsi la couverture de l'album *On the Corner* vise consciemment — selon les vœux exprès du trompettiste — le marché noir : une sorte de bande dessinée représentant un groupe de Noirs hip dansant dans la rue, et portant sur leurs T-shirts et sur leurs badges les slogans *« Vote Miles »* et *« Free Me. »*

Il a répété à maintes reprises à des dizaines de critiques et de journalistes : « Je ne fais que ce qui me tente. » Un homme qui serine trop souvent la même rengaine a une raison d'agir ainsi : il *ne* fait tout simplement *pas* ce qui le tente. Miles demanda au journaliste du *Melody Maker* Michael Watts pendant combien de temps il avait attendu avant de se décider à sonner à sa porte. Ensuite, il montra beaucoup d'empressement à lui faire visiter sa « maison rococo » et prit énormément de plaisir à voir son visiteur s'étonner du luxe dont Davis s'entourait.

Miles Davis se reflète dans son environnement et dans son public — et il a besoin de ce miroir. Voici son dilemme : les Blancs lui renvoient son reflet, mais il désire être entendu des Noirs. Il peut maudire les Blancs mais il dépend plus d'eux que des Noirs pour ses ovations.

Le fait que Miles joue si souvent en tournant le dos au public est certainement lié à ce dilemme. Miles répond : « Que voulez-vous que je fasse ? Que je leur sourie ? » Et il enchaîne avec le sempiternel : « Je ne fais que ce qui me tente. »

Un homme qui a tant de complexes, qui est si déchiré, ne doit pas manquer de charisme pour connaître néanmoins un tel succès. Le charisme de Davis prend souvent des formes surprenantes.

Miles a été engagé à deux reprises dans de violents heurts en public. Des gangsters ont tiré sur lui un jour qu'il était assis avec une fille dans sa voiture en stationnement. Miles offrit une récompense de 10 000 dollars pour la capture de ses deux assaillants. Personne ne vint réclamer la récompense, mais quelques semaines plus tard les deux gangsters furent mystérieusement abattus.

Quelques années auparavant, Miles se tenait debout devant le club Birdland à Broadway, quand un policier blanc lui enjoignit de dégager, puis le frappa à la tête de sa matraque. Miles raconte que : « Le policier fut abattu lui aussi. Dans un métro. »

Miles Davis est un grand amateur de courses automobiles. En 1972 il se brisa les deux jambes dans un accident. Après cela — et en particulier après avoir dû subir une opération de la hanche — il ne se produisit plus en public pendant cinq ans. Il menait une vie de reclus, qui engendra maintes rumeurs alarmantes dans les milieux du jazz au sujet de son état de santé. Ses proches supposaient toutefois que l'isolement de Miles n'était pas dû uniquement à des raisons de santé mais encore à des causes psychologiques. Miles désire être « le plus grand » — parce qu'il en a l'habitude mais également parce qu'il en a besoin. Cette volonté est la source majeure de son développement musical et personnel. Retourner dans l'arène comportait un risque psychologique important ; personne — pas même lui — ne pouvait être sûr qu'il serait toujours « le plus grand ».

La réussite de Miles en tant que catalyseur depuis le début des années soixante-dix est encore plus impressionnante si l'on considère qu'il ne lui fallut que deux disques — *In a Silent Way* (1969) et *Bitches Brew* (1970) — pour donner l'impulsion à cette évolution. Les critiques ainsi que les musiciens ont fait remarquer que sa production suivante ne possédait pas leurs qualités élevées. Nombre de disques ultérieurs étaient en fait des compilations d'anciennes séances pour la firme Columbia, y compris des morceaux ayant été rejetés au départ, parce qu'il n'y avait pas assez de nouveaux enregistrements pour satisfaire la demande du public. Il fut question à plusieurs reprises d'un « come back ». Vers la fin des années soixante-dix, il enregistra avec le guitariste Larry Coryell, mais il ne réalisa que les pistes rythmiques. Les lignes de cuivres et les improvisations ne furent jamais ajoutées.

Davis fit une nouvelle visite aux studios d'enregistrement au début des années quatre-vingts, cette fois avec son neveu de vingt-deux ans, le batteur Vincent Wilburn Jr. de Chicago. L'un des musiciens ayant participé à la séance décrivit les résultats comme étant « vocaux, électroniques, destinés à séduire les jeunes gens. C'est assez commercial pour que les personnes qui n'ont jamais entendu Miles auparavant l'adoptent... certains morceaux évoquent la pop... »

Après cela on n'entendit plus parler de Miles pendant plusieurs mois et un lecteur irrité écrivit à *Down beat* : « *Oublions* tous Miles Davis, n'est-ce pas ? J'en ai assez des lecteurs qui se plaignent et se lamentent parce qu'il ne produit plus rien et qu'il semble se moquer de son public... Miles n'est pas un dieu... »

Pourtant Miles fut traité comme un dieu lorsque, après six ans de mystification, il revint en définitive — au cours de l'été 1981 — apparaissant aux festivals de Boston et de New York. Il y interpréta une musique fantastique, conduisant son groupe composé essentiellement de musiciens jeunes et nouveaux venus vers des sommets sauvages d'une beauté étincelante et incandescente. Il jouait plus et mieux que dans les années ayant précédé son isolement. On retrouvait enfin l'aura chaleureuse et chaude de Davis, tout à la fois triomphant et résigné.

Il n'y avait cependant rien de neuf dans la musique du Miles de 1981. Il s'agissait d'une récapitulation du Miles Davis de la première moitié des années soixante-dix (quoique avec une meilleure qualité d'interprétation), un Miles qui revenait même à certains moments à la période *Kind of Blue* de la fin des années cinquante.

Le batteur était Al Foster, auquel Miles avait déjà fait appel avant son absence sabbatique. Ainsi même les rythmes évoquaient le funk-jazz du début et du milieu des années soixante-dix. Miles paraissait ignorer tout ce qui était advenu durant ses années d'isolement — notamment la percée d'un batteur tel que Ronald Shannon Jackson (cf. chapitre consacré à la batterie). Or tout ce qui est neuf en jazz l'est tout d'abord du point de vue rythmique.

Comme toujours dans de tels cas, les requins des médias montèrent l'affaire en épingle. Un homme bien connu de Madison Avenue — c'est-à-dire un homme qui devrait être bien informé — fit remarquer qu'il y avait eu plus de photographes pour le retour de Miles Davis que pour la première à Broadway d'Elizabeth Taylor. Miles, affirmaient-ils, était capable de montrer au monde entier la direction musicale des années quatre-vingts. Une affirmation qui, compte tenu de la musique qu'il produit, relève de l'absurde, à moins que rien de nouveau n'advienne durant le reste de cette décennie. Mais tant de choses se sont déjà produites !

Le public a tendance à considérer Miles comme un surhomme. Ainsi que je l'ai montré, il a modifié le cours du jazz à trois occasions. Il est injuste d'attendre de lui qu'il le modifie une quatrième fois. Il en a déjà assez fait.

Il paraissait évident que Miles n'avait pas encore surmonté ses problèmes psychologiques. Il commença son premier concert de New York avec quarante minutes de retard, il jeta à peine un regard à son audience et ne joua que pendant cinquante-cinq minutes à un concert où le prix des meilleures places était de vingt-cinq dollars. Il sortit de scène sous les huées de ses fans, alors que tout le monde attendait une ovation.

« Miles a encore besoin d'être pris en main, déclara une de ses proches. C'est pour ça qu'il adopte toujours cette façade. » Mais Max Roach avait affirmé, quelques semaines avant le concert : « Miles est un champion. Les champions reviennent toujours. »

Quoi qu'il en soit, il est clair que le passage d'une musique calme, mélodieuse, impressionniste à des sons plus agressifs, plus vitaux, plus saisissants s'est produit trois fois dans la carrière de Miles Davis : du Capitol Orchestra de la fin des années cinquante ; puis durant la phase allant de *Kind of Blue* (avec Bill Evans en 1959) aux derniers enregistrements du quintette « acoustique », pré-électrique (avec des musiciens tels que Sam Rivers, Wayne Shorter et Herbie Hancock) et enfin de *In a Silent Way* (1969) au Miles funk du milieu des années soixante-dix. En fait, on reconnaît déjà ce type de développement, sous une forme rudimentaire, dès les années quarante lorsque Miles jouait du be-bop avec Charlie Parker et d'autres musiciens bop importants — même si à l'époque il n'était pas encore très sûr de lui.

Quoi qu'il en soit, et pour en revenir au début de ce chapitre, il est permis de conclure que « le son de tristesse, de solitude et de résignation » que Michael James et André Hodeir percevaient chez Miles est la sonorité « véritable » de Davis. Cette humeur présida non seulement à la plupart de ses enregistrements révolutionnaires mais encore à ses disques les plus beaux. Et lorsqu'il devint sûr de lui — dans l'idiome nouvellement développé — il trouva sa voie vers des enregistrements plus dynamiques, plus agressifs qui firent éclater les limites atmosphériques et musicales de l'idiome particulier. La déclaration de Vincent Wilburn Jr. s'intègre bien dans ce tableau ; il dit que Miles jouait « surtout des ballades » quand — après plusieurs années de silence — il se remit à jouer au cours du printemps et de l'été de 1980.

Miles répondit un jour alors qu'il était relativement jeune — dans les années cinquante : « Vous voulez savoir où je suis né — cette vieille histoire ? C'était dans cette bonne vieille Alton, Illinois, en 1926. J'ai dû téléphoner à ma mère une semaine avant mon dernier anniversaire pour savoir quel âge j'avais.

« J'avais un très bon professeur là-bas. Il se faisait soigner les dents par mon père... "Jouez sans vibrato, nous disait-il ; de toute façon vous vieillirez et vous vous mettrez à vibrer..." C'est comme ça que j'ai essayé de jouer — vite, légèrement et sans vibrato.

« Quand j'avais seize... Sonny Stitt est venu en ville avec un groupe et il m'a entendu jouer. Il m'a dit : "Tu ressembles à un type qui s'appelle Charlie Parker et en plus tu joues comme lui. Viens avec nous."

« Les gars de son orchestre avaient les cheveux gominés, ils portaient des smokings et ils me proposaient soixante dollars par semaine pour jouer avec eux. Je suis rentré à la maison et j'ai demandé à ma mère si je pouvais les accompagner. Elle a dit non, je devais terminer ma dernière année d'école. Je ne lui ai plus adressé la parole pendant quinze jours. Je n'ai pas non plus suivi le groupe.

« Je connaissais Charlie Parker de Saint Louis — j'avais même joué avec lui là-bas, alors que j'étais encore au lycée. On avait l'habitude de jouer comme Diz et Charlie Parker.

« Quand on a entendu qu'ils venaient en ville mes copains et moi on était les premiers dans la salle, j'avais ma trompette sous le bras. Diz est venu vers moi et m'a dit : "T'es syndiqué, gamin ?" J'ai dit : "Bien sûr." Alors je me suis assis avec l'orchestre ce soir-là. J'étais incapable de lire quoi que ce soit tellement j'écoutais Diz et Bird.

« Puis le troisième trompette est tombé malade. Je connaissais la partition, j'adorais la musique au point que je connaissais par cœur la partie de la troisième trompette. Alors j'ai joué avec l'orchestre pendant quelques semaines. Je *devais* aller à New York.

« Un de mes amis étudiait à Juilliard, alors j'ai décidé d'aller là moi aussi. J'ai consacré ma première semaine à New York et tout l'argent de mon premier mois à rechercher Charlie Parker.

« J'ai habité avec Charlie Parker pendant un an. J'avais l'habitude de le suivre partout, jusqu'à la 52e Rue où il jouait. Puis il m'a fait jouer. "N'aie pas peur, m'a-t-il dit. Vas-y, joue."

« Vous savez, si vous êtes capable d'entendre une note, vous êtes capable de la jouer. La seule note que je sois capable de jouer c'est celle qui me paraît s'imposer. Vous n'apprenez pas à jouer le blues. Vous jouez, c'est tout...

« Si je préfère composer ou jouer ? Je suis incapable de répondre à cette question. Jouer procure un certain sentiment, ce qui n'est pas vrai de l'écriture, et de toute façon jouer c'est un peu composer... »

John Coltrane et Ornette Coleman

Le jazz des années soixante — et plus encore celui des années soixante-dix — est dominé par deux personnalités impressionnantes : John Coltrane, qui mourut de manière totalement inattendue en juin 1967, et Ornette Coleman. Il convient d'apprécier la différence existant entre ces deux hommes pour mesurer l'ampleur de leur influence et l'étendue des possibilités expressives du nouveau jazz. Aucun de ces deux hommes n'a l'étoffe d'un révolutionnaire et si leur œuvre eut de telles répercussions, ce n'est certes pas du fait de leur volonté. Tous deux sont originaires du Sud — Coleman est né au Texas en 1930 ; Coltrane en Caroline du Nord en 1926. Tous deux sont profondément attachés à la tradition du blues — Coleman à la tradition country du folk blues ; Coltrane plus à la tradition du rhythm n'blues urbain.

Coltrane bénéficia d'une éducation musicale relativement solide, dans les limites possibles pour un membre de la classe moyenne inférieure — son père était tailleur. Les parents de Coleman étaient trop pauvres pour offrir à leur fils des cours de musique ; Ornette est un autodidacte. Personne ne lui a jamais appris que la notation d'un saxophone ne correspond pas aux sons réels. Ainsi à l'âge de quatorze ou quinze ans — une phase cruciale dans son développement — jouait-il « faux » au sens académique du terme tout ce qui était écrit. Le critique Martin Williams considère que là se situe la raison décisive de la qualité harmonique unique exprimée par Coleman dès le départ.

A chaque fois que le jeune Ornette jouait, il produisait une musique dont les harmonies, la sonorité et la technique instrumentale ne pouvaient être intégrées qu'avec difficulté dans le cadre conventionnel du jazz, du blues et du rhythm n'blues — c'est-à-dire dans les genres musicaux auxquels il s'apparentait le plus, tant par le style, le goût, l'expressivité que par ses origines. Il se souvient : « La plupart des musiciens ne m'appréciaient pas ; ils disaient que je ne connaissais pas les transpositions et que je jouais faux. » Le chanteur-guitariste Pee Wee Crayton l'avait engagé dans son groupe de rhythm n'blues : « Il ne comprenait pas ce que j'essayais de faire, et il en arriva à me payer pour que je ne joue pas. » Le propriétaire du club et bassiste Howard Rumsey, raconte : « Tout le monde — je veux dire les musiciens — paniquait quand il était question d'Ornette. Les gens riaient quand on prononçait son nom. » Souvenons-nous que Lester Young, dans l'orchestre de Fletcher Henderson, et le jeune Charlie Parker à Kansas City, provoquaient le même genre de réaction.

En revanche Coltrane — ou « Trane » ainsi qu'on le surnomma — fut accepté d'emblée. Son premier engagement professionnel date de 1947 ; il jouait avec l'orchestre de rhythm n'blues de Joe Webb d'Indianapolis, avec la chanteuse Big Maybelle. Il joua ensuite dans des groupes plus connus, le plus souvent pendant de longues périodes : Eddie « Cleanhead » Vinson (1947-1948), Dizzy Gillespie (1949-1951), Earl Bostic (1952-1953), Johnny Hodges (1953-1954)... jusqu'à ce qu'en 1955 Miles Davis l'engage dans son quintette et qu'il décroche une renommée immédiate avec son solo sur *Round about Midnight*. Il est un point qu'il convient de bien comprendre : il fut accepté et rencontra le succès dans le type de jazz qui était accepté et remportait du succès à l'époque.

La révélation d'Ornette Coleman produisit un choc. Il dut prendre un emploi de liftier à Los Angeles parce que les musiciens ne voulaient plus entendre parler de lui. Son ascenseur n'étant guère demandé, il l'arrêtait à l'étage supérieur et étudiait ses livres d'harmonie. Puis, en 1958-1959, le producteur Lester Kœnig enregistra les deux premiers albums de Coleman pour sa marque Contemporary : *Some-*

thing Else: The Music of Ornette Coleman et *Tomorrow is the Question*. Quelques mois plus tard, Coleman s'inscrivait à la Lenox School of Jazz. Nombre de musiciens célèbres y enseignaient : Milt Jackson, Max Roach, Bill Russo, Gunter Schuller, John Lewis... Or, quelques jours après le début des cours d'été, l'« étudiant » inconnu Ornette Coleman avait plus attiré l'attention que tous les célèbres professeurs.

D'emblée John Lewis déclara : « Ornette Coleman apporte la seule vraie nouveauté en jazz depuis les innovations de Dizzy Gillespie et Charlie Parker dans les années quarante et depuis Thelonious Monk. » Le leader du Modern Jazz Quartet décrivit la manière dont Coleman jouait de son alto avec son ami Don Cherry, qui utilisait une trompinette : « Ce sont presque des jumeaux... je ne comprends pas comment ils s'arrangent pour commencer ensemble. Jamais auparavant je n'ai entendu jouer un tel ensemble. »

Coleman ne s'efforçait nullement de produire une révolution musicale — il ne voulait rien de plus qu'interpréter sa propre musique — pourtant le sentiment s'implanta dans le monde du jazz de 1959 qu'un nouveau style naissait avec Ornette Coleman : « C'est le nouveau Bird ! »

George Russell a particulièrement bien décrit la liberté harmonique caractéristique de toute la musique composée par Coleman : « Ornette semble dépendre essentiellement de la tonalité générale du morceau comme point de départ de la mélodie. Je ne veux pas parler de la tonalité dans laquelle est écrite la musique... Je veux dire que la mélodie et les accords de ses compositions ont une sonorité générale qu'Ornette semble utiliser comme point de départ. Cette approche libère l'improvisateur, lui permettant de produire son propre morceau, véritablement, sans avoir à respecter l'échéance d'un accord particulier... » Ornette lui-même est convaincu que les règles d'une musique ne doivent pas se fonder sur des principes harmoniques appliqués de l'extérieur, mais bien dans l'instrument et les morceaux mêmes. Il nomme cela son « système harmolodique » : chaque harmonie est, ainsi que le suggère l'expression, établie uniquement par la ligne mélodique. Ce système a influencé maints musiciens de jazz, tels que le guitariste Blood Ulmer, ainsi que l'enseignement du Creative Music Studio du vibraphoniste Karl Berger à Woodstock, New York.

Coleman atteint d'emblée la liberté harmonique d'une manière qui lui paraissait aller de soi ; John Coltrane n'y accéda quant à lui qu'au terme d'une évolution lente, laborieuse, couvrant une décennie : des tentatives prudentes de « modalités » avec Miles Davis en 1956 à *Ascension* en 1965.

Suivre cette évolution à travers les disques constitue une fascinante, une excitante « aventure dans le jazz ». A l'origine se situe la rencontre avec Miles Davis et la modalité. Ceci signifie : plus d'improvisation sur des accords changeant constamment, mais plutôt sur une « échelle » qui, immuable, souligne l'ensemble de l'activité mélodique. Ce fut le premier pas vers la liberté. En dépit de l'attention tendue, consciente avec laquelle le monde du jazz suivit cette évolution dans toutes ses phases, on ne sut jamais de manière précise si ce premier pas doit être attribué à Davis ou à Coltrane. Cela se comprend, le passage ne s'effectua pas de manière consciente. Il « advint » — comme quelque chose qui « est dans l'air ».

La deuxième phase — qui débute en 1957 — correspond à la collaboration avec Thelonious Monk (quoique Trane retrouvât Miles après cela ; il ne s'en sépara définitivement qu'en 1960). Coltrane est sans doute le mieux placé pour parler de Monk : « Il jouait parfois un ensemble d'accords de passage altérés différents de ceux que j'interprétais moi, et ni lui ni moi ne jouions les accords correspondant au morceau. On atteignait un certain endroit et on avait bien de la chance si on y arrivait ensemble. Puis Monk intervenait pour sauver tout le monde. De nombreuses personnes nous ont demandé comment on pouvait se souvenir de tout ça, mais on ne s'en souvenait pas. Seulement des accords fondamentaux et chacun essayait ce qui lui plaisait... »

C'est vers cette époque que Coltrane développa ce qu'Ira Gitler qualifia de « feuilles de son » — créant l'impression de « feuilles » sonores métalliques, vitreuses, se heurtant, se cognant. LeRoi Jones (Imamu Amiri Baraka) donna la meilleure description de cet effet : « Les notes que Trane jouait dans le solo devenaient plus qu'une simple suite de notes. Elles étaient produites avec une rapidité telle, et avec tant de sous-entendus, qu'on songeait à un pianiste plaquant des accords à grande vitesse tout en séparant chaque note de l'accord... »

Maints enregistrements réalisés par Coltrane durant la seconde moitié des années cinquante pour Blue Note et Prestige sont exemplaires de ce mode de jeu — ainsi, sur Prestige, avec le Red Garland Trio et sur Blue Note, notamment, *Blue Train*. Le critique John S. Wilson a écrit : « Il joue souvent de son saxe ténor comme s'il était décidé à le faire éclater. » Zita Carno reprend dans *Jazz Review* cette phrase souvent citée : « La seule chose que vous pouvez, et que vous devriez, attendre de la part de John Coltrane, c'est l'inattendu... » C'est l'une des rares déclarations relatives à Coltrane qui s'applique à toutes les phases de sa carrière.

Les critiques négligèrent à l'époque un fait que les musiciens notèrent probablement de manière instinctive : les « feuilles de son » avaient un effet rythmique immédiat au moins aussi important que l'effet harmonique. Les « feuilles de son » marquent donc un pas vers la substitution de la clarté simple du temps conventionnel par la qualité coulante, vibrante de la pulsation — une conception à laquelle Elvin Jones arriva en 1960 dans le Coltrane Quartet, et le jeune Tony Williams en 1963 dans le Miles Davis Quintet.

Lorsque Coltrane signa un contrat d'exclusivité avec la firme Atlantic, en 1960, les « feuilles de son » passèrent à l'arrière-plan — quoique Trane prouvât en maintes occasions, et jusqu'à sa mort, qu'il n'avait rien perdu de l'habileté technique nécessaire pour les produire. Les « fragments sonores » et les « feuilles de son » cédèrent la place à une concentration sur la mélodie : des lignes longues, largement incurvées qui se condensent et se dissolvent en un principe immanent, non apparent, de tension et de détente. On avait le sentiment que Coltrane devait tout d'abord fournir les réquisits harmoniques et rythmiques afin de pouvoir s'intéresser par la suite de manière plus exclusive à la dimension musicale qui l'intéressait — la mélodie. Coltrane, l'homme mélodique, fut le premier à réaliser un véritable succès commercial avec *My Favorite Things*, qui était à l'origine une valse quelque peu simpliste extraite d'une comédie musicale de Richard Rodgers. Coltrane interpréta le morceau au saxophone soprano avec le son nasal d'un zoukra (une sorte de hautbois arabe) ; et il bâtit, à partir de la répétition constante, à peine altérée des notes du thème, une monotonie accélérée auparavant inconnue en jazz, mais apparentée à certains aspects des musiques indienne et arabe.

Il prétendit, vers cette époque, s'intéresser aux musiques orientales et asiatiques et le prouva l'année suivante, en 1961, avec *Olé Coltrane* (également inspiré par la musique hispano-mauresque) pour la marque Atlantic. Après avoir signé un contrat avec Impulse, à la suite du succès de *My Favorite Things*, il enregistra d'autres disques correspondant à cette orientation : dans *Africa Brass* (1961) il exprime ses impressions à l'égard de la musique arabe, et dans *India* (1961), avec le regretté Eric Dolphy à la clarinette basse, il fait de même à l'égard de la musique indienne. Son admiration pour cette dernière devint évidente quelques années plus tard lorsqu'il nomma son deuxième fils Ravi — en hommage à Ravi Shankar, le grand sitariste indien.

Il n'est certes pas présomptueux de supposer que Coltrane — compte tenu du fait que la tonalité conventionnelle, issue de la musique européenne, avait été poussée jusqu'au point de rupture — recherchait une espèce de substitut (même sur le plan de la sécurité émotionnelle) dans les « modes » des musiques indienne et arabe.

Dès 1960, Coltrane conduisit un quartette comprenant — avec des changements ou des additions occasionnelles — Elvin Jones (batterie) et McCoy Tyner (piano). Le contrebassiste fut remplacé à plusieurs reprises — un signe de la conception en évolution constante que Coltrane avait des tâches harmoniques (et rythmiques) fondamentales du bassiste : Steve Davis céda la place à Art Davis, qui fut remplacé par Reggie Workman auquel succéda enfin Jimmy Garrison — le seul musicien que Coltrane garda dans son quartette jusqu'à la fin, donc même après la grande modification de 1965. Précisons incidemment que Coltrane aimait utiliser deux bassistes.

Ce John Coltrane Quartet — surtout celui avec Jimmy Garrison — était un groupe parfait. Il suivait les intentions de son leader avec une empathie merveilleuse — jusqu'au changement crucial de 1965. A cette date, Coltrane dut faire appel à un batteur totalement « free » — Rashied Ali — et à un pianiste tout aussi « free » — il opta pour son épouse Alice Coltrane.

Auparavant, en 1964, Coltrane enregistra un disque qui est sans doute le summum de son œuvre : *A Love Supreme* — une grande prière singulière d'une riche intensité. Coltrane en écrivit lui-même les paroles : « Let us sing all songs to God to whom all praise is due... Il will do all I can to be worthy of Thee O Lord... I thank You God... Words, sounds, speech, men, memory, thoughts, fear and emotions — time — all related... They all go back to God... » (Chantons tous des chants à Dieu à qui sont dues toutes les louanges... Je ferai tout ce qui est en mon pouvoir pour être digne de toi O Seigneur... Je te remercie Dieu... Les mots, les sons, les discours, les hommes, les souvenirs, les pensées, les peurs et les émotions — le temps — tout est lié... Tout retourne à Dieu...). A la fin de cet hymne apparaissent les trois mots qui caractérisent de la manière la mieux appropriée la musique dont le quartette agrémentait le texte : « Joie, élégance, exaltation. »

Un témoignage aussi religieux de la part des musiciens de jazz les plus en vue de l'époque en surprit plus d'un. Pourtant Coltrane — à l'instar de Duke Ellington en quelque sorte — a souvent traité de sujets religieux au cours de sa carrière variée. Il affirma avoir connu en 1957 un « éveil spirituel » par la grâce de Dieu. En 1962, il déclara : « Je crois en toutes les religions », ce qui amena LeRoi Jones à dire que la musique était, pour Coltrane, « un moyen de retrouver Dieu ».

Coltrane considérait la religion comme un hymne de louanges au cosmos qui est Dieu, et à Dieu qui est le cosmos. La monotonie de psaume qui bâtit des mouvements entiers de *Love Supreme* sur un accord unique, et qui semble de cette manière mener de nulle part à quelque part, est pour lui une expression sonore de l'infini. Coltrane adopta des sujets religieux pour maints disques ultérieurs, par exemple *Meditations*. Deux mouvements de cet album sont intitulés : *Father, Son and Holy Ghost* et *Love* — l'amour religieux, bien entendu.

Entre-temps, un processus engagé depuis plusieurs années — passé tout d'abord inaperçu du public de jazz — était arrivé à son aboutissement ; ce fut la véritable surprise de l'hiver 1964-1965 : John Coltrane avait rejoint, tant sur le plan personnel que musical, l'avant-garde new-yorkaise. En mars 1965, il participa au New York Village Gate à un concert de free jazz significatif sur un plan musical mais encore plus à un niveau social et racial. La présentation de la « New Black Music » était produite pour financer la *Black Arts Repertory Theatre-School* de LeRoi Jones qui ne fut pas active très longtemps.

Coltrane utilisa son nom sur plusieurs disques pour aider de jeunes musiciens de free jazz peu connus à toucher un public plus vaste. Les enregistrements réalisés par le saxo ténor Archie Shepp au festival de Newport cette année furent couplés à une performance de Coltrane sur un disque de la marque Impulse. Ce fut la percée décisive pour Shepp.

Ascension fut produit quelques jours avant le festival de Newport, le 28 juin 1965. C'était le premier disque de Coltrane « free » sur le plan tonal. Coltrane rassembla sous son aile presque tous les musiciens importants de l'avant-garde de New York : trois ténors — « Trane » lui-même, Pharoah Sanders et Archie Shepp ; deux trompettes — Freddie Hubbard et Dewey Johnson ; deux altos — John Tchicai et Marion Brown ; deux bassistes — Art Davis et Jimmy Garrison ; ainsi que McCoy Tyner au piano et Elvin Jones à la batterie. Marion Brown essaya de décrire l'intensité folle d'*Ascension* qui — à l'époque — semblait dépasser les limites de ce qui est appréciable et tolérable physiquement : « Vous pouviez employer ce disque pour réchauffer votre appartement durant les journées froides d'hiver. » C'est une musique « hymnico-extatique » possédant l'intensité d'un orgasme de quarante minutes.

Coltrane accéda, avec *Ascension*, à une liberté harmonique que Coleman avait atteinte quelques années auparavant. Il n'en demeure pas moins que la liberté de Coltrane est plus dévastatrice, agressive et saisissante que celle de Coleman. La musique correspond parfaitement au titre de l'album : il s'agit d'une ascension vers les cieux, de l'homme vers Dieu, englobant tout à la fois le divin et l'humain ainsi que l'ensemble du cosmos.

La liberté d'Ornette paraît, en comparaison, lyrique, paisible et mélodique. Il est intéressant de noter que la structure d'*Ascension* suit — consciemment ou non — un schème structurel que Coleman avait utilisé cinq années plus tôt sur son disque *Free Jazz* (Atlantic). (C'est en fait sur un album d'Ornette Coleman datant de 1961 qu'apparut le terme qui sera si souvent appliqué par la suite au jazz des années soixante !) Il s'agissait d'une improvisation collective par un double quartette, dans laquelle le Coleman Quartet (Don Cherry, trompette ; Scott LaFaro, basse ; Billy Higgins, batterie) se trouvait confronté à un autre quartette (Eric Dolphy, clarinette basse ; Freddie Hubbard, trompette ; Charlie Haden, basse ; Ed Blackwell, batterie). De la complexité dense des parties collectives se heurtant mutuellement, émergea un solo qui conduisit à un autre ensemble de jeu collectif, duquel allait naître — ce mot étant pris au sens propre : des solos libres nés d'un travail douloureux — le solo suivant.

Pendant deux ans Ornette Coleman vécut dans un isolement presque total à New York. Sa vie traversait une période d'accalmie alors que Coltrane poursuivait son développement dynamique, auquel le monde du jazz assistait en retenant son souffle.

D'aucuns donnèrent à entendre que Coleman jouait aussi rarement parce qu'il ne trouvait pas d'emploi. La vérité est tout autre. Il recevait de multiples offres alléchantes, mais ne désirait pas se produire en public. Il élaborait sa musique ; il composait et apprenait à jouer de deux nouveaux instruments : la trompette et le violon. Il travaillait également à des compositions pour quatuor à cordes (auxquelles il conféra des tonalités évocatrices de Béla Bartok) et autres ensembles de musique de chambre — citons, notamment, la musique du film *Chappaqua* de Conrad Rooks. Le réalisateur se demanda s'il allait utiliser une musique « si belle en soi ». Rooks commanda en définitive une nouvelle partition — à Ravi Shankar — et le *Chappaqua* d'Ornette — écrit pour le trio de Coleman augmenté de Pharoah Sanders (ténor) et d'un ensemble de chambre de onze musiciens — parut sur disque uniquement en Europe.

Coleman fit sa rentrée publique en 1965 au Village Vanguard. C'est à cette date que parut enfin l'album qu'il avait enregistré avant sa retraite volontaire (en 1962 lors d'un concert au Town Hall de New York — sur ESP). Coleman enregistra ses disques suivants en Europe. 1965 est l'année où fut publié *A Love Supreme*, enregistré toutefois l'année d'avant ; c'est également l'année qui vit la naissance d'*Ascension* — ce fut sans doute l'année la plus prolifique du jazz depuis l'époque où Charlie Parker et Dizzy Gillespie réalisaient leurs enregistrements prodigieux dans les années quarante.

C'est également en 1965 que Coleman fit sa tournée européenne. Le monde du jazz fut surpris d'apprendre que lui, qui avait décliné toutes les offres pendant des années, avait accepté l'invitation de l'auteur de ce livre de se produire à l'occasion des *Berlin Jazz Days*. Il se présenta avec un trio comprenant, outre lui-même, le bassiste David Izenzon, et le batteur Charles Moffett. Il remporta, au Berlin Sportpalast, un tel succès que l'homme qui devait faire sensation ce soir-là, Gerry Mulligan, eut un accès de colère. Ornette enregistra, dans le restaurant de Stockholm Gyllene Cirkeln, deux albums qui parurent bientôt sous la marque Blue Note ; ils sont d'une beauté lyrique comparable à celle du *A Love Supreme* de Coltrane. Le critique suédois Ludwig Rasmusson écrivit pour la pochette : « Le contenu de sa musique est essentiellement l'expression d'une beauté pure, d'une beauté scintillante, captivante, vertigineuse, sensuelle. Il y a quelques années personne ne l'en croyait capable, tout le monde jugeant sa musique grotesque, dégageant angoisse et chaos. Il paraît désormais incompréhensible qu'une telle opinion ait pu avoir cours, aussi incompréhensible que le fait qu'on ait dénigré les portraits de femmes de Willem de Kooning ou les pièces absurdes de Samuel Beckett. Ainsi Ornette Coleman a-t-il réussi à modifier notre conception du beau par la simple puissance de sa vision personnelle. Cette beauté est presque envoûtante lorsqu'il joue avec son bassiste David Izenzon... »

Une comparaison entre *At the Golden Circle* de Coleman et *A Love Supreme* de Coltrane indique clairement la différence fondamentale existant entre les deux musiciens. Le caractère paisible, naturellement équilibré de Coleman s'oppose à la nature dynamique de Coltrane. Tous deux interprètent — au sens simple et naïf du terme — une « belle » musique, d'une immense intensité. Mais chez Coltrane la nature dynamique de l'intensité dépasse la qualité statique de la beauté. Chez Coleman, c'est l'inverse qui est vrai.

C'est également la raison pour laquelle il n'est pas surprenant de noter que presque tous les enregistrements de Coltrane sont conçus du point de vue de l'improvisation — y compris ses compositions ! — tandis que chez Coleman la composition prime l'improvisation. Coleman est avant tout un compositeur. Le critique John Tynan nous rapporte une anecdote intéressante : en 1958 Coleman se trouvait à Los Angeles et il en était à un point de sa carrière où il ne savait plus comment joindre les deux bouts. Désespéré il s'adressa au producteur de disques Lester Kœnig et lui demanda d'acheter certaines de ses compositions. Ornette n'évoqua pas la possibilité de fixer une date d'enregistrement, il désirait uniquement vendre ses compositions. Il voyait dans cette démarche sa planche de salut. Les premiers enregistrements d'Ornette sur la marque Contemporary virent le jour parce que Kœnig le pria de jouer ses compositions au saxophone alto.

Plus tard, lorsque la musique d'Ornette Coleman suscita de vives polémiques dans le monde du jazz, il devint évident que même les critiques qui niaient les qualités d'improvisateur d'Ornette reconnaissaient la beauté et la valeur de ses compositions. Coleman le compositeur fut accepté plus rapidement que Coleman l'improvisateur. S'il quitta la scène du jazz pendant deux ans c'est que son génie créatif est à même de se satisfaire de longues périodes de composition. Il parle plus souvent que n'importe quel autre musicien, adepte du nouveau jazz, de « morceaux » ou de « chansons ». Il dit : « Si j'interprète un fa majeur dans un morceau intitulé *Peace*, je crois que ce ne doit pas être le même fa que celui qui est censé exprimer la tristesse. » L'atmosphère de la composition, en d'autres termes la manière dont le compositeur la perçoit, détermine l'atmosphère de l'improvisation — un mode de pensée qui était devenu rare depuis Lester Young.

Le fait que Coleman apprit — tout seul — à jouer de la trompette et du violon est également lié à la priorité de l'élément de composition sur celui d'improvisation. Sa musique est censée faire un tout. Il préférerait jouer tout ce qui est nécessaire pour créer sa musique sur un plan sonore. Il avoua un jour à la faveur d'une interview qu'il souhaiterait être capable d'enregistrer lui-même toutes les parties sur plusieurs pistes.

C'est à la lumière de cette remarque qu'il convient de juger la manière dont Ornette emploie les instruments dont il a appris à jouer en autodidacte. Il est certain que sa valeur d'instrumentiste n'est irréprochable qu'au saxo alto. On passe toutefois à côté de l'essentiel si l'on évoque la nature « amateur » de son jeu au violon et à la trompette. Le critère « dilettantisme » fait songer, par opposition, au « professionnalisme » de la musique académique. Il n'en demeure pas moins qu'Ornette joue au violon de la main gauche et l'accorde comme s'il était destiné à être utilisé de la main droite ; il ne le gouverne pas mais le bat ou le racle par des mouvements de bras peu orthodoxes. Il ne se soucie pas de la note qu'il produira, mais plutôt du son qu'il obtiendra en faisant vibrer autant de cordes que possible en une fois. Lorsque Coleman manie le violon il ne reste de l'instrument conventionnel que la forme extérieure. Il en joue comme d'un instrument indépendant, nouvellement découvert. Et il produit exactement les effets voulus pour ses compositions. C'est là — et nulle part ailleurs — que réside le critère ! critère que le jeu de violon d'Ornette satisfait de manière brillante. Coleman : « Je ne puis parler de technique parce qu'elle se modifie constamment. C'est pourquoi la seule méthode pour jouer d'un instrument est fixée, selon moi, par ses possibilités intrinsèques. Une technique apprise est une méthode légiférée. Une technique naturelle est une méthode naturelle. Ce qui rend la musique si belle selon moi est qu'elle possède les deux, grâce à Dieu. »

Ornette Coleman est le maître d'une concision prodigieuse. Ceci devint encore plus évident lorsqu'il rencontra — enfin — un partenaire avec lequel il prit vraiment plaisir à jouer : le ténor Dewey Redman. Grâce à lui, Coleman retrouva le chemin de la musique pour quartette. Deux musiciens qui avaient déjà joué avec le Coleman des débuts se joignirent aux deux hommes : le bassiste Charlie Haden (avec lequel il réalisa de superbes enregistrements en duo) et le batteur Ed Blackwell. Ce dernier est originaire de La Nouvelle-

Orléans, où Ornette se produisit si souvent durant sa jeunesse ; il traite les schèmes du rhythm n' blues sudiste fondamentalement de la même manière qu'Ornette traita le blues texan : il les rend abstraits.

Il devint particulièrement évident, vers le milieu des années soixante-dix, que le fond de rhythm n' blues était toujours important pour Ornette Coleman. Il se produisit en concert, et enregistra même des disques, avec deux guitaristes, une ou deux guitares basses, et le batteur Shannon Jackson (et, plus tard, lorsque Jackson partit de son côté, il le remplaça par deux batteurs). Le *Melody Maker* le surnomma « Rocking Ornette », se demandant si son tour était venu de payer son tribut à l'ère du rock. En fait il se rapprochait moins du rock contemporain que de la musique des ghettos noirs qu'il avait assimilée durant sa jeunesse. Ses disques *Dancing in Your Head* et *Body Meta* devinrent la force motrice de ce qu'on nommerait, au début des années quatre-vingts, « no wave », « free funk » et « punk jazz ». Ornette Coleman est le père véritable de cette musique — non seulement parce que ses deux représentants principaux, le guitariste James Blood Ulmer et le batteur Shannon Jackson, subirent son influence directe mais encore parce qu'un courant continu d'éléments propres à Coleman imprègnent cette musique.

Ornette possède une connaissance limitée de la structuration consciente d'une composition ou d'une improvisation. Pourtant tout ce qu'il interprète ou compose semble taillé sur le même modèle. C'est la raison pour laquelle les morceaux de Coleman sont en général plus courts que ceux de Coltrane. Écouter Coltrane revient à assister à une naissance laborieuse. Écouter Ornette revient à découvrir la créature nouvellement née.

Voici le commentaire d'Archie Shepp au sujet de ce phénomène : « L'un des multiples points à mettre à l'actif de Trane est qu'il nous fit prendre conscience de ce qu'un musicien de jazz ne devait pas — ne pouvait pas — être limité par un solo ne durant que quelques minutes. Coltrane démontra qu'un homme pouvait jouer pendant un laps de temps beaucoup plus long. Je ne prétends pas qu'il trouva qu'un solo de trente ou quarante minutes est nécessairement meilleur qu'un solo de trois minutes. J'affirme cependant qu'il prouva qu'il est possible de créer une musique durant trente ou quarante minutes et ce faisant il montra à chacun d'entre nous qu'il fallait avoir la vigueur — tant du point de vue de l'imagination que de l'aptitude physique — de soutenir de telles envolées... »

Voilà qui remet en question l'une des opinions critiques les plus superficielles : celle voulant que les grands musiciens — King Oliver, Lester Young, Teddy Wilson — étaient capables d'exprimer tout ce qu'ils désiraient au moyen d'un ou deux chorus de seize ou trente-deux mesures, et que ceci démontre de manière incontestable le manque de concision de musiciens contemporains tels que Coltrane (et bien d'autres après lui) qui se lancent dans d'interminables solos. En réalité les musiciens enregistraient autrefois de brefs solos parce que les disques ne permettaient pas aux morceaux d'excéder trois minutes. Mais lorsqu'ils avaient la possibilité de jouer ainsi qu'ils le désiraient — dans les clubs ou à l'occasion de jam-sessions — ils préféraient, même à cette époque, interpréter des solos relativement longs. La « grande » musique — des symphonies européennes aux ragas et aux talas indiens — nécessite une certaine durée. Seuls les hits-parades commerciaux se contentent de deux ou trois minutes.

Mais revenons-en à Ornette Coleman. Son désir de réaliser seul l'ensemble de sa musique ainsi que ses deux années d'isolement — qui ont été suivies depuis lors par d'autres périodes semblables — sont certes révélateurs de sa difficulté à appréhender le monde extérieur. John Coltrane était un créateur de groupes. Ornette Coleman est un solitaire. Il est empli d'une profonde défiance à l'égard de la société. Il considère que les agents et les managers ne cherchent qu'à le spolier. Ornette a choisi le plus souvent comme managers des amis, mais peu après leur avoir confié cette charge l'amitié se détériorait. Sa nature soupçonneuse — souvent sans fondement — créait dans certains cas des situations déplaisantes telles que ses soupçons ne tardaient pas à se voir confirmés.

Il déclara à la faveur d'une interview avec Dan Morgenstern : « En tant qu'homme noir, j'ai tendance à vouloir savoir comment on arrive à certains principes et à certains droits. Lorsque ce souci en arrive à dominer mes relations d'affaires, je me retrouve plongé dans un mode de pensée schizophrène ou paranoïde... Je refuse d'être exploité parce que je ne possède pas le savoir ou le “know how” requis pour survivre dans l'Amérique actuelle. La situation est telle que dans vos relations avec un système — quel qu'il soit — possédant un certain pouvoir, vous devez payer pour avoir à votre tour accès à ce pouvoir, simplement pour avoir le droit de faire ce que vous désirez. Ce n'est pas ainsi que l'on bâtit un monde meilleur ; en revanche on consolide la sécurité du pouvoir. Le pouvoir rend l'intention secondaire... »

Ce problème de relation avec le monde qui l'entoure explique qu'Ornette Coleman soit beaucoup plus soucieux de communiquer avec son public lors de concerts ou de prestations dans des clubs, que John Coltrane par exemple. Il se présente parfois revêtu d'habits colorés et voyants qui paraîtraient mieux adaptés à un clown qu'à un musicien de jazz d'avant-garde. Ainsi sent-on que ses racines plongent dans un monde où les musiciens de jazz étaient censés être des amuseurs.

John Coltrane, en revanche, qui avait sans conteste une personnalité encore moins extravertie qu'Ornette, aborde le monde avec une assurance paisible.

Je crois qu'on n'accordera jamais trop d'importance au fait que Coleman est né au Texas, dans l'univers du country blues. Il enregistra son premier disque — en tant que *sideman*, bien entendu — au début des années cinquante avec le chanteur de blues Clarence Samuels (qui avait fait partie du Jay McShann Band — l'orchestre dans lequel avait débuté Charlie Parker). Nous avons montré, dans le chapitre consacré au free jazz, que la conception harmonique libre d'Ornette est un résultat direct de la liberté harmonique qu'ont toujours affichée les musiciens de country et de blues du Sud.

Le ténor Archie Shepp — l'un des plus grands musiciens du nouveau jazz — a dit : « C'est selon moi Coleman qui a revitalisé et rénové l'idiome du blues sans pour autant détruire son caractère simpliste. Loin de l'entraîner au-delà de ses intentions originales, Coleman le rapprocha de ses origines libres, classiques (*africaines*). J'ai toujours eu le sentiment que les débuts d'Ornette étaient plus proches de ces anciennes formes d'expression que son travail actuel. Il ne fait aucun doute que Blind Lemon Jefferson et Huddie Leadbelly doivent avoir joué des blues à 13, 17, voire 25 mesures. Pourtant aucun pontife n'aurait jamais eu l'idée de les qualifier d'avant-gardistes... »

Écoutons le critique A.B. Spellman : « La musique d'Ornette n'est rien d'autre que du blues. » Ornette est un musicien de blues complet. Si le jazz conventionnel n'inclut que deux *blue notes* — ou plus exactement trois depuis l'inflexion des quintes dans le be-bop —, il est permis d'avancer qu'Ornette a transformé toute la gamme en *blue notes*. Presque toutes ses notes sont forcées dans un sens ou dans l'autre, diminuées ou augmentées — bref : vocalisées dans le sens du blues. Souvenez-vous de sa remarque au sujet du fa majeur qui ne doit pas être le même dans un morceau intitulé *Peace* que dans un contexte censé exprimer la tristesse. Voilà une idée propre à un musicien de blues. Et si, après des années de jazz conventionnel, ce concept paraît surprenant — tous les fa majeurs, qu'ils expriment la paix, la tristesse ou quoi que ce soit, devant avoir la même hauteur — c'est uniquement en raison de l'influence de la tradition européenne — une influence qu'Ornette élimina, tout au moins dans son secteur.

L'aisance avec laquelle Ornette aborde la tonalité libre contraste avec la relation complexe et la tension immense que Coltrane entretient avec elle. Ceci devint particulièrement évident lorsque parut, peu après *Ascension*, l'album *Coltrane — Live at the Village Vanguard Again*. A cette époque il ne pouvait plus jouer avec les seuls musiciens qui l'accompagnaient depuis tant d'années. Il fonda, ainsi que nous l'avons dit, un nouveau groupe, un quintette, avec Pharoah Sanders comme second ténor, son épouse Alice Coltrane au piano, le batteur Rashied Ali et, seul rescapé de l'ancien quartette, le bassiste Jimmy Garrison. Quand Coltrane interprète sur ce disque des thèmes célèbres d'enregistrements antérieurs — *Naima* ou *My Favourite Things* — on sent qu'il aimait ces thèmes et aurait préféré continuer à les jouer tels qu'ils lui apparaissaient en tant que thèmes, si seulement il avait été capable d'exprimer à travers eux tout ce qu'il désirait transmettre ! Si John Coltrane avait trouvé le moyen d'atteindre, par des moyens conventionnels, le degré de chaleur extatique qu'il visait, il aurait continué à jouer « tonalement », jusqu'à la fin.

Coltrane hésita longuement. Martin Williams le surnomma à juste titre : « l'homme du milieu ». Il fallut à Trane dix années pour arriver à franchir — en 1965 — le cap que toute une génération de musiciens allait sauter allégrement en un jour. Quiconque écoute les lignes au swing sublime évoquant un sermon de *Naima* comprend que ce musicien se languissait de la tonalité. Il savait ce qu'il avait perdu avec elle. Et il serait volontiers revenu vers elle s'il ne s'était régulièrement heurté au cours de ces dix années aux limitations de la tonalité conventionnelle avant d'être capable d'exprimer tout ce qui lui paraissait nécessaire.

Coltrane ne fit appel à un second ténor que dans l'intention d'accroître l'intensité — et l'homme qu'il choisit pour remplir cette tâche, Pharoah Sanders, était sans conteste le ténor le plus surprenant de par sa puissance physique et son art de produire les sons les plus sauvages et les plus incroyables. A son contact Coltrane devint encore plus intense.

Ce faisant, Coltrane s'épuisa totalement. C'est la raison pour laquelle il dut annuler une tournée européenne prévue pour l'automne 1966. C'est aussi la raison pour laquelle il fut contraint de s'accorder de fréquentes périodes de récupération. Ses amis s'imaginaient souvent qu'il arrêterait de travailler pendant un an, mais quelques semaines plus tard Coltrane se produisait à nouveau sur scène, dispensant la puissance extatique, déchirante de son jazz et de ses hymnes d'amour.

La maladie hépatique à laquelle il a succombé — selon l'avis des médecins — n'a peut-être pas été la véritable cause de son décès ; un autre que lui y aurait survécu, mais pas John Coltrane dont l'organisme était dans un état de total épuisement, suite d'une vie passée en permanence au seuil de la tension humainement supportable.

Ses apparitions en public semblaient à chaque fois le vider de toute son énergie. Il était dans la position d'un athlète participant à une course de relais : il devait à certains moments passer le témoin à Pharoah Sanders qui allait de l'avant — avec encore *plus* de puissance, d'intensité et d'extase, mais sans atteindre à la force d'amour irradiante qui émanait, tel un hymne, de Coltrane.

Il est tragique de noter qu'il y avait parmi les proches de Coltrane une musicienne qui possédait — et possède toujours — cette puissance d'amour, mais n'était pas capable de l'exprimer musicalement, tout au moins pas au niveau élevé auquel évoluait Trane. En 1967, lorsque mourut Trane, elle ne s'était pas encore affirmée dans le monde du jazz, mais depuis lors, elle est devenue le successeur et l'héritière la plus pure et la plus évidente du message spirituel de John Coltrane. Il s'agit de son épouse, la pianiste, harpiste, organiste et compositrice Alice Coltrane — ou Alice McLeod, qui est le nom sous lequel elle était connue lorsque le vibraphoniste Terry Gibbs la fit connaître au début des années soixante ; ou encore Tutiya Aparna, ainsi qu'elle se nomme elle-même en accord avec ses convictions religieuses.

Alice fit un pèlerinage en Inde où elle étudia l'hindouisme et le bouddhisme ; elle adopta un nom indien, et croit que John Coltrane — s'il avait survécu — aurait également suivi cette voie : « J'aimerais jouer de la musique en accord avec les idéaux exposés par John et conserver un principe cosmique de l'aspect de la spiritualité comme réalité sous-jacente... Je sais qu'il y tenait beaucoup. »

Alice Coltrane — comme son époux, quelques années auparavant — sait de quoi elle parle. Elle ne se contente pas de souscrire aux modes. Pour elle — comme dans la prière *Love Supreme* de John — le grand Dieu universel, la « Conscience Universelle », est un fait qui détermine la vie et la musique ; elle sait que tous ces noms divins qu'utilisent les gens ne sont que des transcriptions du Grand Pouvoir Divin unique.

Alice fit appel, pour son disque *Universal Consciousness*, à Ornette Coleman — bouclant ainsi la boucle. Ornette façonna — ou tout au moins détermina essentiellement — un son de violon pour Alice, sans égal parmi les multiples expériences réalisées sur des instruments à cordes dans le cadre du jazz moderne, évitant à dessein l'esthétique standard de « beauté » et d'homogénéité. Les quatre violonistes proviennent des écoles les plus diverses : deux de la musique de concert — Julius Brand et Joan Kalisch ; un du free jazz — Leroy Jenkins ; quant au quatrième c'est un musicien de soul — John Blair. Ces quatre musiciens produisent, dans des morceaux tels que *Oh Allah* et *Hare Krishna*, une texture de sons dense combinant la complexité de la musique de concert d'avant-garde à l'intensité du jazz traditionnel, le pouvoir spirituel d'Alice Coltrane à la tradition du be-bop et du blues.

Ornette Coleman adore les violons. Il admire — au même titre que Charlie Parker, vingt ans auparavant — la grande tradition de la musique de concert européenne. Il a présenté régulièrement des compositions pour orchestres symphoniques, ensembles de chambre, et quartettes à cordes — son œuvre la plus impressionnante fut sans doute *Skies in America*, enregistrée en 1972 par le London Symphony Orchestra dirigé par David Measham. Quoi qu'il en soit, Ornette Coleman demeure un musicien de jazz — même lorsqu'il compose pour des orchestres symphoniques. L'orchestre symphonique est pour lui un « cuivre » élargi sur lequel il improvise.

Ornette s'est révélé classique jusque dans ses improvisations. Le public des festivals qui, en 1971, ne connaissait pas encore le nouvel Ornette Coleman et s'attendait à retrouver le musicien qui avait révolutionné le jazz au début des années soixante, fut stupéfait de découvrir un homme qui faisait tout simplement une « musique merveilleuse » — avec des lignes d'alto claires, chantantes, prodigieusement équilibrées.

Le jazz a besoin de classiques de ce genre. Demander une succession permanente de révolutions consiste à demander l'impossible — quiconque agit ainsi trahit son manque de maturité.

La musique de Coltrane, par ailleurs, est devenue encore plus efficace depuis sa mort, favorisant partout des évolutions, du rock au jazz, dans les phases de transition les plus diverses.

L'élément à caractère d'hymne qui domine l'ensemble de la scène jazz et rock contemporaine remonte à Coltrane —

et surtout à *Love Supreme.* Lorsque l'influence de Miles Davis opéra de manière moins prononcée vers le milieu des années soixante-dix, il s'avéra que Coltrane était désormais le musicien le plus influent dans l'univers du jazz. Un « classicisme à la John Coltrane » se développa qui est comparable à celui de Miles Davis ou de l'association Count Basie-Lester Young.

Pour ses amis, Coltrane était un homme marqué, tout au moins à la suite de *Love Supreme.* Déjà à l'époque il savait que sa sonorité façonnait le jazz de son temps, et cette responsabilité le faisait souffrir. Il se considérait trop lui-même comme étant un homme en quête perpétuelle pour être en mesure d'apprécier le fait que l'ensemble du monde du jazz considérait désormais chacune de ses déclarations comme « parole d'évangile ». Je ne me souviens pas d'avoir vu une seule photographie postérieure à 1962 ou 1963 qui le montre souriant.

Nat Hentoff demanda à Coltrane s'il y aurait jamais un terme au développement qui lui avait déjà fait traverser une demi-douzaine de manières de jouer depuis le milieu des années cinquante et le Miles Davis Quintet. Voici la réponse de Trane : « Vous allez sans cesse de l'avant, aussi profondément que possible. Vous essayez d'arriver au cœur du sujet. »

Ornette Coleman est en quelque sorte le phénix dont la musique nous fut révélée d'emblée — sinon dans sa forme mûre tout au moins dans sa conception fondamentale — comme si elle émergeait de la tête de Zeus. Coltrane en revanche est une sorte de Sisyphe qui devait continuellement faire rouler le rocher lourd, épuisant de la connaissance du pied de la montagne à son sommet. Il n'est pas impossible en outre qu'à chaque fois que Coltrane arrivait au sommet, il y trouvait Coleman dans son splendide costume de cirque jouant ses merveilleuses mélodies. Mais la musique de John Coltrane, debout au sommet de la montagne — au côté d'Ornette — résonnait alors emplie de la puissance du pélerin qui a atteint une nouvelle station sur la route longue et sinueuse de la connaissance (ou plus exactement de Dieu, puisque telle est la conviction de Coltrane) et qui sait où se situent les prochaines stations — quoique durant les mois d'épuisement qui précédèrent son décès, il ne savait dans quelle direction progresser.

John McLaughlin

Remarques préliminaires : il n'est pas *un* musicien unique qui puisse représenter le jazz des années soixante-dix. Ce genre est devenu trop « vaste ». McCoy Tyner, Keith Jarrett, Chick Corea, Joe Zawinul et Wayne Shorter, Herbie Hancock, Dexter Gordon, etc., ont une stature égale. Et surtout : Miles Davis (en particulier durant la première partie de la décennie) et John Coltrane (vers la fin) sont toujours les figures dominantes. Derrière eux, la scène du jazz est divisée — en jazz acoustique d'une part, en jazz électrique de l'autre, et en de multiples sous-groupes.

Il est pourtant un musicien que l'on retrouve dans toutes les catégories caractérisant cette décennie — et qui est toujours présent dans les années quatre-vingts. Il a interprété le blues, le be-bop, le free et le jazz fusion et, qui plus est, il appartient tout autant à la musique électrique qu'acoustique : il s'agit de John McLaughlin.

L'interview suivante fut réalisée dans l'appartement de John McLaughlin à Paris. McLaughlin compte au nombre de ces musiciens contemporains qui sont d'une clarté telle que le rôle de l'interviewer consiste essentiellement à apporter des points de repère ; aussi ne mentionnerai-je mes questions que si elles s'avèrent indispensables à la compréhension des réponses. Vous trouverez de plus amples informations relatives à McLaughlin dans les chapitres consacrés aux années soixante-dix, à la guitare, et aux combos.

John McLaughlin : Je suis né en 1942 dans un petit village du Yorkshire. Mon père était ingénieur et ma mère violoniste amateur. Mes parents ont toujours eu une attitude très positive à l'égard de la musique ce dont je leur serai éternellement reconnaissant. Sur le plan de la musique classique. Les trois « B » : Beethoven, Bach, Brahms. Je crois que beaucoup d'enfants ne bénéficient pas de l'environnement qui leur convient ; d'aucuns ont du talent mais leurs parents ne les encouragent pas, ils ne s'intéressent pas à la musique. J'avais environ neuf ans lorsque ma mère m'envoya suivre des cours de piano. Nous sommes ensuite allés nous installer dans le Northumberland — à proximité de la frontière écossaise. Chaque été nous amenait les orchestres de cornemuses. Il y avait parfois six ou sept cornemuses, avec trois ou quatre tambours — c'étaient des musiciens fantastiques. Ils swinguaient à leur manière. Ils me faisaient un effet terrible.

Le début de la révolution du blues se produisit en Angleterre alors que j'avais une dizaine d'années. Le blues a commencé en underground, parmi les étudiants. L'un de mes frères possédait une guitare. Il m'a appris trois accords, dès ce jour tout était décidé. Je suis tombé amoureux de cet instrument. J'ai commencé à écouter des musiciens tels que Muddy Waters, Big Bill Broonzy et Leadbelly. (*Alors que John disait cela je remarquai qu'il possédait toujours des disques de ces musiciens ; ils se trouvaient dans sa discothèque à proximité de l'électrophone. J'en déduisis qu'il les écoutait toujours.* J.E.B.) Je découvrais en une fois toute cette musique. C'était fantastique. Incroyable.

Lorsque j'eus quinze ans j'emmenai ma guitare et un petit amplificateur et je me rendis dans un pub, un dimanche soir, où je savais que des musiciens jouaient du jazz. Je leur ai dit : « S'il vous plaît, laissez-moi jouer un morceau avec vous. » Ils m'ont dit : « OK, vas-y. » Ils se sont mis à jouer des morceaux très rapides et je me suis trouvé tout à fait désemparé. Ce fut néanmoins une excellente expérience. Je suis rentré chez moi conscient du fait qu'il me restait beaucoup à apprendre.

C'est vers cette époque que j'ai commencé à écouter Django Reinhardt et Tal Farlow. Ils étaient mes idoles à la guitare. Ils le sont toujours. C'est peut-être la raison pour laquelle j'aime tant les violonistes — parce que j'ai aimé Django et Stéphane Grappelli.

J'avais seize ans lorsque je suis parti sur la route avec un orchestre de jazz traditionnel nommé Professors of Ragtime. Cela m'a amené à Londres — qui était bien évidemment le centre jazz de l'Angleterre. Il y avait alors deux clubs : le Marquee et le Flamingo. Ils étaient sensas. Tout le monde rencontrait tout le monde, et n'importe qui pouvait jouer avec n'importe qui. C'est ce que j'ai fait. Je me souviens de jam-sessions avec tout le monde et avec n'importe qui.

Je me souviens des Rolling Stones venant passer une audition. Je ne m'intéressais pas beaucoup à eux. Ils jouaient faux, et je ne crois pas qu'ils swinguaient, mais au moins ils jouaient les morceaux de Muddy Waters.

J'ai commencé à jouer avec la Graham Bond Organization et avec Alexis Korner. Tout le monde est passé un jour ou l'autre par l'orchestre d'Alexis. Mais c'est *Into the Cool* de Miles Davis, avec le grand orchestre de Gil Evans, qui a tout décidé pour moi. Miles a cristallisé une nouvelle école de musique, et j'ai aussitôt senti : Ça c'est mon école. Mais j'ai continué à jouer du rhythm n'blues et c'était fantastique, parce qu'on jouait de vrais solos de jazz. C'était du blues mais en même temps c'était beaucoup plus que du blues.

J'ai joué avec Eric Clapton et Dick Heckstall-Smith et Ginger Baker et tout le monde, mais il faut que je parle de Graham Bond. Il représentait beaucoup pour moi. J'avais grandi dans une école très ordinaire, où le professeur enseignait la religion d'une manière sèche. Il ne comprenait pas la signification réelle de la religion — et du christianisme. Il n'était pas un chrétien pratiquant. Je n'allais jamais à l'église, mais Graham Bond — Dieu bénisse son âme — était vraiment en quête de la vérité. Il s'intéressait aux choses invisibles de la vie. Il me fit découvrir un livre consacré à la culture de l'ancienne Égypte, et cela m'a beaucoup intéressé parce que pour la première fois de ma vie je me suis rendu compte qu'un homme était plus qu'il n'y paraissait. Plus tard j'ai découvert un livre de Ramana Maharshi, et ce fut la première image que j'eus d'un homme que je pouvais considérer comme étant illuminé — un être humain illuminé, et cela était très important pour moi. J'ai commencé à comprendre que l'Inde, en tant que culture et que nation, possédait des trésors qu'il nous restait à découvrir.

J'étais très ami à l'époque avec le guitariste Jim Sullivan, un musicien pop très connu. On errait partout tous les deux et c'est comme ça qu'on est devenus membres de la Société de théosophie de Londres. Un jour, il m'a fait écouter un disque de Ravi Shankar. Je ne le comprends pas mais il y avait là quelque chose qui me fascinait. J'ai lu sur la couverture le même genre de choses que dans le livre de Ramana Maharshi, et j'ai réalisé qu'il existait un lien entre la musique et la sagesse. Je savais que je devais en entendre plus si je voulais pénétrer ce lien.

Je dois reconnaître que je me droguais à l'époque — acide, etc. — et c'était très important pour moi. Il y a des tas de trucs qui sortent de l'inconscient. Bien entendu, aujourd'hui je suis contre les drogues ; je partage les vues d'Aldous Huxley. Je considère qu'il est mauvais que nous ne recevions pas une éducation relative aux drogues dans notre société — en dépit du fait que cette dernière est totalement orientée vers les drogues. Si un gosse souffre de maux de tête vous lui donnez des aspirines. Un excitant vous réveille et un calmant vous aide à dormir. C'est une éducation lamentable.

A l'époque, j'errais. Je vivais au jour le jour. Il m'était impossible de gagner ma vie. Je devais donc participer à des séances d'enregistrement : des séances de variétés avec Tom Jones, Engelbert Humperdinck et Petula Clark... C'était affreux sur un plan musical et après un certain temps ces séances me rendirent complètement fou. Je devais les faire pour survivre et pourtant il y avait beaucoup plus de choses qui m'attiraient musicalement. Enfin, un jour je me suis réveillé et je me suis dit : je ne puis continuer ainsi. Je suis monté dans ma voiture et j'ai roulé. Je ne me suis arrêté qu'en arrivant dans le nord de l'Angleterre et je suis resté avec ma mère. C'était pour moi une question de salut.

Je ne voulais pas retourner à Londres. J'ai donc décidé de me rendre sur le continent et de jouer le genre de musique que j'aimais. La première offre que j'ai reçue fut celle de Gunter Hampel en Allemagne, je me suis donc rendu là-bas et j'ai joué une musique free pendant environ six mois.

Je suis content d'avoir vécu cette expérience avec Gunter. Je sais, idéalement, c'est bien de jouer de la musique free mais il y a toujours un grand « mais ». En effet, c'est en majeure partie de l'auto-indulgence ; c'est mon opinion profonde au sujet de la musique free. Pour en jouer vraiment, vous devez tout d'abord tout savoir sur le plan harmonique et mélodique, ensuite vous devez être un être humain très évolué, quelqu'un de très bien. Seul un être humain évolué sera capable de ne pas sombrer dans l'auto-indulgence. Mais un être humain ordinaire — et c'est ce que nous sommes pour la plupart — ne manquera pas de se faire plaisir. Il ne fait pas de la musique, il se fait plaisir, ce n'est pas réel.

Je vivais à Anvers, quand je jouais avec Gunter, ainsi je pouvais revenir en Angleterre de temps à autre. On avait un petit groupe avec le bassiste Dave Holland et le batteur Tony Oxley, c'était fantastique. J'ai enregistré un disque qui s'intitulait *Extrapolation* avec Tony Oxley et John Surman au baryton et au soprano. Bien sûr on a tous été fiers lorsque Dave est parti pour New York afin de jouer avec Miles. Imaginez ça : un Anglais jouant avec Miles Davis — on n'avait jamais entendu ça. Un coup de maître !

Quelques mois plus tard, en novembre 1968, Dave m'a téléphoné. Il était à Baltimore et devinez qui était avec lui ? J'ai dit « Miles ». Il m'a répondu : « Non, Tony — Tony Williams — et il veut te parler. » Tony m'annonça qu'il désirait former un groupe, et qu'il aimerait que je me joigne à eux. Jack DeJohnette lui avait fait entendre une bande qu'il avait enregistrée avec moi quelques mois auparavant alors qu'il était à Londres avec Bill Evans. J'ai répondu : « Quand vous serez prêts, faites-moi signe. »

Il m'a rappelé au début 1969. Je suis donc parti pour New York la première semaine de février. Deux jours plus tard j'étais en studio avec Davis. C'était incroyable. Vous devez comprendre : New York, c'était l'apogée pour un jazzman européen. Et être capable d'y aller et d'y jouer — c'était incroyable pour moi !

Tony Williams et Dave Holland jouaient avec Miles. J'ai donc rencontré tout le monde d'emblée. Miles et Wayne Shorter et Chick Corea et Jack DeJohnette et Gil Evans. Imaginez ça ! Un rêve devenant réalité !

Jamais je n'oublierai une seule soirée de cette semaine. Miles parlait avec Louis Armstrong et Dizzy Gillespie ; j'aurais voulu avoir une caméra. Les trois ensemble ! Le simple fait de voir ces trois types réunis, c'était merveilleux pour moi.

Le deuxième soir que je passais à New York, Tony dut se rendre chez Miles pour prendre un peu d'argent. Je l'ai accompagné. Miles enregistrait le lendemain. Il savait que

Tony allait le quitter pour fonder un groupe avec Larry Young à l'orgue et moi-même. Mais Miles ne voulait pas le perdre. Il adore Tony. Miles m'a dit : « Pourquoi n'amènerais-tu pas ta guitare demain ? » Tony n'était pas particulièrement ravi de cette idée, parce qu'il y avait soudain une certaine rivalité entre Miles et lui. Pour moi, c'était bien évidemment le summum. C'était bien la dernière proposition à laquelle je m'attendais. Mais arriva le lendemain. Larry Young était là. Et Joe Zawinul et Herbie Hancock. Que j'aie la chance d'avoir été invité, d'être là au bon moment, c'était une véritable bénédiction. Jamais je n'aurais pu organiser ça.

On avait un morceau de Joe Zawinul — avec des tas d'accords. Miles dit : « Eh bien, John, pourquoi ne le joues-tu pas à la guitare ? » J'ai répondu : « Vous voulez vraiment tous ces accords. Ça va me prendre un certain temps pour assimiler tout ça. » C'est alors que j'eus ma première expérience de la manière de diriger de Miles. Il voulait que je joue le morceau avec un seul accord ! Et brusquement tout le monde était là attendant que je commence et je ne savais que faire. Je n'en avais pas la moindre idée. Miles a dit : « Voyons, tu connais l'accord. » Alors je lui ai joué l'accord. C'est tout. Deux accords, en réalité. J'ai commencé à jouer et j'ai constaté que la lumière était allumée ; et j'ai joué le premier solo, Wayne Shorter a joué le morceau, Miles et Wayne l'ont joué ensemble. Pour moi c'était la confusion, mais j'ai joué d'instinct. Puis on l'a réécouté et j'ai été surpris de constater combien c'était beau. Et j'ai tout compris : Joe Zawinul avait amené le morceau, et Miles, en une minute, en avait perçu l'essence réelle, la beauté intrinsèque. J'étais sidéré de la manière dont il était capable d'entendre tout cela et de le reproduire. C'était une des grandes qualités de Miles Davis, sa façon de faire surgir l'extraordinaire de son environnement.

Miles me demanda ensuite de me joindre à son groupe. C'était une nouvelle expérience incroyable pour moi. Imaginez ça : je devais refuser une offre de Miles ! Parce que c'était plus important pour moi de poursuivre avec Tony Williams. J'avais des compositions et je savais que j'aurais plus de chances de les jouer avec Tony qu'avec Miles.

Enfin, Lifetime, le groupe que nous avions formé Tony Williams, Larry Young et moi, fonctionnait. Il gagnait peu d'argent mais musicalement c'était fantastique et nous ne comprenions pas que Columbia refuse de nous enregistrer. Nous avons passé une audition pour un type nommé Al Kooper, qui était avec Blood, Sweat and Tears et il a dit non. J'ai aussitôt perdu tout respect pour lui.

BERENDT : Ainsi c'était votre première expérience avec le monde du business en Amérique ? Que pensez-vous du « jazz business » ?

MCLAUGHLIN : Je ne crois pas qu'ils comprennent le jazz, en Amérique. Ils sont tellement coupés de la réalité. Même après avoir passé onze ans aux États-Unis, je crois toujours qu'ils ne comprennent pas leur propre musique. Ils ne savent pas comment la vendre. En Europe et au Japon c'est beaucoup mieux, parce que les gens aiment vraiment la musique. Elle a toujours été considérée comme une forme artistique ici. En Europe, quiconque fait des affaires avec vous part du principe que vous êtes un artiste. Mais en Amérique ils ne voient pas la situation sous cet angle. Bien sûr il y a beaucoup de personnes qui aiment et apprécient le jazz en Amérique, mais quand il est question de business, c'est terrible. Il n'y a pas de festivals comme en Europe. J'ai été très surpris la première fois que je me suis heurté à ce genre de problèmes parce que je croyais qu'ils étaient mieux organisés. En fait, j'eus l'un des chocs de ma vie lorsque nous avons enregistré ce premier disque avec Tony Williams ; ils l'ont mixé et le son était horrible. C'est alors que j'ai compris qu'ils n'avaient pas de respect pour la musique ni pour les musiciens. J'ai vraiment été choqué.

BERENDT : Et bien sûr, par la suite, tout le monde critiqua Tony et les musiciens à qui l'on imputait la mauvaise qualité du son. Cela fit beaucoup de tort à Lifetime... J'ai pourtant l'impression que vous avez toujours eu beaucoup de chance dans votre carrière — vous avez eu le sens des affaires. Lorsque je songe à Tony Williams, à Ornette Coleman, à Cecil Taylor et à tant d'autres qui avaient de mauvais managers et de mauvais agents pendant la majeure partie de leur carrière je ne puis m'empêcher de penser que vous avez été verni.

McLaughlin : Et pourtant j'ai été trahi, certaines personnes m'ont volé de l'argent, et je me suis souvent retrouvé dans des positions délicates. Je n'oublierai jamais ma première expérience avec les Douglas Records. J'ai rencontré le type et il avait l'air sympa. Mais le premier disque que j'ai réalisé pour lui — *Devotion*, avec Buddy Miles à la batterie et Larry Young à l'orgue — fut une expérience terrible. Après l'avoir enregistré, je suis parti en tournée avec Tony Williams et lorsque je suis revenu, il avait terminé l'album ; il l'avait mixé, il avait coupé ceci, coupé cela et il y avait des parties dans lesquelles je ne reconnaissais pas ma musique. J'étais en état de choc.

Berendt : Combien vous ont-ils payé ?

McLaughlin : Ils m'ont payé deux mille dollars.

Berendt : Seulement ? Pour un disque aussi célèbre et qui s'est vendu — et se vend encore — dans le monde entier ?

McLaughlin : Non, pas pour un disque. J'ai touché deux mille dollars pour les deux disques que j'ai faits pour eux — *Devotion* et *My Goal's Beyond...*

Berendt : ... le disque avec la face solo. C'est le disque qui a véritablement établi les solos de guitare en jazz — le précurseur de centaines de solos de guitare, qui demeure selon moi le plus beau de tous... Donc vous êtes passé de Douglas à Columbia, qui est considérée comme étant la meilleure des compagnies.

McLaughlin : Et me voilà dix ans plus tard, et je dois quitter Columbia. Ils doivent me payer pour que je parte. Ils s'imaginent que seule la musique électrique vaut encore la peine d'être promotionnée. Je considère que c'est un manque de respect à l'égard du public américain. En outre, c'est une attitude paternaliste.

Berendt : C'est une erreur, même d'un point de vue commercial. C'est pour cela que le commerce musical est en si mauvais état en Amérique : pendant dix années ils se sont concentrés essentiellement sur la musique électrique. C'est la seule chose qu'ils aient poussée. Et ce faisant ils ont oublié tout le reste. Aujourd'hui le public est fatigué d'entendre en permanence cette sonorité électrique uniforme, mais les compagnies de disques ne savent qu'offrir à la place, et si elles le savaient elles ignoreraient comment le promotionner.

McLaughlin : Ils abordent la musique comme s'il s'agissait d'un hamburger.

Berendt : Parlez-moi, si vous le voulez bien, de Sri Chinmoy, qui était votre gourou à l'époque.

McLaughlin : Eh bien, peu avant de me rendre en Amérique, j'ai commencé à faire des exercices de yoga tous les matins. Je suis arrivé aux États-Unis et, me trouvant à Manhattan, je me suis dit que je devais me prendre en main. J'ai donc fait plus d'exercices. Je m'exerçais une heure et demie le matin et une heure et demie le soir. Rien que du yoga. Aussi après un an de ce régime je me suis senti en pleine forme physique, mais j'avais l'impression de sacrifier l'intérieur. J'ai donc été méditer avec différents professeurs, pour la plupart indiens. Puis un jour le manager de Larry Coryell m'a présenté Sri Chinmoy. J'ai tout de suite éprouvé un bon sentiment à son égard. Il m'a dit des trucs importants. A propos de la musique, de la spiritualité. Ma question était : Quelle est la relation entre la musique et la conscience spirituelle ? Et il m'a répondu : L'important n'est pas tant ce que vous faites que la conscience avec laquelle vous le faites. Ainsi, un balayeur de rue peut très bien balayer sa rue à la perfection et en retirer une grande satisfaction. Il peut même accéder à l'éveil. L'important c'est toujours l'état de votre conscience parce qu'il détermine : 1. la manière dont vous travaillez ; 2. la qualité de ce que vous faites ; et 3. la qualité de ce que vous êtes. Aussi si vous êtes un musicien et que vous visez l'éveil, votre musique en fera automatiquement partie. C'était bien sûr une excellente réponse, aussi je suis allé le revoir à plusieurs reprises, et après quelques semaines je suis devenu l'un de ses disciples.

Berendt : Mais quelques années plus tard la presse de jazz a largement fait écho au fait que vous l'ayez quitté.

McLaughlin : Je ne l'ai jamais quitté.

Berendt : Je m'attendais à cette réponse.

McLaughlin : Je ne le quitterai jamais parce que je l'aime. C'est un grand homme, c'est un homme éveillé. C'est le plus bel objectif que puisse atteindre un être humain, parce que cela demande une quantité d'efforts incroyable... Je ne suis toutefois pas en accord avec tout ce qui est formalisé... Faire ceci et ne pas faire cela. Je ne puis l'accepter parce que je dois poursuivre ma carrière de musicien. Je dois faire des tournées.

Vous savez, il y a un très beau mot de Vivekananda : « Dieu vient sur Terre pour fonder une religion et le Diable le suit pour l'organiser. » En un sens je suis pour toutes les religions, mais je suis contre toutes les religions organisées. Je sais que c'est un problème complexe parce que certains individus ont besoin d'organisation...

Quoi qu'il en soit, revenons à l'année 1971. Miles me conseilla de former mon propre groupe. J'avais rencontré Billy Cobham à l'occasion d'une séance d'enregistrement de Miles et je cherchais un violoniste. J'avais parlé avec Jean-Luc Ponty alors que j'étais à Paris. Il avait décliné mon offre. Il ne voulait pas venir en Amérique. (Il y vint deux ans plus tard !) Quelques semaines après j'ai découvert Jerry Goodman. Le bassiste Miroslav Vitous m'a téléphoné et m'a dit : « Joe Zawinul et Wayne Shorter forment un groupe qui s'appelle Weather Report. On voudrait que tu te joignes à nous. » Et j'ai répondu : « C'est très gentil, mais moi aussi j'ai un projet en cours. » Et Miroslav a dit : « Si tu as besoin d'un pianiste, appelle Jan Hammer. Il est aussi originaire de Tchécoslovaquie et il joue avec Sarah Vaughan. » Ainsi naquit le Mahavishnu Orchestra : Jan Hammer, Billy Cobham, Jerry Goodman et bien sûr Rick Laird à la basse, parce que je le connaissais déjà en Angleterre et qu'on avait souvent joué ensemble. Nous avons eu d'emblée un bon rapport. Un soir, j'ai annoncé à Sri Chinmoy que j'avais formé un groupe et que je voulais lui trouver un nom. Il me conseilla : « Appelle-le Mahavishnu Orchestra. » Je me suis récrié : « Mahavishnu Orchestra ? Ça va faire fuir tout le monde. — Essaie », a-t-il insisté. On a donc essayé et ce fut merveilleux pendant un an. On s'est vraiment identifié au groupe — au son et à son énergie. Et la musique était étonnante. Bien sûr, j'avais espéré que cela marche, mais je n'avais pas escompté le succès que nous avons remporté. On travaillait et on jouait et tout se passait bien.

Une partie du plaisir tenait au fait que je continuais à mener ma vie comme je l'entendais. Cela intéressait beaucoup les gens. Ils me posaient des tas de questions sur Sri Chinmoy et tous les aspects spirituels — la méditation, l'Inde et la religion. Mais bien entendu les autres musiciens ne suivaient pas ma voie. Petit à petit ils commencèrent à en éprouver un certain ressentiment. J'avais l'impression qu'on aurait pu tout arranger mais le véritable problème tenait à Jan Hammer et à Jerry Goodman. Ils étaient farouchement opposés à tout cela. Cela devint en définitive une véritable psychose. Nous nous sommes rendus au Japon, mais la situation ne s'est pas améliorée. Elle a même empiré. A notre arrivée à Osaka, j'ai dit : « Écoutez, pourquoi ne me parlez-vous pas ? Si vous avez quelque chose sur le cœur, dites-le, dites-moi que vous me détestez. Dites-le donc. C'est très bien. Videz votre cœur et tout ira mieux ensuite. » Mais aucun n'a voulu ouvrir la bouche. Rick Laird leur a dit : « Pourquoi ne le lui dites-vous pas ? Vous m'en parlez sans cesse quand il n'est pas là. » Alors j'ai compris qu'ils étaient décidés à partir, que c'était la fin du groupe. Le succès était en partie responsable de la situation. Vous savez, il est difficile d'assumer le succès.

BERENDT : Je considère que le Mahavishnu Orchestra — le premier — était la meilleure formation de tout le jazz rock. Ses deux disques étaient fantastiques — *Birds of Fire* et *Inner Mounting Flame*. Quelque temps après, vous avez formé un nouveau Mahavishnu Orchestra, mais j'éprouve le sentiment qu'il n'a jamais atteint les mêmes sommets, la même intensité, la même richesse d'inspiration, la même densité que le précédent.

MCLAUGHLIN : Nous y sommes parvenus moins souvent. Mais nous y sommes parvenus, deux soirs par an, je crois. Le disque *Visions of the Emerald Beyond* (avec le deuxième Mahavishnu Orchestra et un quatuor à cordes) fut selon moi le meilleur de ceux que j'ai enregistrés. Puis j'ai fait *Apocalypse*, avec Michael Tilson Thomas conduisant le London Symphony Orchestra.

BERENDT : Mais entre-temps il y avait eu Shakti. Je me souviens toujours de la sensation, après cette débauche électrique, vous jouiez avec des Indiens : rien que de la musique acoustique, vous étiez le seul Occidental du groupe.

MCLAUGHLIN : En fait, nous avions déjà joué ensemble avant la fin du premier Mahavishnu Orchestra. J'avais des amis qui tenaient un magasin de musique et je leur ai dit que je cherchais quelqu'un qui soit à même de m'enseigner la musique indienne. J'ai donc pris des leçons vocales — chant indien — et le joueur de mrindangam (un instrument à percussion du Sud de l'Inde) était l'oncle du violoniste L. Shankar. J'ai donc rencontré Shankar. Je n'oublierai jamais quand Jean-Luc Ponty est arrivé de Californie pour se joindre au deuxième Mahavishnu Orchestra. Shankar et moi avions passé la journée ensemble et c'est comme ça qu'ils se sont rencontrés — Shankar le violoniste indien et Jean-Luc le Français. L. Shankar s'est mis à jouer et j'ai vu le regard étonné de Jean-Luc Ponty — je n'avais jamais vu une telle expression de ma vie.

J'ai eu la chance de recevoir des leçons de Ravi Shankar et d'autres maîtres de la musique indienne. J'aime leur pays, sa musique, sa spiritualité et ses religions. La spiritualité est la musique. Il est impossible de séparer les deux — contrairement à ce qui se passe en Occident.

J'avais rencontré Zakir Hussain, le joueur de tabla, à l'école de musique indienne de Ali Akbar Khan, près de San Francisco. Khan-sahib, le grand maître de sarod, était assis dans son fauteuil nous écoutant jouer, et lorsque nous eûmes terminé je reconnus n'avoir jamais joué avec quelqu'un comme lui.

J'ai fait trois albums avec Shakti. Mais cela ne plaisait pas à Columbia. Ils n'étaient pas enthousiastes. Et vous avez besoin d'enthousiasme sinon vous ne vendez rien. Bien sûr, cela ne s'est pas mal vendu, mais ce n'était rien en comparaison des chiffres atteints par les disques de rock. J'en suis donc arrivé à la conclusion que je perdais mon temps avec Columbia.

BERENDT : Ainsi vous êtes revenu vers la musique électrique parce que Columbia vous l'a demandé ?

McLaughlin : On ne peut pas dire les choses comme ça. Vous savez, la musique de jazz et les harmonies occidentales font partie de moi. Je ne puis les renier. Non pas que je les aie reniées avec Shakti, mais je me souciais de musique indienne, or celle-ci possède sa propre discipline. Shakti a vécu pendant un temps relativement long. Aussi je désirais revenir vers la musique occidentale. C'est une partie de moi que je ne puis étouffer. Je voulais vraiment jouer des accords, jouer avec un batteur et avec un bassiste et c'est pour cela que j'ai enregistré le disque *Johnny McLaughlin — Electric Guitarist*. C'était d'une certaine façon un retour à mes sources — et bien sûr, c'était également une réunion avec presque tous les musiciens du Mahavishnu. C'était comme si on oubliait tous ces vieux problèmes et qu'on jouait tout simplement de la musique.

Berendt : Pour maintes personnes il existe un schisme entre la musique électrique et la musique acoustique.

McLaughlin : Toutes deux font partie de moi. Il y a un style de musique et un style de jeu que je ne peux réaliser qu'à la guitare électrique, et il en est un autre qui nécessite la guitare acoustique.

Berendt : Ne peut-on dire que lorsque vous avez joué de la guitare électrique pendant un certain temps, vous désirez retrouver la guitare acoustique ? Et vice versa ? Cela s'est produit à plusieurs reprises dans votre carrière.

McLaughlin : Oui, vous avez peut-être raison. Cela semble vrai. Quoi qu'il en soit, pour le moment je prends plaisir à jouer de la guitare acoustique. Elle offre d'infinies possibilités. Il y a tant à faire. C'est presque une sorte de culte de la simplicité. Pour moi il n'y a que cette guitare et rien d'autre. Elle m'incite toujours à travailler plus durement et c'est tout ce qui m'intéresse.

Berendt : Vous vous exercez beaucoup ?

McLaughlin : J'aime travailler tous les jours — peut-être quelques heures le matin et trois heures l'après-midi. Parfois je joue deux heures le soir.

Berendt : Lorsque j'ai présenté le Mahavishnu Orchestra à

l'occasion du *Olympic Games Jazz Festival* de Munich en 1972, je vous considérais, plus ou moins, comme un musicien européen, mais vous avez beaucoup parlé de New York. « Cela ne pouvait arriver que là-bas », avez-vous dit. « New York vous donne le sentiment d'être fort. C'est vraiment *la* ville du jazz. » Or, dix ans plus tard, vous vivez à Paris. Vous avez d'ailleurs épousé une Française. Votre épouse est une musicienne classique. Vous possédez un appartement près du Pont-Neuf, à Paris. Revenez-vous à vos racines européennes ?

McLaughlin : En un sens, oui. Je pense que New York a changé. L'Amérique a changé. Il se peut que l'Amérique connaisse une renaissance musicale mais j'ignore quand celle-ci se produira. En ce moment, la situation musicale est meilleure en Europe qu'aux États-Unis. Vous savez, j'ai vécu en Amérique de 1970 à 1975, mais même en 1974, j'avais le sentiment qu'il serait agréable de vivre de nouveau en Europe — mais bien sûr en continuant à travailler en Amérique. J'ai découvert depuis lors que je pouvais travailler en Europe, et y faire ce que je désire.

J'ai rencontré mon épouse alors que j'étais en tournée avec Shakti à Paris en 1975. Je n'avais pas particulièrement l'intention de trouver une femme européenne. En fait je n'avais pas l'intention de trouver une femme quelle qu'elle soit. J'étais heureux de voyager et de jouer ma musique avec Shakti. Mais ce sont des histoires qui ne se contrôlent pas. Nous nous sommes donc mariés en 1976. Elle joue de l'alto — également de la viole de gambe. Elle s'intéresse aux compositeurs contemporains plus jeunes. Parfois, à la maison, nous jouons ensemble. Elle joue de l'alto, moi de la guitare. C'est merveilleux. Nous aimons interpréter des duos. Nous avons travaillé sur de la musique de Vivaldi.

Berendt : Que pensez-vous du jazz fusion ?

McLaughlin : Je pense qu'une partie importante de la musique de fusion ne correspond pas à une fusion véritable. Si un musicien est contraint à jouer un certain type de musique ou s'il a le sentiment qu'il devrait produire quelque chose avec un rythme différent parce que cela le rendrait plus populaire, il agit à l'encontre de l'esprit de la musique et à l'encontre de l'esprit du jazz — c'est tout. La fusion doit se produire en vous, ou elle ne se produira pas du tout. Vous ne réalisez qu'une pseudo-fusion. Nous sommes environnés de pseudo-musique.

Vous ne pouvez dire : jouons cela avec un rythme disco. Ou faisons cela à la manière rock. « Cela » n'aurait aucune substance. Votre musique serait dépourvue de conviction. C'est la raison pour laquelle je n'écoute plus tellement ce type de musique. Elle ne m'émeut pas profondément, donc elle ne m'intéresse pas. Je veux quelque chose qui me prenne aux tripes. C'est ce type de musique que j'emporte en tournée.

BERENDT : Qu'emportez-vous ?

MCLAUGHLIN : J'emporte Coltrane, Miles Davis ; j'emporte de la musique tzigane. Je possède une cassette d'un grand joueur indien de nagaswaram, et d'un merveilleux joueur indien de tabla. J'emporte Chopin en tournée. Et certaines œuvres de Schumann.

Les éléments du jazz

La sonorité et le phrasé

La sonorité est ce qui distingue en particulier le jazz de la musique traditionnelle européenne. Exprimée en termes simples — simplistes, peut-être — la différence est la suivante : dans un orchestre symphonique les membres de la section des cordes, par exemple, s'efforceront de jouer leur partie de manière aussi homogène que possible. Ceci signifie que chaque membre de cette section doit avoir la même conception idéale du son et savoir comment l'atteindre. Cet idéal correspond à des critères ou à une esthétique culturels transmis : un instrument doit avoir une « belle » sonorité.

Le musicien de jazz en revanche n'accorde pas d'importance particulière au fait de se conformer à une conception acceptée du son. Il possède sa propre sonorité, dont les critères ne se fondent pas tant sur l'esthétique que sur la sensibilité et l'expressivité. Il va de soi que celles-ci se rencontrent également dans la musique européenne. Cependant en jazz l'expressivité prime l'esthétique, tandis qu'en musique européenne, l'esthétique prime l'expressivité.

Ainsi trouvera-t-on parfois en jazz une tendance allant à l'encontre des critères de l'esthétique — opposée à l'esthétisme standardisé. Celle-ci n'implique pas que le jazz soit nécessairement « inesthétique » mais que l'existence d'une musique artistique respectant les critères les plus élevés du jazz et s'opposant néanmoins aux conventions esthétiques est concevable.

La personnalité du musicien se reflète nettement — de la manière la plus immédiate et la plus directe — dans la sonorité non standardisée des grands improvisateurs de jazz. Il n'est pas de *bel canto* en jazz, ni de violons sirupeux, mais des sons durs, directs — la voix humaine se plaint et se révolte, pleure et hurle, soupire et grogne. Les instruments sont expressifs et tonnants, ils ne sont pas filtrés par des règles de sonorité. C'est la raison pour laquelle la musique produite par un jazzman est « vraie » dans un sens plus concret que celle interprétée par un instrumentiste moyen de musique européenne. Il est probable que la majorité des cent ou deux cents musiciens qui constituent un orchestre symphonique ne ressentent pas les « luttes titanesques » immanentes à la musique de Beethoven, ni ne perçoivent pleinement les secrets de la forme qui constituent le fondement de la musique symphonique. Mais un musicien de jazz — même jouant dans un grand orchestre — ressent, connaît et comprend ce qu'il joue. De nombreux chefs d'orchestre se sont plaints du manque de sensibilité existant chez les musiciens « fonctionnaires » des orchestres symphoniques — en particulier lorsqu'il s'agit d'interpréter de la musique moderne. Une telle situation serait impensable en jazz.

Le jeu d'un musicien de jazz étant « vrai » dans un sens direct, naïf et « primitif », il possède parfois une beauté intrinsèque même lorsqu'il est en contradiction avec les canons de l'esthétisme. La beauté du jazz est en quelque sorte plus éthique qu'esthétique.

Être à même de réagir au jazz implique avant tout être capable de ressentir ce genre de beauté.

Le premier mot qui vient à l'esprit du profane lorsqu'il est question de jazz « hot » — n'est pas seulement une question d'intensité rythmique, mais et surtout une question de sonorité. On parle ainsi d'« intonation hot ».

La sonorité personnelle, inimitable d'un grand musicien de jazz permet au connaisseur de reconnaître, après seulement quelques notes, celui qui joue — un fait qui surprend toujours le profane. Ceci n'est certes pas vrai en musique classique, où ce n'est qu'avec difficulté et bien souvent sans grande assurance que l'on devine qui dirige l'orchestre ou qui joue de tel ou tel instrument dans un orchestre symphonique.

Citons quelques exemples en vrac. La sonorité en jazz, c'est le vibrato lent et expressif du saxophone soprano de Sidney Bechet ; le son volumineux, érotique du saxophone ténor de Coleman Hawkins ; le cornet terreux de King

Oliver ; le son « jungle » de Bubber Miley ; la clarté élégante de la clarinette de Benny Goodman ; la tristesse et la solitude de Miles Davis ou l'énergie triomphante de Louis Armstrong ; la sonorité lyrique de Lester Young ; la puissance saisissante et concentrée de Roy Eldridge ou l'aura lumineuse de Dizzy Gillespie.

Le façonnage du son est plus marqué dans les anciennes formes de jazz que dans les plus récentes. On retrouve dans ces dernières un élément qui était souvent absent aux premiers temps : le phrasé jazz. Ainsi, le tromboniste Kid Ory jouait-il des phrases qui existaient dans la musique de cirque et de marche au début du siècle mais qui ne sont pas nécessairement des phrases de jazz. Il n'en demeure pas moins que sa musique est sans conteste du jazz — de par sa sonorité. Stan Getz en revanche — en particulier le Getz des années cinquante — possède une sonorité qui, isolée des éléments environnants, n'est guère éloignée de celle du saxophone « classique ». Il phrase cependant avec un sentiment jazz concentré qu'aucun musicien symphonique ne serait à même de reproduire. Il existe des enregistrements de jazz moderne — par exemple certains disques de Jimmy Giuffre ou du violoniste Zbigniew Seifert — qui sont très proches de la musique de chambre des compositeurs « classiques » modernes. Pourtant le phrasé est si nettement jazz que la musique est perçue comme telle même en l'absence d'un temps régulier.

On note donc dans l'histoire du jazz un déplacement d'accent de la sonorité vers le phrasé (et dans une certaine mesure du phrasé vers la sonorité chez certains musiciens de free jazz) — nous préciserons cette notion dans notre tentative de définition du jazz.

La sonorité et le phrasé sont les éléments les plus importants en jazz en ce sens qu'un musicien de jazz serait à même de transformer un morceau de musique concertante européenne en « jazz », même s'il interprétait sa partie en respectant la notation de manière scrupuleuse.

La sonorité et le phrasé sont les éléments les plus « noirs » du jazz. Ils nous ramènent aux cris des Nègres des plantations du Sud, et de là à la côte et aux jungles d'Afrique. Avec le swing, ce sont les seuls éléments essentiellement négroïdes du jazz.

Il est permis de comparer le son que les Noirs tiraient de leurs instruments européens, durant les premières années du jazz, à la situation des Africains déportés en esclavage au Nouveau Monde qui étaient contraints d'apprendre les langues européennes. D'aucuns ont fait remarquer que la manière « chantante » de parler dans les États du Sud remontait à l'influence nègre, et il est ironique de constater que même les Sudistes qui n'ont d'autres termes que « nigger » pour désigner une personne de couleur, parlent ainsi. Le mot n'était à l'origine que la façon dont les Noirs prononçaient « nègre ». De même la sonorité et le phrasé jazz ne sont, ou tout au moins n'étaient aux premiers temps, que la manière dont les Noirs interprétaient des mélodies européennes sur des instruments européens. Et celle-ci a pénétré le monde blanc — au même titre que le parler des Noirs du Sud au point d'y acquérir une vaste audience et d'être employée aussi bien par des musiciens blancs que par des noirs.

Du point de vue particulier de la sonorité, il est évident que la question de la couleur de peau d'un musicien est superficielle, à moins que l'on ne prenne en considération les multiples complexités sous-jacentes. Roy Eldridge, convaincu que la plupart des musiciens de jazz créatifs étaient noirs, affirma qu'il serait capable de distinguer à coup sûr un musicien blanc d'un musicien noir. Le critique Leonard Feather le soumit à un *blindfold test* : Eldridge dut écouter un certain nombre de disques qui ne lui étaient pas familiers et porter un jugement. Il s'ensuivit qu'il commit maintes erreurs quant à la détermination de la race de l'instrumentiste. Il n'en demeure pas moins que Feather, contrairement à ce qu'il croyait, n'a pas prouvé que les musiciens de jazz noirs et blancs ont la même sonorité. Il a tout simplement démontré que le problème présentait de multiples facettes.

D'une part : Fletcher Henderson, Noir, écrivit les arrangements sans lesquels Benny Goodman, Blanc, ne serait pas devenu le « Roi du Swing ». D'autre part : Benny Goodman jouait « mieux » ces arrangements avec son orchestre blanc que Fletcher Henderson avec son orchestre noir — quels que soient les critères de jugement, fût-ce ceux des musiciens noirs.

A l'inverse : Neal Hefti, Blanc, a écrit les arrangements les plus brillants de l'orchestre noir de Count Basie. Mais l'orchestre de Basie les jouait « mieux » que celui d'Hefti, composé en majeure partie de musiciens blancs.

Enfin : dès les années cinquante — c'est-à-dire avant l'époque de l'avant-garde actuelle — Charles Mingus, Noir, fut un pionnier d'une tendance expérimentale, délibérément abstraite, que l'on attribuerait presque sans hésitation à un musicien blanc — si toutes les généralisations relatives au problème de race avaient un sens. Par ailleurs, avant même la naissance du mouvement du hard bop, des musiciens blancs tels que Gerry Mulligan ou Al Cohn insistèrent à maintes reprises sur l'importance du beat, du swing et du blues — de l'originalité, de la vitalité et de la simplicité ; en d'autres termes, ils eurent une attitude qu'un jugement simpliste attribuerait à des musiciens noirs.

On retrouve toujours cette dualité lorsque est soulevée la question de race en jazz — et pas uniquement en jazz, d'ailleurs. Il est impossible, en particulier pour un auteur européen, de faire plus que de mentionner les deux points de vue.

L'improvisation

« Il y a cent cinquante ans nos ancêtres allaient écouter Beethoven et Hummel et Thalberg et Clementi improviser avec talent et brio ; auparavant ils assistaient aux concerts des grands organistes — Bach, Buxtehude, Böhm, Pachelbel ; sans oublier Samuel Wesley, quoiqu'il soit venu plus tard. Aujourd'hui, si nous désirons entendre le même genre de prestation musicale, nous devons aller écouter Lionel Hampton, Erroll Garner, Milt Jackson, Duke Ellington et Louis Armstrong. Je vous laisse réfléchir aux implications de ce curieux phénomène. » Voici ce que disait Burnett James dans un article consacré à l'improvisation en jazz.

Il est vrai que durant toute l'histoire du jazz, de La Nouvelle-Orléans à nos jours, l'improvisation a été pratiquée selon les mêmes techniques que celles employées dans la musique européenne d'autrefois — avec l'aide des structures harmoniques (qui s'« ouvrirent » tellement dans le free jazz qu'elles sont dorénavant presque inexistantes).

En revanche, dès le début du siècle dernier, l'improvisation s'est tellement atrophiée dans la musique européenne que même les plus grands solistes actuels sont parfois incapables d'élaborer les cadences laissées ouvertes à l'improvisation dans les grands concertos classiques. On juge désormais les concerts en fonction de leur « authenticité », c'est-à-dire que l'on s'attend à ce qu'un morceau soit interprété ou un air chanté de la manière « prévue » par le compositeur ; mais si nous devions, par exemple, reproduire un concerto de Vivaldi ou une sonate d'Haendel ainsi que les compositeurs les ont écrits, nous ne ferions qu'« interpréter » une portée squelettique. L'ensemble de la force et de la liberté d'improvisation de la musique de Vivaldi et d'Haendel — et, en général, de toute la musique baroque et pré-baroque écrite pour des solistes — a été sacrifié à l'idéal d'« authenticité ». Arnold Dolmetsch a dit que l'omission d'ornements — l'embellissement improvisé de la musique notée — est un acte aussi « barbare » que la suppression de la décoration architecturale gothique flamboyant d'une cathédrale sous prétexte qu'on préfère un style plus dépouillé. Le musicien de jazz improvise sur une structure harmonique donnée. C'est exactement ce que faisaient Jean-Sébastien Bach et ses fils lorsqu'ils jouaient une chaconne : ils improvisaient sur l'harmonique sur laquelle se fondait la mélodie, ou embellissaient ladite mélodie. L'ensemble de la technique de l'ornement — l'embellissement de la mélodie — qui fleurit durant la période baroque, survit toujours en jazz... par exemple lorsque Coleman Hawkins jouait son célèbre morceau *Body and Soul*. La basse continue, le point d'orgue et le *cantus firmus* de la musique ancienne virent le jour pour donner une structure à l'improvisation et la rendre plus simple — de la même manière que les musiciens de jazz recourent aujourd'hui aux accords et à la forme blues pour donner cohérence à leurs improvisations. Winthrop Sargeant qualifie l'harmonie, envisagée dans cet esprit, de « principe structurel de contrôle en jazz ».

Il va de soi qu'il ne faut pas en déduire que les premiers musiciens de jazz ont adopté les techniques d'improvisation de la musique ancienne. Ils ignoraient tout de Bach et de ses semblables et les parallèles que nous relevons ici ne sont significatifs que parce qu'ils se sont développés de manière inconsciente : ils sont le résultat non pas du même sentiment musical fondamental mais d'une perception très proche. Par ailleurs les parallèles entre le jazz et la musique ancienne deviennent suspects lorsqu'ils sont pratiqués de manière délibérée et lorsque les deux formes sont mises dans le « même panier » sous prétexte qu'il existe des similitudes dans les méthodes d'improvisation. Il est également erroné de croire que la relation de conception sous-jacente à tout cela prend sa source dans la musique classique européenne. Il s'agit d'une conception fondamentale propre à *toutes* les cultures musicales selon laquelle il est « plus important de faire de la musique soi-même plutôt que d'écouter celle d'autrui » ; selon laquelle la naïveté de la relation à la musique ne permet pas l'émergence de questions d'interprétation ou de conception ; selon laquelle la musique se juge non en fonction de ce qu'elle représente mais de ce qu'elle est. Il existe de telles cultures et styles musicaux en Afrique aussi bien qu'en Europe, en Amérique aussi bien qu'en Asie — on serait même en droit d'avancer que presque toutes les cultures musicales du monde partagent cette même conception fondamentale, à l'exception de la musique qui se développa en Europe au XXe siècle, et qui définit toujours les sensibilités musicales du monde blanc.

L'improvisation est immanente au jazz. Mais cette conclusion n'épuise pas la question. Elle l'amorce. La déclaration : « L'improvisation est immanente au jazz » est un truisme si répandu que maints fans et profanes en déduisent que s'il n'y a pas improvisation, il n'y a pas jazz. Humphrey Lyttelton, le représentant le plus brillant du jazz traditionnel en Europe, a dit : « Dans le sens véritable de "composition extemporanée, c'est-à-dire, sans préparation", l'improvisation s'est avérée n'être pas essentielle au bon jazz et même en être quasiment inexistante. »

La majeure partie de l'improvisation en jazz se fonde sur un thème. Il s'agit en général — à l'exception du free jazz des années soixante et des formes plus complexes qui s'épanouirent durant les années soixante-dix — d'un morceau standard en trente-deux mesures — la forme « AABA » de nos airs populaires — dans laquelle le thème principal de huit mesures (A) est présenté en premier lieu, puis répété et suivi d'une nouvelle idée de huit mesures — ce que l'on nomme le pont (B) — ; puis le thème se termine par un rappel des huit premières mesures. Une forme de blues à douze mesures existe aussi sur laquelle nous reviendrons dans la section consacrée à ce style. Le musicien de jazz place de nouvelles lignes mélodiques sur les harmonies données du morceau ou celles du blues. Il y parvient en embellissant ou en altérant légèrement les mélodies — André Hodeir qualifie cette manière d'improviser de « paraphrase ». Il est également libre de créer des lignes mélodiques entièrement nouvelles sur les harmonies données — une manière d'improviser qu'Hodeir nomme la « phrase chorus ».

La « paraphrase » décorative, ornementale était le principal mode d'improvisation des formes de jazz anciennes. Le clarinettiste Buster Bailey se souvient : « A cette époque (1918) j'ignorais ce qu'on entendait par improvisation. Mais l'ornement était un mot que je comprenais. Et c'est exactement ce qui se faisait à La Nouvelle-Orléans. » La « phrase chorus », qui crée des lignes harmoniques nouvelles, est en revanche le mode d'improvisation principal du jazz moderne. Ses possibilités sont vastes. L'exemple 1 illustre, dans la ligne supérieure, le début de la chanson *How High the Moon*, le thème favori de l'ère bop, avec ses harmonies correspondantes et au-dessous vous voyez trois improvisations diffé-

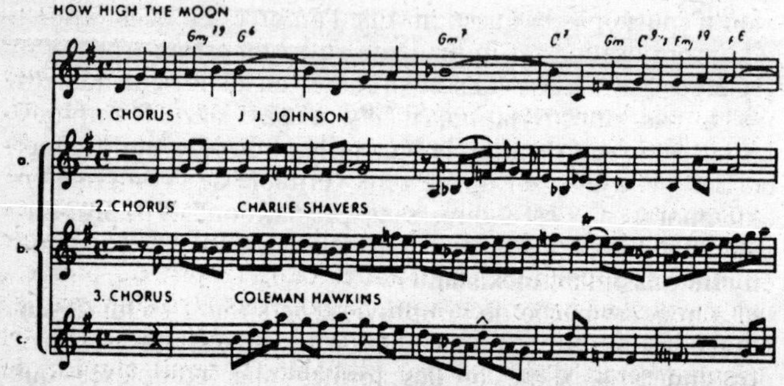

Exemple 1

rentes sur ce thème dues à trois musiciens de jazz importants. Un simple regard révèle que trois lignes mélodiques totalement différentes ont été élaborées. Il n'existe aucune relation entre ces trois lignes sur le plan de la mélodie, le lien est fourni par la structure harmonique de *How High is the Moon* : les mêmes harmonies constituent la base de trois improvisations très différentes.

Cet exemple fut transcrit à partir d'un disque qui ne comporte même pas d'allusion au titre original. Cet enregistrement RCA est intitulé *Indiana Water*. Les trois chorus — c'est ainsi qu'on nomme les improvisations sur les harmonies d'un thème dans le nombre de mesures correspondant à ce thème — mentionnés dans l'exemple furent interprétés par le trombone J.J. Johnson, le trompettiste Charlie Shavers et le ténor Coleman Hawkins.

Les coutumes du jazz assurent que les thèmes les plus importants deviennent régulièrement supports d'improvisations. Ils sont joués chaque jour, chaque nuit dans des centaines de clubs et de salles de concert. Après cent ou deux cents chorus, un musicien peut arriver à certaines phrases qui réapparaîtront de plus en plus souvent dans son interprétation du morceau. Au bout d'un certain temps une sorte de « chorus standard » sur un thème défini se sera développée.

Maints chorus sont devenus si célèbres que l'auditeur serait déçu si le musicien les ayant inventés modifiait sa façon de les jouer. Le *Dippermouth Blues* de King Oliver, *High Society* d'Alphonse Picou, *Parker's Mood* de Charlie Parker, *Cotton Tail* de Ben Webster, *Early Autumn* de Stan Getz, *Singing the blues* de Bix Beiderbecke, *West End Blues* de Louis Armstrong, *Song of the Islands* de Lester Young, *Body and Soul* de Chu Berry ou de Coleman Hawkins, *All of You* de Miles Davis, *My Favourite Things* de Coltrane — voici (dans l'ordre où ils se présentent à l'esprit) quelques sommets du jazz improvisé, que l'on serait désolé de voir oublier et supplanter par d'autres dans l'esprit du public... en particulier parce que nous ne pouvons être sûrs que les nouvelles improvisations vaudront les anciennes. Un tel résultat serait d'ailleurs peu probable. Il serait stupide de prétendre que des chorus qui sont parmi les plus beaux du jazz cessent d'être du jazz lorsqu'on les répète. Ainsi, ce qui a été créé par improvisation et qui, s'étant avéré valable, est répété relève toujours de l'improvisation.

Ce concept du « ayant été improvisé » est important. Il établit que ce qui fut un jour créé par improvisation est lié à l'homme l'ayant inventé. Il ne peut en être séparé ; il est impossible de le transcrire et de le confier à un deuxième ou à un troisième musicien. Si cela advenait, il perdrait son caractère, et seule subsisterait la formule nue des notes.

La différence entre improvisation et composition devient à ce stade plus différenciée. La musique européenne — pour autant qu'elle soit composée — peut être reproduite à l'infini par quiconque possède les compétences instrumentales, techniques et conceptuelles nécessaires. Le jazz ne peut être reproduit que par le musicien qui l'a créé. L'imitateur sera peut-être meilleur sur le plan technique et supérieur sur le plan intellectuel, il n'en sera pas pour autant capable de reproduire la musique. Une improvisation de jazz est l'expression personnelle de l'improvisateur eu égard à sa situation musicale, spirituelle et émotionnelle.

En d'autres termes, le concept même d'« improvisation » est imprécis. Un musicien de jazz qui a créé un chorus est tout à la fois improvisateur, compositeur et interprète. En jazz — même dans les morceaux arrangés, ainsi que nous le verrons — ces trois aspects *doivent* être mis en évidence faute de quoi la musique devient contestable. Dans la musique européenne ils *peuvent* être séparés sans que la qualité ne s'en trouve affectée. Le contraire est souvent vrai : la qualité est améliorée. Beethoven était considéré comme un piètre interprète de sa musique ; d'autres étaient capables de l'interpréter mieux que lui. Miles Davis n'était pas, au début de sa carrière, un excellent musicien, sur le plan technique. Il est toutefois impossible d'imaginer qu'un trompettiste plus doué sur le plan technique qui aurait copié les phrases de Miles et les aurait jouées en respectant chaque note eut produit un « meilleur Miles Davis » que Miles Davis lui-même. Exprimons cela sous forme d'un paradoxe : Miles n'était peut-être qu'un honnête trompettiste, mais il était le plus grand interprète de sa propre musique. En réalité, la puissance spirituelle de ses improvisations exerça un impact et une influence même sur les trompettistes qui lui étaient supérieurs sur le plan technique.

Un chorus de jazz improvisé risque de perdre son authenticité et de devenir malhonnête lorsqu'il est copié par quelqu'un qui ne l'a pas créé. Compte tenu de la diversité de l'expérience humaine, il est inconcevable que l'« autre » puisse jouer en se trouvant dans une situation identique à celle dans laquelle l'« un » a improvisé son chorus. La relation entre la musique entendue et son créateur est plus importante pour l'improvisation en jazz que le manque total de préparation. Lorsque la copie et l'imitation adviennent sans préparation adéquate, le jazz court plus de danger que lorsque des phrases sont créées après des heures d'une préparation systématique qui appartiennent au musicien en tant qu'expressions de sa personnalité artistique. Telle est la signification du passage d'Humphrey Lyttelton cité plus haut. Un musicien aussi différent de Lyttelton que Shorty Rogers dit exactement la même chose sous une formulation différente : « Selon moi, tous les bons musiciens de jazz sont des compositeurs. Je les ai employés comme tels en leur confiant des parties dans lesquelles je m'étais contenté d'écrire des instructions en leur laissant la liberté de composer spontanément, l'instinct mutuel étant le lien nous reliant. » (En d'autres termes, le lien entre arrangeur et improvisateur.) La formulation « composer spontanément » exprime donc l'identité de l'improvisateur, de l'interprète et du compositeur.

C'est de cette triple identité dont il est question lorsqu'on parle d'improvisation en jazz. Il ne s'agit donc pas d'une « composition extemporanée ». L'identité de l'improvisateur, du compositeur et de l'interprète doit également être satisfaite par l'arrangeur qui — hormis qu'il établit le lien entre ce qui doit être improvisé et ce qui l'a été — trouve la justification réelle de sa position dans le fait qu'il est parfois en mesure de répondre de manière plus satisfaisante au besoin d'identité de l'improvisateur, du compositeur et de l'interprète que le soliste improvisant spontanément. Jack Montrose, l'un des principaux arrangeurs de la côte Ouest, dit : « Le compositeur de jazz offre un contraste unique par rapport à ses collègues d'autres secteurs de la composition musicale en ce que sa capacité à *écrire* du jazz est le prolongement direct des compétences nécessaires qu'il a acquises au préalable pour en jouer. Il est impératif qu'il ait vécu et partagé avec autrui la création de la musique de jazz, la *jazz experience*. Je suis convaincu que la musique de jazz portant la marque de l'authenticité véritable n'a jamais été écrite par des compositeurs n'ayant pas satisfait à ce réquisit. » Montrose exprime ailleurs l'idée selon laquelle tant qu'une musique sera l'œuvre d'un musicien de jazz, il en résultera du jazz. Nous discuterons cette opinion au chapitre suivant. Nous voudrions pour l'instant proposer six points qui constituent en quelque sorte un résumé du problème de l'improvisation en jazz :

1. Le « ayant-été-improvisé » est équivalent à l'improvisation.
2. Le « ayant-été-improvisé » est reproductible par son créateur, mais par personne d'autre.
3. L'improvisation et l'« ayant-été-improvisé » sont deux expressions personnelles de la situation de leur auteur.
4. L'identité de l'improvisateur, du compositeur et de l'interprète est immanente à l'improvisation de jazz.
5. Pour autant que l'arrangeur corresponde au point 4, sa fonction ne diffère de celle de l'interprète improvisateur-compositeur qu'en termes de compétence et de technique : l'arrangeur écrit, même pour autrui, en se fondant sur son expérience d'interprète improvisateur-compositeur.
6. L'improvisation — dans le sens défini aux points 1 à 5 — est indispensable au jazz ; l'improvisation dans le sens d'absence totale de préparation et de spontanéité illimitée *peut* exister, mais *n'est pas* une nécessité.

L'arrangement

Maints amateurs de jazz et presque tous les profanes s'imaginent qu'il existe une contradiction entre improvisation et arrangement. Ils croient en effet que l'improvisation est décisive, la présence d'un arrangement indiquerait donc un état de décadence, étant donné que « plus il y a d'arrangement, moins il y a d'improvisation ».

L'opinion du musicien de jazz — pas seulement aujourd'hui, mais dès l'origine du jazz, ou tout au moins dès la grande époque du jazz new orleans à Chicago — est tout autre. Il considère l'arrangement non comme une entrave à la liberté d'improviser mais comme un support. Il sait par expérience que les possibilités d'un solo improvisé de manière libre et illimitée sont d'autant plus vastes que le soliste a connaissance de ce que font les musiciens jouant avec lui. L'arrangement lui assure cette connaissance. Maints grands improvisateurs parmi les plus grands — Louis Armstrong pour n'en citer qu'un — ont demandé des arrangements. Seul un observateur superficiel voit une contradiction dans le fait que Fletcher Henderson ait été le premier arrangeur de jazz ayant développé et mis en pratique une conception très précise de l'écriture en jazz, alors que son orchestre faisait montre d'une liberté d'improvisation supérieure à celle de la majorité des grandes formations de son époque.

Il existe une tension inhérente à la relation entre arrangement et improvisation, qui peut être enrichie dans une mesure insoupçonnée. Jelly Roll Morton dit à ses musiciens : « Vous me feriez plaisir si vous vous contentiez de jouer ces petits points noirs — rien que ces petits points noirs que j'ai indiqués là. Si vous les jouiez, vous me feriez plaisir. Vous ne devez pas faire beaucoup de bruit ni d'*ad-lib.* Tout ce que je vous demande de jouer, c'est ce qui est écrit. Rien de plus. » Malgré cela, le clarinettiste Omer Simeon — qui fut longtemps membre des groupes de Morton — et le guitariste Johnny Saint Cyr dirent : « Si ces disques sont si pleins de richesses et de changements, c'est en raison de la liberté qu'il accordait à ses hommes... Il était toujours ouvert aux suggestions. » C'est la tension qu'il convient d'appréhender en art — et il est inutile d'élaborer maintes théories à ce propos. Aux premiers temps de l'orchestre d'Ellington, les musiciens éprouvaient tous le sentiment de jouer ce qu'ils désiraient, or chaque note était « ellingtonienne ».

Les arrangements virent le jour dès les premières années du jazz. Même les pionniers — King Oliver, Jelly Roll

Morton, Clarence Williams, Louis Armstrong — arrivaient via l'improvisation à des tournures fixes, renouvelables de jeu d'ensemble; celles-ci étaient adoptées dès que leur efficacité avait été testée. Ceci montre que l'improvisation a très vite évolué vers l'arrangement. L'« ayant-été-improvisé » d'hier est peut-être déjà devenu un arrangement permanent de demain.

George Ball raconte comment les New Orleans Rhythm Kings — l'orchestre de dixieland le plus renommé entre 1921 et 1925 — réalisaient ce genre d'opération: « ... en prédéterminant des parties précises pour chaque musicien; en introduisant des schèmes, aussi simples fussent-ils, et un fond rythmique plus égal. Les arrangements tels que nous les connaissons aujourd'hui étaient bien évidemment impossibles à l'époque; en effet, les membres les plus importants de la section mélodique, Mares, Rappolo et Brunis étaient incapables de lire une partition. (Elmer) Schoebel consacra néanmoins un nombre impressionnant de répétitions à former ses hommes à jouer leurs parties, que nous pourrions qualifier d'arrangées, quoique aucune note ne fut jamais écrite, les musiciens devant travailler de mémoire. »

Maints groupes importants de new orleans et de dixieland — pour ne rien dire des autres — faisaient grand cas des arrangements: le Hot Seven, les Memphis Five, l'Original Dixieland Jazz Band, les California Ramblers — autant de groupes qui devinrent les symboles de l'improvisation libre pour les fans du jazz traditionnel.

Le malentendu provient peut-être du fait que le terme « arrangement » n'a pas été défini avec précision. On tend à ne parler d'arrangement que lorsque la partition a été écrite avant l'interprétation. Il est toutefois facile de comprendre qu'il ne s'agit en fait que d'une question de méthode: un certain passage a-t-il été écrit par avance ou simplement discuté? Il y a arrangement dès que des musiciens s'accordent sur un principe *par avance*. Peu importe que cela s'effectue de manière écrite ou orale. Il n'existe qu'une différence de degré entre les accords intervenant au sein des New Orleans Rhythm Kings et les partitions complexes des arrangeurs pour grands orchestres modernes, qui ont dans certains cas étudié avec Milhaud, Stefan Wolpe, Ernst Toch ou d'autres grands compositeurs modernes et qui sont par ailleurs familiers de l'art de l'instrumentation européenne traditionnelle.

Depuis les années trente, l'expression « arrangement de tête » est devenue d'un usage courant parmi les grands orchestres. Il était fréquent dans les formations de Fletcher Henderson et de Count Basie, ainsi que dans le premier Woody Herman « Herd » des années quarante, de n'établir que les vingt-quatre ou les trente-deux premières mesures d'un morceau — le reste étant laissé aux qualités d'improvisateurs des musiciens. Cette expression indique en outre combien est inévitable et organique le passage de l'improvisation à l'arrangement via l'« ayant-été-improvisé ».

Étant donné qu'il n'existe pas de contradiction entre arrangement et improvisation, cette dernière n'est pas passée à l'arrière-plan à la suite du développement progressif de l'arrangement dans l'histoire du jazz. Improvisation et arrangement se sont *tous deux* développés à part égale. Charlie Parker, Miles Davis et John Coltrane — et plus encore Albert Ayler et les autres musiciens de free jazz — accèdent à une liberté d'improvisation que King Oliver, Louis Armstrong ou Bix Beiderbecke ne possédèrent jamais au zénith du jazz traditionnel. Il est possible de déterminer cela de manière rigoureuse ; les musiciens enregistrant un disque réalisent souvent plusieurs prises avant que le directeur artistique et eux-mêmes soient satisfaits du résultat obtenu. Il existe ainsi plusieurs versions d'un même morceau par Armstrong et Beiderbecke par exemple ; ils permettent de vérifier que les solos varient, mais sont dans l'ensemble assez comparables : la structure et la ligne ne changent que rarement. Les « prises » de Charlie Parker en revanche diffèrent de manière telle que l'on serait en droit d'avancer qu'il créait à chaque fois un nouveau morceau. Des quatre prises de *Cool Blues* de Charlie Parker enregistrées dans la foulée le même jour (seule la dernière fut approuvée par Parker), trois furent publiées sous des titres différents : *Cool Blues, Blow-top Blues et Hot Blues* — et il convient de reconnaître qu'il s'agit dans une certaine mesure de « morceaux » différents.

Il n'est pas contradictoire que des musiciens membres de

groupes dépendant d'arrangements considèrent l'improvisation comme étant l'élément clef. John Lewis, le leader du Modern Jazz Quartet, dont les arrangements et les compositions ont une importance décisive, a dit : « L'improvisation collective est ce qui singularise le jazz. » Quant à Tony Scott, qui a entrepris maintes expériences intéressantes en tant qu'arrangeur et que compositeur de jazz, il a déclaré au cours d'une table ronde organisée à Newport en 1956 que le jazz était plus susceptible de progresser grâce à l'improvisation que grâce à l'écriture.

Il est évident que l'arrangement ne peut remplir sa fonction que si l'arrangeur répond aux exigences exprimées par Jack Montrose à la fin du paragraphe précédent : il doit être un musicien et un improvisateur de jazz. On ne rencontre aucune exception à cette règle fondamentale dans toute l'histoire du jazz. Il est significatif qu'il ne soit pas possible de parler d'arrangement en jazz sans évoquer l'improvisation.

L'arrangeur devant être un musicien de jazz improvisateur, il appert que la distance est infime entre l'arrangeur et le compositeur de jazz. Il ne fait aucun doute que la contradiction véritable n'est pas entre improvisation et arrangement, mais entre improvisation et arrangement d'une part et composition de l'autre. L'improvisation revêtant une telle importance en jazz, la musique respecte des arrangements mais pas des compositions à part entière ; et la musique européenne — tout au moins depuis le romantisme — ayant ses fondements dans la composition, elle ne comporte quasiment pas d'improvisation en dehors des éléments « aléatoires » dans la musique de concert moderne (mais ceci est tout à fait différent et ne fait qu'éclairer par ses maladresses empreintes de théorie l'attitude tendue des musiciens de concert à l'encontre de l'improvisation !).

Ainsi, le « compositeur de jazz » est un paradoxe en soi. « Jazz » est synonyme d'improvisation et « compositeur » — tout au moins en Europe — implique l'exclusion de l'improvisation. Le paradoxe se révèle néanmoins enrichissant : le compositeur de jazz structure parfois sa musique dans le sens de la grande tradition européenne tout en laissant une certaine place à l'improvisation. Il dispose surtout de la liberté d'écrire « jazz » ce qu'il structure dans le sens de la tradition européenne. Il ne fait aucun doute que le jazz est inférieur à la musique européenne en ce qui concerne la structure formelle, celle-ci peut donc l'enrichir si la maîtrise de la forme et de la structure devenait possible en jazz — et pour autant que celui-ci ne perde rien des éléments qui font sa singularité : vitalité, authenticité, immédiateté d'expression... bref tout ce qui fait que le jazz est jazz. Dans cette optique la maxime de Stravinsky voulant que la composition soit une « improvisation sélective » acquiert une plus grande importance pour le compositeur de jazz que pour celui de musique européenne traditionnelle.

Depuis les années cinquante, des musiciens tels que Jimmy Giuffre, John Lewis, Horace Silver, Bill Russo, Ralph Burns, Oliver Nelson, Charles Mingus, Carla Bley et Chick Corea ont donné une signification nouvelle au terme « compositeur de jazz », en valorisant les deux éléments de l'expression. Mais seul Duke Ellington, qui est un « compositeur » de jazz depuis le milieu des années vingt, a la stature des vrais grands improvisateurs de jazz — la stature d'hommes tels que Charlie Parker, Louis Armstrong, Lester Young, Coleman Hawkins, John Coltrane, Miles Davis...

Par-delà toutes ces considérations, on trouve bien entendu le type de compositeur qui apparut d'emblée dans l'histoire du jazz : le musicien qui écrit simplement des blues de douze mesures ou des thèmes de chansons de trente-deux mesures créant pour lui et ses musiciens un matériau de base pour l'improvisation. Cette tendance va des premiers musiciens de jazz — Jelly Roll Morton, par exemple — à Fats Waller dans les années vingt et trente, à Thelonious Monk dans les années quarante, et aux improvisateurs célèbres du jazz moderne qui écrivent la majeure partie de leur matériau : Sonny Rollins, Miles Davis, John Coltrane, Herbie Hancock, Archie Shepp, Muhal Richard Abrams — en fait à pratiquement quiconque joue un jazz improvisé. Cette sorte de composition est liée de manière directe au processus d'improvisation — sans faire le détour par l'arrangement. Il y a bien entendu de multiples phases intermédiaires — de simples ensembles de successions d'accords et des thèmes révélant une véritable complexité de composition, structurée de manière formelle et prévue pour plusieurs voix. Toutes ces étapes se chevauchent organiquement à tel point que l'établissement de frontières paraît plus ou moins arbitraire.

La relation entre arrangement et improvisation reflète la question qui se pose souvent quant au lien existant en jazz entre le collectif et l'individuel. Le jazz a été qualifié de « musique du collectif » aussi bien que de « musique de l'individualisme illimité ». Il n'en demeure pas moins que l'orchestre symphonique, dans lequel des centaines de musiciens se soumettent, presque en une sorte d'autosacrifice, à une volonté unique, est collectif à un niveau encore plus grand. Par ailleurs, un mépris des règles et des lois semblerait être le réquisit d'un « individualisme illimité ». Le jazz — à l'exception de quelques rares extrémistes du free jazz — n'affiche certes pas un tel dédain.

Le free jazz ne suit qu'en apparence des lois différentes. Il est certain qu'il n'existe pas — ou peu — de partitions écrites précises, telles celles d'Oliver Nelson, de Gerry Mulligan ou de Gary McFarland pour les grands orchestres. Le concept d'arrangement retrouve la position qu'il occupait au début de l'histoire du jazz — celle des arrangements prédéterminés oralement du King Oliver Band ou des New Orleans Rhythm Kings. On retrouve cette même tension enrichissante et inspirante entre la liberté du principe d'improvisation et l'ordre de l'arrangement qui existait dans les autres styles de jazz. Il existe bien entendu un type d'improvisation qui ne prévoit aucune prédétermination, dans lequel il n'y a pas trace d'arrangement quel qu'il soit ; mais il paraît de plus en plus évident qu'une absence totale de contrainte ne constituait qu'une phase transitoire dans le processus de libération propre aux années soixante. Après cela les musiciens acquérirent une attitude beaucoup plus détendue à l'égard de la composition en apprenant à maîtriser, à structurer et à démêler l'expérience du free jazz.

Quoi qu'il en soit, l'arrangement ayant acquis ampleur et importance pendant tant d'années, il était logique que l'improvisation — et en définitive la composition, dans le sillage de la libération de l'improvisation — fasse de même. Dave Brubeck résuma cela avec sa sagesse habituelle : « Le jazz est sans doute la seule forme artistique existant à l'heure actuelle qui préserve la liberté de l'individu sans nuire à la cohésion du groupe. » Cette coexistence du collectif et de la liberté exprime ce que nous nommions « la situation sociologique du jazz » au début de ce livre.

Le blues

Deux critiques de jazz, un directeur artistique et un musicien, discutaient afin de savoir « si le blues était essentiel à l'idiome du jazz ». Le pianiste Billy Taylor, le musicien en question, dit : « ... Je ne connais pas un seul géant — du début, du milieu ou de la fin des années trente, voire du cool — qui n'avait pas un respect et un "feeling" énormes pour le blues, qu'il l'interprétât ou non. Ou bien l'esprit du blues était immanent à sa manière de jouer, ou bien il n'était pas vraiment un géant du jazz... » Nesuhi Ertegun, vice-président d'Atlantic Records, ajouta : « Permettez-moi de vous poser une question. Croyez-vous que Lester Young aurait joué un morceau tel que *Body and Soul* de la même manière s'il n'avait jamais joué de blues ? » La réponse de Billy Taylor fut : « Non. » Leonard Feather résuma la situation : « Je crois que ceci prouve que le blues est l'essence du jazz, et le simple fait d'être sensible au blues indique qu'on l'est au jazz. En d'autres termes, les accords ou les notes des accords qui sont essentiels au blues le sont également au jazz — la tierce et la septième infléchies, etc. » Billy Taylor intervint : « Je me garderais de simplifier de la sorte parce que j'ai tendance à me reporter à l'esprit. Ce n'est pas le fait qu'un homme infléchisse à certaines occasions une note, ni qu'il l'altère, qui importe, ni qu'il ait recours à l'un des artifices propres au blues. L'essentiel est ce "feeling" nébuleux quel qu'il soit — cette vitalité que les bluesmen semblent exprimer ; c'est cela qui fait la différence entre *Body and Soul* interprété par Coleman Hawkins ou par un ténor classique... »

Cette discussion montre qu'il est possible de définir le blues de diverses manières : émotionnelle, raciale, sociologique, musicale et formelle. La définition émotionnelle est la plus utile à ce stade. Leadbelly, un chanteur de l'époque ancienne où le blues était un art populaire, formula la définition émotionnelle d'une façon incomparable : « Voilà ce que c'est le blues, aucun homme blanc n'a jamais eu le blues, parce qu'il n'a jamais eu de problème. Alors tu te couches le soir et tu te tournes d'un côté, puis de l'autre, pendant toute la nuit — tu es incapable de dormir... qu'est-ce qui se passe ? Le blues te tient. Tu te lèves et tu t'assieds sur le bord de ton lit le matin — peut-être que ta sœur et ton frère, ta mère et ton père sont là, mais tu n'as pas envie de leur parler... qu'est-ce qui se passe ? Le blues te tient. Tu te lèves et tu vas te mettre les pieds sous la table et tu regardes dans ton assiette — il y a tout ce que tu aimes — mais tu hoches la tête et tu te lèves et tu dis : "Seigneur ! Je ne mange pas et je ne dors pas ! Qu'est-ce qu'il m'arrive ?" C'est que le blues te tient, et qu'il veut te parler... »

Bessie Smith a chanté : *« Nobody knows you when you're down and out*[1] *»* Et John Lee Hooker : *« I've got the blues so bad, it's hard to keep from cryin'*[2]*. »* Le *Trouble in Mind Blues* dit : *« If you see me laughin', just to keep from cryin'*[3]*... »*

Cette définition émotionnelle vaut également quand le blues est joyeux et plein d'humour — comme c'est souvent le cas. Les artistes de blues dans l'œuvre desquels on trouve autant de blues joyeux que de blues tristes — Big Bill Broonzy ou plus tard B.B. King ou Otis Rush — se sont reconnus dans cette définition émotionnelle du blues.

N'oublions pas qu'il existe par ailleurs des définitions musicale et formelle. Le chanteur de blues T-Bone Walker a dit : « Vous savez, il n'y a qu'un blues. C'est le schème régulier à douze mesures et puis vous brodez là-dessus.

Exemple 2

1. « Personne ne te connaît quand t'es sur la paille. »
2. « J'ai tellement le cafard que j'ai du mal à ne pas pleurer. »
3. « Si tu me vois rire, juste pour ne pas pleurer... »

Écrivez de nouvelles paroles ou improvisez de manière différente et vous avez un nouveau blues. »

La strophe de blues consiste en douze mesures fondées sur l'accord de base : tonique, dominante et sous-dominante.

Cette structure d'accords à douze mesures est, à quelques exceptions près, immuable : des premiers blues — pour autant qu'ils se soient conformés déjà au schème manifeste du blues — jusqu'aux improvisations blues les plus complexes des musiciens modernes, qui élargissent les harmonies de manière très subtile sans toutefois déranger leur fonction essentielle.

Les mélodies et les improvisations blues, qui reposent sur cette structure d'accord à douze mesures, tirent leur fascination particulière des *blue notes*. La musique que les Noirs amenèrent d'Afrique au Nouveau Monde était en majeure partie pentatonique, c'est-à-dire que leur gamme ne comptait pas sept notes comme la nôtre, mais cinq. Lorsque ces Noirs, confrontés à la musique européenne en Amérique, commencèrent à faire eux-mêmes de la musique, ils adaptèrent leur sensibilité pentatonique à notre système tonal avec une rapidité étonnante. Seuls les deux degrés qui étaient absents de leur système demeuraient problématiques : les troisième et septième degrés. Ils furent contraints de les infléchir pour les rendre accessibles à leur propre feeling musical. Un tel procédé pourrait engendrer ce que l'harmonie fonctionnelle européenne traditionnelle nommerait une « diminution » ; il s'agit toutefois, en principe, d'un processus différent. C'est au cours de celui-ci que la « tierce mineure » et la « septième mineure » — pour employer les termes musicaux conventionnels — devinrent les blue notes. Ceci se produisit sans recours aux tonalités mineures ni majeures qui gouvernent, dans la musique européenne, la « diminution » de certains degrés. Il naquit ainsi une sorte de « contemporanéité » des sentiments que nous associons aux modes majeur et mineur. C'est ainsi que le blues devint ambigu sur le plan émotionnel, sans ce contraste clairement défini entre les extrêmes de joie et de tristesse auxquels nous sommes habitués.

Plus tard les musiciens introduiront la quinte diminuée qui deviendra à son tour une « blue » note — tout d'abord dans le blues mineur, puis dans toutes les sortes de blues —

au même titre que les blue notes des troisième et septième degrés.

Il est fréquent en blues qu'un accord conventionnellement tonique ou dominant tombe sous une blue note, de sorte que la tierce majeure peut être interprétée dans le registre bas, et la tierce mineure dans l'aigu. Ceci crée des sons conflictuels, qui peuvent sans conteste être interprétés comme naissant d'une friction entre deux systèmes harmoniques différents : la structure d'accord, qui correspond à la tradition européenne, et la ligne mélodique, avec ses blue notes issues de la musique africaine.

Exemple 3

L'exemple 3 illustre une ligne mélodique très typique. Les flèches indiquent les blue notes. Les blue notes traditionnelles aux troisième et septième degrés sont indiquées par une flèche unique ; les doubles flèches désignent les blue notes issues de la quinte diminuée. L'accord de do est l'accord fondamental de l'ensemble — imperturbé par la friction constante. Chaque blue note se situe donc devant une note « normale » dans laquelle elle trouve sa résolution — de sorte que la cellule de base du blues n'est autre qu'une séquence de tension et de détente de deux mesures, répétée six fois. La tendance jazz à créer une tension pour la résoudre aussitôt avant d'en créer une nouvelle qui se résout à son tour est illustrée ici de manière particulièrement claire. Ces tensions n'ont pas la vaste envergure qu'elles possèdent dans la musique européenne.

Les blue notes sont en général résolues par une note se situant un demi-ton plus bas ; il y a une forte tendance en blues à user de lignes mélodiques descendantes — ainsi que l'indique l'exemple 3. Il s'agit d'une ligne mélodique que l'on retrouve, sous cette forme ou sous une forme similaire, dans des milliers d'improvisations de jazz, tant dans le blues qu'en dehors. Elle montre également combien l'ensemble du jazz est saturé d'éléments propres au blues — que le morceau soit un blues véritable ou non.

Les douze mesures du blues se divisent en trois phrases de quatre mesures, élaborées de telle sorte qu'il y ait un exposé dans les quatre premières, répété (selon des harmonies différentes) dans les quatre suivantes, et débouchant sur une « conclusion » dans les quatre dernières.

Sara Martin chante :

Blues, Blues, Blues why did you bring trouble to me?
Yes, Blues, Blues, Blues why did you bring trouble to me?
O Death, please sting me and take me out of my misery[1].

Cette forme triple, avec sa double question et sa réponse contrastée, crée un mode d'expression fini et compact comparable aux « formes mineures » importantes de l'art — également d'un point de vue littéraire. L'interconnexion causale de la forme et du contenu satisfait aux critères les plus élevés de la forme. Il est étonnant que l'idéal le plus élevé de l'art occidental — l'unité de forme et de contenu — soit approché dans le monde « prolétarien » et « négroïde » du blues de manière si évidente et si intime que la relation entre eux devient « causale ».

La forme finie du blues ne fut bien entendu pas atteinte d'emblée — ni sur un plan musical ni sur un plan textuel. L'observation des vieux blues populaires nous amène à conclure que la triple structure AAB à quatre mesures était présente aux premiers temps uniquement sous forme d'« idée », dont on s'approchait et dont on s'écartait régulièrement. Cette « idée » de la forme blues s'est de plus en plus cristallisée au fil des ans, et aujourd'hui elle est si pure que le fait de ne pas s'y conformer est considéré le plus souvent comme une erreur. Ce qui n'était pas le cas à la grande époque « classique » du blues.

Sur le plan harmonique également il y avait maintes « lacunes » dans le vieux blues « primitif ». Les chanteurs

1. « Blues, Blues, Blues, pourquoi m'as-tu fait des ennuis ? Dis, Blues, Blues, Blues, pourquoi m'as-tu fait des ennuis ? O Mort, je t'en prie, frappe-moi et emmène-moi loin de ma misère. »

planaient avec une aisance souveraine au-dessus de certains accords fondamentaux, agissant quelque peu à leur guise. Big Bill Broonzy a souvent fait remarquer qu'il était préférable de sonner juste sur le plan émotionnel que d'avoir raison d'un point de vue formel et harmonique.

Dans le blues chanté, la voix instrumentale vient souvent apporter une sorte de réponse ou de commentaire à la voix humaine. La partie vocale n'utilise en général les triples phrases à quatre mesures que jusqu'au début des troisième, septième et onzième mesures. Le reste de chaque phrase est réservé à une courte improvisation instrumentale nommée *break*, un élan bref évoquant la cadence, qui distingue la phrase précédente de la phrase suivante. Ces mesures et demies du break de blues classique constituent la cellule germinative de l'improvisation de jazz dans son ensemble, avec son mélange fascinant de forces entre la liberté débridée du soliste et l'obligation envers la collectivité des musiciens.

Les paroles des blues se situent sur un niveau identique à celui de la forme. Selon Jean Cocteau, la poésie du blues est la seule contribution essentielle à la vraie poésie populaire de notre siècle. Tous les éléments importants dans la vie du chanteur de blues sont contenus dans ces paroles : l'amour et — souvent sous une forme masquée — la discrimination raciale ; la prison et la loi ; les inondations et les trains de marchandises et la bonne aventure annoncée par la bohémienne ; le coucher de soleil et l'hôpital (pour ne mentionner que quelques sujets)... La vie elle-même coule dans les paroles des blues avec une franchise et une spontanéité sans égale dans la poésie occidentale — fut-ce dans la poésie populaire.

La majorité des blues parlent d'amour. L'amour est envisagé, de manière simple et claire, comme étant celui éprouvé pour l'être aimé... il est néanmoins capable de rester l'amour, même lorsqu'il exprime les conflits entre sexes — très fréquents, ainsi que l'ont observé les sociologues, dans les ghettos noirs et dans leurs environs immédiats. Ceux-ci sont imputables à la dégradation de la structure familiale noire, des débuts de l'esclavage jusqu'à nos jours. A une époque où la poésie amoureuse quotidienne n'a guère dépassé le stade de « Les roses sont rouges/Les violettes bleues », le blues reflète cette dimension élevée, non sentimentale et cette force des émotions et des passions que nous connaissons grâce à la grande littérature. Il n'est pas un seul blues qui se situe au niveau ménager de *Too Young*... Pourtant le blues appartient au monde de ceux qui ont fourni à tout un continent ses domestiques, ses maîtres d'hôtel et ses bonnes d'enfants !

Il est des blues drôles et des blues rapides. Mais le blues est avant tout la musique d'un prolétariat tout d'abord rural, puis urbain, dont la vie est riche en souffrances. Les origines sociales du blues sont au moins aussi importantes que ses origines raciales. Je ne connais aucun blues véritable, authentique, qui n'établisse d'emblée que le chanteur appartient à la classe prolétaire. Il serait absurde que des membres de l'« aristocratie » chantent le blues. « Ils n'ont pas le blues. »

Ce n'est pas sans raison que les paroles des blues font souvent allusion au fait d'« avoir » ou de « ne pas avoir » le blues. Il faut avoir le blues (le cafard) pour être capable de le chanter. « Le blues fait partie de moi », dit la chanteuse Alberta Hunter.

Par son humeur et son atmosphère, le blues sous ses diverses formes fait preuve d'une véritable unité, ce qui peut paraître étonnant à première vue. On serait presque tenté de croire que le manque de cohérence — en d'autres termes, l'antipode même de tout ce qu'il était convenu d'assimiler à l'art, au sens occidental du terme, jusqu'à la fin du siècle dernier — est la marque du blues (il va de soi que la tradition orale du blues n'est pas étrangère à cet état de fait). Les lignes et les versets assemblés des blues et des chansons les plus divers sont reliés sans souci de ce que nous nommons la logique et le contexte. On a parfois le sentiment que le chanteur lui-même est le protagoniste, et soudain une troisième personne agit. Il y a un instant le sujet était « il », maintenant c'est « elle »... nous étions au passé, nous nous retrouvons au futur... brusquement, nous passons du singulier au pluriel.

Même les chansons de blues qui furent créées par une seule personne démontrent que leur auteur ne se souciait pas de la continuité du contenu. Dans *Old New Orleans Blues*, le titre et le thème sont indéniablement liés à La Nouvelle-

Orléans, or l'avant-dernier verset nous entraîne à Memphis, tandis que le sujet du dernier est la lanterne qui se balance dans le vent devant la fenêtre derrière laquelle dort le chanteur. Le *Two Nineteen Blues* évoque d'abord le chemin de fer puis sans transition une fille de joie..., etc. Il serait possible de fournir maints exemples de cette « discontinuité du blues », alors qu'il paraît difficile d'en trouver un seul dont chaque mot constitue la suite logique de ce qui précède. Il serait erroné de croire que cela correspond à une incapacité à créer une continuité. Non, la continuité n'est pas le propos. Les lignes et les versets ont une qualité impressionniste. Ils sont liés les uns aux autres comme les touches de peinture sur un tableau : si vous vous en approchez trop il est impossible de dire pourquoi le rouge côtoie le vert, ou le bleu l'orange, mais dès que vous prenez un peu de recul, l'ensemble s'agence en un tout. Le « tout » du blues est l'humeur, l'atmosphère blues. Celle-ci crée sa propre continuité. Tout ce qui se présente à l'esprit — événements, souvenirs, pensées, fantasmes — se fond dans l'humeur blues et il en découle... le blues.

Tout ce qui existe dans l'univers du chanteur trouve sa place dans le blues ; tout est contemporain. Rien ne peut être extérieur. Le chanteur de blues Big Bill Broonzy raconte comment, alors qu'il était enfant, son oncle et lui capturèrent une grande tortue : « ... Nous l'avons ramenée à la maison et mon oncle m'a dit de lui faire sortir le cou de sa carapace. j'ai pris un bâton et je l'ai placé devant elle. La tortue s'empara du bâton mais fut incapable de le relâcher. Mon oncle a dit : "Tiens bien sa tête, je vais la lui couper." Mon oncle a saisi sa hache et a coupé la tête de la tortue et nous sommes rentrés dans la maison où nous avons passé un petit moment. Lorsque nous sommes ressortis, plus de tortue. Nous l'avons cherchée et elle était presque de retour au lac où nous l'avions trouvée. Nous l'avons reprise, nous l'avons ramenée à la maison et mon oncle a dit : "Voilà une tortue qui est morte et qui ne le sait pas." Et c'est la même chose avec beaucoup de gens aujourd'hui : ils ont le blues et ils ne le savent pas. »

Au début du blues se trouvent les *Work songs* (chants de

travail) et les *field hollers*, les simples mélopées archaïques chantées par les Noirs travaillant dans les champs ou sur le fleuve. Ceux-ci les interprétaient parce qu'il était moins pénible de travailler au rythme d'une chanson. Le rythme exerçait un effet indéniable sur les chanteurs ; il donnait même de l'entrain à ceux qui autrement auraient traîné la patte ou n'auraient tout simplement rien fait. *« Lawd, cap'n, I's not a-singin' — I's just a-hollerin' to help me with my work*[1]*. »* C'est pour cela que l'homme blanc désirait voir chanter le Nègre. « Un Nègre qui chante est un bon Nègre », c'est en ces termes que le critique français François Postif décrivait l'attitude d'un propriétaire de plantation ou d'un gardien de prison.

Les chansons et les ballades folk, au sens où l'entendent les « Blancs », se joignirent aux chants de travail et aux field hollers. On retrouvait les vieilles tournures avec la répétition régulière, joyeuse d'un refrain de quelques lignes, chantées par le chœur d'auditeurs.

Blind Lemon Jefferson, Big Bill Broonzy, Leadbelly, Robert Johnson, Elmore James, Blind Boy Fuller, Rev. Gary Davis, Bukka White, Blind Willie McTell, Big Joe Williams, Sonny Terry, Brother John Sellers, John Lee Hooker, et Lightnin' Hopkins sont les représentants les plus célèbres du folklore blues. La plupart s'accompagnaient à la guitare, et souvent étaient de merveilleux guitaristes — nous pensons plus particulièrement à Lonnie Johnson et à Lightnin' Hopkins. D'autres chanteurs de blues — par exemple Sonny Terry ou le regretté Little Walter et Sonny Boy Williamson — savaient tirer des sons étonnants de leur harmonica. D'autres encore enregistrèrent en se faisant accompagner par de célèbres musiciens de jazz, qui soutenaient leurs chants blues aux racines ancrées dans le folklore.

L'instrument d'accompagnement était, dans la plupart des cas, plus qu'un simple fond sonore pour le chanteur de blues : c'était un interlocuteur, source d'inspiration et d'excitation. Un partenaire qui émettait des commentaires affirmatifs ou qui élevait des protestations, qui anticipait ou complétait une idée.

1. « Seigneur, cap'taine, je chante pas — je fais rien que crier pour m'aider à travailler. »

Le lecteur se gardera d'imaginer que nous parlons d'événements liés à un passé lointain. Presque tous les commentateurs de blues ont — à un niveau conscient ou non — entretenu ce sentiment, comme s'ils étaient en quelque sorte les derniers membres de leur profession ayant encore le temps d'étudier une forme artistique d'un folklore en voie de disparition. L'homme blanc a toujours tendance à associer le folklore quel qu'il soit à la nostalgie, au sentimentalisme et aux souvenirs du « bon vieux temps ». Cette attitude est hors de propos en ce qui concerne le blues.

Il y a plus de mouvements et de styles de blues aujourd'hui qu'il n'y en eut jamais par le passé, et tous coexistent. Aucune des anciennes formes de blues — folk blues, country blues, blues des prisons, blues archaïque, blues cajun — ne s'est éteinte. En fait, de nouvelles ont vu le jour : le blues des cités, le blues urbain, le jazz blues, le rhythm & blues, le soul blues, le funky blues... Il existe en outre des styles différents. Les plus faciles à reconnaître sont le blues du Mississippi (brut, archaïque), le blues du Texas (mouvant, souple, proche du jazz), et le blues de la côte Est, de Floride ou du Tennessee par exemple (souvent imprégné de folklore country et hillbilly blanc). Le folk blues du Texas et du Midwest (ce que l'on nomme les « territoires ») a façonné le blues des grandes villes de Californie ; le folk blues du Mississippi — dont le cœur est Memphis — a façonné le blues de la grande ville de Chicago. Dans ce cas les mélanges ne sont pas moins intéressants que les formes pures, qui sont illusoires dans l'univers du blues, qui est par nature un mélange. Le succès du blues de Memphis dans les années soixante — d'Albert King, pour n'en citer qu'un, mais aussi des chanteurs de soul tel Otis Redding — réside précisément dans cette combinaison et cette urbanisation d'éléments originaires du Mississippi et du Texas.

Presque tous les chanteurs de blues importants se sentent à l'aise dans diverses formes et dans plusieurs styles — non seulement parce qu'ils évoluent d'une forme à l'autre, par exemple du country blues au city blues et au blues urbain contemporain (Muddy Waters, Howlin' Wolf, B.B. King, Otis Rush) — mais encore parce qu'ils pratiquent plusieurs formes de manière simultanée (John Lee Hooker, Johnny

Shines ou Louisiana Red, qui passent allégrement du folk au country et au city blues ; ou Jimmy Witherspoon, T-Bone Walker, Ray Charles qui ont souvent joué avec des musiciens de jazz ; ou Gatemouth Brown, qui mêle presque tous les genres : blues, jazz, country, musique cajun, etc.).

Depuis le milieu des années cinquante, le blues a pénétré la musique populaire à un degré inimaginable auparavant. Tout d'abord, le rhythm n' blues noir — la musique frénétique du Sud noir et des ghettos du Nord — a conduit au rock n' roll. Bill Haley et Elvis Presley furent les premières vedettes blanches du rock n' roll, ils furent bientôt suivis par des artistes noirs — Chuck Berry, Fats Domino, Ray Charles — qui remportèrent un immense succès sur la scène « pop » blanche, ce qui aurait été impossible peu de temps auparavant. En 1963, les meilleures productions de rhythm n' blues étaient si étroitement liées au courant principal de la musique populaire américaine que le magazine *BillBoard* cessa pendant un certain temps de publier des listes différenciées « Rhythm n' blues » et « Pop ». Les listes séparées réapparurent par la suite, mais le magazine changea régulièrement de politique — l'incertitude l'avait gagné, et ne l'a pas encore quitté. Le talent noir est désormais reconnu sur la scène blanche. Les lecteurs les plus jeunes éprouveront une certaine difficulté à apprécier ce que cela aurait eu d'exceptionnel à une époque guère lointaine. Le terme « rhythm n'blues » ne fut introduit que vers la fin des années quarante. L'expression utilisée auparavant était « race records ». Cette étiquette révèle que pendant cinquante ans la musique noire avait été jouée dans un ghetto qui, au mieux, n'était remarqué qu'indirectement par le monde blanc : ses musiciens ayant dégradé, perverti, pillé ce qui demeurait inconnu sous sa forme noire authentique à la majorité du public blanc.

Ce fut par l'intermédiaire de musiciens tels que Bill Haley, Elvis Presley, Chuck Berry, Fats Domino, Little Richard, etc. que le blues renversa littéralement la musique populaire de Tin Pan Alley et tous ses commentaires oiseux au sujet de sentiments superficiels, kitsh, malhonnêtes. Si la musique populaire actuelle est plus réaliste, plus claire, plus honnête et tout à la fois plus poétique, plus musicale et souvent plus riche émotionnellement que son équivalent produit avant le milieu des années cinquante (mis à part la musique disco), il convient de reconnaître qu'elle le doit à la pénétration de la musique populaire blanche par le blues. Le blues — et la musique noire en général — a toujours *été* ce que la musique populaire blanche n'est devenue que récemment : réaliste et engagée sur le plan social, révélatrice de la vie quotidienne et des problèmes des interprètes.

Ce qui s'est produit durant les années cinquante ne fut que la préparation de la « décennie du rock », ainsi que l'on nomma souvent les années soixante. Pour les États-Unis ce fut Bob Dylan ; puis en Grande-Bretagne et ensuite dans le monde entier, ce furent les Beatles — ainsi que les Rolling Stones (qui doivent leur nom à un blues de Muddy Waters). Ils ont créé une nouvelle conscience musicale, au point que des artistes qui peu de temps auparavant personnifiaient les standards musicaux élevés — songeons à Frank Sinatra — furent bientôt assimilés à de « vieux mandarins » face à cette nouvelle conscience. Les critères musicaux du monde de la musique populaire renversés dans le mouvement étaient en fait les symboles de l'ordre moral, social et politique de la société bourgeoise, créatrice de l'ancienne musique pop. Ces critères constituaient en fait la véritable cible du nouveau mouvement.

Bob Dylan, les Beatles, les Rolling Stones — tous sont impensables sans le blues. Les Beatles viennent du rhythm n' blues, en particulier de Chuck Berry. Dylan continue la tradition de Woody Guthrie et du folklore américain, au centre duquel se situe le folk blues. Il vécut pendant six mois avec le chanteur de blues Big Joe Williams. D'aucuns ont affirmé que Dylan était « le premier vrai poète de la musique populaire ». C'est oublier les centaines de chanteurs noirs de folk blues qui depuis le début du siècle — voire avant — ont été les « vrais poètes de la musique populaire ».

Bob Dylan et les Beatles dépassèrent considérablement les limites de leurs origines. Lorsque Dylan s'accompagna pour la première fois à la guitare électrique (au Newport Folk Festival de 1965), il y eut une vague de protestation parmi ses fans. Mais trois années plus tard, en 1968, il enregistrait l'album *John Wesley Harding* avec une guitare acoustique et un harmonica de folk blues ; et ainsi il précisa pour tous ses fidèles — qui le comprirent — sa conception de son héritage musical et spirituel.

On remarque une évolution similaire chez les Beatles. Pendant des années ils n'avaient cessé de raffiner leur héritage rock n' roll, rendant leur musique de plus en plus sensible, et s'éloignant toujours plus du blues. Ils avaient incorporé des éléments baroques dans *Michelle*, *In My Life*, *Eleanor Rigby* et d'autres chansons : dans *Yesterday* ils s'étaient souvenus de la vieille culture élisabéthaine du madrigal anglais ; ils avaient même fait référence à la musique indienne classique dans les morceaux de George Harrison. *Sgt Pepper's Lonely Hearts Club Band* était une symphonie rock. Puis, en 1968, parut leur double album *The Beatles*. Ces deux disques leur permirent — à l'instar du *John Wesley Harding* de Bob Dylan — de prouver, par des références à Chuck Berry ainsi qu'au rock n' roll et au rhythm n' blues des premiers temps, qu'ils savaient d'où ils venaient et qu'ils désiraient que leurs fans le sachent également. Pour ceux qui n'auraient pas encore compris, John Lennon se montre plus explicite : *« If there was another name for rock n' roll, it would be Chuck Berry »* (« S'il fallait donner un autre nom au rock n' roll, ce serait Chuck Berry ».)

D'aucuns ont affirmé que les Beatles et Bob Dylan avaient transformé la conscience musicale et sociale de toute une génération. Il importe à cet égard de ne pas perdre de vue le fait que cette modification de conscience se fonde sur le blues et qu'elle aurait été impossible sans lui. Le guitariste anglais Eric Clapton dit à ce propos : « Le rock est semblable à une batterie. De temps en temps vous devez retourner au blues pour recharger vos accus. »

Il ne fait aucun doute que du point de vue du jazz et du blues authentique, la plupart des dérivés du blues interprétés durant l'ère rock des années soixante ou rock n' roll des années cinquante étaient inférieurs au produit pur, non commercialisé. Mais cette remarque ne vaut que pour une minorité de spécialistes du jazz et du blues. Pour la majorité, l'inverse est vrai : la musique populaire atteignit à travers le blues un niveau qualitatif qui aurait été inimaginable auparavant. Cette évolution se poursuit. Le courant de musique noire se déversant dans le rock blanc et dans la musique pop devient de plus en plus large — il est en fait déjà si vaste qu'il n'existe plus, ou presque plus, de différence entre la musique populaire noire et la blanche. Le funk devint le fin du fin de la musique rock commerciale durant les années soixante-dix ; or le funk est issu du ghetto noir et du blues. Les vedettes importantes du funk furent des musiciens de jazz noirs, en particulier Herbie Hancock et George Benson.

Le fait qu'un sentiment vraiment noir pénétra le monde blanc avec le blues est désormais apparent non seulement dans la musique mais encore dans le type de danse l'accompagnant.

Dans l'univers du blues — et en général dans le monde noir, dès l'Afrique — la danse a toujours été « ouverte » et « individuelle ». Le partenaire véritable de chaque danseur était et est la musique : le danseur répond à la musique par ses mouvements. En revanche, dans le monde blanc, la danse n'a cessé de s'atrophier — devenant un prétexte de contact social et physique auquel la musique ne faisait que fournir un support à peine remarquable. La danse, comme toute activité dans le monde rationnel des Blancs, devait « remplir une fonction ».

Dans le monde noir, elle n'est pratiquée que pour le plaisir. Le corps devient un instrument de musique — c'est ce qu'a découvert le jeune public blanc du rock du milieu des années cinquante.

Un spécialiste américain du blues, Charles Keil (que je remercie pour l'aide qu'il m'a apportée dans l'élaboration de cette partie), imagine qu'un villageois d'Afrique occidentale qui verrait danser de jeunes Américains ou de jeunes Européens « ... serait ravi de constater que les Occidentaux ont enfin renoncé aux pratiques dégoûtantes et lascives consistant à s'embrasser, à s'étreindre, à se frotter et à se caresser en public pour adopter l'exercice pelvien, vigoureux et thérapeutique qui a toujours fait la fierté et la joie de sa communauté ».

La conscience du blues pur parmi le public et les musiciens

blancs fut tout d'abord plus marquée en Grande-Bretagne qu'aux États-Unis. La majorité des musiciens de pop et de rock britanniques à succès des années soixante avaient étudié, imité et copié les chanteurs et les instrumentistes de blues noirs et c'est sur cette base qu'ils élaborèrent leur style.

Il y a eu en Grande-Bretagne, depuis la fin des années cinquante, un véritable « mouvement blues » — conduit par un guitariste et chanteur né à Vienne, élevé en France et installé en Angleterre, Alexis Korner, et plus tard par John Mayall. Il est permis de se livrer à maintes spéculations relatives aux raisons pour lesquelles cette « conscience blues » contemporaine vit le jour en Grande-Bretagne plutôt qu'aux U.S.A., alors que les îles Britanniques sont plus éloignées des vrais centres créatifs du blues que sont le Sud de l'Amérique ou le South Side de Chicago que New York ou Los Angeles. On est en droit de se demander s'il y avait trop de préjugés contre le blues noir aux États-Unis et si le monde du showbiz américain n'a pris en marche le train du blues qu'après avoir pris conscience de la rentabilité de groupes britanniques tels que les Rolling Stones — ou par la suite Led Zeppelin ou John Mayall.

Il est une autre constatation qu'on ne peut faire sans amertume : ce sont les musiciens blancs utilisant le blues noir qui se bâtissent des fortunes sur la scène britannique et américaine actuelle, tandis que les créateurs noirs de cette musique — à de rares exceptions près — sont toujours les voix relativement obscures d'un prolétariat misérable.

Nous citions Leadbelly au début de ce chapitre : « Aucun homme blanc n'a jamais eu le blues. » On crut, pendant des décennies, que le blues était la « dernière retraite » de la musique noire qu'aucun homme blanc ne serait jamais capable de pénétrer. Dans tous les secteurs d'une musique créée à l'origine par des Noirs, les Blancs remportaient de plus en plus de succès, et gagnaient plus d'argent que les créateurs noirs : songeons à Benny Goodman et à Artie Shaw pour le Swing, à Stan Getz et à Dave Brubeck pour le cool jazz, etc. Il ne subsistait que le blues : là les Blancs ne réussissaient pas à produire des sons convaincants.

Depuis les années soixante, des parties de ce « dernier

bastion » ont également été conquises. Il est des musiciens blancs qui — tout au moins en tant qu'instrumentistes — sont capables de jouer des blues noirs authentiques. Ainsi que nous l'avons dit les Britanniques Alexis Korner et John Mayall ont ouvert la voie à ce mouvement, mais tous deux sont encore loin de l'authenticité atteinte par les musiciens les ayant suivis : les guitaristes Eric Clapton ou Rory Gallagher en Grande-Bretagne ainsi que les Américains Mike Bloomfield et Johnny Winter ; ou encore les joueurs d'harmonica Paul Butterfield, Charlie Musselwhite et Paul Osher, qui apprirent tous leur art dans le South Side noir de Chicago (en particulier auprès de Muddy Waters) ; le regretté guitariste Duane Allman et le pianiste-guitariste Dr John ; les musiciens du groupe de blues rock Canned Heat, etc.

Il subsiste toutefois une différence. Le blues blanc — en particulier lorsqu'il s'avère sérieux sur le plan artistique — est plus précieux, plus « précis », plus propret, moins expressif et aussi plus vulgaire, moins subtil et moins souple que le blues noir.

Charles Keil évoque une enquête relative à la nature du blues et de la soul réalisée par une station de radio noire auprès de son public. Le mot qui revenait le plus souvent dans les réponses était « mellow » (« moelleux, doux »). Le blues et la soul étaient « mellow ». Or s'il est un qualificatif qui ne s'applique certes pas au blues blanc c'est « mellow » ; et lorsqu'il devient moelleux, il cesse d'être du blues.

Il ne fait aucun doute que l'« authenticité » de la plupart des musiciens de blues blancs est encore toute relative. Aussi « authentiques » qu'ils paraissent en tant qu'instrumentistes, dès qu'ils ouvrent la bouche pour chanter, l'illusion se dissipe. Même le profane est capable de déterminer qui est blanc et qui est noir et il n'existe pas de pont au-dessus de ce fossé. Janis Joplin elle-même (la chanteuse du Texas qui mourut en 1970 et qui de toutes est celle qui se rapprocha le plus du son noir) ne fut pas à même de le combler. Il convient de ne pas perdre cela de vue en continuant sa lecture, en particulier en abordant les chapitres consacrés aux chanteurs et chanteuses blancs. Ce n'est pas sans raison que le bluesman John Mayall, un homme qui devrait savoir de quoi il parle et qui en outre est directement concerné, déclara : « Lorsque nous parlons de blues, il s'agit de blues noir. C'est cela le vrai blues pour nous. »

Il convient toutefois de ne pas négliger l'aspect sociologique et social de la question. Le blues est une musique noire pour une bonne raison : les conditions de vie des Noirs dans une partie du Sud et dans les ghettos du Nord sont très différentes de celles des Blancs, non seulement sur le plan de l'intensité mais encore de l'essence. Le regretté critique américain Ralph Gleason suggéra que les musiciens de blues blancs deviendraient les « égaux » des bluesmen noirs si ces conditions se modifiaient. Il semble, au début des années quatre-vingts, que nous sommes loin du compte.

Le negro spiritual et le gospel

La chanteuse qui se rapproche le plus de Bessie Smith sur le plan de la puissance vocale et de l'expressivité ne chante pas le blues mais le gospel. Il s'agit de Mahalia Jackson, décédée en 1972. Le gospel est la forme moderne du spiritual, le chant religieux des Noirs — plus vital, plus swing, plus proche du jazz que l'ancien spiritual, qui présente souvent une certaine ressemblance avec la musique d'église européenne, et en particulier avec les white spirituals du siècle dernier.

Le blues est la forme séculière du spiritual et du gospel. Ou en d'autres termes : le gospel et le spiritual sont les formes religieuses du blues. Ainsi ce n'est pas seulement dans un sens relatif mais encore littéral que la chanteuse de blues Alberta Hunter a dit : « Pour moi, les blues sont — voyons, presque religieux... Les blues sont comme les spirituals, presque sacrés. Quand nous chantons le blues, nous chantons avec notre cœur, nous exprimons nos sentiments. » Quant au chanteur T-Bone Walker, il a déclaré : « Bien sûr, le blues vient pour beaucoup de l'église, lui aussi. La première fois que j'ai entendu un piano boogie-woogie c'est la première fois que je suis entré dans une église. C'était l'église du Saint-Esprit de Dallas, au Texas. Ce boogie-woogie était une sorte de blues, je suppose. Et le pasteur avait l'habitude de prêcher parfois sur un ton bluesy... »

Quiconque se rend dans une église de Harlem ou du South Side de Chicago ne trouvera pas un grand contraste par rapport à l'atmosphère extatique qui règne lors de certains concerts de jazz — ceux de Lionel Hampton, par exemple. Il y trouvera des rythmes identiques, un même beat et un swing semblable dans la musique. Il y trouvera souvent des instruments associés au jazz — saxophones, guitares électriques, batterie ; il y entendra des lignes de basse caractéristiques du boogie-woogie et y verra des individus en extase battant la mesure des mains et des pieds et parfois même dansant.

Winthrop Sargeant décrit un service religieux dans le Sud : « Les minutes passaient, des minutes d'une intensité étrange. Les grognements, les exclamations devenaient de plus en plus fortes, de plus en plus dramatiques, jusqu'à ce que tout à coup je ressente le frisson créatif traverser toutes les personnes présentes telle une vibration électrique ; ce même murmure à peine audible s'éleva — l'émotion se concentrait comme des nuages se rassemblent — puis du plus profond de quelque "pécheur" implorant et en proie au remords monta une plainte pitoyable, un vrai "grognement" de Nègre émis selon une cadence musicale. Du milieu de cette assemblée inclinée une autre voix improvisa une réponse ; la plainte résonna à nouveau, avec plus de force et de passion ; puis d'autres voix se joignirent à la réponse, la forgeant en une phrase musicale ; et cela se poursuivit ainsi "devant nos oreilles" en quelque sorte. De ce métal fondu de musique un nouveau chant fut forgé, composé ici et là par personne en particulier et par tout le monde en général. »

Les gospels modernes sont en majeure partie des morceaux composés, commercialisés sous forme de partitions. Ces morceaux sont toutefois utilisés de manière libre dans les services religieux — certes pas aussi libre que le traitement d'un thème par des musiciens de jazz, mais ils constituent néanmoins la base d'une activité et d'une interprétation individuelles. Des écrivains noirs majeurs tels que Langston Hughes, qui mourut en 1967, sont parfois les auteurs de gospels. Les partitions de gospel connaissent souvent des tirages plus importants que les succès commerciaux.

La plus importante chanteuse de gospel fut — et demeure

— Mahalia Jackson, née à La Nouvelle Orléans. En 1945 elle acquit la célébrité presque du jour au lendemain avec son enregistrement de *Move On Up a Little Higher* : le disque se vendit à plus d'un million d'exemplaires.

Grâce à Mahalia Jackson le monde blanc découvrit l'art du gospel à une échelle plus vaste. En fait, les Blancs n'entendirent que Mahalia Jackson. La musique de gospel est toujours la véritable forme d'art underground de l'Amérique noire : un art florissant plein de puissance et de vitalité — et pourtant l'Américain blanc moyen n'a pas d'idée de la vie merveilleusement extatique qui vibre dans les églises noires chaque dimanche.

Convaincus de la richesse de la scène jazz actuelle, de nombreux fans éprouveront certaines difficultés à accepter le fait qu'il existe plus de groupes de gospel que de jazz. Pour donner une idée de cette richesse, permettez-moi de mentionner ici les principaux artistes et groupes de gospel — je ne citerai que ceux qui ont une stature au moins équivalente à celle des meilleurs musiciens et groupes de jazz.

Parmi les chanteuses : Inez Andrews, Marion Williams, Delois Barrett Campbell, Bessie Griffin, Shirley Caesar, Dorothy Love, Edna Gallmon Cooke, Marie Knight, Willie Mae Ford Smith et Clara Ward.

Parmi les chanteurs : Robert Anderson, Alex Bradford, James Cleveland, Rev. Cleophus Robinson, R.H. Harris, Jessy Dixon, Rev. Isaac Douglas, Claude Jeter et Brother Joe May.

Les principaux groupes de gospel féminins comprennent les Davis Sisters, les Stars of Faith, les Angelic Gospel Singers, les Barrett Sisters, les Robert Patterson Singers, les Caravans, Liz Dargan et les Gospelettes, et les Roberta Martin Singers.

Les principaux groupes de gospel masculins sont les Five Blind Boys of Mississippi, les Brooklyn All Stars, les Gospel Clefs, les Gospelaires, les Fairfield Four, les Gospel Keynotes, les Highway QC's, les Mighty Clouds of Joy, les Pilgrim Travelers, les Pilgrim Jubilee Singers, les Soul Stirrers, les Swan Silvertones, le Swanee Quintet, les Supreme Angels et les Violinaires.

Citons enfin quelques-uns des meilleurs chœurs de gospel :

le Gospel Singers Ensemble, Rosie Wallace et la First Church of Love, les Staple Singers, le Faith and Deliverance Choir, les Thompson Community Singers, Mattie Moss Clark et le Southwest Michigan State Choir, J.C. White et l'Institutional Church of God in Christ Choir, Harrison Johnson et son Los Angeles Community Choir, Walter Hawkins et le Love Center Choir, les Edwin Hawkins Singers, le Gardens State Choir, le Brockington Ensemble, et le BC + M Mass Choir.

Le vieux Bishop Kelsey de Washington DC s'est acquis une importance toute particulière. Sur certains de ses enregistrements — tels que *Little Boy* — on entend comment en cours de sermon le Rév. Kelsey devient progressivement le « premier » chanteur et comment le sermon se transforme en un chant gospel interprété par l'ensemble de la congrégation.

De nombreux prêcheurs et chanteurs de gospels sont des maîtres du chant en « voix de tête », qui transporte les voix des ténors ou des barytons bien au-delà de leur tessiture habituelle vers celle des sopranos féminins — et même au-delà. Cette manière de chanter fut pratiquée en Afrique pendant des siècles et constituait un signe de puissance et de virilité. Elle passa du spiritual et du gospel au blues, et jusqu'au jazz moderne — comme chez Leon Thomas — et même dans le rock contemporain et la musique soul — et elle se retrouve en outre dans le jeu « en voix de tête » des saxophonistes ténor de la période post-Coltrane.

Il existe des gospels aux rythmes hillbilly et cowboy, mambo, boogie-woogie et même aux rythmes de valse. Mais le plus souvent ils ont un tempo jazz marqué. Les gospels — ainsi que les blues — évoquent tous les sujets de la vie quotidienne : élections, gratte-ciel, chemin de fer, téléphones. Le public blanc, avec sa notion caractéristique de supériorité intellectuelle, jugera sans doute naïf le fait que des chansons puissent exprimer le désir de parler à Dieu au téléphone, ou de se rendre aux cieux en pullman. Il n'en allait cependant pas différemment durant la grande période de notre propre art religieux : les peintres flamands ont transposé l'histoire de la crucifixion dans le paysage des Pays-Bas, et les chants de Noël de Silésie parlent de la naissance du Christ comme si elle s'était déroulée dans la glace et la neige de leurs montagnes.

Les spirituals et les gospels ne sont pas, comme on le croit souvent, un matériau appartenant à l'histoire qui existait au début du jazz quelque part dans la campagne du Sud. Bien au contraire, ils sont devenus de plus en plus efficaces, de plus en plus dynamiques et de plus en plus vivaces tout au long de l'évolution du jazz. Dès les années cinquante le gospel et la soul ont investi d'autres régions de la musique noire ; à commencer par le jazz. Milt Jackson — l'un des principaux vibraphonistes du jazz moderne — répondit un jour à un journaliste qui lui demandait d'où lui venait son style particulier et son jeu soul : « Qu'est-ce que la soul (l'âme) en jazz ? C'est ce qui vient de l'intérieur... dans mon cas, je crois que c'est ce que j'ai entendu et ressenti dans la musique de mon église. Ce fut l'influence la plus importante dans ma carrière. Tout le monde veut savoir d'où je tiens mon style "funky". Eh bien, il vient de l'église. »

Gary Kramer déclare dans le texte de présentation d'un ancien album de Ray Charles : « On insiste trop rarement sur l'importance de la relation existant entre la musique religieuse des Noirs et le jazz... »

Des musiciens tels que Milt Jackson, Horace Silver et Ray Charles engendrèrent une « vague soul » durant la seconde moitié des années cinquante ; celle-ci trouva son impulsion vitale dans la musique de gospel et imprègne la musique populaire depuis les années soixante. Certains chanteurs à succès de rock et de soul des années soixante et soixante-dix seraient impensables privés de leur contexte gospel : Otis Redding, James Brown, Aretha Franklin, Little Richard, Wilson Pickett, Isaac Hayes...

La soul est la musique gospel sécularisée. Beaucoup parmi les plus grands chanteurs de soul aimaient, même au faîte de leur carrière, chanter dans les églises pour une audience noire ; ce fut le cas d'Aretha Franklin.

Certains spécialistes du jazz prétendent que la musique gospel fut plus importante dans le développement des sons contemporains du rock, de la pop et du jazz que ne l'a été le blues. Ainsi que le fait remarquer Charles Keil : « Il y a encore au moins quarante églises actives pour un seul club de blues ou de jazz à Chicago, la capitale mondiale du blues. »

Les chants jazz et gospel sont liés à maints égards : parmi les meilleures chanteuses de jazz, nombreuses sont celles qui firent leurs premiers débuts dans une église : Sarah Vaughan qui adapta la conception de Charlie Parker au chant jazz ou la regrettée Dinah Washington, la célèbre « Reine » du rhythm n' blues, qui non seulement chantait mais encore jouait du piano à l'église ou encore Aretha Franklin.

Feu Sister Rosetta Tharpe chanta dans les années trente avec les orchestres Swing de Cab Calloway et de Lucky Millinder et avait un spectacle de night-club très apprécié. Or avant d'être connue dans le monde du jazz elle avait chanté dans les églises — elle retourna à la fin de sa carrière vers le gospel. L'un des compositeurs de gospels les plus célèbres, Thomas A. Dorsey, débuta à Chicago dans les années vingt et au début des années trente comme parolier, chanteur et pianiste de blues.

Le guitariste Danny Barker a dit au sujet de Bessie Smith : « Si vous aviez fréquenté les églises, comme les gens du Sud et comme moi-même, vous reconnaîtriez une similitude entre ce qu'elle faisait et ce que faisaient les prêcheurs et évangélistes de là-bas, et combien ils émouvaient les gens... »

L'harmonie

Le jazz n'avait rien à offrir de très révolutionnaire sur le plan de l'harmonie et de la mélodie, tout au moins jusqu'à la naissance du free jazz dans les années soixante. Voici qui constitue, paradoxalement, une différence majeure entre le jazz et la musique de concert. Dans le domaine de la culture musicale établie, la nouveauté et les révolutions se produisent d'abord et surtout sur les plans harmonique et mélodique. Le jazz, en revanche, quoique étant l'une des tendances artistiques les plus révolutionnaires de notre siècle, demeure relativement traditionnel sur ces plans. La nouveauté se fonde en jazz sur le rythme et la sonorité.

Les blue notes constituent quasiment la seule innovation du jazz en matière d'harmonie. Hormis cela, le langage harmonique du jazz conventionnel — c'est-à-dire, avant le jeu free — est identique à celui de la musique de danse et de divertissement populaire. Les harmonies du ragtime, du dixieland et du new orleans sont — exception faite des blue notes — identiques aux harmonies des polkas, des marches et des valses. Elles se fondent sur la tonique, la dominante et la sous-dominante. Bix Beiderbecke introduisit en jazz certains accords évoquant ceux de Debussy et des effets de progression par tons entiers. Les grands musiciens Swing ajoutèrent la sixte à la tierce majeure et « enrichirent » les septièmes de neuvièmes — voire de onzièmes. Depuis le be-bop, on place des accords de passage entre les harmonies fondamentales d'un morceau ; à moins que celles-ci ne soient remplacées par des « altérations ». Les musiciens de jazz sont — ou tout au moins étaient durant les périodes be-bop et cool — fiers de l'évolution de leur musique dans ces domaines et les problèmes harmoniques faisaient l'objet de chaudes discussions entre eux. Il convient toutefois de reconnaître que du point de vue de la musique européenne, ces « problèmes » sont dépassés. Seuls quelques très rares accords avec des quintes et des neuvièmes augmentées ou diminuées, caractéristiques surtout du jazz moderne, n'existent pas sous cette forme dans la musique traditionnelle, en particulier lorsqu'ils se présentent de manière combinée. Ainsi, il existe des harmonies ayant une quinte diminuée dans le registre bas et une quinte augmentée dans l'aigu, et par-dessus tout il arrive qu'on trouve une neuvième diminuée ou augmentée. L'exemple 4 représente deux combinaisons d'accords semblables, avec leurs résolutions respectives.

Exemple 4

L'exemple 5 reprend les quatre premières mesures de la chanson *I Can't Give You Anything but Love,* populaire depuis les années vingt. (A) indique les harmonies simples, presque primitives, sur lesquelles se fondaient les improvisations jazz de l'époque ; (B) montre comment les harmonies furent ensuite altérées — durant la transition du Swing au bop. Il ne fait aucun doute que les harmonies simples de 5 (A) pourraient être issues d'une danse folklorique européenne. Les harmonies plus modernes de 5 (B) pourraient également être employées dans la musique populaire moderne.

I can't give you anything but love, baby

Exemple 5

L'évolution des harmonies jazz du ragtime au be-bop et au cool en passant par le new orleans n'est pas particulière au jazz. Elle s'est produite parallèlement à l'évolution harmonique observée dans la musique populaire de la polka aux sons habilement orchestrés de la musique de film hollywoodienne. André Hodeir suppose que le jazz fut influencé à cet égard par la musique populaire — une vision à laquelle il n'est pas difficile d'adhérer étant donné que les musiciens de jazz adoptent une attitude très ouverte à l'égard de tout ce qui leur paraît intéressant et susceptible d'être imité. Ils ont dû constater qu'il y avait là quelque chose qu'ils pouvaient apprendre et appliquer à ce qui leur semblait être un aspect peu évolué de leur propre musique. Le langage harmonique du jazz est, selon Hodeir, « largement emprunté ». Cette attitude est en soi en accord parfait avec la ligne principale de la tradition du jazz. Nous avons vu que la particularité de la génèse du jazz est qu'il « emprunta » et unifia ce qu'il y avait de meilleur dans deux cultures musicales divergentes : européenne et africaine. Même parmi les premiers Noirs qui composèrent des rags, interprétèrent du jazz new orleans et chantèrent des blues et des spirituals, il en est certains qui reconnaissaient ou tout au moins qui sentaient qu'il n'existait rien dans leur passé musical qui soit en mesure de rivaliser avec l'expression harmonique riche et multiforme de la musique européenne. Par ailleurs, il n'y avait rien dans la musique européenne qui puisse s'approcher un tant soit peu de la puissance expressive des sonorités « noires » et de la vitalité de la tradition rythmique africaine. Ainsi les deux cultures musicales contribuèrent de manière spécifique à la maturation du jazz.

Les harmonies peuvent être variées en be-bop et en cool, au même titre que les mélodies constituaient la base des variations dans le jazz traditionnel. Ainsi l'exemple 5 montre-t-il huit harmonies dans la version moderne (B) alors qu'il n'y en avait que quatre dans l'ancienne (A). Cette dernière n'a que des accords étroitement liés au ut majeur. La version moderne crée toutefois une ligne de basse unique qui entretient une relation contrapuntique avec la ligne mélodique. L'ensemble du schème harmonique est relâché et enrichi. La séquence d'accords elle-même indique une succession régulière de tension et de détente — dans le sens des tensions si importantes en jazz. La majorité des accords ajoutés dans la version moderne 5 (B) sont de type terminal, ayant tendance à se résoudre dans l'accord suivant. La version ancienne 5 (A) ne montre qu'une résolution dans la quatrième mesure ; la version moderne compte trois processus semblables. Ceci aussi révèle comment l'histoire du jazz se caractérise par une concentration toujours plus forte et plus intense d'éléments jazz créant et résolvant les tensions.

Une structure d'accords toute nouvelle voit le jour dans la version moderne. Mais celle-ci n'est pas révolutionnaire au point qu'il ne soit plus possible de retrouver dans chaque accord la relation qu'il entretient avec les harmonies originales. Les nouveaux accords prennent pour ainsi dire la place des anciens. La relation tonale de l'ensemble demeure aussi précise et ordonnée qu'on peut le souhaiter.

Maints profanes et amateurs de jazz traditionnel n'étant pas familiarisés avec le vocabulaire harmonique du bop qualifièrent tout d'abord ses sons d'« atonals ». L'« atonalité », ainsi que le mot l'exprime clairement, implique que la musique n'entretient pas de relation avec un centre tonal et ne possède pas de centre de gravité tonal. Ceci n'est pas le cas dans les formes dominantes du jazz moderne antérieur à la musique free — et même dans cette dernière l'atonalité n'existe que dans quelques cas relativement rares. Si maints auditeurs sont incapables d'entendre les centres de gravité harmoniques, ce n'est pas parce que ces derniers font défaut, mais parce que les oreilles des auditeurs ne sont pas habituées à ces harmonies. L'harmonie en musique est en effet une question d'habitude. Tout système harmonique, même dans ses variantes les plus audacieuses, est assimilable par l'oreille après une certaine période d'accoutumance — et cela même lorsque l'impression initiale suggérait l'absurdité.

L'évolution de l'harmonie en jazz et dans la musique de concert moderne révèle de multiples parallèles — le jazz restant toutefois à la traîne de manière considérable. La quinte diminuée — l'intervalle favori des be-boppers des années quarante — correspond à bien des égards au triton qui tient une place prépondérante dans la musique de concert moderne : chez Hindemith, Bartok, Stravinsky, Honegger, Milhaud, etc. Hindemith consacra beaucoup d'attention au triton dans *L'Art de la composition musicale* — l'une des principales œuvres théoriques sur la musique de concert moderne. Il dit notamment que le triton est indifférent à la base harmonique. Ainsi Hindemith considère-t-il que la quinte diminuée ne détruit pas la tonalité mais entretient avec elle une relation neutre — « indifférente ». Ceci est également perçu par les musiciens de jazz. Cette « indifférence » est la véritable raison de la popularité du triton dans le jazz moderne. Le triton qui, selon Hindemith, « n'appartient pas à la région de l'harmonieux mais ne peut pas non plus être qualifié de discordant », a rénové une vieille tradition du jazz : la préférence pour le vague et l'ambigu, que l'on retrouve également dans les blue notes du blues. Ce n'est pas par accident que la quinte diminuée — sa nouveauté se dissipant — fit fonction de blue note. L'exemple 3 (cf. le chapitre consacré au blues) montre dans quelle mesure les blue notes et les quintes diminuées sont devenues équivalentes.

Les quintes diminuées, et les blue notes du jazz et le triton de la musique symphonique moderne ne tendent pas vers une dissolution de la tonalité mais vers son relâchement et son élargissement. La présence de la quinte diminuée et des blue notes en jazz peut s'expliquer de la même manière que celle du triton dans la nouvelle musique symphonique. Hindemith dit : « Les puissances harmonique et mélodique sont réparties en opposition. » Lorsque la puissance harmonique est la plus faible — dans la quinte infléchie — la force mélodique est la plus forte. Or l'essentiel est la puissance de la ligne mélodique.

Il est certain que les musiciens bop qui furent les premiers à recourir à la quinte diminuée — Charlie Parker, Dizzy Gillespie, Charlie Christian, Thelonious Monk — ignoraient tout du triton ou de *L'Art de la composition musicale* d'Hindemith. Ils en arrivèrent à leur manière à des solutions que ce compositeur, qui symbolise ici l'ensemble d'une direction de la musique de concert moderne, avait puisées dans la tradition musicale européenne. Précisons incidemment que ce phénomène apparaît non seulement dans les harmonies mais encore dans le caractère sonore de la musique. Les sonorités du Miles Davis Capitol Orchestra — dans des morceaux tels que *Moves, Budo* ou *Israel* — présentent une similitude remarquable avec celles de compositions de Stravinsky telles que *Dumbarton Oaks Concerto*, la *Symphonie en ut* ou d'autres œuvres de sa période classique.

Les premières manifestations de la dissolution de la tonalité conventionnelle commencèrent à se faire jour quelques années plus tard, après la phase initiale du be-bop, dans certaines formes de jazz des années cinquante : comme chez Lennie Tristano, Charles Mingus, Teddy Charles ou George Russell. Russell, qui écrivit le fameux *Cubana Be-Cubana Bop* pour le grand orchestre de Dizzy Gillespie vers la fin des années quarante, a créé un système de tonalité qu'il nomme « concept lydien d'organisation tonale ». Celui-ci ressemble à bien des égards aux gammes de l'ancienne musique hellénique. Lennie Tristano et les musiciens de son école ont créé un morceau improvisé librement intitulé *Intuition*, dans lequel Wolfgang Fortner — un célèbre compositeur symphonique allemand contemporain — releva des tendances vers le système dodécaphonique.

Des musiciens tels que Tristano, Russell, Jimmy Giuffre et Mingus ouvrirent la voie de cette liberté harmonique soudaine et explosive qui déferla dans le jazz du début des années cinquante. Le free jazz, dont les premiers représentants importants furent Cecil Taylor et Ornette Coleman, rejeta en définitive les lois de l'harmonie fonctionnelle conventionnelle. Les sons et les lignes se heurtent avec force et frénésie, conférant un caractère extatique à la musique — dans une mesure dépassant de beaucoup ce que les anciennes formes de jazz considéraient comme « extatique ».

Par ailleurs, la musique demeure reliée à ce que les musiciens nomment des « centres tonals », même dans de nombreux enregistrements comptant parmi les plus free. Le qualificatif « tonal » n'est cependant pas employé dans le sens de l'harmonique tonale, mais est censé indiquer certains points cruciaux — des centres de gravité — à partir desquels les musiciens « décollent » et auxquels ils reviennent — ou tout au moins auxquels ils s'efforcent de revenir s'ils ne les ont pas perdus de vue dans la frénésie collective de l'improvisation (cf. aussi à ce sujet le chapitre consacré au free jazz).

Nous avons employé le terme « modal » dans les chapitres relatifs à Miles Davis et à John Coltrane. Dans l'improvisation telle que Miles Davis et John Coltrane l'ont conçue, l'harmonie n'est plus déterminée par les accords en mutation permanente d'une structure harmonique ; chaque accord correspondant au « mode », à l'échelle, est autorisé. Ce type de jeu existe depuis plusieurs siècles dans plusieurs grandes cultures musicales exotiques — arabe et indienne, par exemple. Elle autorise d'une part la liberté harmonique et empêche d'autre part l'arbitraire. Le jeu modal implique une africanisation supplémentaire de la musique ; une fuite de la « dictature » des harmonies européennes vers l'harmonisation libre existant dans maintes cultures musicales africaines (pas uniquement chez les Arabes et les musulmans). La modalisation crée ainsi un sentiment d'appartenance en un double sens : musical et racial. Telle est la base de son succès.

Le jazz des années soixante-dix combina la liberté du free jazz aux possibilités harmoniques des styles de jazz antérieurs. Les nouvelles formulations harmoniques auxquelles il aboutit se fondaient essentiellement sur la virtuosité et la souveraineté avec lesquelles les harmonies des sources les plus diverses se retrouvaient mêlées. Ainsi le jeu du pianiste Keith Jarrett comprend-il côte à côte, unis par la modalité, des accords de blues, des harmonies de ton entier évocatrices de Debussy, des traces de la musique ecclésiastique médiévale, des éléments romantiques et exotiques — arabes par exemple, ainsi que la gamme complète des possibilités harmoniques du jazz conventionnel. Tous ces éléments s'imbriquent souvent de manière telle que les spécialistes eux-mêmes ne sont plus capables d'identifier les sources, mais ils apparaissent néanmoins selon un ordre qui paraît nécessaire et logique, quoique nul système ne permette d'expliquer les nécessités et la logique d'un tel ordre. C'est précisément dans cette direction qu'évolue la liberté : non plus vers une absence de tonalité, mais plutôt vers une maîtrise de la manière d'employer tous les éléments de la tonalité et de l'atonalité, européens, exotiques, jazz, classiques et modernes. Ainsi, la liberté inclut-elle aussi la liberté d'être libre — et l'inverse : le refus d'être libre si tel est le bon vouloir du musicien.

C'est ainsi que le caractère missionnaire et sectaire de la liberté du free jazz des années soixante fut dépassé. Cette conception de la liberté condamnait en effet toute manière de jouer non free sous prétexte qu'elle était régressive sur le plan non seulement musical, mais encore politique, social et moral.

La mélodie

Si l'on accepte l'hypothèse avancée par les théoriciens modernes de la musique, selon laquelle il n'existe pas de différence entre mélodie et harmonie — la mélodie étant une « harmonie horizontale » et l'harmonie une « mélodie verticale » — presque tout ce qui concerne la mélodie jazz a déjà été dit dans le paragraphe précédent. Il n'y avait que peu d'éléments, dans les premières formes du jazz, qui puissent être qualifiés de mélodie « jazz » — à l'exception des mélodies comprenant des blue notes (cf. exemple 3 dans le chapitre consacré au blues). Les mélodies étaient fondamentalement semblables à celles de la musique de cirque et de marche et à la musique pour piano et de salon de la fin du XIXe siècle. Le phrasé des mélodies évolua dans la mesure où le phrasé lui-même acquit de l'importance en jazz — une importance telle que la façon de phraser modifia et façonna en définitive le flux mélodique lui-même. C'est ainsi que naquit ce que l'on peut appeler la « mélodie jazz ».

La mélodie jazz est avant tout marquée par son caractère fluide. Dans la mesure où le développement mélodique est exprimé dans l'improvisation, il n'y a pas de répétitions, comme on en emploie souvent structurellement dans la musique européenne. Les répétitions sont exclues, tout d'abord parce que le soliste improvise de manière subconsciente et est donc incapable de répéter ce qu'il vient de jouer sans avoir recours au préalable à l'étude minutieuse d'un éventuel enregistrement. Les répétitions font partie de la relation existant entre la musique et le temps. Quand une mélodie est répétée, elle est extraite du cours du temps. C'est comme si on s'employait à retrouver un laps de temps passé afin de le revivre. L'absence de répétition dans le flux des improvisations de chorus indique que le jazz est relié de manière plus étroite que la musique européenne au domaine dans lequel la musique est produite : le temps. Le phénomène du swing et d'autres particularités du jazz pointent également dans cette direction. En d'autres termes : s'il est vrai que la musique est l'art qui s'exprime dans le temps par excellence — ainsi que le prétendent toutes les philosophies de la musique — il convient d'admettre que le jazz correspond de manière plus fondamentale à la nature essentielle de la musique que la musique européenne.

Le jazz tire l'une de ses particularités uniques du fait qu'il est conçu instrumentalement. André Hodeir, qui a exprimé les idées les plus succinctes relatives aux problèmes de mélodie et d'harmonie en jazz publiées à ce jour, a dit : « Le compositeur de tradition européenne pense sa phrase dans l'absolu et s'efforce ensuite de la plier aux exigences d'un instrument donné. L'improvisateur de jazz ne crée qu'en fonction de l'instrument dont il joue : dans les cas d'assimilation les plus poussés, cet instrument est en quelque sorte devenu *une partie de lui-même*[1]... »

L'instrument et, à travers lui, le musicien étant « projetés dans » la mélodie, des éléments tels l'attaque, le vibrato, l'accentuation, le placement rythmique, etc., sont liés à une mélodie jazz d'une manière si intime que celle-ci risque de devenir totalement insignifiante sans eux. Une mélodie européenne existe toujours « dans l'abstrait », mais la mélodie jazz n'existe qu'à travers sa relation concrète avec l'instrument servant à son interprétation et avec le musicien la jouant. Elle devient absurde (au sens littéral du terme) dès qu'elle est séparée de son créateur et de son instrument. C'est la raison pour laquelle la majorité des tentatives de notations d'improvisations jazz se sont révélées insatisfaisantes. Il est impossible d'exprimer dans une notation les points subtils que sont le phrasé, l'attaque, l'accentuation, l'expression et la conception ; or, tout dépendant de ces subtilités, la notation est dépourvue de sens. Lorsque des mélodies de jazz extraites de leur contexte apparaissent retranscrites sur une partition, elles paraissent souvent primitives et banales.

Les improvisations ont développé, tout au long de l'évolution du jazz, une facilité à projeter dans leur musique des subtilités que les mots sont impuissants à traduire. Les noires et les croches pointées si typiques du jazz des années vingt ont été délaissées afin d'accentuer le caractère fluide de la mélodie. Dès les années quarante ce type de notation a été jugé « démodé » ; on le trouve encore dans la musique populaire, en particulier lorsqu'on s'efforce de retrouver la nostalgie du « bon vieux temps » (des musiciens de free jazz, tel Albert Ayler, s'amusèrent toutefois des marches, des polkas et des éléments de cirque « démodés » !). Miles Davis, Lee Konitz et Lennie Tristano ont conçu une manière d'improviser dans laquelle les croches s'enchaînent presque sans ponctuation. Cela donne des lignes qui, transcrites, sont aussi « européennes » et « symphoniques » que possible. Mais que de telles lignes soient interprétées par Davis ou

1. Dans *Hommes et problèmes du jazz* d'André Hodeir. L'ouvrage publié en 1954 a été réédité par les éditions Parenthèses en 1981. *(N.d.T.)*

Konitz ou encore par n'importe quel musicien de jazz important, et elles deviennent l'essence même de la « jazzité ». Le caractère jazz ne réside plus dans la ponctuation brute, externe et dans la syncope des notes, mais dans la subtilité de conception. C'est ce que sous-entendent Fats Waller et maints musiciens de jazz lorsqu'ils disent : « Le jazz ce n'est pas *ce que* vous faites, c'est *comment* vous le faites. »

Tous ces raffinements — différenciations presque éphémères mais d'une importance extrême dans l'attaque, le phrasé, le vibrato et l'accentuation, etc. — ayant été développés, il est devenu possible d'incorporer le beat, c'est-à-dire la section rythmique, dans la ligne mélodique. On entend de plus en plus de solos de jazz non accompagnés qui n'en possèdent pas moins une essence jazz aussi concentrée que les improvisations solos disposant d'une section rythmique. Nous avons signalé dans le chapitre consacré au jazz des années soixante-dix que Coleman Hawkins fut le premier à enregistrer un morceau complet sans accompagnement rythmique ; il s'agissait de *Picasso* en 1947. Ce disque fut le véritable précurseur de ces longues improvisations free et Swing, de ces cadences[1] de Sonny Rollins — ou d'Albert Mangelsdorff en Allemagne — qui firent florès dans cette période de romantisme masqué que furent les années soixante-dix.

Il est permis d'affirmer que depuis le milieu des années cinquante le souci principal de l'improvisateur de jazz est de jouer de longues lignes fluides dépourvues des effets jazz externes grossiers mais dégageant néanmoins une intensité vraiment jazz. Telle est également la source de la conception rythmique « fluide », « palpitante » développée par des musiciens tels que le batteur Elvin Jones du groupe de John Coltrane ou Tony Williams du groupe de Miles Davis.

Il ne reste qu'un pas à franchir pour trouver les mélodies

1. En jazz, on dit aussi « coda », mais ce mot a une signification différente dans la terminologie classique, alors que celui de « cadence » semble tout à fait approprié pour désigner, tant dans le jazz que dans la musique européenne, les passages *ab libitum* réservés au soliste *non accompagné* dans une œuvre orchestrale. *(N.d.T.)*

de maints musiciens de free jazz, qui ont préservé, sur le plan mélodique plus que partout ailleurs, tous les éléments du phrasé jazz d'après Lester Young et Charlie Parker, en l'enrichissant d'une intensité extatique qui plonge ses racines en Afrique. Le pendule oscille toutefois dans la direction opposée chez d'autres musiciens de free jazz qui délaissent le phrasé au profit du son — dans le sens des « sons jungle » de Bubber Miley, par exemple, dont nous avons parlé dans le paragraphe consacré à la sonorité.

La capacité à « négliger » tout simplement certaines notes acquiert une importance particulière dans le cours organique d'une ligne mélodique jazz. Quiconque a pratiqué la notation d'une improvisation de jazz connaît ce phénomène : la note est présente, on l'entend très distinctement, et il convient de l'inclure dans la notation. Pourtant on ne l'entend pas parce qu'elle a été jouée, mais parce qu'elle *ne* l'a *pas* été. Elle n'a été qu'insinuée. Marshall Brown se rendit en Europe au cours du printemps 1958 pour former un grand orchestre avec des musiciens de jazz européens de premier plan, afin de le présenter au festival de jazz de Newport. Il admira à maintes reprises leurs hautes compétences musicales, mais il ne fut que rarement satisfait. Écoutons-le : « Il était par exemple difficile de trouver un musicien qui soit capable de négliger une note. Je n'avais jamais réalisé, jusqu'à ce que j'écoute ces musiciens européens, que ces subtilités étaient propres aux Américains. »

Le thème sur lequel improviser est devenu de moins en moins important tout au long de l'évolution du jazz. L'embellissement et l'ornement du thème, si importants dans le vieux jazz, sont passés à l'arrière-plan. Ils existent toujours dans l'interprétation de « ballades » — des morceaux lents appartenant pour la majeure partie au domaine de la musique populaire avec des mélodies ou des structures d'accords qui séduisent les jazzmen. Hormis ces cas spécifiques, l'improvisation a acquis une liberté telle que la mélodie d'un thème n'a plus guère de signification. Il arrive souvent qu'elle soit méconnaissable dès le début. Depuis les années cinquante, le musicien de jazz qui joue des morceaux rapides n'improvise pas tant sur un thème que sur les harmonies de ce thème. Ainsi Hodeir a-t-il raison lorsqu'il dit que la variation de jazz est une « variation sur aucun thème ».

L'exemple 6 illustre le processus de séparation de l'improvisation de jazz du thème. L'exemple est transcrit d'après un disque du Max Roach Quintet intitulé *Prince Albert*. Le thème original est *All the Things You Are* de Jerome Kern. Les premières mesures de cette mélodie sont reproduites dans la ligne (a). Le trompettiste Kenny Dorham et le saxophoniste ténor James Moody ont placé sur les harmonies de ce thème (b) une figure riff (c) — un thème nouveau plus proche de leur conception du jazz. Cette figure riff est introduite à l'unisson par les deux cuivres. Ainsi le thème original de *All the Things You Are* n'est jamais perçu sur le disque.

Exemple 6

Les musiciens improvisent sur le nouveau thème qui s'est développé à partir des harmonies (des changements d'accord, selon la terminologie jazz) de *All the Things You Are*, et sur lequel il est donc possible de bâtir des harmonies alternées. Les lignes (d) et (e) présentent ces improvisations et leurs harmonies propres (avec une quinte infléchie dans la quatrième mesure).

Il est bien évident que cette chaîne est extensible. Il est

possible de baser un nouveau riff sur les changements (e), et celui-ci peut devenir le fondement de différentes improvisations possédant à leur tour des alternances. La relation avec le thème est préservée dans tous les cas, et le jazzman — s'il connaît son sujet — sentira d'emblée que « quelque part » *All the Things You Are* a constitué le point de départ de la chaîne.

Cette procédure représente un emploi radical d'un principe essentiel à toutes les formes de musiques dans lesquelles l'improvisation est présente — comme dans la musique baroque — et dans lesquelles la mélodie (ou ses harmonies !) est utilisée en guise de matériau. Elle n'est donc pas une cause en soi, comme dans la musique de la période romantique. La mélodie devient sacro-sainte lorsqu'elle est une cause en soi. Notre conscience musicale étant romantisée, nous avons coutume de considérer que les mélodies sont effectivement sacro-saintes, et maintes personnes n'ont donc aucun feeling pour la « matérialité » de la mélodie.

Jean-Sébastien Bach, lui, possédait ce feeling. Chez ce compositeur l'important n'était pas la mélodie — comme dans la musique romantique — mais ce qu'on en faisait. L'*executio* prenait le pas sur l'*inventio*, l'exécution passait avant l'invention, alors que la conception musicale du romantisme créa une mystique de l'invention à qui elle accorda une place prépondérante. Bach considérant la musique comme un matériau de travail, il n'hésitait pas à prendre des mélodies d'autres maîtres de son temps — Vivaldi, par exemple — et à les utiliser à ses propres fins sans pour autant reconnaître ses sources. La conception contemporaine parlerait de plagiat. Bach jugeait cette façon de faire parfaitement normale, et il en va de même dans une certaine mesure des musiciens de jazz. La mélodie est le matériau, on est donc en droit de l'utiliser comme bon nous semble — à la condition que le résultat ait un sens sur le plan musical.

L'art d'inventer de nouvelles lignes mélodiques à partir d'harmonies données est devenu de plus en plus différencié au cours de l'évolution du jazz. Bien souvent l'improvisation, sur les vieux enregistrements de jazz, consiste essentiellement à démonter les harmonies : des notes qui étaient superposées dans les accords fondamentaux sont arpégées dans les mélodies. Le mouvement mélodique tira sa saveur des accords de tierces et de septièmes. Mais dans les mélodies du jazz moderne, il n'est plus question d'interpréter l'accord, mais de le placer sur une ligne mélodique indépendante, contrastante. Ceci crée une tension entre l'horizontal et le vertical — et la vieille tendance du jazz à trouver des occasions de tensions est ainsi satisfaite.

La mélodie de jazz, exception faite du free, puise sa structure dans la forme à douze mesures du blues ou dans la forme AABA à trente-deux mesures de la chanson populaire — ainsi que dans diverses formes irrégulières pour les phases plus récentes du jazz. Les musiciens de jazz ont tendance à croiser des sections formelles. Là encore la dette de la musique au temps s'affirme. Ce chevauchement de sections formelles serait mal interprété si on en déduisait que ses résultats sont une dissolution de la forme. Celle-ci — prédéterminée par la structure d'accord — demeure intacte. (Elle n'a été dissoute que dans certaines phases du free jazz.) Ne pas suivre la structure formelle de mesures est perçu comme une démarche spéciale, extraordinaire. Une autre formulation consisterait à dire que la structure en question est accentuée du fait qu'elle n'est pas accentuée. Une nouvelle possibilité de créer une tension a également été découverte dans cette direction : une tension en l'occurrence entre la forme donnée, préservée et la forme libre qui la chevauche.

Cette tendance à croiser des sections structurelles et à les déplacer de manière inattendue s'accompagne d'une préférence pour de longues lignes mélodiques en jazz moderne — des lignes beaucoup plus longues que dans les formes anciennes.

Kenny Clarke et Mary Lou Williams affirment que les pionniers du bop croisaient consciemment des lignes de mesure pour que les musiciens qui essayaient de « voler » leurs idées ne puissent pas les réorganiser. Thelonious Monk dit : « Nous allons créer quelque chose qu'ils ne pourront pas voler parce qu'ils seront incapables de le jouer. » Le batteur Dave Tough évoque sa première visite au club de la 52e Rue où jouait Dizzy Gillespie : « Lorsque nous entrions ces *cats*[1] s'emparaient de leurs instruments et soufflaient des trucs dingues. L'un d'entre eux s'arrêtait brusquement et un autre enchaînait sans la moindre raison. Nous ne parvenions jamais à deviner quand un solo était censé commencer ou se terminer. Puis ils quittaient tous la scène de manière soudaine. Ça nous flanquait la trouille. » Mais ainsi que le rappelle Marshall Stearns, un an plus tard environ le même Dave Tough jouait dans l'orchestre de Woody Herman certains de ces « trucs dingues » qui lui « flanquaient la trouille ».

Outre la structuration des sections à huit mesures, des chorus blues ou des strophes de chansons à trente-deux mesures, il y a la structuration naturelle de la tension et de la détente. Les musiciens de free jazz allaient souvent jusqu'à placer cette « forme naturelle » en lieu et place des structures prédéterminées. Un groupe de free jazz improvisant collectivement crée sa propre forme en « respirant », en alternant des moments d'intensité orgiaque et des instants de calme et de relaxation, qui à leur tour évoluent vers de nouvelles montées. Cette réussite du free jazz s'est également révélée avoir une importance durable pour le jazz des années soixante-dix et quatre-vingts. Même les plus jeunes musiciens qui sont revenus vers une tonalité conventionnelle, fonctionnelle, aiment créer leurs propres formes de « respiration » indépendantes des structures à douze, seize ou trente-deux mesures. On entend en outre de plus en plus souvent des combinaisons de structures prédéterminées et d'autres « respirées ».

Il est intéressant de noter que la voie de cette forme nouvelle fut ouverte par le jazz de Kansas City des années trente, le « style riff ». Le riff crée une tension et la ligne mélodique improvisée par la suite amène la détente. Les phrases fortes, rythmiques, très accentuées que l'on nomme « riff », qui ne comptent souvent guère plus de deux ou quatre mesures et qui peuvent être répétées jusqu'à ce qu'ait été complétée l'entité de la chanson à trente-deux mesures, sont merveilleusement adaptées à la création de tension.

Le guitariste Charlie Christian — un musicien qui joua un

1. Un *cat* est un amateur ou un musicien de jazz. *(N.d.T.)*

rôle important dans la création du jazz moderne — bâtissait ses solos de telle manière que de nouveaux éléments riff étaient constamment opposés à de nouvelles lignes mélodiques. Ses solos sont des séquences de riffs et de lignes mélodiques swinguant librement ; les riffs créant la tension et les lignes mélodiques la détente. La manière d'improviser de Charlie Christian fut adoptée par maints musiciens et a exercé une influence profonde — consciente ou non.

Cette détente — le moment de répit — va plus loin et plus profondément qu'il n'est coutume dans la musique européenne. Bien entendu, l'aspect de tension et de détente appartient à tout art musical organique. En jazz cependant, il est projeté dans le vieux principe du *call-and-response* de la musique africaine. Dans les improvisations de Charlie Christian les riffs sont les « calls » (les appels) et les lignes swinguant librement conséquentes les « responses » (les réponses). En d'autres termes, le chanteur ne tient plus une conversation avec le chœur des auditeurs — comme c'est le cas dans la musique africaine ou dans les spirituals — mais le soliste improvisateur tient une conversation avec lui-même... et la solitude — l'« aliénation » — du musicien de jazz créatif n'est jamais aussi évidente que dans cette démarche. Tout l'échange se produisant entre l'appel et la réponse au sein de la communion d'une congrégation spirituelle ou d'un culte africain est désormais concentré dans l'improvisation d'un soliste seul.

Il va de soi qu'il convient de ne pas pousser trop loin ce raisonnement. Le principe du *call-and-response* n'est pas projeté simplement dans l'individu. L'« appel » du riff est souvent interprété par les autres musiciens durant l'improvisation — c'est-à-dire durant la « réponse » du soliste, et il est possible de cette manière de créer une intensité débordante. Celle-ci est ancrée dans la concentration. L'appel et la réponse ne suivent plus, ils sont exprimés simultanément.

Nous avons souvent employé le terme « détente » dans ce chapitre. Être « détendu », « relax », est devenu un terme courant dans le langage des musiciens ainsi que des critiques de jazz — et, ainsi que l'a fait remarquer Norman Mailer, un *idéal* dans le mode de vie des musiciens de jazz et, en général, des personnes désireuses d'être « in ». Cette attitude exerça, de ce point de vue particulier, une influence profonde sur l'ensemble du mode de vie américain. Je n'ai jamais lu nulle part que la musique de concert européenne était qualifiée de « relaxante ».

Le rythme, le swing

Chaque ensemble de jazz, petit ou grand, est composé d'une section mélodique et d'une section rythmique. La première comprend des instruments tels que la trompette, le trombone, la clarinette et les divers saxophones ; la dernière comprend la batterie, la basse, la guitare et le piano — pour autant bien entendu qu'ils n'assument pas des rôles de solistes.

Il existe une tension entre les sections mélodique et rythmique. D'autre part, la section rythmique supporte le groupe mélodique. Elle est pareille au lit d'une rivière dans lequel s'écoule le flux des lignes mélodiques. La tension existe non seulement entre les deux sections mais encore au sein de chacune d'elles — en fait, il arrive que les fonctions spécifiques des deux sections soient imbriquées. Il n'est pas rare en jazz moderne que les « instruments mélodiques » assument des fonctions rythmiques et vice versa.

Ainsi un rythme à strates multiples est créé qui correspond parfaitement aux diverses couches de la mélodie que l'on rencontre, disons dans la musique de Jean-Sébastien Bach. Affirmer, comme d'aucuns le font, que le rythme du jazz n'est rien de plus que des battements primitifs révèle une absence de sensibilité à l'égard du fait que les possibilités rythmiques sont inépuisables au même titre que les possibilités mélodiques et harmoniques. Un tel manque de sensibilité est bien entendu en accord avec l'évolution musicale occidentale. Hans H. Stuckenschmidt, l'un des plus célèbres critiques musicaux d'Europe, et par conséquent un homme de musique de concert et non pas de jazz, évoqua un jour « l'atrophie rythmique des arts musicaux de la race blanche ». Il est assez ironique de constater que le reproche de primitivisme souvent adressé au jazz et à d'autres phénomènes similaires, se retourne ici contre le monde qui est à l'origine de cette critique. Le monde européano-occidental se caractérise par le fossé étrange entre le développement admirable des éléments mélodiques, harmoniques et formels et — pour reprendre l'expression de Stuckenschmidt — l'atrophie des parties rythmiques.

Nous ne prétendons pas que le rythme soit inexistant dans la musique européenne. Il existe de grandes créations rythmiques — plus encore chez Mozart et Brahms, par exemple, que dans la musique de concert d'avant-garde — mais même ces exceptions font pâle figure comparées aux rythmes grandioses de la musique indienne ou balinaise avec ses traditions de maîtrise rythmique aussi anciennes et aussi honorables que celles de la musique occidentale en matière de forme. Le jazz n'est pas la seule expression musicale qui contribue à mettre en évidence l'infériorité des éléments rythmiques de la musique européenne.

Il s'agit tout simplement d'une infériorité au niveau de la sensibilité rythmique. Ce que n'importe quel bambin traînant dans les rues du Moyen-Orient est capable de faire — produire des structures rythmiques dans lesquelles se mêlent huit ou neuf rythmes différents en frappant des bras et des jambes sur des boîtes et des bidons — n'est même pas à la portée, dans la tradition européenne, du percussionniste d'un orchestre symphonique. Il n'est pas rare que des orchestres symphoniques recourent à huit ou neuf percussionnistes pour obtenir une telle complexité.

En jazz la multiplicité des rythmes est ancrée dans le « beat » ; un rythme fondamental accentué de manière régulière, le pouls du jazz. Ainsi que l'a dit le batteur Jo Jones : « une respiration égale ». Ce rythme fondamental est le principe organisateur. Grâce à lui les événements musicaux sont ordonnés. Il est assuré par le batteur, ou souvent en jazz moderne par le 4/4 régulier du bassiste. Cette fonction régulatrice correspond à un besoin européen. Il est certain que le swing est relié à une sensibilité rythmique africaine. Néanmoins, il n'y a pas de swing en Afrique, ainsi que le fit observer Marshall Stearns. Le swing naquit lorsque la sensibilité rythmique africaine fut appliquée au mètre régulier de la musique européenne — en un processus de fusion long et complexe.

On relève dans les différents styles de jazz certains rythmes fondamentaux ; ceux-ci sont illustrés dans l'exemple 7. Il représente la partie de batterie : les notes sur la ligne inférieure sont jouées sur la grosse caisse, celles du milieu sur la caisse claire et celles du haut sur la cymbale. Dans les styles new orleans, dixieland, chicago et Swing la grosse caisse donne le beat fondamental ; ce rôle est dévolu à la cymbale en be-bop et en cool jazz. Les accents rythmiques sont indiqués par le signe >.

Exemple 7

Dans le style new orleans et dans le ragtime (7a) l'accent rythmique est mis sur les temps dits « forts » ; le premier et le troisième, comme dans les marches. Dès lors le jazz acquiert une complexité et une intensité rythmique toujours plus grandes. Les styles dixieland et chicagoan (7b), ainsi que le jazz new orleans interprété à Chicago durant les années vingt, font passer l'accent sur les temps 2 et 4, de sorte que les 1 et 3 demeurent les temps « forts », mais ce sont les 2 et 4 qui sont accentués. C'est ainsi que fut créée l'atmosphère rythmique « flottante » particulière qui donna son nom au swing.

Les rythmes new orleans et dixieland sont à deux temps étant donné que la grosse caisse, qui exprime le beat fondamental, se voit assigner deux temps par mesure. Il y eut bien entendu des exceptions. Louis Armstrong — toujours l'homme-swing! — demanda au batteur Baby Dodds de jouer un quatre temps égal. Le style Swing fut créé ensuite sur base de quatre temps par mesure (7c), mais avec une tendance à accentuer les deuxième et quatrième temps. Le rythme jazz avait auparavant un beat staccato — avec sa ponctuation spécifique : le temps indiqué par la cymbale dans l'exemple Swing. Le be-bop amena une concentration supplémentaire, remplaçant largement le staccato par le legato (qui est souvent phrasé comme un triolet). Le rythme devient un « son continu », selon l'expression du batteur français Gérard Pochonet. La cymbale résonne constamment — créant le « son continu ». Le batteur exécute sur ses autres instruments — en particulier sur la grosse caisse — toute sorte d'accents rythmiques servant à accentuer le rythme fondamental. Comparé à ce rythme bop, le rythme du cool jazz semble indiquer une régression, combinant des caractéristiques rythmiques du Swing et du bop.

Au bas de l'exemple 7 (e) se trouve un rythme de musique de fusion (un parmi tant d'autres !). Ici réapparaît le rythme à deux temps — sous une forme masquée. La caisse claire (ligne centrale) l'insinue. La grosse caisse accentue le rythme fondamental en l'encerclant.

Le free jazz n'a pas de formule de base susceptible d'être notée. Le beat est remplacé par ce que maints musiciens de jazz nomment le « pouls » : une activité pulsative, de percussion si rapide et nerveuse que des temps simples, se détachant individuellement, ne sont plus perceptibles. Le déplacement physiologique du beat d'une correspondance avec les battements cardiaques à une vibration plus rapide, plus nerveuse, plus saccadée du pouls a souvent été mis en évidence tant par les musiciens que par les auditeurs (quoique le pouls se fonde également sur les battements cardiaques ; mais l'important ici est la différence des niveaux de conscience). Les parties mélodiques sont souvent jouées sur un tempo médium — par rapport à un beat fondamental qui, quoique n'étant plus marqué par aucun instrument, est perçu comme médium-rapide — tandis que le batteur produit un contraste en frappant tous ses instruments à un rythme frénétique. Voici sans conteste un nouveau moyen de créer la tension en obtenant des résultats stimulants : des tempos — tous différents les uns des autres — coexistant côte à côte et les uns au-dessus des autres. Les batteurs de free jazz emploient maintes formules rythmiques ayant été développées tout au long de l'histoire du jazz, ainsi qu'une multitude de rythmes nouveaux empruntés aux musiques africaine, arabe, indienne et exotiques diverses — parfois même à la musique de concert européenne. De nombreux musiciens pour lesquels la liberté du free jazz représente non seulement une libération par rapport aux harmonies conventionnelles, mais encore une expression raciale, sociale et politique accentuent les éléments africains — par fierté pour les traditions de leur race.

On a souvent donné à entendre que le swing — cet élément constitutif sans lequel le jazz est impensable — a cessé d'exister dans le free jazz. Or, seule une certaine symétrie métrique a disparu. Nos instincts musicaux avaient pour habitude de percevoir le swing comme étant ancré dans la friction entre la symétrie du rythme conventionnel, fondamental, et l'asymétrie des divers contre-rythmes et rythmes croisés qui s'élèvent au-dessus de ce rythme et le « contredisent ». En réalité le swing s'est « intériorisé » d'une manière encore plus concentrée et radicale que lors de la création du rythme be-bop. Certains musiciens contemporains ont appris à produire le swing à travers le phrasé (et donc à l'inclure dans le flux de la ligne mélodique) dans une mesure telle qu'ils jugent le type de swing dépendant de la simple symétrie d'un beat régulier et fondamental — ou simplement d'un beat de basse régulier — beaucoup trop évident, voire « primitif » et démodé. (Les années soixante-dix ont toutefois marqué la réapparition du plaisir simple et sensuel d'accentuer — parfois à l'excès ! — les rythmes conventionnels du swing et du Swing.)

Lorsque naquit le be-bop, la majorité des critiques et des fans se récrièrent : cette musique ne swinguait plus ! Quelques années plus tard, lorsqu'ils se furent habitués aux nouveaux rythmes, ces mêmes critiques et fans s'exclamèrent : cela swingue plus que jamais ! Les orchestres de dixieland eux-mêmes engageaient des batteurs be-bop dans leurs sections rythmiques.

Le jazz des années soixante-dix et des années quatre-vingts occupe une position similaire vis-à-vis du jazz des années soixante que le cool jazz à l'égard du be-bop, vingt ans auparavant. L'emploi d'éléments des formes de jazz antérieures est à nouveau tenu en haute estime à la lumière de la liberté nouvellement acquise. Il convient en outre de prendre en considération les éléments rock, dont nous avons parlé dans le chapitre consacré aux années soixante-dix.

En ces jours informatisés, nous en sommes arrivés à qualifier les rythmes du jazz rock ou du jazz fusion de « binaires », les différenciant ainsi des rythmes « ternaires » des formes de jazz conventionnelles. Le jazz rock s'articule sur la décomposition de la mesure en huit parties régulières — un fait qui explique la relation étroite qu'entretiennent le rock, le jazz rock et le jazz fusion avec la musique latine. Les batteurs Billy Cobham et Pierre Courbois firent remarquer cette similitude dès les premiers stades de l'évolution. Les rythmes de jazz traditionnels s'articulent en revanche sur une structure de triolet, c'est-à-dire sur un sentiment de rythme « ternaire ».

Pourtant ce que l'on observe sur un plan rythmique chez maints groupes de jazz contemporains découle toujours des modèles be-bop tels qu'ils se cristallisèrent durant les premières années du jazz moderne. On les retrouve partout dans le jazz actuel — même dans les formes contemporaines contrastant totalement avec le bop en termes de sonorité, de mélodie et d'harmonie.

Miles Davis expliqua, il y a plusieurs années, la complexité riche en tension de ces structures bop : « On jouait le blues et Bird (Charlie Parker) commençait sur la onzième mesure et la section rythmique restait où elle était tandis que Bird jouait où il était. On avait alors l'impression que la section rythmique était sur 1 et 3 au lieu de 2 et 4. Chaque fois que cela se produisait, Max (Roach, le batteur) avait l'habitude de hurler à Duke (Jordan, le pianiste) de ne pas suivre Bird, mais de rester où il était. Puis on se retrouvait en définitive là où le Bird l'avait prévu et on était à nouveau ensemble. » Davis appelait cela, selon Marshall Stearns, « renverser la section rythmique », et il aurait ajouté que cela le sidérait tellement au début qu'il avait « l'habitude de s'en aller tous les soirs ».

Stearns a démontré, en s'appuyant sur des enregistrements africains, qu'aucun style de jazz antérieur au free n'était plus proche de l'Afrique sur le plan rythmique que le be-bop. Les mètres simples, évoquant la marche du new orleans et du dixieland, furent remplacés par des structures rythmiques dans lesquelles les anciennes pratiques africaines paraissaient reprendre vie.

Ce processus se déroula sans le moindre contact direct entre le musicien de jazz moderne urbanisé et les rythmes d'Afrique occidentale. On serait en droit de penser que les musiciens ont revécu à un niveau subconscient une évolution que leurs ancêtres avaient vécue il y a plusieurs siècles — ou inversement, qu'ils se sont débarrassés d'habitudes ancrées non pas dans leur tradition mais dans la tradition européenne, devenant en conséquence de plus en plus libres et redécouvrant, consciemment *et* inconsciemment, leur véritable héritage rythmique. Cette vision est renforcée par le fait qu'en free jazz on assiste à une « africanisation » supplémentaire des rythmes jazz — songeons aux batteurs Sunny Murray ou Rashied Ali.

Dès les années cinquante, Art Blakey se rendit en Afrique occidentale pour se familiariser avec les anciens rythmes africains. Dizzy Gillespie avait engagé bien avant cela, vers la fin des années quarante, le joueur de conga Chano Pozo, qui était membre d'une secte africaine à Cuba, dont il était originaire. Les traditions d'Afrique occidentale sont demeurées beaucoup plus vivaces à Cuba qu'en Amérique du Nord.

L'exception d'hier est presque devenue la règle d'aujourd'hui sur maints enregistrements de jazz. Il est fréquent que des percussionnistes pratiquant des rythmes africanisés — latino-américains, mais surtout cubains, brésiliens et africains — soient engagés dans les sections rythmiques des groupes de jazz. Nous ne sommes plus confrontés à une faille qui était si courante dans les premières combinaisons de rythmes jazz et africains : un fossé rythmique.

Toutes ces remarques sont cependant insuffisantes. Il est possible de reporter sur une partition les rythmes les plus complexes de Max Roach ou d'Art Blakey — ou encore de Tony Williams, Billy Cobham et Jack DeJohnette — mais on découvre alors que la partition ne représente qu'un squelette misérable de ce qu'était la musique. Celle-ci swinguait et il est impossible de noter le swing. Il est d'ailleurs difficile de le traduire en mots. Jo Jones dit : « C'est une chose très simple, mais il est des choses que vous ne pouvez décrire, des trucs qui n'ont jamais été décrits... La meilleure manière d'exprimer ce qu'est le swing consiste à dire : ou votre jeu a le feeling, ou il ne l'a pas. La différence est la même qu'entre une poignée de main ferme et une autre molle. »

Jo Jones croit que la différence entre le jazz et la musique européenne réside dans le swing. Dans la musique européenne — « cette approche est scientifique » — le musicien joue les notes qui sont placées devant lui. Quiconque dispose d'une formation musicale et d'une bonne oreille est en mesure de jouer les parties requises. Mais pour jouer du jazz il ne suffit pas d'avoir une bonne formation musicale et de l'oreille. Voilà qui pose le problème de tous les cours de jazz dans les conservatoires et les écoles de musique où le musicien de jazz est censé étudier. Il est certain que ces établissements lui dispenseront un enseignement utile. Presque tous les représentants importants du jazz moderne ont étudié la musique et il est indispensable qu'un bon musicien connaisse et comprenne son art. Il n'en demeure pas moins que l'essentiel — le swing — ne s'apprend pas. On est déjà en peine lorsqu'il s'agit de le définir.

Il semble désormais logique que le « jazz symphonique », s'il appartient au domaine du réel, émanera du jazz et non de la musique européenne. Son avènement n'interviendra que si les éléments des deux secteurs musicaux se mêlent tout en préservant leurs caractéristiques propres. Les musiciens symphoniques qui ont essayé d'écrire du jazz ont jusqu'à présent été incapables de le comprendre. Ceci s'explique du fait que certains éléments qui lui sont immanents ne s'apprennent pas et que ces musiciens étant issus de la tradition européenne et non du jazz ne les possèdent pas naturellement.

Revenons-en au swing. Tout au long de l'évolution du jazz, le swing est devenu de plus en plus important et de plus en plus concentré. André Hodeir dit : « Le phénomène du swing ne devrait pas être considéré comme le résultat immédiat et inévitable d'une confrontation entre le génie rythmique africain et le beat 2/2. Ce que nous savons du jazz primitif exclut l'hypothèse selon laquelle le swing aurait jailli comme une étincelle du choc de deux pierres. Les enregistrements préarmstrongiens révèlent, au contraire, que le swing était tout simplement latent au départ et qu'il a pris forme progressivement sur une longue période... »

L'aspect de tension et de détente appartient au swing. Jo Jones a dit : « Un autre détail relatif au rythme est que lorsqu'un artiste joue de son instrument il respire d'une manière qui lui est naturelle, et il est écouté par un public qui respire avec lui. »

La régularité des conditions naturelles de respiration crée l'unicité du swing. Il n'existe jamais deux possibilités. Le pianiste de ragtime Wally Rose dit : « La seule manière que je connaisse de décrire le swing consiste à dire qu'il s'agit du type de mouvement rythmique où vous pouvez placer une note à l'endroit et au moment où elle s'impose. La seule chose qui vous tient unis c'est que l'ensemble de l'orchestre se retrouve sur ce temps à la seconde précise où chacun considère que le temps s'impose. La moindre déviation provoque tension et frustration. »

Le swing confère au jazz sa forme de précision particulière qui n'est comparable à aucun type de précision propre à la musique européenne. Les chefs d'orchestre et les compositeurs de musique symphonique ont été parmi les premiers à reconnaître cette vérité. La différence entre la précision de l'orchestre de Count Basie et celle des meilleurs orchestres européens — quelle que soit leur nature — est due au fait que la précision de Basie se fonde sur le swing, alors que celle des autres chefs résulte d'une formation académique. Les musiciens de Basie sentent que la note s'impose, et étant donné qu'ils éprouvent ce sentiment au même instant et sur la base du swing, tout est précis d'une manière directe, libre. La précision obtenue en respectant une tradition académique n'est quant à elle ni directe ni libre.

Au swing appartiennent en outre les multiples couches de rythmes et la tension existant entre elles — les déplacements des accents rythmiques et tout ce que nous avons dit à leur propos. Ce déplacement est nommé « syncope » en musique européenne. L'emploi de ce terme en jazz révèle cependant une incompréhension essentielle de la nature véritable de cette forme d'expression musicale. La syncope ne surgit que lorsque le déplacement syncopé d'une note est un événement irrégulier. En jazz il est parfaitement régulier — à un point tel que l'absence de syncope risque d'avoir des effets « syncopants » (si ce terme avait un sens en jazz).

Il doit être évident désormais que le swing n'est pas la tâche d'un batteur chargé de faire swinguer les solistes. Un musicien de jazz qui ne swingue pas — de lui-même et sans le support d'une section rythmique — n'est pas un musicien de jazz. Ceci explique l'opinion de maints musiciens modernes qui affirment qu'il est presque aussi aisé de swinguer sans qu'avec le soutien d'un batteur. Jimmy Giuffre déclare : « La pulsion qui engendre la pulsation doit être en vous. Je ne comprends pas pourquoi on devrait dépendre d'un tiers. » Nat Hentoff ajoute : « L'aptitude à swinguer doit tout d'abord être immanente à chaque musicien. S'il dépend d'une section rythmique... il se trouve dans la position du soupirant éconduit qui ne comprend pas qu'il faut être capable de donner de l'amour si on désire en recevoir. »

De telles déclarations, émanant de musiciens ou de critiques sensibles, constituent des explications plus satisfaisantes du phénomène swing que les définitions « exactes » de musicologues qui ne ressentent pas le swing. Il est en particulier inutile d'expliquer le swing comme étant une accentuation off-beat, comme c'est souvent le cas. Les off-beats — en d'autres termes, l'accentuation du temps « faible » sur lequel la musique européenne ne met pas l'accent en général — ne produit pas nécessairement le swing. Une partie considérable de la musique populaire moderne — même lorsqu'elle ne swingue pas — est riche en off-beats.

Le musicologue suisse Jan Slawe a exprimé certaines des idées les plus concises relatives au swing. Parlant du rythme et du mètre, dans son ouvrage *Versuch einer Definition der Jazzmusik*, il dit : « Le concept principal de la théorie du jazz est "la formation de conflit" ; à l'origine ces formations de conflit étaient de nature rythmique, existant dans l'antagonisme entre différents segments de temps musicaux exécutés simultanément. » Il ajoute plus loin : « La nature fondamentale du swing est exprimée dans la base rythmique de la musique dans son ensemble... Le swing suppose en particulier une régularité de temps afin d'être simultanément capable de la nier. La nature particulière du swing est la création de conflits rythmiques entre le rythme fondamental et le rythme de la mélodie ; telle est la pierre de touche musico-technique du jazz. »

Ces définitions demeurent néanmoins elles aussi insatisfaisantes. On a tant écrit sur le swing qu'on est tenté d'accepter une fois pour toutes le postulat voulant qu'il soit impossible de le définir par des mots. Peut-être convient-il de rechercher la raison de cette impossibilité dans le fait que le swing implique un sens du temps auquel il n'existe aucun précédent dans la musique européenne. L'ethnologie nous a montré que la notion africaine du temps — de même que celle des peuples « primitifs » en général — est plus holistique et plus élémentaire que celle du temps différencié de l'homme occidental. Le swing se développa lorsque se rencontrèrent les deux concepts du temps. Aucun des polyrythmes de la musique africaine, d'une complexité souvent supérieure à celle du jazz, ne possède le swing — au même titre que sa nature est ancrée dans le chevauchement de deux conceptions différentes du temps.

Les musicologues savent pertinemment que la musique est susceptible d'exister dans deux conceptions différentes du temps. Stravinsky parle de temps « psychologique » et « ontologique ». Rudolf Kassner parle, lui, de temps « vécu » et « mesuré ». Ces deux notions temporelles ne peuvent être égalisées dans les aspects les plus importants de notre être : une seconde de douleur devient une éternité, une heure devient un instant fugace dans un état de bonheur. Voilà qui est important pour la musique. La musique est l'art dans le temps... au même titre que la sculpture est l'art dans l'espace et la peinture l'art dans le plan. En conséquence nous sommes en droit de demander de quel temps il s'agit : psychologique ou ontologique, relatif ou absolu, vécu ou mesuré ?

Il n'est possible de répondre à cette question qu'en ce qui concerne un style musical particulier. On a dit que la relation entre le temps vécu et le temps mesuré revêtait une importance formative considérable pour la musique. Ainsi la musique romantique, en particulier à la fin du romantisme, est presque exclusivement un art du temps vécu, psychologique. L'expérience privée et subjective du temps prédomine ici. En revanche, la musique de Bach est presque exclusivement dans le temps mesuré, objectif, ontologique, reliée par chaque note au mouvement du cosmos, pour lequel peu importe qu'une minute nous paraisse interminable ou qu'une éternité nous donne l'impression de s'achever en une minute.

La question qui se pose est la suivante : quel est le temps du swing ? Et c'est ici qu'on découvre clairement pourquoi l'Occidental doit « se libérer de l'ombre de sa notion du temps » s'il désire comprendre le swing. Aucun doute ne subsiste : le swing est lié aux deux niveaux de temps de manière simultanée — au temps mesuré, objectif et au temps vécu, psychologique. Il est en outre lié à une notion du temps africaine et à une autre européenne. Le swing est ancré dans la conscience d'une incapacité tout à la fois désespérée et joyeuse à trouver un dénominateur commun au temps vécu et mesuré. Soyons plus précis : un dénominateur commun au temps vécu et mesuré a été trouvé, mais l'auditeur est conscient de la dualité — en d'autres termes, il est conscient du swing.

Les instruments du jazz

La trompette

La trompette a été baptisée « l'instrument royal du jazz ». Son son est en effet si perçant et si brillant que dans presque tous les passages d'ensemble auxquels participe une trompette c'est elle qui occupe le premier plan. Ceci vaut pour les collectifs de new orleans ainsi que pour les ensembles des grands orchestres, qui sont presque toujours dominés par la section de trompettes.

Sous le vocable « trompette » sont également rangés deux autres instruments, différents mais assez voisins, souvent joués par les mêmes musiciens : d'une part le cornet — en particulier dans les anciennes formes de jazz — et d'autre part le bugle — dans les styles plus récents. Dans les premiers temps du jazz, « trompette » signifiait presque toujours cornet. Plus tard, il y eut peu de cornettistes — sans doute parce que la trompette offre un champ et des possibilités techniques plus étendus. Quoi qu'il en soit, le cornettiste **Rex Stewart** fut l'un des plus grands virtuoses techniques de la « trompette » jusqu'au début du bop. D'autres trompettistes doués sur le plan technique — principalement dans l'univers du dixieland — demeurèrent fidèles au cornet ; parmi ceux-ci, citons **Wild Bill Davison** et **Muggsy Spanier**. En jazz moderne le cornet est employé entre autres par **Nat Adderley** et parfois par **Clark Terry** ; en free jazz par **Butch Morris**. Le bugle quant à lui acquit droit de cité dans certaines formes modernes de jazz en raison de sa sonorité ronde, fluide. Certains joueurs de bugle parviennent à donner à leur instrument une souplesse semblable à celle du saxophone, tout en préservant le brio original. Ses principaux tenants sont **Art Farmer**, **Thad Jones**, **Jimmy Owens**, le Hollandais **Ack Van Rooyen** et encore **Clark Terry**.

La première génération des cornettistes de jazz est celle de

Buddy Bolden — l'ancêtre du jazz new orleans qui jouait hélas ! à une époque où les disques n'existaient pas encore — et de ses contemporains actifs vers la fin du siècle dernier et au début de celui-ci. Ils interprétaient du jazz, ou une musique similaire — disons qu'il s'agissait de ragtime et de marche avec intonation hot. Entrent dans cette catégorie : **Freddie Keppard**, **Emmanuel Perez**, **Bunk Johnson**, **Papa Celestin**, **Natty Dominique**, et surtout **King Oliver**. Les enregistrements de ce dernier constituent un matériau riche pour l'étude. Ils possèdent cette sonorité rugueuse, terreuse, dure à laquelle fait encore défaut le ton triomphant que Louis Armstrong conféra à la trompette de jazz.

Tommy Ladnier associe cette sonorité à un feeling blues puissant et expressif, accentué essentiellement dans les registres graves de l'instrument. Ladnier s'inscrit dans la lignée directe d'Oliver. Il se rendit, dans les années vingt, jusqu'à Moscou, sous le surnom de « Tommy, le cornet parlant ». Il participa par la suite — avec Mezz Mezzrow et Sidney Bechet — aux célèbres enregistrements de new orleans organisés en 1938 à New York par le critique de jazz Hugues Panassié. Son solo sur *Really the Blues* jouit d'une réputation considérable parmi les amis du jazz traditionnel. Ladnier — né en 1900 — appartient à la génération de **Louis Armstrong**, mais on a tendance à le croire plus vieux, en raison de sa conception musicale. Nous avons parlé d'Armstrong dans un chapitre spécifique : il n'abandonna le cornet pour la trompette qu'en 1928. Armstrong est l'étalon par rapport auquel on mesure tous les trompettistes de jazz jusqu'à ce jour.

Parmi les musiciens qui jouèrent le plus *à la* Armstrong, citons **Hot Lips Page**, **Teddy Buckner** et **Jonah Jones**. Page, qui mourut en 1954, fut actif dans le cercle de musiciens de Kansas City de la fin des années vingt au milieu des années trente. Merveilleux joueur de blues, son instrument avait une sonorité si proche de celle d'Armstrong qu'il était parfois difficile de les différencier. En tant que chanteur il était également très proche d'Armstrong. **Jonah Jones** était l'un des trompettistes de big-band les plus sûrs de l'ère Swing, dans l'orchestre de Cab Calloway, par exemple. Ses enregistrements solides et pleins d'humour séduisirent nombre de musiciens qui jugeaient la trompette moderne trop complexe et celle de dixieland trop empreinte de clichés.

Revenons-en à la première génération des trompettistes (et cornettistes) blancs qui vit le jour avec **Nick LaRocca**, le fondateur de l'Original Dixieland Jazz Band. Son cornet conserva d'une certaine manière la sonorité des trompettes de cirque de la fin du siècle dernier, ce qui est paradoxal quand on songe qu'il prétendit avoir constitué avec son groupe le premier jazz-band.

Dans le domaine du vieux dixieland, mais possédant un talent beaucoup plus musical et différencié, citons la trompette de **Sharkey Bonano**. Muggsy Spanier et lui comptent parmi les trompettistes blancs qui sont souvent assimilés par les amateurs de jazz traditionnel au new orleans noir plutôt qu'au dixieland blanc. **Muggsy Spanier**, qui mourut en 1967, réalisa les premiers enregistrements du Chicago-style en 1924 avec son Bucktown Five. En 1939 il dirigea son propre groupe — le Muggsy Spanier's Ragtime Band — qui eut la vie brève — mais qui produisit une impression profonde et durable avec sa musique de dixieland pour le moins originale. Il enregistra en 1940 avec Sidney Bechet — accompagné uniquement par une guitare et une basse — créant ainsi une espèce de « musique de chambre » du jazz traditionnel.

Red Nichols et **Phil Napoleon**, deux musiciens représentatifs du « New York style », se situent dans la lignée de La Rocca tout en étant plus raffinés et plus musicaux. L'expression « New York style » est d'un usage courant pour désigner la musique produite par les jazzmen blancs de New York durant les années vingt et jusqu'au début des années trente. Ceux-ci n'avaient pas, comme leurs collègues de Chicago, le privilège de jouir d'un contact régulier et stimulant avec les grands de La Nouvelle-Orléans. En revanche, ils leur étaient souvent supérieurs sur le plan de la formation académique, de la technique et de la dextérité. Une comparaison entre Nichols et Bix Beiderbecke aidera à comprendre ce point : le jeu de Nichols était peut-être encore plus net et sans faille que celui de Bix, mais il était loin derrière Bix sur le plan de la sensibilité et de l'imagination. Les Original Memphis Five de Napoleon et les Five Pennies de Nichols produisaient une sorte de jazz « purifié », très apprécié en particulier du public « commercial ».

Bix Beiderbecke apporta de l'élégance et une sensibilité froide à la sonorité de la trompette de jazz. Il eut plus de disciples que tout autre trompettiste de son époque. **Bunny Berigan**, **Jimmy McPartland** et **Bobby Hackett** sont à classer parmi ceux-ci. La conception bixienne survécut jusque dans le jazz cool. Maints solos de Miles Davis, et plus encore de Chet Baker, donnent l'impression que le Chicago-style de Beiderbecke avait été « transformé » en jazz moderne — quoiqu'il n'existât pas de lien direct entre Bix et Miles.

Le musicien le plus apprécié parmi les successeurs de Beiderbecke fut **Bunny Berigan**, qui mourut trop jeune en 1942. Trompettiste de big-band affirmé, il travailla avec Benny Goodman et Tommy Dorsey vers le milieu des années trente et forma ensuite son propre orchestre, avec lequel il enregistra un succès encore plus considérable que le *Body and Soul* de Coleman Hawkins, quoiqu'il exerçât une influence moins durable : *I Can't Get Started*.

Le disciple le plus important de Beiderbecke, sur le plan du style, fut **Bobby Hackett**, qui mourut en 1976. Hackett était passé maître dans l'art d'interpréter des « standards », les grandes chansons de la musique populaire en Amérique. Son jeu jazz « traditionnel » était épicé de maintes expériences harmoniques et rythmiques caractéristiques de périodes plus « modernes ».

Max Kaminsky et Wild Bill Davison s'inscrivent également dans la lignée de Beiderbecke quoique se rapprochant plus d'Armstrong. Max émergea du cercle de Chicago. **Wild Bill Davison** fut pendant des années le trompettiste le plus passionnant des groupes d'Eddie Condon qui devinrent le point focal du jazz traditionnel à New York vers le milieu des années quarante et durant les années cinquante. Sans la vitalité et l'originalité de Davison, la musique de Condon n'aurait souvent été qu'une réminiscence « chaleureuse » du vieux Chicago.

Beiderbecke influença aussi les musiciens noirs — par exemple **Joe Smith**, un membre de l'orchestre de Fletcher Henderson. Le contraste entre l'élégance mélancolique de la trompette de Smith et les sons durs de l'orchestre d'Henderson demeure curieux jusqu'à ce jour. Henderson surnommait Smith : « le trompettiste le plus sensible que j'aie jamais eu ».

Rex Stewart, quoique ne comptant pas au nombre des successeurs de Beiderbecke, copia purement et simplement certains solos de Bix à l'époque où celui-ci était la coqueluche de tous les musiciens de jazz — ceci est tout particulièrement évident dans son enregistrement de 1931, avec l'orchestre d'Henderson, du célèbre *Singing the blues* sur lequel Bix avait déjà improvisé l'un des plus justement fameux solos de trompette de toute l'histoire du jazz.

Avec Stewart, nous abordons un groupe de trompettistes qui pourraient être décrits comme étant les « trompettes d'Ellington ». Il s'agit avant tout et surtout des trompettes du « jungle-style ».

Le premier s'inscrivant dans ce goupe fut **Bubber Miley**, qui mourut en 1932 et qui donna à l'orchestre d'Ellington des années vingt la coloration caractéristique associée aujourd'hui encore à Ellington. Bubber fut tout d'abord influencé par King Oliver. Si l'on se souvient du solo le plus célèbre d'Oliver — *Dippermouth Blues* — on perçoit mieux le lien direct existant avec le célèbre solo de Miley dans la première version d'Ellington de *Black and Tan Fantasy*, co-composé par Bubber.

Ellington était désireux de conserver la « couleur Miley ». Stewart, **Cootie Williams**, **Ray Nance**, **Clark Terry** et d'autres durent y veiller à diverses époques de la carrière d'Ellington. Cootie Williams jouait *growl* avec une expressivité et une force particulières. Il est le soliste de l'un des enregistrements les plus importants d'Ellington, *Concerto for Cootie* (1940). Stewart, qui mourut en 1967, a souvent été admiré pour la légèreté et l'assurance avec lesquelles il jouait même sur les tempos les plus rapides — et qui plus est de manière très expressive.

Un élément caractéristique du style de Stewart était la technique du demi-piston ; les pistons de la trompette ne sont comprimés qu'à mi-course. **Clark Terry** transposa ce mode de jeu en jazz moderne. Il a créé un style unique, entièrement personnel et est peut-être le seul trompettiste moderne (à l'exception des trompettistes de free jazz) à ne pas avoir oscillé entre Dizzy Gillespie et Miles Davis. Par ailleurs Terry est un maître de l'humour musical intelligent.

Tous les trompettistes mentionnés jusqu'à présent appartiennent à l'école Armstrong. On trouve face à celle-ci ce que l'on nommera pour des raisons de simplification : l'école Gillespie. Il s'agit aussi d'un produit de ce qui existait auparavant. La tradition Gillespie commence en fait bien avant Dizzy, avec **Henry « Red » Allen**. Allen, qui mourut en 1967, prit la place d'Oliver lorsque l'orchestre de ce dernier échut à Luis Russell en 1929. Le déplacement de l'accent de la sonorité vers le phrasé est indiqué pour la première fois dans son jeu. Allen, lorsqu'on le compare à ses contemporains, joue plus legato que staccato, d'une manière plus fluide, reliant plutôt que séparant ses phrases.

La tendance vers ce type de jeu devint plus marquée avec un groupe de trompettistes venu après Allen : **Roy Eldridge**, Buck Clayton, Harry Edison et Charlie Shavers. Eldridge devint le représentant le plus important de son instrument entre Armstrong et Gillespie. La fluidité devenait un idéal pour les trompettistes de jazz. Le saxophone est le plus « fluide » de tous les instruments de jazz, et c'est à ce stade que l'impact du saxophone sur la sonorité du jazz moderne fut révélé pour la première fois. Eldridge déclara un jour : « Je joue du saxophone à la trompette. » Il abandonna par la suite cette orientation, mais elle continua à exercer une influence active.

Roy Eldridge excelle dans l'impulsivité créative, **Charlie Shavers** dans le brio technique. Shavers, qui mourut en 1971, était un trompettiste hors pair qui ne pouvait être concurrencé à l'époque que par Harry James. Ce dernier, connu en raison de sa collaboration avec Benny Goodman, conduisit un orchestre de danse populaire depuis la fin des années trente jusqu'à la fin des années cinquante.

Buck Clayton et **Herry Edison**, enfin, jouaient de la trompette de la manière la plus douce et la plus tendre qui soit parmi les musiciens de Swing. Edison doit son surnom « Sweets » au fait qu'il adore manger des « douceurs ». Mais ce surnom s'applique également à la tendresse souple de son jeu. Il est, sur un plan harmonique, le plus « moderne » des trompettistes avant Gillespie, tandis que Clayton tend toujours quelque peu vers les harmonies traditionnelles. Tous deux comptèrent au nombre des solistes étoiles de l'orchestre de Count Basie à la fin des années trente. Edison devint, dans les années cinquante, un musicien de studio très actif à Hollywood ; il participa à des séances d'enregistrement avec des vedettes telles que Frank Sinatra, et plus tard à New York à des productions jazz et rock. Nul autre trompettiste n'a exprimé plus complètement la sensibilité du jazz moderne dans l'idiome du style Swing.

Edison influença un trompettiste qui jouera plus tard dans l'orchestre de Basie sensiblement le même rôle qu'il y avait occupé lui-même de 1937 à 1950 : **Joe Newman**. Le nom de Clayton apparaît en outre souvent lorsqu'on évoque les inspirateurs de **Ruby Braff**. Braff est un phénomène stylistique unique : un trompettiste de la génération jazz des années cinquante qui ne suivit pas la lignée de Dizzy ou de Miles, mais qui s'inscrivit dans une tradition jazz antérieure. Il devint un perfectionniste de la trompette Swing, plein de grâce et de charme tant en Swing qu'en dixieland. Il codirigea, dans les années soixante-dix, un quartette avec le guitariste George Barnes, dont le swing se caractérisait par une légèreté flottante. Cette tradition Swing vit toujours — comme chez **Warren Vaché**, qui, bien que ne s'étant imposé que depuis la fin des années soixante-dix, lui demeure redevable dans tout ce qu'il joue.

Les trompettistes de jazz commencèrent très tôt à utiliser les effets stimulants des registres les plus élevés de l'instrument — jouant bien au-dessus de l'étendue conventionnelle de la trompette. Cette tendance, comme presque toutes les tendances de l'histoire de la trompette de jazz, fut amorcée par Louis Armstrong. Mais Charlie Shavers fut le musicien qui influença le plus les spécialistes de la note haute : **« Cat » Anderson** et **Al Kilian** avec Duke Ellington, et en définitive **Maynard Ferguson**, qui doit sa renommée à sa collaboration à l'orchestre de Stan Kenton. Les disques de Kenton connurent des ventes records grâce aux montées étonnantes de Ferguson, mais les critiques condamnaient presque à l'unanimité ce mode de jeu. Plus tard, Ferguson prouva qu'il était un musicien de jazz à part entière ayant à la fois feeling et swing — en majeure partie avec les grandes formations qu'il conduisit vers la fin des années cinquante aux États-Unis, puis en Grande-Bretagne (nous y reviendrons dans le chapitre consacré aux grands orchestres).

Du point de vue de la technique pure et de la dextérité, Ferguson est le summum absolu des trompettistes de jazz. Il joue avec une aisance et une assurance des morceaux que d'autres jugeraient impossibles. Il ne produit pas de « cris perçants » lorsqu'il atteint des sommets inouïs, ce qui est une grande qualité ; même lorsqu'il joue dans le registre le plus aigu qui soit, ses notes sonnent juste et ses phrases demeurent musicales. Il ne se découvrit un concurrent que vers la fin des années soixante-dix dans la personne d'**Arturo Sandoval**, qui vit à Cuba et joue dans le grand orchestre d'Irakere.

Dizzy Gillespie fonda son style de jeu sur les performances instrumentales d'Eldridge et sur les contributions stylistiques des autres pionniers bop. Quoique se situant aux antipodes d'Armstrong, il n'est comparable à nul autre trompettiste sur le plan de la puissance et du brio. Gillespie a lui aussi fait l'objet d'un chapitre antérieur.

De même que tous les trompettistes de jazz traditionnel s'inscrivent dans la lignée d'Armstrong, tous les trompettistes modernes se sont inspirés de Gillespie. Les quatre plus importants des années quarante furent **Howard McGhee**, Fats Navarro, Kenny Dorham et le jeune Miles Davis. Le décès précoce de **Fats Navarro** fut autant pleuré par les musiciens de sa génération que ceux de Bunny Berigan et de Bix Beiderbecke l'avaient été par les représentants des périodes Swing et du Chicago-style. Le jeu clair, assuré de Fats fut le précurseur du style pratiqué par la génération du hard bop depuis la fin des années soixante, combinant les courbes mélodiques de Miles Davis au feu de Dizzy Gillespie. Dans son autobiographie *Moins qu'un chien*, Charles Mingus fait de Fats Navarro le symbole du jazz moderne.

Miles Davis commença sa carrière en imitant Dizzy, tout comme Dizzy avait commencé la sienne en imitant Eldridge. Il ne tarda pas à trouver son style propre. Miles est le fondateur et le représentant principal de la seconde phase du jeu de trompette du jazz moderne. Ses courbes mélodiques lyriques cultivent admirablement la sophistication de la simplicité, comprenant encore moins de vibrato que chez Dizzy — et le tout avec un ton moins scintillant que chargé d'une révolte sourde et froide. Après Davis, l'évolution de la trompette de jazz oscille entre Dizzy et Miles, souvent épicée d'une pointe de Fats Navarro (dont Clifford Brown prit en définitive la place). **Kenny Dorham** (qui mourut en 1972) s'avéra être un musicien s'inscrivant dans cette lignée, mais jamais son talent ne fut reconnu à sa juste mesure.

Chet Baker, Johnny Coles et Art Farmer sont tous proches de Miles Davis sur le plan du style, mais seul Chet subit l'influence directe de Miles. Baker obtint un succès phénoménal avec son solo sur *My Funny Valentine*, enregistré en 1952 avec le Gerry Mulligan Quartet. Il domina pendant une brève période tous les référendums de jazz. Son phrasé est si souple qu'on le qualifie parfois de « féminin ». Baker devint toutefois au cours des années soixante un trompettiste aux attaques saisissantes qui impressionnait par la logique et la forme de ses improvisations. Baker jouit d'une sorte de « comeback » depuis qu'a été reformée l'association Gerry Mulligan-Chet Baker à l'occasion d'un concert au Carnegie Hall en 1976. A la trompette bouchée, **Art Farmer**, qui vécut essentiellement en Europe pendant de nombreuses années, combine une mobilité fluide à une expressivité sensible teintée d'un puissant feeling jazz. Art — ainsi que **Johnny Coles** — sont les seuls trompettistes modernes capables d'égaler l'intensité lyrique de Davis sans l'imiter et en préservant leur jeu très reconnaissable. Il est intéressant de noter que ces deux trompettistes, qui n'essayèrent jamais de copier Miles, possèdent une force d'expression plus proche de la sienne que celle de tous les musiciens qu'il influença directement. Art Farmer se distingua en 1952 dans l'orchestre de Lionel Hampton dont est issu le trompettiste le plus vanté après Miles Davis : **Clifford Brown**, qui mourut en 1956 dans un tragique accident de la route. « Brownie », ainsi qu'on le surnommait, poussa plus avant le style de jeu de Fats Navarro. Il est à bien des égards, avec Navarro bien entendu, le « père de la trompette de hard bop ». Les musiciens noirs insensibles au cool jazz avaient continué à pratiquer le bop durant la première moitié des années cinquante. Rares furent ceux qui y prêtèrent attention. Ce fut le succès de Brownie qui permit la percée de ce style. Un mythe Clifford Brown se développa après son décès prématuré, comparable à la légende Beiderbecke. L'influence de Brown redevint notoire, et plus forte que jamais, à la fin des années soixante-dix avec l'émergence du néo-bop.

L'expérience musicale du cool jazz de la première moitié des années cinquante et la vitalité du bop des années quarante se fondit dans le hard bop. **Donald Byrd**, **Thad Jones**, **Joe Gordon**, **Lee Morgan**, **Bill Hardman**, **Nat Adderley**, **Benny Bailey**, **Carmell Jones**, **Idrees Suleiman**, **Dizzy Reece**, **Ira Sullivan**, le Yougoslave **Dusko Gojkovic**, **Ted Curson**, **Woody Shaw**, **Blue Mitchell**, **Booker Little** et **Freddie Hubbard** sont autant de trompettistes de cette lignée. Parmi la plus jeune génération citons : **Hannibal Marvin Peterson**, **Bobby Shew**, **Wynton Marsalis**, **Tom Harrell**, **Charles Sullivan**, **Jimmy Owens**, **Eddie Henderson**, le Japonais **Terumasa Hino**, **Jack Walrath** (qui doit sa renommée à sa collaboration avec Charles Mingus), **Cecil Bridgewater** et **John Faddis** (qui rappelle brillamment Dizzy Gillespie). Certains se détournèrent de leur orientation au profit du hard bop au fil des ans, ou la développèrent dans d'autres directions. Nombre d'entre eux subirent l'influence de John Coltrane — et ce d'autant plus qu'ils étaient jeunes.

Donald Byrd combina une certaine solidité académique à une telle souplesse professionnelle qu'il devint l'un des trompettistes de hard bop le plus souvent enregistrés. Il connut le succès dans les années soixante-dix dans le « funk jazz », malgré l'opposition de maints critiques. Byrd est l'un des plus grands professeurs de jazz. **Thad Jones**, un arrangeur exceptionnel, fut coleader du Thad Jones-Mel Lewis Big Band dès la fin des années soixante. Il est issu de l'orchestre de Basie, et il réalisa certains de ses premiers solos remarquables dans les Jazz Workshops, alors « expérimentaux », de Charles Mingus. Il vit à Copenhague, au Danemark, depuis le début des années quatre-vingts et sa sonorité possède encore plus de maturité que lorsqu'il était un musicien de studio très demandé à New York. **Lee Morgan**, qui mourut en 1972, et **Joe Gordon** travaillèrent avec le grand orchestre de Dizzy Gillespie vers le milieu des années cinquante. Morgan, qui à dix-huit ans était souvent employé par Dizzy, devint un musicien de hard bop souvent enregistré (en tant que membre de Jazz Messengers d'Art Blakey).

Carmell Jones, originaire de Kansas City, interprète des lignes de trompette tendres, sensibles avec un charme et une gentillesse que peu de trompettistes de cette génération révoltée ont jamais égalés. Carmell fut membre pendant un certain temps du Horace Silver Quintet, mais sa conception s'accordait mal à la musique funk et soul de ce dernier. Il est installé à Berlin depuis 1965.

Benny Bailey est un autre trompettiste de jazz créatif vivant en Europe. Sa sonorité pleine et ample lui a attiré beaucoup d'amis ; il est un véritable styliste et l'un des meilleurs premiers trompettes que l'on puisse souhaiter avoir dans une grande formation. Si Bailey vivait à New York il serait probablement aussi occupé que Clark Terry ; il combine en effet deux talents rarement associés : celui d'improvisateur inimitable et celui de musicien de studio parfait.

Terumasa Hino renonça à une carrière pourtant heureuse dans son Japon natal pour vivre à New York. Hino signifie en japonais « brûlant d'un feu intérieur », ce qui correspond parfaitement à sa manière de jouer. Nul autre trompettiste né en dehors des États-Unis ne possède sa puissance et son « souffle ». Il s'intéressa au jazz rock durant les années soixante-dix. **Hannibal Marvin Peterson**, qui se fit connaître dans l'orchestre de Gil Evans, a maîtrisé toute l'étendue du jazz de Bessie Smith à Coltrane avec une énergie et une fougue telles que le *New York Times* l'a surnommé le « Mohammed Ali de la trompette ».

L'évolution de la trompette, tant qu'elle se situa dans le jazz « tonal », n'apporta guère de nouveauté jusqu'au début des années quatre-vingts, hormis la perfection souvent étonnante de la fougue du bop. Après le décès prématuré du très prometteur **Booker Little** en 1961 (qui réalisa certains de ses plus beaux enregistrements avec Eric Dolphy), **Freddie Hubbard** et **Woody Shaw** devinrent les plus célèbres représentants de cette manière de jouer. Hubbard est le plus brillant trompettiste d'une génération de musiciens qui ont un pied dans le hard bop et l'autre dans le jazz fusion. Il joua de manière aussi inspirée dans les ensembles de Max Roach (par exemple) qu'au sein d'un orchestre de studio rassemblé par Friedrich Gulda, ou encore que sur divers enregistrements réalisés sous son nom et qui reflètent l'évolution du hard bop des années soixante au son électrique des années soixante-dix en passant par le free. Maints critiques ont déploré le caractère stéréotypé des productions de jazz rock et de jazz fusion de Hubbard. Pendant des années il oscilla entre la création d'une musique de jazz convaincante et la réalisation de disques plus commerciaux. Woody Shaw en revanche a suivi sa propre voie sans compromis. Il est probablement l'un des trompettistes de hard bop les plus inspirés.

Il suffit de voir combien de jeunes musiciens se sont orientés vers le nouveau be-bop pour comprendre combien leur génération est fascinée par ce style. **Tom Harrell** et **Wynton Marsalis** (qui fut engagé tout d'abord par Art Blakey, puis par Herbie Hancock) sont deux trompettistes parmi les plus intéressants de cette lignée. Certains trompettistes de be-bop de l'ancienne génération ont également bénéficié d'un regain d'attention imprévisible, en particulier **Red Rodney** et **Ira Sullivan**. Sullivan (qui joue également du saxophone ténor) est particulièrement attiré par la musique de Charlie Parker. Rodney se produisait déjà sur scène avec certains des plus grands orchestres des années quarante : Jimmy Dorsey, Gene Krupa, Woody Herman.

Abordons maintenant la question du jeu free ; pour ce faire il nous faut remonter dans le temps. **Don Cherry**, le pionnier, jouait d'une « trompette de poche » ressemblant à un cornet et évoquant une trompette d'enfant. Il fut découvert vers la fin des années cinquante au sein du quartette d'Ornette Coleman ; à l'époque la majorité des critiques ne voyaient en lui qu'un ami d'Ornette qui incidemment jouait aussi de la trompette. Il est devenu depuis lors un « poète du free jazz » possédant une expressivité brillante, intime, vantée par des musiciens aussi stricts et critiques que Miles Davis. Cherry vit en Europe depuis le milieu des années soixante. Il y a réalisé des performances remarquables — sur deux plans différents. D'une part, il a créé des œuvres d'une originalité particulière dans le cadre d'un nouveau jazz de grand orchestre. Leur charme et leur valeur mélodique les placent au-dessus de toutes les tentatives entreprises dans cette direction. D'autre part, il est devenu un représentant de la tendance « le jazz s'ouvre au monde » — de l'intégration dans le jazz d'éléments des grandes cultures musicales exotiques. Cherry a assimilé des éléments balinais, indiens, tibétains, arabes et chinois — non seulement à la trompette, mais encore sur des flûtes et des instruments divers.

L'importance de Cherry est illustrée par le fait que tous les autres trompettistes de free jazz sont restés dans son ombre pendant des années : **Lester Bowie**, **Clifford Thornton** (qui s'est également fait un nom au trombone à pistons), **Dewey Johnson**, **Bobby Bradford**, **Leo Smith**, **Butch Morris** et **Raphé Malik** pour les musiciens noirs ; **Don Ellis** et **Mike Mantler**, pour les blancs ; et **Toshinori Kondo** pour les Japonais.

Ellis, qui mourut en 1978, et qui devint célèbre vers la fin des années cinquante en tant que membre du sextette de George Russell, remporta un immense succès au festival de Monterey de 1966, où il présenta son nouveau grand orchestre. Il y exhiba une « trompette à quart ton » faite sur mesure et permettant de produire les nuances tonales les plus subtiles (le trompettiste tchèque **Jaromir Hnlicka** avait déjà employé un tel instrument avant lui, encouragé par la musique à quart ton du compositeur tchécoslovaque Alois Haba). **Mantler**, qui vient de Vienne, acquit sa renommée en tant que leader du New York Jazz Composers Orchestra et collaborateur de la compositrice (et pianiste) Carla Bley. **Lester Bowie**, qui est issu des cercles d'avant-garde de Chicago (la fameuse AACM - *Association for the Advancement of Creative Musicians*), a souvent été comparé à un « Cootie Williams d'avant-garde » avec ses solos expressifs, utilisant souvent — comme Cootie Williams — diverses sourdines. Il dit : « L'histoire de notre musique ne remonte pas seulement à 1890 et à La Nouvelle-Orléans. Elle est vieille de plusieurs milliers d'années ! C'est ce que nous essayons d'exprimer. »

La redécouverte de la tradition imprègne tous les styles de jeu. On la ressent tant dans le néo-bop que dans le free. **Bobby Bradford** et **Leo Smith**, par exemple, tous deux originaires de cette vieille patrie du blues qu'est le Mississippi, ont une sonorité qui évoque leur province natale, même dans leurs « excursions » les plus libres. Bradford, qui joue essentiellement du cornet, devint célèbre en Californie en tant que partenaire du clarinettiste John Carter. Leo Smith (lui aussi compositeur en quête de sons nouveaux) codirigea un groupe avec le bassiste allemand Peter Kowald au début des années quatre-vingts.

Il est intéressant de noter la multiplicité des connexions existant entre les trompettistes américains suivant cette orientation et nombre de leurs collègues européens. Les plus importants parmi ces derniers sont : **Kenny Wheeler**, **Harry Beckett**, **Ian Carr** et **Marc Charig** en Grande-Bretagne ; **Enrico Rava** en Italie ; **Tomasz Stanko** en Pologne ; **Manfred Schoof** en Allemagne ; ainsi que **Franco Ambrosetti**, surtout orienté vers le hard bop, en Suisse. De tous ces musiciens, Wheeler est le plus célèbre et celui qui possède l'étendue musicale la plus vaste : du free jazz au jeu esthétisant que maints fans de jazz associent aux productions des ECM Records. Enrico Rava est un maître du jeu « coloratura » — s'inscrivant dans la tradition italienne — affichant un amour marqué de la musique brésilienne. Tomasz Stanko est un personnage unique. Il est l'un des rares trompettistes dans le monde qui donnent des concerts en solo — sans le support d'une section rythmique — avec une richesse impressionnante d'expressions et de sons. Ian Carr doit sa renommée à la sonorité d'ensemble intelligente et merveilleusement harmonique de son groupe Nucleus.

Parmi les trompettistes ayant incorporé des éléments rock dans leur jeu, certains méritent une mention spéciale : **Randy Brecker**, **Eddie Henderson**, **Lew Soloff** (qui jouait au début des années soixante-dix avec le groupe Blood, Sweat & Tears), **Chuck Mangione**, et le musicien danois **Palle Mikkelborg**. **Doc Severinsen**, connu du grand public en tant que personnalité de télévision, a essayé, dans certains de ses enregistrements, d'ouvrir le concept du grand orchestre de jazz classique au rock contemporain. Mangione, avec sa musique entraînante et efficace, connaît le succès en particulier dans les collèges et les universités américains. Randy Brecker — qui est également un excellent joueur de bugle — doit sa renommée à son passage chez les Jazz Messengers d'Art Blakey et dans le quintette d'Horace Silver. Il est proprement le meilleur trompettiste spécialisé dans un type de jazz électrique complexe sur le plan technique ; il est en outre l'un des musiciens de studio les plus demandés de New York. Il est donc bien placé pour parler du « jazz rock » : « Jouer de la trompette est souvent difficile en rock parce que vous devez rivaliser avec toute cette électricité... Certains éléments du jazz ont été intégrés dans le rock, mais les musiciens de rock sont toujours incapables d'improviser au même niveau qu'un artiste de jazz. En tant que musicien de jazz, vous avez le sentiment d'être vous-même. En tant que musicien de rock, vous avez le sentiment d'être une star. »

Le trombone

Aux premiers temps, le trombone était un instrument de rythme et d'harmonie. Ce n'était guère plus qu'une « basse essoufflée » dans les premiers groupes de jazz. Il dispensait un fond harmonique supplémentaire aux instruments mélodiques — trompette et clarinette — sur lequel ces derniers pouvaient évoluer ; il renforçait en outre les accents rythmiques. Les trompettes et les trombones constituent, dans les grands orchestres, la « section à embouchures » à laquelle est opposée la « section à anches », comprenant le groupe des saxophones. Les embouchures et les anches forment la « section des cuivres », dont la contrepartie et le partenaire est la « section rythmique ».

Compte tenu du rôle de substitut de basse que devait remplir le trombone dans les marching bands de La Nouvelle-Orléans, il est permis d'affirmer que le style du premier trombone de jazz méritant d'être mentionné était déjà un signe de progrès. Ce style est nommé « tailgate ». Ce nom tient au fait que le trombone occupait plus de place que les autres musiciens sur les « band wagons » — les charrettes sur lesquelles les groupes traversaient les rues de La Nouvelle-Orléans les jours de fête — il devait s'installer aussi en retrait que possible, sur le *tailgate* (le hayon). Il disposait là de l'espace nécessaire à la manipulation de la coulisse. La position sur le hayon permettait des interventions efficaces, de type glissando entre les phrases mélodiques des autres cuivres. **Kid Ory**, qui mourut en 1973, fut le représentant le plus important de ce style.

Charlie Green est un tromboniste qui fit preuve d'une conception très personnelle dans la tradition new orleans. Bessie Smith appréciait ses accompagnements — comme dans *Empty Bed Blues* — ce qui donne une indication relative à son style, que l'on pourrait qualifier de trombone blues. D'aucuns l'ont comparé à cet égard au trompettiste Tommy Ladnier.

George Brunies est un important tromboniste blanc des premiers temps. Il faisait partie des New Orleans Rhythm Kings, et on évaluera d'autant mieux sa contribution si on prend la peine de comparer les parties de trombone dans les enregistrements des NORK à celles des disques de l'Original Dixieland Jazz Band. Le trombone fonctionne presque exclusivement comme une basse dans l'ODJB, tandis qu'il occupe une place subordonnée mais incontestablement importante dans l'ensemble contrapuntique dixieland des NORK.

Jimmy Harrison, qui mourut en 1931, fut le premier musicien de jazz à interpréter des solos de trombone expressifs, répondant à une conception musicale heureuse et bénéficiant d'une richesse mélodique. Les critiques le considèrent comme le trombone le plus important dans le domaine des anciens styles. Il fut l'un des principaux solistes de l'orchestre de Fletcher Henderson. Il fut en outre le premier à s'approcher de — sinon à atteindre — la sonorité mordante de la trompette avec son trombone.

Miff Mole est à maints égards une « contrepartie » blanche de Jimmy Harrison. L'inspiration puissante de ce dernier lui faisait peut-être défaut mais il était un tehnicien parfait et c'est son jeu plutôt que celui d'Harrison qui fit prendre conscience aux musiciens blancs du fait que le trombone était sur le point d'acquérir une identité « à part entière ». Le trombone de Miff fut une voix importante dans l'Original Memphis Five dirigé par Phil Napoleon, et avec ce dernier et Red Nichols, il forma le « triumvirat » des embouchures mémorables du style de New York.

Les trombonistes du Chicago-style furent également influencés par Mole — par exemple, **Tommy Dorsey** et Jack Teagarden. Dorsey devint au cours des années trente le « Sentimental Gentleman », leader d'un grand orchestre à succès qui n'avait plus tellement sa place dans la catégorie

« jazz ». Dorsey n'en demeura pas moins un instrumentiste d'une grande compétence technique possédant en outre un feeling indéniable. **Jack Teagarden** est issu d'une famille texane qui donna trois autres musiciens talentueux au jazz. Il était l'un des rares instrumentistes de jazz traditionnel à être respecté par les musiciens de cool jazz des années cinquante pour sa sonorité contrôlée, expressive et ses lignes souples. Bill Russo — un ancien arrangeur de Stan Kenton et un excellent trombone lui-même — dit qu'il était « un jazzman avec la facilité, l'ampleur, et la souplesse de n'importe quel trombone appartenant à n'importe quelle tendance ou à n'importe quelle époque ; son influence favorisa une approche même du trombone de jazz ». Teagarden — ou Big « T », ainsi qu'on le surnommait — était le tromboniste préféré de Louis Armstrong. Ils jouent et chantent en duo sur certains des enregistrements les plus merveilleux de l'histoire du jazz. Teagarden était un bluesman, tant comme chanteur que comme instrumentiste, affichant une attitude très moderne et très réfléchie à l'égard du blues.

Il y a également un groupe de trombonistes liés à Duke Ellington, mais ils ne sont pas aussi proches les uns des autres sur le plan stylistique que les trompettes d'Ellington. Citons **Joseph « Tricky Sam » Nanton**, Juan Tizol et Lawrence Brown. « Tricky Sam » est le grand homme du trombone growl. **Juan Tizol** ne joue pas du trombone à coulisse — comme la plupart des trombones de jazz importants — mais du trombone à piston. Il est le co-auteur, avec Ellington, du célèbre *Caravan* qui est considéré comme le premier morceau de jazz latin, alors que l'on relevait déjà des éléments latins dans le *New Orleans Blues* de Jelly Roll Morton et dans le *Saint Louis Blues* de W.C. Handy datant de l'époque de la première guerre mondiale. Il joue de manière douce et suave, sombrant parfois dans le sirupeux. Sa sonorité a été comparée à celle d'un violoncelle. **Lawrence Brown**, au style mélodique manquant parfois d'intensité, est un musicien très chaleureux sur un plan personnel ayant une préférence pour les mélodies harmonieuses (voire sentimentales).

Benny Morton, J.C. Higginbotham, Vic Dickenson, Dickie Wells, et Trummy Young sont les grands trombones du style

Swing. Leur jeu possède une même véhémence vibrante. Morton, Wells et Dickenson ont joué avec l'orchestre de Count Basie. Morton avait déjà travaillé avec Fletcher Henderson ; son jeu possède une qualité blues intense — une sorte de fusion Swing de Jimmy Harrison et Charlie Green. **Dickie Wells** a été décrit comme étant un musicien à l'« imagination romantique » par André Hodeir. Il est romantique non pas dans le sens d'un pathos excessif, mais plutôt d'une sensibilité créative puissante. Il suffit pour s'en convaincre d'écouter le vibrato incomparable de la sonorité de son trombone.

J.C. Higginbotham, qui mourut en 1973, fut le tromboniste le plus fougueux et le plus puissant de la période Swing — son timbre évoque la sonorité terreuse, tendue qui était connue dans les années vingt sous le nom de « gutbucket ». Son jeu possède parfois une qualité explosive, comme s'il frappait son instrument. **Vic Dickenson** possède un sens de l'humour vigoureux et plaisant qui perce parfois jusque dans ses solos sur tempo lent. Ses idées séduisantes et lyriques en font l'un des musiciens de Swing qui — par-delà toutes les frontières de style — ont joui d'une carrière remarquablement active, même dans les années soixante-dix. Dan Morgenstern écrivit au sujet de Dickenson : « Lorsqu'il saisit son trombone il vous conte une histoire qui est personnelle de bout en bout. Son instrument est le prolongement de son corps. L'aisance avec laquelle il le maîtrise fait que son instrument, en réalité quelque peu embarrassant, personnifie l'élégance même... »

Trummy Young est au trombone ce que Roy Eldridge est à la trompette. Il fut l'un des principaux solistes de l'orchestre de Jimmie Lunceford de 1937 à 1943. Son *Margie* fut un grand succès de l'époque. Louis Armstrong engagea Trummy Young dans ses All Stars en 1952, en remplacement de Jack Teagarden. C'est avec ce groupe que Trummy popularisa — et parfois banalisa — son style.

J.J. Johnson, le musicien qui créa le style moderne du trombone et qui en demeure l'incarnation, procède directement d'une part de Trummy Young et d'autre part — surtout sur le plan de la tonalité — de la verve véhémente de trombonistes Swing tels que Benny Morton ou J.C. Higginbotham. Il convient, avant de nous intéresser à lui, que nous mentionnions un trombone blanc, **Bill Harris**, virtuose à la brillante technique. Harris fut membre de l'orchestre de Woody Herman de 1944 à 1946, puis de 1948 à 1950 ; par la suite il continua à jouer de temps à autres avec Woody Herman. Son solo sur *Bijou*, enregistré avec Herman vers le milieu des années quarante, fut le solo de trombone le plus admiré de l'époque. Sa personnalité fut marquée par le contraste entre le style perçant, sautillant de ses solos sur tempo rapide et le vibrato soigné, étudié de ceux sur tempo lent. Ce contraste est si prononcé qu'on serait enclin à croire que deux musiciens sont impliqués si l'on ignorait qu'Harris, avec son allure quelque peu professorale, était responsable des deux parties. Harris, qui mourut en 1973, fut pendant des années avec J.J. Johnson le trombone le plus influent.

J.J. Johnson devint pour les trombones ce que Dizzy Gillespie est pour les trompettistes. Il joue non seulement du trombone bop, mais encore du « trombone-trompette ». Il confère à son instrument cette aura brillante qui fut longtemps associée à la trompette ; aucun trombone avant lui n'avait accompli une telle prouesse. Le jeu bouché de J. J., terreux, tendu, contraste avec cela ; il fait songer au trombone blues de Charlie Green mais avec toute la mobilité du jazz moderne. Johnson connut la même évolution que Gillespie : la nervosité du bop céda la place à une grande sobriété et à une souveraineté paisible. J. J., qui est également un excellent arrangeur, se rendit à Hollywood vers la fin des années soixante pour commencer une nouvelle carrière de compositeur et d'arrangeur de cinéma et de télévision. Il recommença à jouer du trombone en solo lors de la renaissance du be-bop à la fin des années soixante-dix ; son jeu était encore plus mûr et moelleux que durant la période de son grand succès. Cette maturité se révèle en outre dans ses déclarations : « En art, un changement ne devrait pas intervenir uniquement pour le plaisir de la nouveauté, comme il en va de la mode. Les styles nouveaux en musique, en peinture ou en poésie devraient être le résultat d'un nouveau mode de pensée dans le monde. Le prochain style naîtra dans les têtes et dans les cœurs de vrais artistes et non d'opportunistes ».

Kai Winding est l'équivalent blanc de J.J. Johnson. Il trouva, indépendamment de J.J., un style souvent si proche du sien qu'il est arrivé à plusieurs reprises qu'on les confonde. Le fait que deux musiciens aussi différents que Winding et Johnson en arrivent à des styles similaires est l'une des merveilles du jazz. Kai, né au Danemark, fut membre de l'orchestre de Benny Goodman, il acquit par la suite une place de premier plan à la faveur de sa collaboration avec Stan Kenton. Il était donc avant tout un musicien de grand orchestre. J.J. Johnson, d'Indiana, Noir, homme de combo des groupes be-bop, doit sa notoriété à son jeu sur la 52e Rue.

Ils conjuguèrent leurs talents en 1954-1955 dans le combo à deux trombones Jay et Kai qui donna tort à tous ceux qui s'imaginaient qu'un groupe dont les deux cuivres étaient les mêmes, joués qui plus est dans des styles similaires, serait monotone et terne. En réalité, le charme de ce combo à deux trombones tient justement aux multiples couleurs créées à l'aide de tout un arsenal de sourdines employées dans toutes les combinaisons possibles.

Dix ans plus tard, certains musiciens de hard bop méritent une mention spéciale : **Curtis Fuller**, Jimmy Knepper, Julian Priester, Garnett Brown et Slide Hampton (également remarquable en tant qu'arrangeur). Fuller est un représentant typique de la génération du hard bop de Detroit. **Jimmy Knepper**, qui fut associé pendant maintes années à Charles Mingus, a un style « perçant », vital dans lequel on retrouve des éléments du Swing et du bop. Knepper et **Garnett Brown** sont des trombones accomplis qui maîtrisent tous les genres, du jeu de grand orchestre conventionnel à l'expérimentation d'avant-garde. **Julian Priester** acquit la notoriété dans les années soixante alors qu'il jouait avec le Max Roach Quintet, une formation sans piano. Il travailla, dans les années soixante-dix, avec Herbie Hancock, au même titre que Garnett Brown, qui avait commencé sa carrière avec George Russell au début des années soixante et qui fut un brillant soliste du Thad Jones-Mel Lewis Band. **Slide Hampton** « modernisa », avec son octette de 1959, le Miles Davis Capitol classique de 1949, lui conférant une touche soul. Slide vécut pendant plusieurs années en Europe, jouant dans les groupes les plus divers, des quartettes aux grandes formations. Il s'associa au fameux ténor, Dexter Gordon ; leur collaboration fut des plus heureuses en Europe durant les années soixante. Dix années plus tard, aux États-Unis, Slide Hampton organisa une entreprise unique dans l'univers du jazz : son *World of Trombone*, enregistré en 1979, avec pas moins de neuf excellents trombones parmi lesquels **Janice Robinson** et Curtis Fuller.

J.J. Johnson et Bill Harris exercèrent une influence presque inestimable sur tous les trombonistes qui leur succédèrent. **Frank Rosolino** s'inscrit dans la lignée directe de Johnson. Son feeling typiquement italien pour les effets, son tempérament et son sens de l'humour émergent souvent de l'orchestre de Stan Kenton de 1953-1954. Il demeura, durant toutes ses apparitions et sur tous ses enregistrements, un homme de be-bop jusqu'à son décès tragique en 1978. Le jeu de **Carl Fontana** n'a pas le même sens des effets que celui de Frank, mais il n'en possède pas moins une grande souplesse et abonde en subtilités harmoniques. Fontana est également un homme de grand orchestre ; il travailla avec les formations de Kenton et de Woody Herman. Les autres trombones s'inscrivant dans ce courant sont **Frank Rehak** et **Eddie Bert**, ce dernier étant un improvisateur influencé par Bill Harris, au tempérament fantasque.

Rehak, Bert, Al Grey, **Bill Watrous** et surtout **Urbie Green** sont des trombones souples, capables de jouer n'importe quel style et de satisfaire n'importe quelle demande : ils sont en quelque sorte les « Vic Dickenson » du jazz moderne. Urbie, qui doit sa célébrité à sa collaboration avec Benny Goodman dans les années cinquante (durant cet engagement il lui arriva souvent de « remplacer » Benny), a dit : « Mon jeu a été comparé à celui de presque tous les trombones ayant existé. La raison en est probablement que j'ai dû jouer dans tant de styles différents — dixieland, dans le style de Dorsey, et plus tard, jazz moderne... » **Al Grey** ajoute à cette souplesse, le sens de l'humour qui a toujours été très vivace parmi les trombonistes — depuis le style « tailgate » jusqu'à Vic Dickenson et Trummy Young et même à Albert Mangelsdorff et Ray Anderson, que nous évoquerons plus tard. Grey est un vétéran du big-band : de Benny Carter et Jimmie Lunceford à Lionel Hampton, Dizzy Gillespie et Count Basie.

Willie Dennis, qui mourut en 1965, est un musicien des plus personnels. Il est le principal représentant de l'école Tristano au trombone. Il formait la plupart de ses notes avec ses lèvres de sorte qu'il ne devait presque pas utiliser la coulisse. Il obtint ainsi une fluidité telle au trombone à coulisse que rares sont ceux qui l'ont égalée, même au trombone à pistons. En outre, sa sonorité possédait une grâce chantante des plus extraordinaires.

Citons parmi les principaux trombonistes des années soixante : **Jimmy Cleveland**, Curtis Fuller, évoqué plus haut, et Bob Brookmeyer. Cleveland est un « super J.J. », dont le jeu brillant semble presque exploser, d'autant que son caractère enflammé se combine à l'aisance d'un saxophone de la manière la plus naturelle qui soit.

Le trombone à pistons de **Bob Brookmeyer**, en revanche, modernisa le classicisme de Lester Young et rendit plus « cool » la tradition de sa ville natale, Kansas City. Il enregistra avec Jimmy Giuffre un album intitulé *Traditionalism Revisited* qui illustre la position du classicisme : la tradition jazz envisagée du point de vue du jazz moderne. Il transpose ici dans le monde du jazz moderne de vieux thèmes tels que le *Santa Claus Blues* et *Some Sweet Day* de Louis Armstrong, *Sweet Like This* de King Oliver, *Jada* de Tommy Ladnier et *Louisiana* de Bix Beiderbecke. Brookmeyer connut à l'instar de J.J. Johnson et de maints musiciens bop et cool un comeback à la faveur de l'émergence du néo-bop de la fin des années soixante-dix.

Parmi les trombones de la plus jeune génération qui poursuivirent, raffinèrent et interprétèrent la tradition J.J. Johnson d'une manière contemporaine, citons **Janice Robinson**, **Bruce Fowler**, **Tom Malone** (qui joue de treize instruments outre le trombone) et **Jiggs Whigham**, qui vit en Europe où il dirige la section jazz de l'académie de musique de Cologne. **Wayne Henderson**, **Glenn Ferris** et le Brésilien **Raoul De Souza** ont transposé ce mode de jeu dans le jazz rock, le funk et le jazz fusion, enregistrant de multiples albums où l'électronique tenait un rôle important.

En free jazz, **Grachan Moncur III**, **Roswell Rudd** et **Joseph Bowie** comptent parmi les musiciens importants qui élargirent et infléchirent le spectre sonore de leur instrument, incluant des éléments de bruit dans leur musique. **Roswell Rudd** mérite une attention particulière dans ce secteur ; il a en effet une approche quelque peu dixieland et blues de ses incursions dans la liberté tonale. Rudd s'intéresse à la musique folklorique internationale, dont l'influence sur son jeu est perceptible au niveau des effets vocaux qu'il utilise : « Qu'il me suffise de dire que les techniques vocales que j'associais à une époque aux seuls chanteurs de jazz de mon pays me sont apparues comme étant communes aux plus vieilles traditions musicales connues du monde entier. Ce que j'avais toujours considéré comme le summum de l'expression musicale en Amérique, le blues, est perceptible partout dans ce que l'on nomme l'univers folklorique. » Cette déclaration est extraite d'un article intitulé à juste titre « The Universality of the Blues » paru dans *Down beat* et signé par Roswell Rudd, qui est également un excellent professeur. Rudd s'est associé au saxophoniste soprano Steve Lacy, leur collaboration s'avéra des plus fertiles. Il est intéressant de noter que tous deux s'engagèrent dans la voie du free, en venant directement du dixieland et « sautant » les phases intermédiaires.

Le trombone, plus que tout autre instrument à l'exception de la clarinette, disparut presque complètement de la scène durant les années soixante. Ses meilleurs praticiens — J. J. Johnson, Kai Winding, et Bill Harris, notamment — ne se produisaient pour ainsi dire plus. Dans les sondages consacrés au jazz, le trombone était l'instrument recueillant le moins de faveurs. Les trombonistes européens prirent en quelque sorte la relève à cette époque : **Paul Rutherford** en Grande-Bretagne, **Eje Thelin** en Suède et surtout **Albert Mangelsdorff** en Allemagne. Ils élaborèrent de nouveaux styles de jeu, créant une nouvelle lignée de trombonistes, vivante et florissante.

Mangelsdorff émancipa les longues lignes de l'alto Lee Konitz, sous l'influence duquel il débuta dans les années cinquante, en un processus progressif apparemment nécessaire, devenant encore plus libre sur le plan harmonique jusqu'à accéder à la « liberté », au sens propre du terme. Depuis le début des années soixante-dix, Mangelsdorff a mis au point une technique qui lui permet de jouer des « accords » sur son instrument — il fut le premier trombone de jazz à obtenir un tel résultat. En soufflant une note et en en chantant simultanément une autre, un ton plus bas, Mangelsdorff donne à la tonalité vocale la qualité sonore du trombone. Outre ces deux tons, Mangelsdorff crée — en même temps ! — des accords de trois, quatre et cinq tons en jouant avec les échelles harmoniques engendrées par la friction entre les tons soufflés et ceux chantés. Cet emploi conscient des harmoniques est une découverte spécifique du free jazz des années soixante — il est particulièrement notoire parmi les saxophonistes, pour qui les harmoniques devinrent souvent plus importantes que les tons soufflés *de facto* (songeons à Pharoah Sanders, Dewey Redman, et Albert Ayler).

Mangelsdorff enregistra nombre de ses meilleurs disques avec d'importants batteurs américains tels qu'Elvin Jones, Alphonse Mouzon et Shannon Jackson. Il parvient, dans ses longues prestations en solo — sans section rythmique — à conserver l'attention de son auditoire grâce à la richesse de ses idées et de ses sons. Son nom occupe régulièrement les premières places des sondages américains depuis les années soixante — quoiqu'il ne réside pas aux États-Unis. (Les Européens n'accèdent le plus souvent à une telle renommée en Amérique que s'ils décident de s'y installer.) En 1980 un sondage réalisé auprès des critiques par le magazine *Down beat* révéla que Mangelsdorff était considéré comme le meilleur tromboniste mondial.

Maints musiciens considèrent que la scène du trombone est plus riche en Europe qu'aux États-Unis. En Suède, Eje Thelin développa un style de trombone en solo, riche en accords, évoquant celui de Mangelsdorff sans pour autant s'en inspirer. Parmi les jeunes joueurs de trombone, citons surtout l'Allemand **Günter Christmann**, le Hollandais **Willem Van Manen** et l'Allemande de l'Est **Connie Bauer** — ainsi que le Japonais orienté vers le bop et la fusion, **Shigeharu Mukai**.

La scène du trombone fut revitalisée dans les années soixante-dix en Amérique dans le cadre du mainstream contemporain, essentiellement par **Bill Watrous** ; en free jazz par **George Lewis**, qui fit ses débuts avec Anthony Braxton.

Watrous joue avec une puissance et un brio fantastiques ; il possède en outre une virtuosité technique étonnante. Lewis, qui appartient à l'AACM, a étudié la philosophie, en particulier les philosophes allemands Heidegger et Husserl. Le niveau de pensée abstrait nécessaire à cette démarche se ressent également dans sa musique. Lewis s'intéresse en outre aux sons électroniques : « Avec le synthétiseur vous disposez d'une source nouvelle de sons, de rythmes, de timbres et de couleurs. Il suffit de les organiser de manière rythmique. Je veux être capable de tout tirer de cet instrument au même titre que de mon trombone... »

Ray Anderson est un autre tromboniste puissant qui acquit la notoriété dans les années soixante-dix. Lui aussi commença sa carrière avec Anthony Braxton, mais il n'est pas aussi abstrait que ce dernier. Anderson, qui aime les lignes mélodiques saisissantes, nous rappelle qu'il est un élément inhérent au trombone qui a marqué toute son histoire, à savoir l'humour.

La clarinette

La clarinette a été tout au long de l'évolution du jazz un symbole d'interrelation. La fonction de la clarinette dans le vieux contrepoint néo-orléanais, remplissant les espaces entre la trompette et le trombone jouant en contraste, et les emmêlant tel du lierre, est caractéristique de sa position. Il n'est pas surprenant que la clarinette connut sa grande période durant l'époque Swing, lorsque jazz et musique populaire étaient en grande partie synonymes.

Alphonse Picou (1879-1961) fut le premier clarinettiste de La Nouvelle-Orléans dont le style acquit une certaine notoriété. Son célèbre chorus sur *High Society* est l'un des solos les plus copiés de l'histoire du jazz. Presque tous les clarinettistes ayant interprété *High Society* à ce jour citent Picou — tout comme chaque trombone jouant *Tin Roof Blues* cite des extraits du solo de George Brunis avec les New Orleans Rhythm Kings, à moins qu'il ne le reproduise dans son intégralité.

George Lewis est le second clarinettiste important du

vieux new orleans — quoique son influence se fît sentir beaucoup plus tard, à l'occasion de la renaissance du new orleans dans les années quarante et cinquante. Lewis (1900-1968) participa à l'activité jazz de La Nouvelle-Orléans depuis l'âge de seize ans. Il travailla sur les docks dans les années trente jusqu'à ce que le mouvement de renaissance du new orleans lui apporte la gloire mondiale. Le public des années cinquante, inondé d'amateurisme et de disques de new orleans et de dixieland commerciaux, reconnut un jazz new orleans authentique dans les enregistrements de George Lewis — réalisés au départ avec le trompettiste Bunk Johnson, puis avec ses propres groupes réunissant les meilleurs musiciens du style. Le jeu de clarinette tendre et fragile de Lewis — songeons à son classique *Burgundy Street Blues*, trouva des admirateurs dans maints pays, y compris le Japon, à la faveur de ses longues tournées mondiales.

Le fait que le grand triumvirat de la clarinette jazz, **Johnny Dodds - Jimmie Noone - Sidney Bechet**, ait enregistré avant Picou et Lewis, alors qu'ils s'inspiraient en quelque sorte sur le plan musical et stylistique de leur manière de jouer, est révélateur des multiples couches de l'évolution du jazz. Picou, Lewis, et bien entendu Bechet n'étaient en fait que les derniers représentants d'un style cultivé dans la vieille Nouvelle-Orléans par maints clarinettistes créoles. J'ai entendu en 1964, sur une île de la Martinique, un homme de quatre-vingts ans qui jouait à l'occasion d'une foire et dont la sonorité rappelait à s'y méprendre celle de Sidney Bechet ; or il n'avait jamais entendu prononcer le nom de ce grand clarinettiste. Par ailleurs, lorsque Bechet découvrit la musique de la Martinique à Paris, il interpréta plusieurs morceaux du folklore martiniquais comme s'il s'agissait de danses créoles de La Nouvelle-Orléans.

Mais revenons-en au triumvirat Dodds-Noone-Bechet. Noone est surtout connu pour la douceur et la subtilité de son timbre. Comparées aux siennes, les improvisations de Johnny Dodds paraissent presque sauvages et brutales. Dodds — un maître du registre bas de son instrument — était le clarinettiste préféré de Louis Armstrong à l'époque des enregistrements du Hot Five et du Hot Seven. Bechet, dont nous reparlerons dans le chapitre consacré au soprano, est la personnification du jazz *espressivo.* Le vibrato puissant, émouvant de sa clarinette produisait une sonorité reconnaissable même du profane. En France, où Bechet vécut durant les dernières années de sa vie (il mourut en 1959), il était aussi populaire que les plus grands chanteurs. Même lorsque son jeu fut devenu quelque peu maniéré, voir cet homme digne aux cheveux blancs de la vieille Nouvelle-Orléans jouer parmi les jeunes existentialistes de Saint-Germain-des-Prés constituait une expérience des plus émouvantes.

Albert Nicholas, le dernier grand clarinettiste de La Nouvelle-Orléans, s'installa lui aussi à Paris (il optera en définitive pour la Suisse, où il s'éteindra en 1973). Son style très « clarinette », d'une grande maîtrise technique, se rapprocha fortement de celui de Bechet durant les années cinquante, quoiqu'il conservât toujours cette richesse d'invention et de mobilité qui fit souvent défaut à Bechet durant les dernières années de sa vie. Nicholas — également un Créole — est issu des orchestres de King Oliver et Luis Russell, tandis que le Bechet des années vingt est essentiellement représenté par des disques enregistrés avec le Clarence Williams Blue Five. Bechet travailla, durant les années trente, avec ses propres New Orleans Feetwarmers. Parmi ses enregistrements à la clarinette les plus importants, citons ceux qu'il réalisa avec le pianiste Art Hodes dans les années quarante.

Nicholas — ainsi qu'Omer Simeon et Barney Bigard — appartiennent à ce que l'on pourrait nommer la troisième génération de la clarinette de jazz. **Omer Simeon** fut le clarinettiste préféré de Jelly Roll Morton, tandis que **Barney Bigard** doit sa notoriété en majeure partie aux solos fluides, souples qu'il enregistra en tant que membre de l'orchestre de Duke Ellington de 1928 à 1942, et avec les All Stars de Louis Armstrong de 1946 à 1955 ; il est l'un des rares musiciens à avoir travaillé aussi longtemps avec ces deux géants. Bigard, qui mourut en 1980, était un sorcier de la mélodie — jouant avec beaucoup de feeling et un dynamisme presque égal à celui de Benny Goodman.

Bigard, quoique redevable à la tradition néo-orléanaise, appartenait déjà dans sa grande période aux clarinettistes de Swing. Avant d'évoquer ces derniers, nous devons récapituler l'histoire des clarinettistes de jazz blancs. Tout commença avec **Léon Roppolo** des New Orleans Rhythm Kings, ce célèbre groupe blanc des années vingt. Roppolo est un homme taillé dans le même bois que Beiderbecke, un genre courant dans le monde du jazz, qui semble brûler son être dans sa musique et dans sa vie. Les plus importants de ses successeurs dans le Chicago-style sont **Frank Teschemacher**, Jimmy Dorsey et Pee Wee Russell. Tous trois ont joué avec Bix Beiderbecke. Teschemacher, qui est décédé en 1932, aimait lier et diluer ses notes — nourrissant peut-être la conviction inconsciente qu'ainsi sa sonorité s'approcherait plus de celle d'un musicien noir. Il exerça une influence considérable sur le jeune Benny Goodman. **Jimmy Dorsey** s'éleva jusqu'à la gloire avec le grand orchestre qu'il dirigea à partir des années trente, ainsi que grâce à sa collaboration avec son frère Tommy, qui fut souvent interrompue en raison de querelles. Jimmy fut un clarinettiste, et plus encore un saxophoniste alto, influent du fait de sa dextérité et de son assurance technique. Ainsi Charlie Parker ne tarissait-il jamais d'éloge à son sujet — trahissant cette tendance émouvante des musiciens à surestimer les capacités techniques de leurs maîtres. **Pee Wee Russell**, qui mourut en 1969, préférait les registres bas de la clarinette. Il jouait avec un vibrato et un phrasé tels qu'il est en quelque sorte à Lester Young et à Jimmy Giuffre ce que Bix Beiderbecke semble avoir été à Chet Baker. Willis Connover le surnomma « le poète de la clarinette ».

Il convient enfin de mentionner parmi les clarinettistes de Chicago **Mezz Mezzrow**, un musicien qui doit sa célébrité à l'amitié du critique de jazz français Hugues Panassié. Il était un technicien médiocre et un improvisateur qui devait souvent se limiter à lier des tierces. Il jouait cependant avec une sensibilité blues que l'on rencontre rarement chez un musicien blanc de sa génération.

« La race, écrivit Mezzrow, m'a donné un sentiment d'infériorité. J'en suis arrivé à me demander si je n'étais pas totalement dépourvu de talent en tant que musicien, ou en tant qu'artiste en général, en dépit de mes grandes idées. » La contribution la plus importante de Mezzrow n'est pas son jeu de clarinette mais son roman à base autobiographique *Really the Blues*, dans laquelle l'atmosphère du Chicago des années vingt et plus encore du Harlem des années trente et quarante est saisie avec un talent tel qu'Henry Miller lui-même exprima son enthousiasme. Quoique Blanc, Mezzrow se décrivit souvent comme un Nègre, et lorsqu'il se retrouvait en prison il insistait pour être placé dans la section des Noirs. Il gagna sa vie pendant un certain temps en vendant de la marijuana à Harlem et il décrivit l'effet de la drogue dans une langue d'une puissance exceptionnelle et d'un très haut niveau littéraire. Son autobiographie dégage une vitalité débordante : « Voilà ce que le style new orleans célébrait en réalité : le triomphe de tout ce qui vit, respire, joue des biceps, cligne de l'œil et se lèche les babines en dépit des saloperies du monde. C'était un défi aux pompes funèbres, un refus de se laisser abattre, une réaction obstinée, un cri de louange à l'appareil circulatoire, un hosanna aux glandes sudoripares, un hymne aux entrailles qui braillent quand elles sont vides. Alleluia ! Le soleil luit[1] ! »

La nature intrinsèque de l'instrument est peut-être responsable du fait que des éléments du jazz traditionnel soient demeurés vivaces pour les clarinettistes des années soixante-dix et quatre-vingts, et ce de manière beaucoup plus prononcée que pour tout autre instrument. Ceci vaut, par exemple, pour **Bob Wilber**, qui fut inspiré au départ par Bechet, et pour **Kenny Davern**. Tous deux combinent la chaleur du jeu traditionnel et une forme d'élégance contemporaine. Wilber dit un jour : « J'avais le sentiment à l'époque (durant les années cinquante) et plus encore aujourd'hui qu'il existait une sorte d'*unicité* en jazz. Le style ne devrait pas être une barrière entre les musiciens. »

Mais revenons-en aux années trente : le clarinettiste auquel pense le profane dès qu'il est question de cet instrument est **Benny Goodman**. Lui aussi est issu du cercle du style de Chicago. Il est le « Roi du Swing », son jeu scintillant et soigné est responsable du fait que clarinette et Swing sont souvent synonymes. « B.G. », ainsi qu'on le surnomma, est l'un des grands stylistes du jazz, un musicien au charme, à l'esprit et à la gaieté intarissables. Son jeu de clarinette est

1. Extrait de *Really the Blues*, publié en français sous le titre *La Rage de vivre*, Buchet-Chastel et Livre de Poche. *(N.d.T.)*

aussi bien associé aux enregistrements qu'il réalisa avec son grand orchestre qu'à ses participations à de petits combos : du Benny Goodman Trio, avec Teddy Wilson au piano et Gene Krupa à la batterie, en passant par le quartette qui révéla Lionel Hampton, au Benny Goodman Sextet dans lequel le guitariste Charlie Christian contribua à ouvrir la voie au jazz moderne. En terme d'expressivité, Goodman accomplit à la clarinette presque tout ce que les autres instruments étaient incapables de réaliser jusqu'à l'avènement du jazz moderne. Il le fit toutefois — et nous touchons ici au cœur du problème — sans la finesse harmonique ni la complexité rythmique du jazz moderne. Ceci explique peut-être la position désavantageuse qu'occupe la clarinette dans cette forme d'expression. Par ailleurs, « B.G. » est un maître ès subtilités. Sa dynamique s'étend du pianissimo le plus doux au fortissimo le plus joyeux, avec une finesse incomparable. La manière dont Goodman réussit à jouer les notes les plus douces tout en captivant — même lorsqu'il se produit avec une grande formation — l'attention des auditeurs du dernier rang d'une vaste salle de concert est tout simplement étonnante.

Artie Shaw et **Woody Herman** sont deux autres clarinettistes célèbres de l'époque Swing. Tous deux avaient des grands orchestres pour « célébrer » leur clarinette « à la Goodman ». **Jimmy Hamilton**, **Buster Bailey** et indirectement Edmund Hall furent également influencés par Goodman, au même titre que tous les clarinettistes qui jouèrent avec lui et après lui — à l'exception de Lester Young et des clarinettistes modernes qui suivirent sa lignée. Hamilton a interprété avec Duke Ellington des solos encore plus doux et plus retenus que ceux de Goodman. Si les théories des racistes du jazz étaient correctes, on serait forcé de conclure — en comparant Hamilton et Goodman sur le plan de l'aura — que le premier était Blanc et le second Noir, alors que l'inverse est vrai. Hamilton devint, durant les années cinquante, un clarinettiste important du jazz moderne, et il est regrettable que son nom ne soit pas plus souvent asocié à ceux de Buddy DeFranco, Tony Scott et Jimmy Giuffre. Peut-être est-ce dû au fait qu'en tant que membre de l'orchestre d'Ellington, Hamilton fut éclipsé par tant de solistes ellingtoniens plus célèbres : Harry Carney, Johnny Hodges, etc. Deux autres bons clarinettistes de l'orchestre de Duke Ellington furent **Russel Procope** et **Harold Ashby**, dont les instruments principaux étaient toutefois, pour l'un le saxo alto, pour l'autre le saxo ténor.

Edmond Hall, qui mourut en 1967, fut le clarinettiste Swing noir le plus important et le meilleur styliste Swing sur cet instrument — avec Benny Goodman bien évidemment. Il avait un ton mordant, offensif qui contraste souvent avec la souplesse de Goodman. Hall joua, durant les années quarante et cinquante, avec la bande du New York Dixieland d'Eddie Condon. **Peanuts Hucko**, un clarinettiste qui joue du « Benny Goodman à la sauce dixieland », appartient aussi à cette catégorie de musiciens.

Le fait que les approches du jeu de divers instruments suivirent un cours parallèle est révélateur de la justesse organique de l'évolution du jazz. Presque chaque instrument possède son Roy Eldridge ou son Charlie Parker. L'« Eldridge » de la clarinette est Edmond Hall ; le « Parker » de cet instrument fut **Buddy DeFranco**, le premier clarinettiste qui réussit à éclipser Benny Goodman en matière de technique. Il est un improvisateur faisant preuve d'une étonnante force vitale — ce qui incita Norman Granz à l'associer à Lionel Hampton et à d'autres grands noms de l'époque Swing sur plusieurs disques. La brillance de son jeu possède une clarté telle qu'elle a parfois été qualifiée de « froide ». Que le jeu d'un improvisateur aussi « hot » et « nature » que DeFranco ait pu paraître « froid » à maints auditeurs constitue l'un des paradoxes du jazz. Voilà qui symbolise la situation difficile, presque désespérée de la clarinette dans le jazz moderne — au point qu'un musicien aussi brillant que DeFranco se résigna en définitive à reprendre la direction du Glenn Miller Orchestra « pour des raisons de survie économique... jouant une musique ennuyeuse et n'enrichissant en rien son développement personnel », ainsi que le confirme Leonard Feather. En 1973, il quitta l'orchestre pour s'essayer à nouveau au jazz, mais son succès auprès du public fut très limité.

Rappeler que le premier clarinettiste à jouer du be-bop fut un Européen n'est nullement en contradiction avec l'affirmation selon laquelle Buddy DeFranco fut le « Charlie

Parker de la clarinette ». Il s'agit du Suédois **Stan Hasselgard.** Benny Goodman l'engagea dans son sextette au cours du printemps de 1948 ; il fut le seul clarinettiste que Goodman toléra jamais à ses côtés. Quelques mois plus tard — en novembre de la même année — Hasselgard fut victime d'un accident de la route. Hasselgard fut le deuxième musicien de jazz européen à avoir une importance réelle sur le plan du style. Le guitariste gitan français Django Reinhardt, qui influença presque tous les guitaristes de jazz de la fin des années trente à la fin des années quarante, fut le premier.

Après la « froideur » de DeFranco, la « chaleur » de **Jimmy Giuffre** paraissait encore plus prononcée. A l'origine, Giuffre ne joua que dans le registre grave de son instrument, « le registre « chalumeau », ainsi qu'on le nomme. Il répéta à plusieurs reprises qu'il jouait ainsi parce qu'il était techniquement incapable de jouer autrement. En fait, le plus difficile lorsqu'on joue de cet instrument consiste à passer sans anicroche du registre bas au registre haut.

Giuffre transforma ce qui était au départ un handicap technique en une véritable signature stylistique. La chaleur sombre de son jeu apportait enfin ce qui avait fait défaut pendant si longtemps à la clarinette : une conception moderne correspondant quelque peu à la sonorité des « Four Brothers » des saxophonistes ténors. Giuffre jouait toutefois de la clarinette comme **Lester Young** avait joué de la sienne quelque vingt ans auparavant — sur les rares enregistrements que Pres réalisa sur cet instrument en 1938 avec les Kansas City Six et vers la même époque avec l'orchestre de Count Basie. Maints experts sont convaincus que si Lester en avait joué plus souvent il serait devenu aussi important en tant que clarinettiste qu'il le fut en tant que ténor. Lester lui-même déclara qu'il jouait aussi rarement de la clarinette parce qu'il était incapable de trouver un instrument qui lui convienne.

Le paradoxe de la situation est que le cool jazz ne compte en fait que deux clarinettistes dont le jeu corresponde à la conception cool dans un sens strict : Lester Young et Jimmy Giuffre ; alors que parmi les saxophonistes ténors la sonorité de Lester Young était multipliée à un degré tel que le célèbre ténor paraissait vivre dans un monde de miroirs. Cependant, quelques exceptions ont indirectement étendu la conception « Lester Young » cool lorsqu'il leur arrivait de jouer de la clarinette : **Zoot Sims**, **Buddy Collette**, etc. Précisons toutefois que ces « incartades » n'étaient pas considérées comme un style en soi — contrairement à la manière de jouer du ténor de Sims. Beaucoup plus tard — au début des années soixante-dix — un musicien qui avait retenu l'attention à la faveur de sa participation à l'enregistrement du *Bitches Brew* de Miles Davis, **Benny Maupin**, nous rappela avec sa clarinette et sa clarinette basse que le délicat équilibre de l'héritage de Lester Young s'avère parfois particulièrement attrayant même parmi les sons du jazz contemporain électrifié.

Mais revenons-en à Giuffre. Il se détourna, durant la seconde moitié des années cinquante, de sa préférence pour le registre bas de son instrument — probablement parce que le succès de son jeu sombre le contraignait à jouer si souvent de la clarinette qu'il en arriva à surmonter son handicap technique. Giuffre s'affirma enfin, dans les années soixante et soixante-dix, comme un musicien sensible produisant un free jazz cool, de conception retenue, évoquant la musique de chambre.

John LaPorta et **Sam Most** accédèrent à un niveau d'abstraction supplémentaire, la clarinette adoptant presque une sonorité de flûte. Dès les années cinquante, ils furent considérés comme étant d'avant-garde, avant que le free jazz des années soixante ne révèle jusqu'où pouvait s'aventurer le concept d'avant-garde en jazz. La Porta, également un excellent arrangeur de jazz, acquit une grande renommée grâce à son travail dans le cadre de l'enseignement du jazz.

Deux autres musiciens importants qui relevèrent le défi ardu de la clarinette de jazz sont l'Allemand **Rolf Kühn** et l'Américain **Tony Scott**. Kühn vécut aux États-Unis de 1956 à 1969 et John Hammond le surnomma « un nouveau Benny Goodman ». Leonard Feather estime que « Kühn eut la malchance d'aborder la scène jazz à une époque où son instrument de prédilection souffrait d'un déclin apparemment irréversible. N'eût été ces circonstances, il aurait pu devenir l'un des grands noms du jazz actuel. » Kühn intégra, dans les années soixante et soixante-dix, maintes influences modernes, d'Eric Dolphy pour commencer et du jazz fusion ensuite.

Tony Scott est un véritable musicien de « jam-session », l'un des rares existant encore, avec un immense besoin de jouer — et surtout avec « le son le plus fort de tous les clarinettistes » (Perry Robinson). Il est un clarinettiste pur-sang qui sent la musique à travers son instrument, et ne se laisse nullement perturber par la situation stylistique défavorable de son instrument. « Je n'aime pas les funérailles », déclara Scott lorsqu'il sembla vers la fin des années cinquante que la clarinette de jazz était en définitive mise au repos. « C'est pourquoi je me suis rendu en Asie. »

En Asie, Scott inspira et forma des dizaines de musiciens. Il accomplit presque seul dans ces vastes territoires asiatiques ce que les « Américains en Europe » — les musiciens américains vivant aujourd'hui dans toutes les grandes, et dans quelques petites villes d'Europe — accomplirent ensemble. De Taiwan à l'Indonésie, d'Okinawa à la Thaïlande, il transmit le message du vrai jazz à toute une génération de jeunes musiciens. Scott vit, depuis le début des années soixante-dix, à Rome.

Il est bien certain que le départ de Scott pour l'Asie ne résolut nullement le dilemme de la clarinette — selon lequel cet instrument ne s'accorde pas à la sonorité « saxophonisée » du jazz moderne. Le grand avant-gardiste **Eric Dolphy**, qui mourut à Berlin en 1964, esquissa une solution au problème — mais pour la clarinette basse plus que pour la clarinette.

Jamais auparavant la clarinette basse n'avait été un « vrai » instrument de jazz. Dolphy en fit un, doué d'une expression émotionnelle dure et sauvage ainsi que d'une puissance physique immense. Ses auditeurs avaient le sentiment qu'il ne jouait pas de la clarinette basse traditionnelle, dont la sonorité avait toujours été quelque peu démodée, mais plutôt d'un instrument totalement nouveau qu'on n'avait jamais entendu auparavant. (**Harry Carney**, saxophoniste baryton de Duke Ellington, et quelques autres avaient occasionnellement utilisé la clarinette basse dans un contexte plus conventionnel.)

Le jeu de Dolphy à la clarinette basse fit bien vite des adeptes ; plus en Europe qu'en Amérique, d'ailleurs. Le

Hollandais **Willem Breuker**, le Britannique **John Surman**, l'Allemand **Gunter Hampel**, le Luxembourgeois **Michel Pilz**, le Français **Michel Portal** et l'Italien **Gianluigi Trovesi** ont joué de la clarinette basse — certains même de la clarinette — selon la conception de Dolphy, mais en préservant leurs styles individuels. Hampel, qui passe la moitié de l'année en Allemagne et l'autre à New York, est un maître des entrelacs complexes, à la clarinette basse, quoiqu'il utilise également plusieurs autres instruments (flûte, vibraphone, piano). Il joue avec son propre groupe. Breuker s'appropria la musique populaire du XIXe siècle — polkas, opérettes, valses, marches tangos et musique folklorique hollandaise. Il a été nommé le « Kurt Weill du jazz ». Trovesi étudia la musique de danse et la musique folklorique médiévale pré-baroque, combinant cette connaissance à son amour du jazz.

Les musiciens américains à citer dans ce contexte sont **Doug Ewart**, **L.D. Levy**, **Walter Zuber Armstrong** et **David Murray**. Levy doit sa renommée à ses enregistrements en duo (à la clarinette basse, au saxo alto et à la flûte) avec le bassiste Richard Davis. Ewart fut le partenaire notamment de George Lewis et d'autres musiciens de l'AACM. Murray, un membre du World Saxophone Quartet, a écrit quelques musiques merveilleuses pour des pièces et des spectacles de Broadway et de l'« off-Broadway ».

Plus tard, le mainstream des années soixante-dix fut aussi important pour les clarinettistes que pour les autres instrumentistes. Les musiciens appartenant à cette tendance sont **Bobby Jones** (qui mourut en 1980), **Eddie Daniels** et **Roland Kirk** (sur lequel nous aurons l'occasion de revenir dans le chapitre consacré au saxophone ténor). Jones qui accéda à une position d'avant-plan grâce à sa collaboration avec Charles Mingus, donne parfois l'impression d'être un « Edmond Hall des années soixante-dix », avec l'expressivité swing de Hall, mais avec une mobilité plus grande et plus contemporaine. Daniels tend vers le be-bop robuste, actuel, qu'il interprète avec une perfection de virtuose.

Dans le champ du jazz fusion, **Tony Scott** et **Alvin Batiste** ont produit à la clarinette des sons intéressants d'un point de vue jazz. L'œuvre de Batiste à la clarinette électrique est particulièrement unique, riche en réminiscences des grands clarinettistes de La Nouvelle-Orléans.

Revenons enfin au jeu free avec **Anthony Braxton**, John Carter, Michael Lytle et Perry Robinson. Le pluri-instrumentiste et compositeur Braxton crée des lignes abstraites, iridescentes sur les différents instruments de la famille des clarinettes. Maints auditeurs les jugent complexes mais elles lui ont néanmoins apporté un succès mondial. Quoique **John Carter** fût un compagnon texan d'Ornette Coleman, il n'acquit la notoriété qu'au cours des années soixante-dix, lorsque le clarinettiste montra les premiers signes d'une nouvelle vigueur, tout d'abord en Europe, puis en Amérique. Il produit un jazz de chambre à la tonalité libre ; son jeu plonge de solides racines dans la grande tradition de la clarinette de jazz. **Michael Lytle**, qui fait partie du Creative Music Studio de Woodstock, dans l'État de New York, appartient à la génération plus jeune. Clarinettiste le plus radical de sa génération, il produit avec son instrument des sons qui évoquent tout sauf une clarinette, même pour les oreilles d'un spécialiste. Il extrait cependant un lyrisme occulte des collages et des assemblages de sa musique.

Il convient que nous parlions pour conclure du musicien dont le nom vient aussitôt à l'esprit lorsqu'on évoque la clarinette contemporaine : **Perry Robinson**. Il a joué avec le Jazz Composers Orchestra ; avec Roswell Rudd, Charlie Haden, et Sunny Murray ; avec Gunter Hampel et Dave et Darius Brubeck — tous ces noms illustrent son caractère universel. Robinson n'est pas, contrairement à Eddie Daniels, un musicien de studio professionnel à l'aise dans tous les genres (cette remarque ne vise nullement à être désobligeante). Il s'est illustré dans les différents styles et dans les diverses techniques de free et de cool jazz, ainsi que de bop, de Swing, de rock et du nouveau style qui est celui des années soixante-dix et quatre-vingts : « Nous désirons être à même de jouer n'importe quel genre de musique, cependant nous voulons demeurer nous-mêmes... La clarinette, c'est incroyable, parce que vous avez tous ces sons différents. La seule frustration qu'il convient de surmonter est qu'elle est trop petite ; elle ne fait pas le poids quand tu essaies de te défoncer. C'est pourquoi lorsque j'ai adopté un jeu énergique à la clarinette, je l'ai soigneusement étudié, et j'ai appris nombre de choses relatives au son. Le besoin de s'exprimer a parfois une telle ampleur, mais il existe d'autres moyens, les moyens psychiques consistant à contrôler la respiration, à penser "grand", et à s'imaginer ailleurs » (Perry Robinson à l'occasion d'une interview avec Bob Palmer).

Les saxophones

L'instrument idéal en jazz devrait être aussi expressif que la trompette et aussi mobile que la clarinette. La famille du saxophone combine ces deux qualités, qui sont en opposition extrême chez la plupart des autres instruments. C'est la raison pour laquelle le saxophone a une telle importance en jazz. Il n'acquit toutefois cette position prééminente qu'au début des années trente. On ne peut guère parler d'une tradition du saxophone new orleans — tout au moins pas dans la même mesure que pour les autres instruments. Les rares saxophonistes actifs à La Nouvelle-Orléans étaient considérés comme des curiosités, plutôt que comme des musiciens. Le saxophone appartient plus aux orchestres de danse populaires qu'au jazz. La situation se modifia à l'époque du Chicago-style. Il est intéressant de noter que les New Orleans Rhythm Kings ne disposaient pas d'un saxophone lorsqu'ils arrivèrent à Chicago, en 1921 ; cependant lorsqu'ils décrochèrent leur engagement au Friar's Inn qui fut leur tremplin vers la gloire, on les pressa de s'adjoindre un saxophoniste. Ce dernier errait maladroitement au milieu de l'ensemble collectif des NORK, et ne réussit jamais à trouver sa place — l'orchestre le remercia d'ailleurs dès que prit fin leur contrat au Friar's Inn.

Étant donné qu'il n'existait pas de tradition jazz pour le saxophone, les saxophonistes attirés par le jazz durent se contenter de celle de la clarinette. L'importance acquise par le saxophone — surtout ténor — dans le jazz moderne trouve sa véritable perspective lorsqu'on sait qu'au début de sa carrière il était considéré plus ou moins comme une sorte de clarinette, alors que depuis les années cinquante les clarinettistes ont souvent adopté une approche saxo ténor de leur instrument.

Les saxophones comprennent le soprano (et sopranino),

l'alto, le ténor, le baryton et la basse. Les plus importants en jazz sont les quatre premiers.

Adrian Rollini interpréta du dixieland et du Chicago-style sur un saxophone basse, dont la sonorité creuse est quelque peu « éructante », avec une grande dextérité et essentiellement dans le même esprit que Boyd Raeburn qui employa l'instrument comme la voix la plus basse de la section des saxophones de ses grandes formations modernes pour conférer profondeur au spectre sonore. **Joseph Jarman** et **Roscoe Mitchell** utilisèrent le saxophone basse en free jazz créant des sons exotiques, grondants, semblables à ceux produits au début de l'histoire du saxophone jazz à La Nouvelle-Orléans par d'autres saxophones. Ainsi, le saxophone basse ne doit pas désespérer de figurer un jour dans la panoplie des intruments de jazz — cette remarque vaut également pour l'énorme contrebasson, qu'**Anthony Braxton** utilise de temps à autres.

Le saxophone soprano

Le saxophone soprano continue là où s'arrête la clarinette — en raison notamment de sa puissance sonore. Son histoire est la plus disproportionnée de tous les instruments de jazz — encore plus que celle du violon. Son seul représentant au départ fut **Sidney Bechet**. Il existe aujourd'hui des centaines de sopranos. Maintes grandes formations et maints orchestres de studio n'engagent plus désormais de ténor incapable de manier en outre le soprano. En fait, la situation s'est quelque peu inversée depuis les années soixante-dix : le soprano devient souvent l'instrument principal et le ténor passe en seconde position.

On nous a longtemps répété que le saxo soprano était très peu utilisé en raison de la difficulté à en jouer « proprement ». Ses échelles harmoniques sonnent nécessairement faux. Nous savons aujourd'hui que cette caractéristique est l'avantage même de l'instrument. Le son « crasseux », qui a eu une grande importance dans toutes les phases de l'histoire du jazz, fait partie intégrante du soprano. On serait presque tenté de dire que le soprano infléchit chaque note, la transformant en « blue note », rendant toute la gamme « blue ». Cette tendance est immanente depuis l'origine dans le folk blues et dans les formes de jazz archaïques. Les trois blue notes classiques du jazz sont intégrées au système harmonique européen. En réalité, la musique des Africains et des Afro-Américains tend à infléchir chaque ton individuel, à ne pas accepter une note telle qu'elle est, à toutes les réinterpréter sous forme d'une déclaration personnelle. Le soprano exécute cela de façon extraordinaire : il « africanise ». Un petit test permet de démontrer la thèse selon laquelle ceci constitue la force véritable de cet instrument. Certains sopranos ont réussi à produire des sons « clean » (« propres ») en dépit des difficultés techniques de l'instrument. Je songe à **Lucky Thompson**, qui a transposé dans les années soixante la beauté parfaite de sa sonorité de ténor au soprano. Il n'a pourtant pas connu un très grand succès, malgré le haut degré de sophistication de son jeu. Il est admiré, mais ne parvient pas à emballer ni à émouvoir.

Sidney Bechet est le Louis Armstrong du saxophone soprano. Il possède en effet l'expressivité majestueuse de Satchmo. Au cours de sa vie, qui le conduisit de La Nouvelle-Orléans de l'après-guerre (la première) au Paris des années cinquante, il délaissa — progressivement dans un premier temps puis de manière de plus en plus marquée — la clarinette pour le saxo soprano. On a dit que cette transition s'effectua pour la simple raison que le soprano était d'un jeu plus facile pour un homme vieillissant. Il nécessite en effet moins d'air pour développer le plein volume du jeu. La véritable raison est tout autre. Le soprano permet une plus riche diversité d'expression, or l'objectif ultime de Bechet était d'atteindre à un maximum d'*espressivo*. C'est à juste titre qu'on l'a surnommé l'ancêtre de la grande tradition de la ballade de jazz. Celle-ci paraît commencer, pour un profane, avec le *Body and Soul* de Coleman Hawkins en 1939. Mais en réalité, elle débuta bien avant, avec Sidney Bechet (et, bien évidemment, comme toute tradition en jazz, avec Louis Armstrong).

Bechet n'eut que quelques disciples : **Johnny Hodges, Don Redman, Charlie Barnet, Woody Herman, Bob Wilber** — et dans un certain sens, même à l'époque Coltrane, **Budd**

Johnson et **Jerome Richardson**. Ils s'appliquèrent tous à faire vivre l'héritage de Bechet aux périodes stylistiques auxquelles ils appartiennent. Hodges, le plus célèbre soliste de l'orchestre de Duke Ellington, visait l'expressivité de la même manière que Bechet. Mais les solos de soprano qu'il interpréta avec Ellington dans les années vingt et trente font pâle figure comparés à la puissance de sa sonorité à l'alto. Hodges abandonna définitivement le soprano en 1940. Peut-être avait-il compris que cet instrument le confinerait toujours dans l'ombre du grand Bechet, auquel il était redevable à bien des égards. La sonorité du soprano revenant à la mode, Ellington exprima le désir qu'il renoue avec cet instrument. Il n'en eut toutefois pas l'occasion. Hodges mourut en 1970.

Sidney Bechet redevint d'actualité lorsque la tradition musicale noire fut redécouverte dans les années soixante-dix, en particulier grâce à l'activité des musiciens de l'AACM. Le ténor **David Murray**, par exemple, enregistra son *Bechet Bounce*, une combinaison convaincante des vieux styles de Bechet et de sons free contemporains.

La relation étroite existant entre Hodges et Bechet est clairement illustrée par Woody Herman : s'il dérive de Hodges en tant qu'alto, il se situe dans la lignée de Bechet en tant que soprano.

Nous avons dit que Bechet n'eut que quelques disciples parmi les sopranos. Il convient toutefois de compter parmi ceux-ci **John Coltrane**. J'ai de bonnes raisons d'affirmer cela. Vers la fin des années cinquante, Coltrane me pria souvent de lui adresser des enregistrements de Bechet jouant du soprano, en particulier de sa période française, afin qu'il puisse les étudier. Coltrane insuffla avec son solo sur *My Favourite Things* en 1961 une nouvelle force au saxophone soprano (cf. également le chapitre consacré à Coltrane).

Coltrane conserva l'expressivité et la sonorité « crasseuse » de Bechet. Il substitua toutefois un caractère méditatif asiatique à la clarté majestueuse de Bechet, qui est réminiscente de Louis Armstrong. La sonorité du soprano de Coltrane évoque le shenai de la musique du Nord de l'Inde, le nagaswaram du Sud de l'Inde et le zoukra arabe. La sonorité de son soprano nécessite virtuellement la modalité, et on devine à ce stade de quelle modalité il s'agit :

l'équivalent jazz des « modes » de la musique arabe et des ragas indiens.

Il serait difficile d'imaginer le mouvement d'intégration des éléments asiatiques en jazz — pas uniquement dans le domaine du soprano, mais encore des autres instruments — sans le travail au soprano de Coltrane. Ceci vaut en particulier pour les instruments qui, durant les années soixante, ont été incorporés au jazz ou qui ont été chargés d'une nouvelle signification : violon, flûte, cornemuse, hautbois, cor anglais, etc. Il convient de reconnaître que cette évolution fut possible grâce à la valeur d'exemple qu'acquit la manière de jouer du soprano de Coltrane.

Coltrane ne fut pourtant pas le premier à jouer un type de jazz moderne en employant le saxophone soprano. Le pionnier fut **Steve Lacy**. Nous avons déjà envisagé son évolution particulière en rapport avec Roswell Rudd dans le chapitre consacré au trombone. Il passa sans transition du dixieland au free jazz — ignorant les étapes habituelles du be-bop et du cool jazz. Il ne découvrit en réalité le bop qu'après s'être adonné au free. En 1952, il jouait du dixieland avec des musiciens tels que Max Kaminsky, Jimmy McPartland et Rex Stewart ; en 1956 il jouait avec Cecil Taylor ; en 1960 avec Thelonious Monk. Il est l'un des rares instrumentistes à vent — et sans doute le seul parmi les Blancs — à avoir pleinement compris et assimilé Monk.

Les jalons de l'évolution de Lacy — Kaminsky, Cecil Taylor et Monk — sont révélateurs de son originalité. Il est le premier soprano célèbre en jazz qui fit d'emblée du soprano son instrument principal. En conséquence, son jeu ne dérive pas de la clarinette, du ténor ou de l'alto. Lacy, qui vécut à Paris de 1963 à 1980, se situe en dehors des trois grands courants de jeu de soprano : Sidney Bechet, John Coltrane et Wayne Shorter. Il fut à ma connaissance le premier à produire des sons en soufflant « à l'envers » : non pas en soufflant dans l'instrument mais en aspirant l'air à travers lui. Nombreux sont ceux qui adoptèrent par la suite cette manière de jouer.

Leonard Feather suppute que Coltrane s'intéressa au saxophone soprano après avoir découvert Steve Lacy. Cette hypothèse est confortée par le fait que Coltrane avait joué avec Monk avant que Lacy ne rejoigne le Thelonious Monk Quartet. Le club dans lequel Monk se produisait régulièrement à l'époque était le Five Spot à New York, le lieu de rencontre des groupes « in » du jazz. Il ne fait aucun doute que Coltrane dut y entendre Lacy.

My Favourite Things, ainsi que nous l'avons dit, devint un succès. Les grandes formations et les orchestres de studio élargirent bientôt leur section de saxophones afin d'y inclure à leur tour un soprano. Certains arrangeurs se spécialisèrent dans l'intégration de sonorités soprano dans ces sections : Oliver Nelson, Quincy Jones, Gil Evans, Gary McFarland, Thad Jones et plus tard Toshiko Akiyoshi.

Le soprano recueillit non seulement l'héritage de la clarinette, mais encore, dans un certain sens, du saxophone ténor. Depuis le free jazz, maints ténors aiment faire « quintoyer » leurs instruments d'une manière évoquant la voix de tête des chanteurs de blues et de gospel — débordant dans le champ de l'alto et du soprano. Le ténor est donc devenu « deux ou trois instruments en un » : ténor, alto et soprano. Cette tendance à jouer « haut » a toujours fait partie intégrante du jazz. On obtient souvent un jeu hot en jouant ainsi — à tel point que l'ethnomusicologue allemand Alphons Dauer en arriva à supposer que le terme « hot » était en fait dérivé du français « haut ». Il est évident que le ténor qui quintoie produit une sonorité très extatique et intense d'une part tout en étant relativement limitée de l'autre. Il ne fait aucun doute que le soprano continue là où le ténor quintoyant s'arrête. Ainsi un ténor qui fait quintoyer son instrument et qui joue en outre du soprano maîtrise en fait l'ensemble de la gamme, des tons les plus graves aux sommets évocateurs de la flûte du saxophone soprano quintoyant. Il n'est donc pas surprenant que maints sopranos étaient à l'origine des spécialistes du ténor « voix de tête » : **Pharoah Sanders, Archie Shepp, Roscoe Mitchell, Joseph Jarman, Sam Rivers** et l'Anglais **John Surman** (dont l'instrument principal fut tout d'abord le baryton, et qui n'utilisa pour commencer le soprano qu'en guise de « baryton de tête » jusqu'à ce qu'il délaisse le baryton au profit du soprano). Vous trouverez une évocation plus détaillée des musiciens dont les instruments principaux sont le ténor, l'alto et le baryton dans les chapitres traitant de ces instruments.

Les autres saxophonistes sopranos importants postérieurs à Coltrane sont les altos **Oliver Nelson, Charlie Mariano**, la Britannique **Barbara Thompson, Jerry Dodgion** et **Cannonball Adderley**, qui mourut en 1975 (tous interprétèrent souvent des phrases typiques de l'alto au saxophone soprano) ; et les ténors **Dave Liebman, Steve Grossman, Roland Kirk** (qui jouait notamment du soprano manzello), **Jerome Richardson, Budd Johnson, Carlos Garnett, Azar Lawrence, Zoot Sims, René McLean, Joe Farrell, Sam Rivers** et — plus important de tous — **Wayne Shorter** (qui influença nombre des musiciens mentionnés ci-dessus).

Shorter, qui commença sa carrière avec les Jazz Messengers d'Art Blakey, acquit la notoriété alors qu'il était *le* saxophoniste du Miles Davis Quintet de 1964 à 1970. *In a Silent Way*, enregistré en 1969, est le premier disque sur lequel il joue du soprano. Il semble que les producteurs et lui-même considérèrent qu'il s'agissait d'un point mineur car sa participation au soprano n'est même pas mentionnée sur la couverture du disque. Mais ce détail ne passa pas inaperçu dans le monde du jazz, qui prêta aussitôt l'oreille. *Bitches Brew*, produit un an plus tard, est impensable sans la sonorité soprano de Shorter. Il esthétisa l'héritage coltranien. Miles + Coltrane = Shorter, c'est-à-dire que Shorter combine la nature méditative de Coltrane au lyrisme de Miles. Sa sonorité au soprano possède, d'une certaine manière, l'expressivité décrite au début du chapitre consacré à Miles Davis : un sentiment de solitude, de désespoir — « le son flotte tel un nuage ». Shorter se situe en tant que soprano — mais non pas en tant que ténor — parmi les grands improvisateurs de jazz. Son seul timbre traduit la musique et la personnalité musicale complète de l'improvisateur.

Shorter adore la musique brésilienne. L'un de ses chefs-d'œuvre est la transformation de *Dindi* — l'une des premières compositions bossa d'Antonio Carlos Jobim dédiée à la regrettée Sylvia Telles, la première chanteuse de bossa nova — en une envolée de free jazz passionnante qui préserve toutefois dans la moindre note une touche de la tendresse brésilienne. Shorter a fait partie dès l'origine (1971) du groupe de jazz fusion le plus célèbre : Weather Report. Il est parfois difficile de distinguer de manière précise sa sonorité caractéristique au milieu de cette débauche d'électricité, mais il est incontestable que Shorter fut le principal responsable du fait que le soprano devint l'instrument préféré en jazz rock et en jazz fusion. Parmi les musiciens ayant joué du soprano sur des enregistrements de fusion, de rock et de funk, citons : **Ernie Watts, Tom Scott, Steve Marcus, Ian Underwood, Ronnie Laws, Grover Washington**, et en Europe **Barbara Thompson**, que nous avons déjà mentionnée.

Certains de ces musiciens et plus encore ceux de free jazz mettent en évidence le fait que le soprano se rapproche de la sonorité et de l'intonation « africaines » plus que tout autre saxophone. Les musiciens de free jazz importants ayant retenu l'attention en tant que soprano appartiennent pour la plupart à l'AACM : **Anthony Braxton, Joseph Jarman, Roscoe Mitchell**, ainsi qu'**Oliver Lake** et **Julius Hemphill**. Jarman produit occasionnellement ce growl typique que Sidney Bechet employait de façon si émouvante dans les registres bas pour créer ses interprétations de blues et de ballades. Hemphill dédia l'une de ses œuvres aux Dogons d'Afrique occidentale, qui vivent en parfait isolement en Haute-Volta, faisant référence non seulement à la musique mais encore à la mythologie de cette tribu.

Mais le « pur » héritage de Bechet demeure lui aussi vivant, influencé plus par le Swing que par Coltrane et Shorter. Il est représenté d'une manière exemplaire par **Bob Wilber** et **Kenny Davern**, sur des enregistrements individuels ainsi que dans leurs réalisations communes avec les Soprano Summits depuis 1975.

Le jeu soprano « pur », dans la veine de l'esthétisme contemporain, est cultivé en particulier par le Norvégien **Jan Garbarek** et par **Paul Winter**, mais également dans des duos non accompagnés et dans des formations « style musique de chambre » rassemblant certains des musiciens évoqués ci-dessus, par exemple Dave Liebman. La sonorité claire et néanmoins mélancolique de Jan Garbarek a tout particulièrement attiré l'attention. Il est l'un des rares musiciens européens à avoir influencé les Américains — plus d'ailleurs que leurs collègues européens.

Le saxophone alto

L'histoire du saxophone alto commence en fait à l'époque Swing. Au triumvirat de clarinettistes des années vingt, « Jimmie Noone - Johnny Dodds - Sidney Bechet », correspond un trio d'altos qui donna le ton pendant les années trente : Johnny Hodges - Benny Carter - Willie Smith.

Le musicien de Duke Ellington **Johnny Hodges**, qui mourut en 1970, fut un mélodiste de la stature d'Armstrong et d'Hawkins. Son vibrato expressif, chaleureux et sa manière de fondre les notes en des glissandos érotiques fit de la sonorité d'Hodges l'une des signatures instrumentales les plus célèbres du jazz. Cette sonorité semble englober une chaleur sombre, tropicale, qui frise parfois la sentimentalité dans les morceaux lents. Hodges demeura, dans les tempos plus rapides, le grand improvisateur accrocheur qu'il était depuis qu'il avait rejoint l'orchestre de Duke Ellington en 1928.

L'un des disciples les plus célèbres d'Hodges fut pendant de nombreuses années **Woody Herman**. Herman réalise toujours des solos inspirés d'Hodges qui contrastent de manière prononcée et parfois amusante avec les conceptions plus modernes des jeunes musiciens de son orchestre.

Benny Carter est l'opposé d'Hodges. Alors que ce dernier aime caresser la mélancolie, Benny Carter possède une clarté et une légèreté allègre. Carter s'installa à Hollywood dans les années quarante, il y commença une seconde carrière d'arrangeur et de compositeur de musique de film et de télévision. Carter est l'un des musiciens les plus versatiles du jazz, aussi important en tant que saxophoniste, qu'arrangeur et que directeur d'orchestre ; il est également un trompettiste, un tromboniste et un clarinettiste notoire. Nous reviendrons sur Carter dans le cadre du chapitre consacré aux grands orchestres.

Willie Smith, qui mourut en 1967, fut un improvisateur particulièrement puissant et expressif ; il était un excellent premier saxophone dans les grandes formations. Il fut, dans les années trente, un soliste de l'orchestre de Jimmie Lunceford ; son solo sur *Blues in the Night* de Lunceford fut chaleureusement acclamé.

La maturité de la constellation Hodges-Carter-Smith semble d'autant plus surprenante si l'on considère qu'ils furent précédés de peu d'altos notoires. Il y eut **Don Redman**, qui exerça une grande influence, en tant qu'arrangeur, sur l'évolution de la sonorité des big-bands des années vingt et du début des années trente. Il joua des solos d'alto avec ses orchestres. Il y eut ensuite **Frank Trumbauer** parmi les musiciens du Chicago-style, qui enregistra avec Bix Beiderbecke. Trumbauer ne joua pas de l'alto en mi bémol, mais du saxophone mélodique en ut.

Après le trio de départ Hodges-Carter-Smith l'ensemble de l'évolution de l'alto se concentre autour d'une personnalité forte : celle de **Charlie Parker**. Je me suis efforcé de clarifier sa position particulière dans le chapitre qui lui est consacré ainsi qu'à Dizzy Gillespie. L'influence de Parker fut telle à l'origine que quasiment aucun alto bop ne parvint à retenir l'attention. La seule exception à la règle fut **Sonny Stitt**, qui oscilla entre l'alto et le ténor, et qui — curieusement — développa sans contact avec Parker un style alto très évocateur de celui du Bird, possédant une expressivité bluesy et une grande clarté.

Il n'est qu'un domaine qui échappa dans l'ensemble à l'influence du bop dans les années cinquante : le « jump » — un mode de jeu (et de danse) populaire à Harlem et dans les autres grands ghettos urbains. Trois de ses représentants principaux sont les saxophonistes altos : **Earl Bostic, Pete Brown** et **Johnny Hodges**. Ce dernier fut — en particulier lorsqu'il ne travailla pas avec Ellington — un interprète de rythmes jump des plus dynamiques, comme dans ses enregistrements avec l'organiste Wild Bill Davis. Vers la fin des années quarante, bien avant la grande ère du rock n' roll, Bostic remporta des succès dignes des belles années du rock n' roll avec notamment son *Flamingo*. Pete Brown, quant à lui, découvrit un mode de jeu dans lequel le contraste entre le staccato démodé et la conception moderne est amusant — quoique pas toujours intentionnel.

Alors que tous les instruments eurent, durant les beaux jours du bop, des représentants importants outre la figure dominante, le saxophone alto dut attendre le début de l'ère cool pour qu'émerge une nouvelle figure marquante : **Lee**

Konitz, qui est issu de l'école de Lennie Tristano. Les lignes d'alto abstraites, scintillantes, jouées par Konitz vers la fin des années quarante sur ses enregistrements et sur ceux de Lennie Tristano, devinrent par la suite plus chantantes, plus paisibles et plus concrètes. Parlant de ce changement Lee dit : « Je jouais alors plus que je n'en pouvais entendre » ; il se sent mieux maintenant qu'il lui est possible de déclarer : « Je peux vraiment entendre ce que je joue. » Entre-temps, Konitz a assimilé et intégré à sa musique maints éléments nouveaux du jazz — dont certains propres à Coltrane et d'autres au free — mais il est toujours demeuré fidèle à lui-même. Il compte au nombre des grands improvisateurs de jazz. Il retint particulièrement l'attention durant les années soixante-dix avec un groupe de neuf musiciens.

Après Charlie Parker et Lee Konitz, l'évolution du saxophone alto oscille entre les deux hommes. **Art Pepper** développa un style mûr, influencé par Parker et possédant une richesse émotionnelle profonde. Pepper, qui a passé plus de temps en maison de redressement et en prison qu'à l'air libre, est un exemple des plus tristes de l'effet désastreux que l'héroïne exerce sur la vie de certains jazzmen. Il en parle dans son autobiographie *Straight Life* qui parut en 1979 et annonça son comeback. Cet ouvrage est un document émouvant sur les conditions déprimantes dans lesquelles doivent vivre tant de jazzmen.

Paul Desmond, qui mourut en 1977, fut un représentant particulièrement heureux de la lignée Konitz. Il joua au sein du Dave Brubeck Quartet, dont il fut sûrement l'un des musiciens les plus talentueux : un lyrique du saxophone alto.

Les altos les plus significatifs de la côte Ouest furent **Bud Shank, Herb Geller** et **Paul Horn**. Shank fut l'un des premiers musiciens de jazz à jouer avec un grand maître de la musique classique indienne. Dès 1961, il enregistrait avec Ravi Shankar. **Herb Geller**, qui alla s'installer en Allemagne, possède une clarté digne de celle de Benny Carter, mais il s'agit bien entendu d'un style Carter influencé par tous les éléments postérieurs, notamment par le Bird.

La puissance de la personnalité de Parker devint d'autant plus évidente lorsqu'on réalisa que l'« influence du Bird » — après qu'eurent été digérées les idées de Konitz — ne s'estompa nullement vers la fin des années cinquante, mais se renforça régulièrement. Voici quelques musiciens qui s'inspirent, en définitive, de Charlie Parker : **Lou Donaldson**, avec ses puissantes émotions bluesy ; **Leo Wright**, qui jouait avec le Dizzy Gillespie Quintet et qui réside désormais en Allemagne ; **Cannonball Adderley**, qui connut le succès jusqu'à son décès en 1975 grâce à la musique soul et funk de son quintette ; **Jackie McLean** qui adopta le feeling blues de Parker avec une expressivité « plus libre », moins retenue ; **Sonny Criss** qui combina l'univers archétype de la vieille tradition blues à celle de Charlie Parker ; **Charles McPherson**, qui est issu du cercle hard bop de Detroit : **Gigi Gryce** et **Oliver Nelson**, qui sont également d'excellents arrangeurs (Nelson mourut en 1975) ; et enfin **Frank Strozier** et **James Spaulding**, qui marquent tous deux la transition vers le free jazz. **Phil Woods** se situe aussi dans cette lignée ; nul alto ne transforma avec plus de constance l'héritage Charlie Parker en jazz contemporain. Le critique suisse Rüedi le présenta (en 1972) comme étant « le joueur d'alto le plus complet du jazz actuel ». Il est significatif que cette complétude soit forgée par une conscience aiguë de toutes les étapes franchies par Woods en vingt-cinq ans : l'institution Lennie Tristano, le cool jazz de Jimmy Raney, le bop de George Wallington, les grands orchestres de Dizzy Gillespie et de Quincy Jones...

Alors que le mode de jeu du Bird dominait toujours la scène, **Ornette Coleman** apparut à l'école de jazz Lenox dirigée par John Lewis, au cours de l'été 1959. La révolution musicale déclenchée par ce musicien de grande valeur a fait l'objet d'une discussion dans le chapitre qui lui a été consacré précédemment. Il fit — comme tous les grands innovateurs — ce qui était « dans l'air ». Voilà qui est illustré de manière significative par le fait que d'autres musiciens empruntèrent des routes similaires vers la même époque, ou peu après lui, sans pour autant subir son influence de manière directe. Parmi les saxophonistes altos se rangeant dans ce groupe, il convient de mentionner tout particulièrement **Eric Dolphy**, qui mourut en 1964, mais dont l'influence est toujours perceptible sur la scène des années quatre-vingts. Dolphy (dont le jeu reposait plus sur les harmonies fonctionnelles que celui de Coleman) est issu des groupes de Chico

Hamilton et de Charles Mingus ; il réalisa par ailleurs des enregistrements d'une valeur durable avec le regretté trompettiste Booker Little et avec ses propres groupes. Il a créé, par son intonation émotionnelle intense et par l'envolée sauvage et libre de ses idées, des effets comparables à ceux d'Ornette Coleman.

La percée ouverte par Ornette Coleman et Eric Dolphy eut un effet des plus libérateurs sur les altos. Les premiers à en être affectés furent **John Tchicai, Jimmy Lyons** et **Marion Brown** (qui combine la virtuosité et la clarté d'un Benny Carter aux possibilités nouvelles du free jazz). Ils furent suivis par **Byard Lancaster, Mark Whitecage, Carlos Ward** et **Ken McIntyre** ainsi que par **Anthony Braxton, Joseph Jarman, Roscoe Mitchell, Oliver Lake, Julius Hemphill, Henry Threadgill, John Purcell** et **Dwight Andrews** (ces derniers étant plus ou moins liés à l'AACM). L'évolution de Brown est typique : interprète de free « sauvage » lors de ses débuts, vers le milieu des années soixante, il devint un musicien capable de maîtriser toute l'étendue stylistique de son instrument. Dan Morgenstern écrivit à propos d'Oliver Lake qu'il sonne « comme Dolphy transformé en Hodges ». Hemphill, en revanche, est parmi les altos une espèce d'homme « multimédias » ; il collabore beaucoup avec des acteurs et des danseurs, avec des réalisateurs de films, de théâtre et de programmes vidéo. Jarman et Mitchell sont les pères fondateurs de l'Art Ensemble of Chicago (que nous évoquerons dans le chapitre consacré aux combos). Le premier a combiné ses improvisations à la poésie moderne noire ; le second est devenu un merveilleux soliste sur des enregistrements au saxophone alto non accompagné.

Voici quelques altos non américains qui méritent amplement la citation : les Japonais **Akira Sakata** et **Kenjo Mori**, les Anglais **Trevor Watts** et **Mike Osborne**, et le Sud-Africain **Dudu Pukwana** avec sa fantastique combinaison de musique bantoue et d'éléments caractéristiques du Bird.

Plus que quiconque **Anthony Braxton** a fait découvrir la musique de jazz d'avant-garde à des milliers de personnes dans le monde entier, qui n'auraient sans doute jamais entendu de tels sons sans lui. Ainsi que nous l'avons dit dans le chapitre consacré aux années soixante-dix, il fut le premier interprète de free à obtenir un succès commercial.

L'instrument principal de Braxton est le saxophone alto, mais il joue aussi de la clarinette, du sopranino, de la clarinette basse, de la flûte alto... Braxton dit : « Je me considère avant tout comme un compositeur, ensuite comme un instrumentiste. »

Anthony Braxton, l'improvisateur de jazz, est issu de la lignée Charlie Parker et Paul Desmond ; Braxton le compositeur a été façonné par Schoenberg, Anton Webern, John Cage et Jean-Sébastien Bach : « En écoutant Desmond, j'ai découvert Konitz. Quant au Bird il m'a conduit à Ornette. Et Bach à Schoenberg. En réalité j'aime un style de musique particulier aussi longtemps qu'il réussit à m'intéresser... »

Les altos de jazz fusion dignes d'attention sont **David Sanborn, Ian Underwood, Fred Lipsius**, ainsi qu'**Elton Dean** en Grande-Bretagne et **Sadao Watanabe** au Japon. Ce dernier est un ancien de l'alto qui a suivi l'ensemble de son évolution depuis Charlie Parker, et qui en est devenu l'un des maîtres.

L'alto occupe aussi une place prépondérante dans le mainstream, nourri non seulement par la musique Swing mais encore par le bop et par Coltrane. Parmi ses représentants, citons : **John Handy, Sonny Simmons, Eric Kloss, Richie Cole, Gary Foster, Bobby Watson, Jerry Dodgion, Joe Ford, Arnie Lawrence, Sonny Fortune, Arthur Blythe** et **Charlie Mariano**. Ford et Fortune arrivèrent à l'avant-plan à la faveur de leur collaboration avec le pianiste McCoy Tyner. Des musiciens tels que Kloss et Cole sont d'éternels improvisateurs dans la ligne de la grande tradition du saxophone de jazz — au même titre que le Polonais **Zbigniew Namyslowski**. Tous ces musiciens constituent autant de preuves du fait que « Bird vit » dans les années soixante-dix ainsi que quatre-vingts. **Arthur Blythe**, qui possède un jeu très puissant, révèle une forme unique de l'influence du Bird, mais il a également été marqué par Johnny Hodges et Ornette Coleman. Il est un musicien étonnant qui possède une expressivité émouvante, dont nous entendrons certainement parler en de multiples occasions à l'avenir. Blythe est un exemple des plus convaincants du phénomène selon lequel aujourd'hui ce sont plus souvent les « traditionalistes » que les avant-gardistes qui « révolutionnent » la scène jazz.

L'alto possédant la gamme de styles la plus riche est sans

conteste **Charlie Mariano**, né à Boston (ce qui risque de surprendre plus d'un Américain car, ainsi que le déclara Charlie lui-même : « Ma carrière américaine s'est terminée le jour où je me suis rendu au Japon avec Toshiko en 1962. »). Mariano débuta en 1941, sous l'influence de Johnny Hodges. Il a joué avec Charlie Parker, façonnant son style dans le moule du Bird, puis vers le milieu des années cinquante avec l'orchestre de Stan Kenton, et au début des années soixante avec Charles Mingus. Il s'établit ensuite au Japon avec son épouse Toshiko Akiyoshi ; là, ainsi qu'en Malaisie et en Inde, il étudia et intégra à son jeu la musique indienne. Il opta pour le saxophone soprano, influencé par Coltrane et les instruments à vent indiens ; il étudia en outre le nagaswaram, une sorte de hautbois du Sud de l'Inde. Il vint en définitive s'établir en Europe, au début des années soixante-dix, s'ouvrant au jazz rock et au jazz fusion — son évolution ne s'est jamais interrompue en quarante ans et il est probable qu'elle se poursuivra encore.

Le saxophone ténor

> *« Les meilleures expressions que les Nègres ont données de leur âme sont, et ont été, prononcées au saxophone ténor. »*
>
> Ornette COLEMAN.

Le saxophone ténor a connu une évolution inverse à celle de la clarinette. Cette dernière commence par exhiber une mine de noms brillants puis semble décliner progressivement ; l'histoire du saxophone ténor est en revanche un crescendo constant. A l'origine se dresse la stature d'un homme seul. Il existe aujourd'hui des saxophonistes ténors en tel nombre qu'il est parfois difficile, fût-ce pour un expert, de relever les subtilités les distinguant. Nous avons dit précédemment que la sonorité du jazz moderne avait été *ténorisée* par Lester Young. Elle sera ensuite « guitarisée » puis « électrifiée ».

L'homme seul des débuts se nomme **Coleman Hawkins**. Tous les ténors de jazz s'inspirèrent de son jeu jusqu'à la fin des années trente. Ils puisèrent dans ses structures mélodiques spectaculaires, dans sa sonorité volumineuse et dans ses improvisations rhapsodiques. A l'époque était disciple d'Hawkins quiconque jouait du saxo ténor. Les plus importants furent : **Chu Berry, Arnett Cobb, Hershel Evans, Ike Quebec, Ben Webster, Al Sears, Illinois Jacquet, Buddy Tate, Don Byas, Lucky Thompson, Frank Wess, Eddie « Lockjaw » Davis, Georgie Auld, Flip Phillips, Charlie Ventura** et **Benny Golson**. Chu Berry est sans doute de tous celui qui se rapproche le plus du maître. Il fut un musicien très demandé durant la seconde moitié des années trente — alors qu'Hawkins se trouvait en Europe ; c'était l'homme auquel on songeait aussitôt lorsqu'on parlait de saxophone ténor. L'un de ses plus célèbres solos fut celui de *Ghost of a Chance.* **Arnett Cobb** fit partie de l'orchestre de Lionel Hampton au début des années quarante. Son jeu est merveilleusement résumé par la formule qui devint célèbre après qu'il eut quitté l'orchestre d'Hampton : « Le ténor le plus sauvage du monde. » **Hershel Evans** était l'opposé même de Lester Young au sein du Count Basie Band. Lester fut sans conteste le meilleur musicien du groupe, mais c'est Evans qui joua le solo le plus célèbre du vieil orchestre de Basie : *Blue and Sentimental.*

Evans avait pour habitude de demander ironiquement à Lester : « Pourquoi ne joues-tu pas de l'alto, vieux ? Tu sonnes comme un alto. » Et Lester lui répondait en se frappant le front : « Il s'en passe des choses là-haut, vieux. Certains d'entre vous n'ont qu'un ventre. » Basie jugeait le contraste entre les styles de Lester et d'Hershel si efficace qu'il s'efforça toujours de le reproduire dans ses orchestres ultérieurs. Ainsi ces rôles étaient-ils assumés, dans son orchestre des années cinquante, par les « deux Frank » : **Frank Foster**, représentant la tendance « moderne » et **Frank Wess** issu de l'école Hawkins. Par la suite, **Eddie « Lockjaw » Davis** prit la place de Wess. Davis est un ténor typique de « Harlem » ; il possède une présence dure, frappante. Foster acquit la notoriété dans les années quatre-vingts en tant qu'arrangeur et leader d'une grande formation de premier ordre.

Hershel Evans avait pris en fait la place de **Buddy Tate**, qui tenait le ténor dans le premier orchestre de Count Basie à Kansas City. Buddy rejoignit Basie après le décès d'Evans en 1939. Il sombra ensuite dans une obscurité relative, jusqu'à ce que la vague de mainstream des années cinquante et soixante le ramène à l'avant-plan. Il dirigea pendant maintes années son orchestre à Harlem, enrichissant le style des grandes formations classiques de Harlem (celui qu'on pouvait entendre dans le vieux Savoy Ballroom) en y incorporant des éléments de rhythm n' blues modernes. Tate et Arnett Cobb, les deux ténors texans, comptent au nombre des rares musiciens de leur génération à être toujours actifs en ce début des années quatre-vingts.

Lucky Thompson est passé maître en matière de lignes mélodiques harmonieuses, impétueuses. Il a souvent travaillé avec Charlie Parker, Dizzy Gillespie, Oscar Peterson et d'autres musiciens de jazz moderne, et ses improvisations réunissent d'une manière très personnelle, le meilleur des deux styles de ténor jazz, ceux d'Hawkins et de Young. **Don Byas**, qui mourut en 1972, est surtout connu pour son vibrato « sensuel » et pour ses interprétations de ballades. Il a joué avec Basie et fut l'un des premiers musiciens de Swing à travailler avec les jeunes inventeurs du be-bop. Il s'établit en Hollande dès la fin des années quarante.

Ben Webster, qui mourut en Europe en 1973, alliait deux qualités : un vibrato guttural, rauque et une sensibilité érotique intense dans les ballades lentes. De tous les musiciens de l'école Hawkins, il fut le plus influent, même parmi les musiciens de jazz moderne. Au début des années quarante, Webster fut membre de l'orchestre Ellington, avec lequel il enregistra l'un de ses plus célèbres solos : *Cottontail.* **Al Sears** reprit le siège de Webster auprès d'Ellington en 1943. Sa tendance stylistique est indiquée par un morceau de rhythm n' blues, *Castle Rock,* qu'il écrivit pour Johnny Hodges et qui devint un hit. **Paul Gonsalves** (qui mourut en 1974) devint le ténor vedette d'Ellington, dans la tradition de Webster. Les envolées marathoniennes de Gonsalves sont légendaires : des courses rapides, effrénées en un mouvement fluide, presque exempt de répétitions de notes et de couacs, plus excitantes — et néanmoins plus logiques sur le plan musical — que de nombreux solos de ténor dont les couacs extatiques n'appartiennent plus au domaine de la musique.

Ellington prit soin de disposer à toutes les époques de sa carrière d'un musicien capable d'occuper la place du grand, et en définitive, de l'inégalable Ben Webster.

Benny Golson est un véritable phénomène stylistique : un ténor et un arrangeur issu de l'orchestre de Dizzy Gillespie du milieu des années cinquante, qui joua avec tous les jeunes musiciens modernes de l'époque. Il n'en est pas moins coulé dans le moule du riche style de ballade de Byas-Webster-Hawkins. *Out of the Past* est le titre de l'une des plus belles compositions de Golson, et il est vrai que ses improvisations au ténor et ses compositions mélodieuses pleines de mélancolie et d'une magie perdue paraissent émerger « du passé ». Ce « romantique du jazz » ne s'est guère fait entendre au cours de la dernière décennie — à l'exception de quelques apparitions en public.

Illinois Jacquet est sans doute le musicien le plus « hot », le plus enthousiasmant de l'école Hawkins. Il réussit, bien avant les ténors du free jazz moderne, à étendre le champ de son instrument jusque dans les sommets extrêmes du flageolet. Jacquet est issu de l'orchestre de Lionel Hampton, avec lequel il interpréta son célèbre solo *Flyin' Home*. Il est aussi célèbre pour ses triomphes à l'occasion des premières tournées du Jazz at the Philharmonic de Norman Granz. Jacquet déclara : « Granz me doit le succès mondial de JATP ! »

Georgie Auld, **Flip Phillips** et **Charlie Ventura** sont les principaux ténors blancs de l'école Hawkins — les deux premiers via Ben Webster. Artisan de qualité, Auld joua plus *à la* Pres avec un groupe de taille moyenne au plus fort de l'ère bop ; il enregistra ensuite des disques avec une grande formation inspirée de Lunceford, avec toutefois une orientation plus marquée par Hawkins. Pendant des années, **Flip Phillips** fut utilisé pour séduire les foules avec la troupe du Jazz at the Philharmonic. Phillips a toutefois interprété, dans l'orchestre de Herman au milieu des années quarante, et plus tard sur disques et en concerts, des ballades bénéficiant d'une excellente structure et d'une sonorité polie et « restreinte » évoquant Hawkins. **Charlie Ventura** doit sa renommée aux groupes de taille moyenne qu'il dirigea par intermittence de 1947 jusqu'au milieu des années cinquante.

Il se produisit durant l'ère bop sous la bannière du « Bop for the People » et contribua à la popularisation du bop.

Bud Freeman, le ténor du Chicago-style, qui fut remarqué par Lester Young dans sa première période, précéda Coleman Hawkins. Budd, toujours actif au début des années quatre-vingts, devint le principal ténor de dixieland — ce qui ne l'empêcha nullement d'étudier avec Lennie Tristano durant les années cinquante. **Gene Sedric** pourrait être considéré comme l'alter ego noir de Freeman ; il doit sa notoriété à sa participation à de nombreux enregistrements de Fats Waller dans les années trente.

Avec ces musiciens nous avons épuisé pour l'instant le chapitre Hawkins de l'histoire du ténor. **Lester Young** devint le grand homme du ténor dans les années quarante, et plus encore dans les années cinquante, mais il a toujours subsisté une certaine tension dynamique à propos des influences stylistiques qu'exercèrent Hawk et le Pres — au point qu'il est possible de sentir une prédominance de la tradition Hawkins parmi les ténors de l'école Sonny Rollins après la fin des années cinquante.

Ce qui fascine le plus les ténors dans le jeu d'Hawkins, c'est avant tout la grandeur, la puissance et le volume de sa sonorité. Ce qui les fascine chez Lester Young c'est le lyrisme, l'impétuosité de ses lignes. Disons pour simplifier la situation que la tension sous-jacente à l'histoire du saxophone ténor est celle existant entre la sonorité d'Hawkins et la linéarité de Lester. Cette tension est déjà présente chez certains ténors présentés comme se situant dans la lignée d'Hawkins : Thompson, Byas, Gonsalves, Phillips et Ventura. Il convient d'ajouter à cette liste un groupe de ténors qui se situent fermement dans le camp de Lester, sur le plan du style, mais dont la sonorité tend nettement vers Hawkins. **Gene Ammons**, qui mourut en 1974, est le plus important d'entre eux. Fils du pianiste de boogie-woogie Albert Ammons, il fit partie des orchestres de Billy Eckstine et de Woody Herman dans les années quarante. Il acquit la notoriété à la faveur des « joutes » (ces concours populaires entre deux représentants du même instrument) qu'il livra avec Sonny Stitt (au ténor !). Il possédait la sonorité la plus puissante de tous ceux qui n'appartenaient pas à l'école Hawkins : « Elle est aussi grande qu'un immeuble de quinze étages, et très vocale en outre », dit Ira Gitler, qui compare son jeu au chant blues de Dinah Washington.

Par ailleurs, les ténors de l'école Lester Young peuvent être classés — en termes réductionnistes — selon deux catégories : les musiciens ayant lié les idées de Lester à celles du bop, et l'école du classicisme Lester Young moderne, dans laquelle l'influence du bop recula proportionnellement à la jeunesse des musiciens. Les ténors les plus importants de la lignée « Lester Young plus bop » sont **Wardell Gray, James Moody, Budd Johnson** et **Frank Foster**, ainsi que les précurseurs de Sonny Rollins que nous mentionnerons ultérieurement.

James Moody, alto, flûtiste et ténor, fut l'une des personnalités musicales les plus remarquables de l'ère bop, faisant souvent montre d'un humour exubérant qui céda la place à une douceur mûre dans les années soixante-dix. Dizzy Gillespie l'engagea dans son quintette en 1960 puis en 1980. **Budd Johnson** est issu des grands orchestres les plus influents de l'époque bop : ceux de Earl Hines, Boyd Raeburn, Billy Eckstine, Woody Herman, Dizzy Gillespie. Il fut probablement le seul musicien à avoir joué dans toutes ces grandes formations. Cette influence lui permit d'adapter régulièrement son approche du jeu aux tendances contemporaines. Né en 1910, il appartient à la « poignée » de musiciens de sa génération qui s'intéressèrent aux mouvements musicaux des années soixante-dix et quatre-vingts.

Wardell Gray, qui mourut en 1955 dans des circonstances mystérieuses (son corps fut retrouvé dans le désert près de Las Vegas), fut un musicien de première importance. Il possède la linéarité de Lester, le phrasé du bop, et une vigueur d'attaque ainsi qu'une mobilité étincelante caractéristiques, le tout joint à une unité stylistique convaincante. Il est intéressant de noter que des musiciens de Swing pur tels que Benny Goodman et Count Basie se sentirent attirés par Gray, mais ils prirent conscience de conflits stylistiques dès qu'il commença à jouer dans leurs combos ou leurs orchestres. *The Chase*, cette joute si justement nommée qui opposa en 1947 Gray à Dexter Gordon (un ténor d'une importance similaire dont nous discuterons plus tard), est l'une des plus passionnantes de l'histoire du jazz.

Il convient de noter qu'il n'y eut à l'origine que quelques ténors susceptibles d'être considérés comme des musiciens de be-bop (dans un sens strict). Wardell Gray, James Moody, Sonny Rollins (au début de sa carrière !), Dexter Gordon et Allen Eager étaient les seuls à l'époque. L'envergure de Lester Young était encore trop forte pour permettre une évolution différente. Même un homme tel que Sonny Stitt, qui était un musicien de bop pur à l'alto, trahissait nettement l'influence de Lester Young dès qu'il saisissait son saxophone ténor. En fait, l'importance de Lester — et non pas de Charlie Parker ! — continua à s'affirmer sur la scène du ténor jusqu'au milieu des années cinquante.

Wardell Gray occupe une position centrale entre les deux courants du saxophone ténor des années cinquante : les « Brothers », et Charlie Parker avec Sonny Rollins comme chef de file. Dans le premier, les disciples de Young célébraient ses véritables triomphes. Les nombreux représentants de ce classicisme Young seront classés en fonction de la manière dont ils expriment le plus souvent la tendance Basie-Young : au début de notre liste l'influence bop est notoire : **Allen Eager, Stan Getz, Herbie Steward, Zoot Sims, Al Cohn, Bob Cooper, Buddy Collette, Dave Pell, Don Menza, Jack Montrose, Richie Kamuca, Jimmy Giuffre** et **Bill Perkins**. Nombre de ces musiciens ont joué avec Herman ou sont plus ou moins reliés à la scène jazz californienne. C'est là que se développa le « Four Brothers sound » (la sonorité des Quatre Frères) en 1947. Stan Getz raconte : « Nous avions un orchestre dans le quartier espagnol de Los Angeles. Le leader était un trompette nommé Tony De Carlo, et nous ne disposions que de sa trompette, de quatre ténors et d'une section rythmique. Gene Roland et Jimmy Giuffre avaient réalisé à notre intention quelques arrangements ; ce sont eux, en d'autres termes, qui créèrent le "Four Brothers sound". » Les quatre ténors du groupe étaient **Stan Getz, Herbie Steward, Zoot Sims** et **Jimmy Giuffre**.

A l'époque Woody Herman était sur le point de former un nouvel orchestre. Il entendit les quatre ténors et fut enthousiasmé par leur sonorité au point qu'il en engagea trois : Sims, Steward et Getz. Il remplaça le quatrième ténor par le baryton Serge Chaloff, afin d'ajouter de la chaleur à la combinaison de ténors. La nouvelle sonorité fut rendue célèbre grâce à un morceau écrit pour Herman en 1947 par Jimmy Giuffre. Il s'intitulait *Four Brothers* — d'où l'appellation de la sonorité. Celle-ci devint, avec la sonorité du Miles Davis Capitol, la plus influente du jazz jusqu'à la parution de *Bitches Brew* de Miles Davis — elle conserva son efficacité même par la suite. Sa chaleur et sa souplesse symbolisent l'idéal sonore du cool jazz.

D'autres ténors se succédèrent, dans les années suivantes, au sein des sections de saxophones « Four Brothers » des divers orchestres d'Herman. Le premier fut **Al Cohn**, qui prit la place de Steward dès 1948. Puis vinrent **Gene Ammons, Giuffre,** et tant d'autres jusqu'à **Bill Perkins** et **Richie Kamuca** (décédé en 1977). Getz, qui fut dès la naissance des « Brothers » le *primus inter pares*, réalisa certains enregistrements avec des combos (pour Prestige) en 1949 avec Sims, Cohn, Allen Eager, et Brew Moore dans lesquels la sonorité des Four Brothers était rendue par cinq ténors.

Voici un extrait d'un article d'Ira Gitler — critique ayant une affinité toute particulière pour la scène du ténor moderne — qui donne une impression assez juste des distinctions subtiles à établir entre ces différents ténors : « On trouvera un excellent exemple des différences internes existant dans un même secteur en examinant l'œuvre de Zoot Sims et d'Al Cohn et en la comparant au jeu de Bill Perkins et Richie Kamuca. Tous pourraient être considérés, dans un sens large, comme des modernistes dans la tradition Basie-Young, mais Sims et Cohn, qui furent inspirés à l'origine par Lester Young, s'affirmèrent dans les années quarante alors que Charlie Parker était au sommet de sa carrière et que son influence était la plus puissante. Quoique ne jouant pas comme Parker, ils ont été quelque peu affectés sur le plan stylistique et nettement sur le plan harmonique. »

« Kamuca et Perkins (actifs dans les années cinquante) dont l'inspiration remonte au Pres de la période Basie ainsi qu'aux Brothers (Sims, Cohn, Getz) n'ont été influencés par le Bird que par osmose, à travers les Brothers ; les traces sont en conséquence intangibles. »

La marque Parker est plus forte chez **Allen Eager**, ainsi

que le démontrent les solos splendides, stimulants qu'il interpréta avec le grand orchestre de Buddy Rich vers 1945. **Getz** est le représentant le plus important de cette école, un improvisateur à part entière et l'un des plus merveilleux musiciens de jazz blancs. Il est également un virtuose capable de jouer n'importe quoi sur son ténor. C'est cet élément technique qui le distingue de la plupart de ses collègues « Brothers » et de leur sophistication de la simplicité (ce qui est une manière aimable de masquer le fait que ces musiciens sont eux aussi des maîtres de la technique !). Stan acquit la célébrité essentiellement grâce à ses interprétations de ballades. Il eut toutefois tendance dans les années cinquante, sous l'influence de Parker, à favoriser les tempos rapides. Il réalisa certains des enregistrements les plus prodigieux de sa carrière en 1953 au Storyville Club de Boston, avec le guitariste Jimmy Raney, et en 1954 en concert à l'auditorium Shrine de Los Angeles avec le trombone Bob Brookmeyer. Il est caractéristique qu'un musicien tel que Getz paraisse plus à l'aise au contact d'un public de nightclub ou de concert que dans l'atmosphère froide d'un studio.

En 1961 la bossa nova avec ses chansons poétiques et charmantes envahit les États-Unis et Getz la découvrit par l'intermédiaire du guitariste Charlie Byrd, qui revenait du Brésil. Il enregistra plusieurs grands succès dans le style brésilien, tout d'abord avec Byrd, puis seul.

On a si souvent répété que Getz était « inspiré » par la bossa nova, à laquelle il « devait tout », qu'il me paraît nécessaire de rappeler qu'il y eut au préalable une influence inverse : du cool jazz (où plongent les racines de Getz) à la samba brésilienne. La bossa nova n'est née que de l'interaction entre le cool jazz et la samba. Ainsi, un cercle se trouva-t-il bouclé lorsque Getz « emprunta en retour » (ainsi qu'il le dit lui-même) des éléments brésiliens. Ceci explique peut-être la fascination exercée par ses transformations cool jazz mélodiques « brésilianisées », quoique certains musiciens brésiliens créatifs qualifièrent ces enregistrements de « falsifications » ou de « batardisations ». Il est intéressant de se rappeler que la transition caractéristique de la *cantilena* aux passages d'une grande intensité rythmique, si typiques de la musique brésilienne, était déjà présente sous une forme différente dans les improvisations cool de Getz du début des années cinquante — donc bien avant l'émergence de la bossa nova.

Depuis le milieu des années soixante, après l'extinction de la vague bossa nova, Getz combine son héritage lestérien classique avec certains ingrédients plus hard, plus expressifs, empruntés essentiellement à Sonny Rollins. Il semble que le champ d'expression de ce grand musicien devienne plus universel et plus impressionnant.

Zoot Sims est considéré comme le plus swing des Brothers. Il est un improvisateur énergique, libre de toute entrave, doté d'un certain goût pour l'accentuation des registres supérieurs de son instrument, conférant à certains moments à son ténor une sonorité proche de celle de l'alto. Il est à noter qu'il a joué de l'alto, puis du soprano sous l'influence de Coltrane mais avec des inflexions très personnelles. **Al Cohn** illustre le retour *conscient* au classicisme Basie-Young — non seulement dans son jeu mais encore en tant qu'arrangeur et leader sur de nombreux enregistrements. Les petites torsions qu'il imprime à sa douce sonorité lestérienne confèrent à son jeu une expressivité certaine. Pendant plusieurs années Cohn et Sims codirigèrent un quintette comptant deux ténors qui — dans le cadre de leur similarité — séduisirent par leur différence subtile.

La plupart des musiciens qu'il nous reste à mentionner dans le cadre du classicisme lestérien sont représentatifs du jazz de la côte Ouest. **Bill Perkins** interprète des phrases dans le plus pur style lestérien, merveilleusement ressenties, que l'on serait tenté de qualifier de « nobles ». Le jeu du ténor de Jimmy Giuffre possède une qualité évoquant la clarinette — une grande affinité pour les blue notes « distillées », cool. Son classicisme lestérien se fonde sur une excellente connaissance de la musique de chambre « classique » moderne et sur un amour profond des mélodies folk. **Buddy Collette** est l'un des rares musiciens de jazz noirs de la côte Ouest — mais ses racines négroïdes sont plus évidentes dans son jeu à l'alto, tendant vers Parker, que dans la sonorité relativement polie de son ténor. **Don Menza**, qui est également un excellent arrangeur pour grand orchestre (celui de Buddy Rich, par exemple) est de ceux qui rapprochèrent le « Four Brothers sound » de Sonny Rollins.

Un musicien européen mérite de figurer sur cette liste ne rassemblant par ailleurs que des Américains. Il s'agit de l'Autrichien **Hans Koller**. Il commença sa carrière au début des années cinquante dans la lignée de Lee Konitz, il fut ensuite influencé par Sims et Cohn puis, grâce à Coltrane, il développa sa propre conception expressive.

Plusieurs musiciens ne s'intégreront dans aucune des catégories dans lesquelles nous nous sommes efforcés de répartir les ténors influencés par Lester Young. Citons notamment **Paul Quinichette**, Brew Moore et Warne Marsh. Quinichette, qui est issu de l'orchestre de Count Basie, fut présenté comme un « reflet » fascinant du Pres dans le chapitre consacré à Hawkins et à Young. **Brew Moore**, qui mourut en 1973, appartient également à l'entourage immédiat de Lester — sans le détour via le classicisme moderne. **Warne Marsh** est un produit de l'école Tristano. On a dit qu'il jouait du Lee Konitz « ténorisé », mais il possède son propre style fluide, qui est revenu à la mode durant les années soixante-dix et au début des années quatre-vingts, à tel point que son enregistrement réalisé avec des musiciens de plusieurs années ses cadets (Pete Christlieb et Lew Tabackin notamment) attira considérablement l'attention !

Il semblerait au stade actuel que la joute entre les idées d'Hawkins et celles de Young, concernant l'évolution du saxophone ténor, se soit achevée par la victoire incontestable de Young. Cette impression s'estompe toutefois sous l'influence de **Sonny Rollins** durant la seconde moitié des années cinquante. Rollins l'improvisateur acquit une importance telle qu'on en arriva à le situer immédiatement après Miles Davis. Pourtant, ni Sonny lui-même ni sa manière de jouer n'étaient des « nouveaux venus » dans le sens le plus strict du terme. Dès 1946 il joua avec maints musiciens de bop importants : Art Blakey, Tadd Dameron, Bud Powell, Miles Davis, Fats Navarro, Thelonious Monk, etc. Son style implique une combinaison des lignes de Charlie Parker et de la sonorité volumineuse de Coleman Hawkins — que Rollins transforma en une sonorité propre, angulaire, aiguë, d'une grande individualité — avec une légère touche de Lester Young, à laquelle peu de ténors échappent totalement depuis les beaux jours du Pres.

Cette combinaison, qui parut si novatrice durant la seconde moitié des années cinquante, était *comme il faut*[1] durant les années bop. Sonny Rollins n'était pas le seul à la jouer de cette manière, **Sonny Stitt** et surtout **Dexter Gordon** sont des musiciens s'inscrivant dans cette lignée, liée à bien des égards à celle «Lester-plus-bop» mentionnée précédemment (James Moody, par exemple). Gordon était *le* ténor bop, avec toute la nervosité mercurienne propre au bop. En 1944, dans un enregistrement du grand orchestre de Billy Eckstine *(Blowing the Blues Away)*, Gordon et Gene Ammons inaugurèrent la pratique des «joutes» musicales dont nous avons déjà parlé dans le cadre de ce chapitre. (Nous reviendrons plus loin sur Gordon.)

Le fait que Sonny Rollins accéda néanmoins à l'avant-plan de manière aussi soudaine tient moins à ses innovations qu'au tempérament et à la vitalité caractérisant ses improvisations — bref, à sa stature. Ainsi, peut-il se permettre de traiter les structures harmoniques sur lesquelles il improvise avec un manque de contrainte étonnant et une grande liberté, et se contenter d'indiquer des lignes mélodiques avec de simples notes staccato largement espacées, se moquant en quelque sorte d'elles. Cette liberté est proche de celle des improvisations au piano de Thelonious Monk. Monk et Rollins sont tous deux New-Yorkais et l'on retrouve dans leur musique ce sens de l'humour froid typique de New York. Le ténor français **Barney Wilen** déclara à l'époque où il était l'un des jeunes musiciens de l'école de Rollins: «Sonny Rollins n'a peur de rien.»

Cette école demeura vivante dans les années quatre-vingts. Rollins, qui visita l'Inde entre-temps et étudia le yoga et les religions asiatiques, réalise désormais la majorité de ses disques dans la veine du jazz fusion — qui déplaît tant aux puristes. C'est sa manière de captiver l'oreille du jeune public, mais il préserve toutefois son avantage le plus important: sa sonorité, ainsi que son sens de l'humour (parfois sarcastique). Sa famille ayant des ancêtres aux Caraïbes, il a régulièrement composé et inclus dans sa musique des calypsos et des thèmes et des rythmes latins en général.

1. En français dans le texte. *(N.d.T.)*

Il convient, avant d'aborder John Coltrane et les musiciens de son école, que nous nous intéressions à un certain nombre de ténors plus ou moins indépendants des écoles Rollins et Coltrane — même si d'aucuns ont été au cours de leur carrière quelque peu influencés par John Coltrane. Il s'agit d'**Hank Mobley, J.R. Monterose, Johnny Griffin, Yusef Lateef, Billy Mitchell, Charlie Rouse, Stanley Turrentine, Booker Ervin, Teddy Edwards, Roland Kirk, Clifford Jordan, Bobby Jones, Jack Montrose, Harold Land**, etc.

Hank Mobley a une sonorité veloutée qui flotte tel un voile sur ses lignes longues, s'autoperpétuant en apparence. **Stanley Turrentine** applique une approche influencée par le rock et la soul aux lignes sautillantes de Ben Webster et de Coleman Hawkins. Le regretté **Booker Ervin**, qui acquit tout d'abord la notoriété à la faveur de son association avec Mingus, fut l'un des improvisateurs les plus solides du début et du milieu des années soixante avec une richesse merveilleuse de swing véhément, inspiré du blues. **Johnny Griffin** a enthousiasmé son public avec ses improvisations mélodiques souvent drôles.

Yusef Lateef est issu du cercle de Detroit des musiciens de bop moderne. Dès les années cinquante il fut le premier musicien de jazz qui s'efforça d'intégrer des éléments musicaux arabes et orientaux au jazz. Il réalisa des enregistrements inspirés, excitants sur lesquels il joue, outre du ténor, d'instruments tels que les flûtes (souvent d'origine exotique), le hautbois et le basson (qui ne sont utilisés qu'en de rares exceptions en jazz). **Harold Land** que l'on découvrit à la faveur de sa collaboration au Max Roach-Clifford Brown Quintet, qui contribua à réaliser la transition entre le jazz de la côte Ouest et le hard bop du milieu des années cinquante, demeure l'un des improvisateurs les plus dynamiques et les plus frais du jazz californien. La plupart de ces musiciens ont été actifs pendant une période relativement longue — du début des années cinquante à nos jours — prouvant ainsi qu'ils interprètent une musique d'un genre qui est, dans le meilleur sens du terme, « intemporelle » et indépendante des modes passagères.

Puis il y eut **Roland Rahsaan Kirk**, un musicien aveugle qui quitta Columbus, Ohio, pour Chicago en 1960. Il arriva en ville avec trois saxophones pendus autour du cou, jouant parfois des trois simultanément et actionnant une sirène entre les chorus — il emmenait en outre une flûte et une douzaine d'instruments divers.

Kirk, dont le décès en 1975 secoua l'ensemble du monde du jazz, fut l'un des musiciens les plus communicatifs du jazz moderne, doté d'une vitalité étonnante. Il était semblable aux vieux musiciens de folk qui parcourent le monde avec leur balluchon. Il est sans conteste un symbole de maintes choses étant advenues en jazz durant ces années : la sophistication issue des racines, la naïveté d'une attitude enfantine véritable, la sensibilité de la vitalité. Kirk dit : « Les gens parlent de liberté, mais le blues est toujours l'un des genres les plus libres qu'on puisse jouer. »

Pour Kirk, le jazz était « la musique classique noire ». Il éleva délibérément, dans ses compositions et ses improvisations, cette tradition au niveau d'un programme, non pas en regardant en arrière, mais au contraire en incorporant le passé aux sonorités des années soixante-dix. Il joua en diverses occasions avec des groupes pop et rock : « Tout ce que je veux c'est jouer. J'aime imaginer que je pourrais travailler avec Sinatra, B.B. King, les Beatles ou un orchestre de polka et que tous ces gens-là prendraient leur pied. » Roland Kirk s'est référé à tant de grands musiciens noirs — Duke Ellington, Charles Mingus, Sidney Bechet, Fats Waller, Don Byas, John Coltrane, Clifford Brown, Lester Young, Bud Powell, Billie Holiday, etc. — que l'on est en droit d'affirmer qu'il joua « de » la tradition noire comme d'un instrument. Il disait : « Dieu aime le son noir. »

Une caractéristique de nombre de ces musiciens — et certainement de Sonny Rollins et de Roland Kirk — est la relation qu'ils entretiennent avec le rythme. Ils jouent par-delà le rythme avec la même impétuosité libre dont ils font montre dans leur approche de l'harmonie. D'une part ils s'éloignent considérablement du temps fondamental, de l'autre ils ne rompent jamais le contact avec lui ; en conséquence ils développent une tension rythmique intense, excitante dans laquelle réside la véritable stimulation de leur jeu. A cet égard, Rollins aussi perpétue l'héritage de Charlie Parker. Un magazine de jazz français titra : « Les successeurs de

Charlie Parker jouent du ténor» au moment où l'influence de Rollins atteignait son apogée, vers la fin des années cinquante.

L'influence de Rollins céda la place à celle, encore plus vaste peut-être, de **John Coltrane**. Ce dernier (cf. le chapitre qui lui est consacré ainsi qu'à Ornette Coleman) devint le professeur et le maître de la plupart des ténors des années soixante, soixante-dix et même du début des années quatre-vingts — et pas uniquement des ténors.

Il est permis de classer en deux groupes les «étudiants» de Coltrane (une classification convenant également aux autres instrumentistes) : ceux se situant dans les limites de la tonalité et ceux évoluant au-delà (avec toutes les nuances qu'il convient de garder présentes à l'esprit dans une répartition aussi généralisée). Le modèle coltranien est plus fort et plus immédiatement perceptible dans le premier groupe, alors que le dernier considère les impulsions de Coltrane comme une «libération» seulement dans un sens général exprimant d'autant plus clairement leur individualité.

Les membres appartenant au premier groupe sont des musiciens aussi divers que **Joe Henderson, George Coleman, Charles Lloyd, Carlos Garnett, Joe Farrell, Sam Rivers, Billy Harper** et parmi la plus jeune génération **Pat LaBarbera, Ricky Ford, Michael Stuart**, etc. **Henderson** propulsa de manière exemplaire la grande tradition bop dans le jazz de l'ère post-Coltrane. **Farrell** allie la puissance d'un style plus conservateur à une sensibilité contemporaine, ce qui constitue sans doute l'une des raisons pour lesquelles Chick Corea fit souvent appel à lui pour ses enregistrements. **Charles Lloyd** dirigea vers la fin des années soixante un groupe qui compte parmi les précurseurs des orchestres de jazz rock. **Harper**, qui a intégré à sa musique des éléments de gospel, diffuse le message de John Coltrane à la manière d'un hymne, tant sur le plan musical que spirituel. **Sam Rivers** joua avec Miles Davis dans les années soixante — de même que **George Coleman** — et avec Cecil Taylor par la suite. Sorte de figure paternelle de l'avant-garde new-yorkaise dans les années soixante-dix, il assure la transition avec les ténors du groupe suivant. L'attention du monde du jazz fut attirée sur **Ford** à l'occasion de sa collaboration avec Charles

Mingus, sur **Stuart** à la faveur de son jeu avec Elvin Jones, et sur **Pat LaBarbera** en raison de son association avec le grand orchestre de Buddy Rich et avec Elvin Jones. Tous trois tendent vers ce « classicisme John Coltrane » des années soixante-dix et quatre-vingts qui est devenu le véritable mainstream contemporain du jazz (nous y reviendrons par la suite).

Archie Shepp, Pharoah Sanders, Albert Ayler, John Gilmore, Fred Anderson, Dewey Redman, Frank Wright, Joe McPhee, Charles Tyler, Charles Austin ainsi que, parmi la jeune génération, **David Murray, Chico Freeman** et **David S. Ware** appartiennent au groupe de la « tonalité libre » — et même de l'« atonalité » selon certaines oreilles — du jazz d'avant-garde. Shepp, un homme de free jazz « en colère » au début, a par la suite assimilé les traditions de Coleman Hawkins, Ben Webster et Duke Ellington à l'expérience du jeu free. « Mon saxe est un sex-symbol », déclara-t-il.

La devise d'**Albert Ayler**, qui se produisait souvent avec son frère Don Ayler à la trompette, était différente : « Nous jouons la paix. » L'engagement d'Ayler fut moins politique que religieux, voire philosophique. Ayler, qui élabora son style de manière plus ou moins indépendante de Coltrane, se réfère à la tradition dans la liberté de ses breaks d'une manière particulière évoquant la musique folk et intégrant des éléments des marches et de la musique de cirque du début du siècle, des danses folkloriques, des valses, des polkas ou encore des « dirges » — la musique des processions funéraires de la vieille Nouvelle-Orléans. Ayler, qui mourut en 1971 à l'âge de trente-quatre ans (son corps fut découvert dans l'East River de New York après une disparition de vingt jours), était « à bien des égards plus proche de la vieille sonorité de Bubber Miley et de Tricky Sam Nanton que de celle de Parker, Miles Davis ou Rollins. Il réinsuffla au jazz ce sentiment sauvage, primitif qu'il avait perdu vers la fin des années trente... Sa technique ne connaissait pas de limites, l'étendue de son jeu, des couacs les plus bas aux harmonies les plus aiguës, est sans pareille » (Richard Williams).

Pharoah Sanders est le ténor à la puissance musicale et physique exceptionnelle que John Coltrane engagea en 1966 comme second saxophoniste de son groupe, dans l'espoir que cette concurrence le stimule d'autant plus. A l'instar d'autres jeunes ténors, il étendit le champ de l'instrument dans les registres les plus hauts du soprano en quintoyant. Sanders stéréotypa et banalisa son jeu pendant plusieurs années, mais il est devenu évident, depuis la fin des années soixante-dix, que Trane savait ce qu'il faisait en faisant appel à lui.

Dewey Redman devint finalement vers le début des années soixante-dix le partenaire musical idéal qu'Ornette Coleman — et par la suite Don Cherry — avait recherché pendant si longtemps. Le groupe que Redman codirigea avec Cherry s'intitulait Old and New Dreams, et c'est exactement ce qu'ils proposent : de nouveaux rêves s'inspirant d'une tradition noire ancienne et fondamentalement intemporelle. **Charles Austin** a retenu l'attention à l'occasion d'une collaboration très originale avec le joueur de synthétiseur Joe Gallivan, plongeant ses racines coltraniennes dans l'abstrait. Patrick Irwin a qualifié **Chico Freeman** de : « peut-être le musicien le plus *inside-outside* ». *Inside* (littéralement : dedans) implique que Freeman connaît la tradition. *Outside* (lit. : dehors), qu'il s'aventure dans les sonorités free. L'aspect *inside* lui vient de son père, Von Freeman (sur lequel je reviendrai) ; l'*outside* de ses relations avec l'AACM, le groupe avant-gardiste de sa ville natale, Chicago.

Le jeu free trouva un sol particulièrement fertile parmi les ténors européens. D'aucuns jouèrent dans un style tout à fait personnel, nullement comparable à celui des musiciens américains. Le Hollandais **Willem Breuker**, dont nous avons déjà parlé en tant qu'interprète de clarinette basse, utilise la tradition musicale européenne — ainsi que la musique folklorique hollandaise et basse allemande — d'une manière correspondant à l'emploi de la tradition noire par Roland Kirk. Le ténor allemand **Peter Brötzmann** possède une intensité qu'on ne rencontre en général que chez les musiciens noirs. Brötzmann l'exprime toutefois d'une manière totalement européenne, et même purement germanique. Le critique britannique Richard Williams et d'autres observateurs internationaux n'hésitent pas à qualifier le jeu de Brötzmann de « teutonique ». Les paquets de notes jouées simultanément sont populaires dans l'ensemble de l'univers free, mais personne ne les utilise de manière aussi radicale que Brötzmann. Le Norvégien **Jan Garbarek** a, d'une manière très européenne, « spiritualisé », romantisé et esthétisé le free jazz et il a développé un style de jeu d'une clarté mélodieuse et accrocheuse. Le Britannique **Evan Parker** est peut-être le ténor européen le plus personnel. Evan a véritablement créé un style nouveau, abstrait, avant-gardiste, sans influence perceptible de Coltrane et de Coleman.

Les autres ténors européens importants sont le Britannique **Allan Skidmore**, les Polonais **Tomasz Szukalski** et **Leszek Zadlo**, le Suédois **Bernt Rosengren**, le Finlandais **Juhani Aaltonen**, le Français **François Jeanneau** et les Allemands **Heinz Sauer** et **Gerd Dudek**.

Intéressons-nous maintenant aux musiciens influencés par le rock et le jazz fusion : **Wayne Shorter, Benny Maupin**, l'Argentin **Gato Barbieri, John Klemmer, Tom Scott, Wilton Felder, Mike Brecker** et — le plus jeune ténor de ce groupe — **Bob Malach. Wayne Shorter**, le plus important, a déjà fait l'objet d'une présentation dans le chapitre consacré au saxophone soprano. Ses racines plongent dans le be-bop, mais pendant quelques années elles devinrent imperceptibles jusqu'à ce que Shorter renoue avec elles vers la fin des années soixante-dix. **Mike Brecker** est un prodigieux musicien de néo-bop, bien qu'il ait enregistré plus de disques de jazz fusion que d'albums de jazz « acoustique ». Il déclara en diverses occasions (à l'instar d'autres musiciens) que ces disques de jazz fusion, de soul et de funk répondaient essentiellement à des motivations commerciales et qu'il préférerait jouer du vrai jazz acoustique. **Bob Malach** transpose la grande tradition du ténor d'une manière particulièrement convaincante au jazz fusion et au jazz rock. Sa sonorité évoque celle d'un Charlie Mariano « ténorisé », bien que près de deux générations les séparent.

En passant au néo-bop il nous faut commencer par évoquer un ancien du jazz dont le nom est déjà apparu à plusieurs reprises dans le cadre de ce chapitre : **Dexter Gordon**. Dexter appartient à la génération des grands musiciens bop. John Coltrane le cite comme étant l'un des rares musiciens dont il se réclame. Le jeu de Gordon a souvent été qualifié de « sec » et de « sardonique » ; la richesse et l'originalité de ses idées paraissent inépuisables. Suivant l'exemple de maints jazzmen américains déçus par la scène US, il s'installa en Europe au début des années soixante, jetant l'ancre tout d'abord à Paris puis à Copenhague. Il fut pendant plusieurs années l'un des personnages les plus importants sur ce continent. En 1976 il regagna New York pour un bref engagement et devint à cette occasion le catalyseur de la renaissance du be-bop. Gordon, déjà influent parmi les ténors, a désormais marqué nombre de jazzmen actuels — quel que soit leur instrument.

Il est tant de ténors aujourd'hui qui interprètent du be-bop que nous ne pouvons citer que les plus importants : **Dave Schnitter, Carter Jefferson, Larry Schneider, Eric Schneider, Bob Berg**. L'une des ironies de cette évolution est que le comeback du bop permit à **Von Freeman** (né en 1922, il n'est donc l'aîné de Gordon que d'un an) d'accéder à la renommée qu'il méritait depuis trente ans. Durant toutes ces années, Von Freeman vécut à Chicago, plus ou moins coupé de la scène jazz, et seuls les amateurs avertis le considéraient comme « un géant de la stature des grands ténors de la génération de Dexter Gordon, Wardell Gray et Gene Ammons ». Chico Freeman, ainsi que nous l'avons signalé, est le fils de Von Freeman et la fraternité internationale du jazz ne découvrit le père qu'après avoir reconnu le fils.

Il est possible de pousser l'ironie encore plus loin : Dexter Gordon et Von Freeman ne font pas figure d'anciens à l'heure actuelle mais plutôt de musiciens intemporels. Il est donc possible de les assimiler à une génération de musiciens qui n'ont que la moitié de leur âge. Il n'existe en réalité aucun instrument qui démontre l'intemporalité de la grande tradition noire de manière aussi évidente que le saxophone. Il est représenté sur la scène actuelle par des musiciens tels que **Bennie Wallace, George Adams, Dave Liebman, Pete Christlieb, Ray Pizzi, Frank Tiberi, Sal Nistico, Hadley Caliman, Odean Pope, Garry Windo, Lew Tabackin** et tant d'autres mentionnés auparavant (en particulier parmi le premier groupe de musiciens influencés par Coltrane ainsi que parmi les représentants du néo-bop), qui, bien que différents sur le plan des racines, ne s'intègrent pas moins à ce groupe. On trouve chez Tabackin, par exemple, une influence de Sonny Rollins des plus intéressantes, tandis que John Coltrane continue à vivre dans la musique interprétée par les autres en une multitude d'expressions infinies et inépuisables. Coltrane est de tous les musiciens de jazz l'ayant précédé ou lui ayant succédé celui qui compte parmi ses disciples, ses élèves et ses « successeurs » le plus de musiciens de haut niveau.

Par ailleurs le bon vieux jazz Swing est de retour. Après tout ce qui a été dit dans le cadre de ce chapitre nous ne serons pas surpris d'apprendre que le principal représentant de la jeune génération Swing est un ténor, **Scott Hamilton** (dont nous avons déjà parlé dans le chapitre consacré au jazz des années quatre-vingts).

Le saxophone baryton

Harry Carney représenta pendant des décennies le saxophone baryton de manière quasiment monopolistique ; aucun musicien de jazz n'avait jamais symbolisé un instrument quelconque avec une telle exclusive. En 1926, la famille de Carney autorise Duke Ellington à engager dans son orchestre le jeune Harry, âgé alors de seize ans. Ce dernier resta fidèle à Ellington jusqu'à la fin. Le Duke mourut en 1974 et Carney le suivit dans la tombe cinq mois plus tard. Il était presque synonyme de l'histoire et de la sonorité de l'orchestre d'Ellington. Carney fut au baryton ce que Coleman Hawkins fut au ténor, il possédait une puissance, un volume et une expressivité dignes de ce dernier. Il jouait de son instrument avec toute la force sombre et l'âpreté qu'il incarne. Pepper Adams, un baryton de la génération qui adopta la tradition Carney vers la fin des années cinquante, déclara : « Un baryton ne devrait pas être effrayé par le bruit que fait son instrument. Carney n'est nullement effrayé. » Carney régna royalement sur la scène du baryton jusqu'au milieu des années quarante. Outre ce musicien exceptionnel, il n'y avait qu'**Ernie Caceres** qui réussît à interpréter du dixieland sur ce curieux instrument, et **Jack Washington**, qui fournit à la section des saxophones de Basie une puissante assise semblable à celle de Carney dans l'orchestre d'Ellington — sans pour autant posséder le brio et la stature de ce dernier.

Puis vint le bop et brusquement apparut toute une série de barytons, ce qui peut paraître paradoxal ; en effet, il n'est pas aisé *a priori* de jouer les phrases nerveuses et mobiles du bop sur ce grand cuivre. **Serge Chaloff**, issu d'une famille de Juifs russes, fut le premier de la liste. Il appliqua au baryton toutes les nouveautés inventées par Charlie Parker — comme Buddy DeFranco à la clarinette et J. J. Johnson au trombone. Chaloff est l'un des musiciens qui joua avec le grand orchestre bop de Woody Herman en 1947. Dix ans plus tard il fallut le conduire au studio en chaise roulante pour un enregistrement de la section originale des « Brothers ». Quelques mois plus tard, il succombait à un cancer.

L'expressivité agitée du baryton de Chaloff fut tempérée par la sobriété cool de **Gerry Mulligan**. Mulligan commença sa carrière « à la Chaloff » dans les combos de Kai Winding et de Chubby Jackson vers la fin des années quarante. Il travailla au sein des grands orchestres de Claude Thornhill et d'Elliot Lawrence, et fut l'un des participants importants des séances d'enregistrement du Miles Davis Capitol — également en tant qu'arrangeur. Il devint à partir de 1951 une voix de plus en plus influente parmi les barytons du classicisme Basie-Young. Mulligan est un personnage majeur en tant que saxophoniste baryton, qu'arrangeur, que directeur d'orchestre, mais surtout en tant que catalyseur. Rares sont les musiciens modernes dont les racines sont plus fermement ancrées dans le « mainstream » de l'ère Swing. Ses « rencontres » sur disques (Verve) avec des musiciens de Swing tels qu'Harry Edison, Ben Webster et Johnny Hodges sont des preuves irréfutables de ce fait. Le célèbre quartette sans piano qui rendit célèbre le nom de Mulligan au début des années cinquante fera l'objet d'une discussion plus approfondie dans le chapitre consacré aux combos ; précisons d'ores et déjà qu'il fut formé sur la côte Ouest. L'influence de Mulligan sur la vie musicale de cette partie des États-Unis fut considérable, quoiqu'il ne désire pas être considéré comme un homme de la côte Ouest. Il lui est souvent arrivé, depuis la fin des années soixante, de prendre la place de l'alto Paul Desmond dans le Dave Brubeck Quartet.

La véritable sonorité baryton du jazz de la côte Ouest nous fut donnée à entendre par **Bob Gordon**, qui mourut dans un accident de la route en 1955. C'était un improvisateur d'une vitalité débordante qui appartient lui aussi au classicisme Basie-Young. Les enregistrements qu'il réalisa avec le ténor-arrangeur Jack Montrose comptent parmi les disques de combos les plus mémorables du jazz de la côte Ouest.

Influencé plus par Charlie Parker et les autres grands musiciens de be-bop que par ses collègues baryton, **Sahib Shihab** est un baryton qui n'a pas le succès qu'il mérite. Le jeu de Shihab possède puissance et conviction et souvent un humour ironique, il est libre de tout maniérisme et indépendant des trois « styles de baryton » modernes représentés par Chaloff, Mulligan et Pepper Adams.

Cecil Payne, qui a souvent joué avec Dizzy Gillespie, est un autre excellent baryton. **Charlie Fowlkes** se tailla une solide réputation en tant que « Jack Washington des années cinquante et soixante » parmi les musiciens avec lesquels il interpréta une musique fermement ancrée dans la tradition de Basie.

L'homme qui est à l'origine du regain d'intérêt pour le saxophone baryton se nomme **Pepper Adams**. Avant lui, les possibilités du saxophone baryton paraissaient avoir été épuisées par Mulligan et les musiciens de sa génération ; la seule amélioration éventuelle se situait apparemment sur le plan du perfectionnement. Cette opinion fut balayée par la sonorité « coupante » de Pepper Adams. Pepper se révéla en 1957 au sein de l'orchestre de Stan Kenton. Il y avait reçu le surnom de « The Knife » (« le couteau »). Le batteur Mel Lewis expliqua : « Nous l'appelons "The Knife" parce que lorsqu'il se lève pour souffler dans son instrument, son jeu a un effet cinglant sur nous tous. » Adams est l'un des quelques musiciens qui firent mentir le dicton selon lequel il est possible de distinguer les « Noirs » des « Blancs » en jazz. Avant la publication de ses premières photographies dans les magazines de jazz, presque tous les critiques européens s'imaginaient que Pepper était Noir. Ils furent renforcés dans cette conviction par le fait qu'il est originaire de Detroit, la « Motor City », qui est le berceau, tant sur le plan physique

que musical, de maints musiciens noirs de ce style. Pepper dit : « Hawkins a produit une prodigieuse impression sur moi. » Depuis l'apparition sur la scène jazz de Pepper Adams, il est le baryton le plus puissant du be-bop, du hard bop et même du néo-bop des années quatre-vingts.

Il y a cependant eu entre-temps toute une génération d'excellents barytons dans les différents champs du be-bop contemporains, parmi lesquels **Ronnie Cuber, Charles Davis, Bruce Johnstone, Bob Militelo, Jack Nimitz** et surtout **Nick Brignola**. La plupart ont travaillé dans des grands orchestres, principalement celui de Woody Herman, qui a été une sorte de pépinière de barytons du jazz moderne, de Chaloff dans les années quarante à Brignola dans les années soixante-dix. Ce dernier est devenu encore plus impressionnant depuis la naissance du néo-bop au début des années quatre-vingts.

Parmi les musiciens à orientation free, seuls deux barytons accédèrent à une gloire internationale durant les années soixante : **Pat Patrick** en tant que membre du Sun Ra Arkestra et, en Europe, le Britannique **John Surman**, que les critiques japonais considèrent comme « le baryton le plus important du nouveau jazz ». Au début des années soixante-dix, Surman fit du soprano son instrument principal.

Surman expliqua que le baryton, plus que tout autre saxophone, tend vers certaines phrases et effets standards ; en particulier dans le jeu free où il est enclin à engendrer des clichés. Ceci constitue peut-être la raison pour laquelle il y eut relativement peu de réalisations importantes de la part de barytons dans le cadre du free. Cette situation se modifia durant les années soixante-dix, grâce à deux musiciens : **Henry Threadgill** et **Hamiet Bluiett**.

Tous deux sont associés à des groupes célèbres de nouveau jazz — Threadgill à Air, Bluiett au World Saxophone Quartet. Threadgill, en particulier, possède une aisance impressionnante au baryton qu'il manie comme s'il s'agissait d'une flûte — il est par ailleurs un styliste de premier plan à la flûte. Bluiett, qui aime accentuer les registres bas puissants de son cuivre, joue avec une conscience vive des racines africaines de la musique noire. Threadgill et Bluiett ne sont pas seulement des « musiciens de free ». Ils jouent de tous les styles : free et blues, bop et Swing, dixieland et soul, les maîtrisant tous comme s'il s'agissait d'une seule et même musique (ce qui est le cas en réalité). L'aspect de liberté repose essentiellement sur l'art avec lequel ce processus est développé.

La flûte

Jusqu'aux années cinquante, la flûte se rangeait parmi les « instruments divers ». Mais au déclin de la clarinette a correspondu l'essor de la flûte. Cet instrument a atteint, depuis la fin des années cinquante, des sommets joyeux, légers, triomphants qui étaient le propre de la clarinette durant l'ère Swing... depuis le milieu des années soixante la flûte a été rejointe à cette position par un autre « successeur de la clarinette », le saxophone soprano influencé par John Coltrane.

La flûte ne bénéficie toutefois que d'une tradition relativement brève en jazz. Le premier solo de flûte date à ma connaissance de 1933 ; il apparaît sur un enregistrement de Spike Hughes et son All American Orchestra et est intitulé *Sweet Sue*. Le flûtiste **Wayman Carver** y joue avec une souplesse d'un modernisme étonnant. Chick Webb utilisa lui aussi de manière occasionnelle une flûte dans son orchestre du début de l'ère du Swing. Mais à cette époque la flûte ne constituait encore qu'une curiosité. Cette situation se modifia brusquement au début des années cinquante, lorsqu'une demi-douzaine de flûtistes conférèrent — quasiment du jour au lendemain — à la flûte le statut d'instrument de jazz.

Le premier musicien à avoir enregistré des solos de flûte modernes, avec un feeling bop direct et vital, fut le ténor **Jerome Richardson. Frank Wess** et Bud Shank accédèrent à la renommée peu de temps après lui. Wess (dont nous avons déjà parlé dans le chapitre consacré au ténor) faisait partie de l'orchestre de Count Basie. Dans cette formation, dont le nom est synonyme de Swing, il jouait de la flûte avec la même aisance que du saxophone ; or la flûte paraissait encore incongrue à maints fans de jazz.

Wess symbolise la percée qui permit l'acceptation de la flûte de jazz. Il est bien certain que cet instrument ne pouvait acquérir une certaine importance qu'après l'ère post-Lester Young des années cinquante, après que la priorité du phrasé sur la sonorité jazz eut marqué la conscience générale. Lester Young est le représentant principal de ce déplacement de l'accent de la sonorité au phrasé, et ainsi les premiers flûtistes de jazz subirent-ils son influence. Wess illustre ce point de manière relativement ironique : en tant que ténor, il s'inscrit nettement dans la lignée d'Hawkins, alors qu'en tant que flûtiste il porte nettement la marque de Young. Wess enregistra certains de ses solos de flûte les plus intéressants à l'occasion d'une séance avec Milt Jackson (vibraphone), Hank Jones (piano), Eddie Jones (basse) et Kenny Clarke (batterie) ; le disque est intitulé *Opus de Jazz.*

Bud Shank fut le flûtiste le plus important de la côte Ouest. Il est issu de l'orchestre de Stan Kenton, avec lequel il avait déjà enregistré en 1950 un solo de flûte dénotant des influences latines : *in Veradero.* Par la suite ses duos avec Bob Cooper, dans lesquels Max Roach tient la batterie, soulevèrent moultes discussions. Une forte tendance arabe et orientale est décelable chez **Yusef Lateef** — à la flûte mais encore sur d'autres instruments. Outre la flûte de concert habituelle, il a également employé diverses flûtes exotiques : la flûte de bambou chinoise, une flûte d'origine folklorique slovaque, une flûte de liège, la flûte « nai » arabe, la flûte de Taiwan, et une flûte « ma ma » qu'il construisit lui-même.

Parmi les autres bons flûtistes de jazz notons : **Sahib Shihab, James Moody, Leo Wright, Herbie Mann, Sam Most, Buddy Collette, Paul Horn, Rahsaan Roland Kirk, Charles Lloyd, Joe Farrell, James Spaulding, Eric Dixon** et **Sam Rivers**. Il convient de noter que la majorité de ces musiciens sont avant tout des saxophonistes qui jouent de la flûte en tant qu'instrument secondaire. Ceci est vrai par exemple pour le ténor et alto **James Moody**, dont nous avons parlé dans le cadre du chapitre consacré aux ténors et qui est issu du cercle bop des années quarante. Quoique la flûte ne soit qu'un instrument parmi d'autres pour lui, il a été considéré comme l'un des meilleurs flûtistes de jazz pendant trente années — un homme de be-bop par excellence, même sur cet instrument.

Le flûtiste de jazz remportant le plus de succès fut pendant longtemps **Herbie Mann**. Il incorpora maints éléments exotiques différents dans ses enregistrements de jazz : latin, brésilien, africain, arabe, juif et turc — ainsi que certains propres au rock et au disco durant les années soixante-dix.

Herbie Mann occupa la première place dans les sondages du magazine *Down beat* — le test de popularité par excellence du monde du jazz — pendant treize ans, soit de 1957 à 1970 ! **Hubert Laws** lui ravit cette place de flûtiste de jazz préféré, à la surprise générale, avec un son véritablement « classique ». Il s'est employé, avec succès, à adapter en jazz plusieurs compositions de musique classique — de Bach, Mozart, Debussy, Stravinsky, etc. — mais il enregistra également beaucoup de disques de jazz rock et de jazz fusion.

Paul Horn, qui acquit la notoriété dans la seconde moitié des années cinquante pour son travail avec le Chico Hamilton Quintet, réalisa au début des années soixante-dix des enregistrements sans accompagnement dans le Taj Mahal, sur lesquels le son de la flûte se répercute sur les parois du dôme du merveilleux édifice « tel un chœur d'anges », multiplié une centaine de fois comme dans un palais de miroirs acoustiques : des mantras méditatifs transformés en musique. Le succès de ce disque de Horn, intitulé *Inside*, fut tel qu'il donna naissance à un second album enregistré, celui-là, dans les chambres funéraires des pyramides égyptiennes (notamment dans la célèbre pyramide de Chéops).

De nouveaux flûtistes ne cessent d'apparaître. Le réservoir paraît inépuisable. De plus en plus de saxophonistes choisissent la flûte comme instrument supplémentaire, jusqu'à ce qu'elle devienne leur instrument principal comme ce fut notamment le cas pour James Moody.

Le prodigieux musicien d'avant-garde **Eric Dolphy**, qui mourut en 1964, occupe une place particulière parmi les flûtistes. Son influence sur les joueurs d'alto et de clarinette basse fut immédiatement perçue, dès le début des années soixante, mais il fallut attendre le milieu des années soixante-dix pour que l'importance de son message à la flûte soit enfin ressentie. Le génie de ses idées comprenait déjà tout ce qui existe aujourd'hui dans le domaine de la « flûte de jazz ». Son « message », qui contraste avec ce qu'il exprima au moyen de ses autres instruments, exprime la légèreté et la désinvolture. Ceux qui connurent Dolphy ont le sentiment que son jeu à la flûte traduisait mieux l'humanité profonde de l'homme que l'expressivité explosive de son style alto et les accès douloureux de ses improvisations à la clarinette basse.

Il est étrange que les musiciens européens furent les premiers à comprendre et à développer le style de Dolphy à la flûte. Ils se distinguent par une conscience des traditions classiques ; citons notamment : le Bulgare **Simeon Shterev**, le Tchécoslovaque **Jiři Stivin**, l'Allemand **Emil Mangelsdorff**, le Britannique **Bob Downes** et le Hollandais **Chris Hinze**. Downes, qui s'est également distingué en tant que compositeur de ballets modernes, appartient autant au domaine « classique » qu'au jazz. Hinze joue essentiellement du jazz-rock. Mangelsdorff possède une sonorité particulièrement pleine et riche. Stivin, également un excellent compositeur et alto, est un virtuose aux racines plongeant dans la musique tzigane. Shterev maîtrise l'ensemble du riche héritage musical de ses Balkans natals.

Maints flûtistes mentionnés ci-dessus ont cultivé la technique du « quintoiement » qui permet d'entendre deux voix en soufflant et en chantant tout à la fois — et parfois trois ou quatre voix, par le jeu des harmoniques. Ils ont ainsi créé un jazz d'une intensité étonnante. Quiconque connaît la flûte à travers la musique classique — la musique baroque, par exemple — risque de s'imaginer que la flûte se prête mal à la création d'une intensité jazz semblable à celle du saxophone ténor. Ce n'est qu'en quintoyant qu'elle a acquis une telle intensité, et ce mode de jeu est le seul qui pouvait permettre le succès que cet instrument connaît aujourd'hui sur la scène jazz.

Les premiers musiciens à avoir opté pour le quintoiement, dès le milieu des années cinquante, furent **Sam Most** et **Sahib Shihab** (dont nous avons parlé dans le cadre du chapitre consacré au saxophone baryton). Dès les années soixante, cette technique a été employée par un nombre sans cesse croissant de flûtistes, et de la manière la plus intense et la plus « hot » par Rahsaan Roland Kirk (cf. le chapitre consacré au saxophone ténor). Il paraissait parfois exploser dans une douzaine de directions avec les multiples sons différents qu'il tirait simultanément de sa flûte (et en soufflant du nez, sa « flûte nasale » pour reprendre son expression).

Un maître du quintoiement n'est autre que **Jeremy Steig**. Il fut le premier flûtiste à incorporer de manière structurelle des bruits fonctionnels et produits par les doigts dans sa musique — alors que Kirk les utilisait essentiellement pour accroître la vitalité extatique. Steig enregistra quelques duos très intéressants évoquant la musique de chambre avec le bassiste Eddie Gomez.

Les flûtistes actifs dans le cadre du jazz-rock actuel sont notamment : **Chris Wood**, **Tom Scott**, **Gerry Niewood** et les deux jazzwomen **Bobbi Humphrey** et la Britannique **Barbara Thompson**. Il est permis de supposer que l'horizon de la flûte de jazz et de jazz-rock s'élargira considérablement dans les années qui viennent.

La flûte n'existe pas ; aucun instrument n'est plus universel. L'histoire de la flûte commence de façon symbolique avec Pan, le dieu grec des bergers et du « tout », le dieu qui donne une âme à « toute chose ». Chaque culture musicale a développé ses propres types particuliers de flûtes. Les musiciens de jazz découvrent les flûtes dans la mesure où ils s'ouvrent aux cultures musicales du monde. J'ai assisté un jour à une séance d'enregistrement de **Don Cherry** à laquelle il a apporté trente-cinq flûtes différentes — parmi lesquelles une flûte shuan chinoise faite en céramique, une flûte maya, une flûte du Bengale, une flûte en bambou, une flûte métallique (en si bémol), une flûte en pastique en ut, des flûtes amérindiennes, des flûtes japonaises, etc.

La flûte a toujours été un instrument ouvert sur la musique du monde — dès les années cinquante avec Yusef Lateef et Bud Shank, plus tard avec le prestigieux Paul Horn, et dans les années soixante-dix avec le Brésilien Hermeto Pascoal, qui quintoie avec une intensité véritablement « passionnée ».

Citons quelques musiciens qui jouent de la flûte « free » (au sens universel du terme « free » développé dans les années soixante-dix) — tous furent influencés par Eric Dolphy : **Douglas Ewart**, **Henry Threadgill**, **Oliver Lake**, **Prince Lasha**, **Ronald Snyders** et **James Newton**, dont la tonalité bien arrondie porte l'empreinte de la musique classique. Il poursuit la tradition Dolphy d'une manière des plus originales et des plus convaincantes.

Les principaux flûtistes du mainstream contemporain sont, entre autres : **George Adams**, **Steve Slagle**, **Robin Kenyatta**, **Joe Ford**, **Dwight Andrews**, **Jerry Dodgion**, et le coleader du Akiyoshi-Tabackin Big Band **Lew Tabackin**. Tabackin produit de temps à autres des sons rappelant ceux des flûtes japonaises shakuhachi, lors de ses étonnantes envolées, empreintes de virtuosité, interprétées au sein d'un quartette ou de son grand orchestre. (Tabackin : « Cela n'a rien d'étonnant. Ma femme étant Japonaise, ces sons sont intégrés d'une manière automatique. »)

Mais l'un des plus grands joueurs de shakuhachi du Japon (sans doute le plus grand de tous), **Hozan Yamamoto**, a également joué de cette flûte de bambou si expressive — il s'agit probablement de l'instrument le plus expressif appartenant à la famille de la flûte — dans un contexte jazz tout au moins. Il a ainsi démontré sa grande maîtrise avec, par exemple, la chanteuse Helen Merrill et le percussionniste Masahiko Togashi.

Tabackin fait également partie de ces sections de quatre ou cinq flûtes qui ont produit certains des sons les plus neufs et les plus intéressants du Akiyoshi-Tabackin Big Band. Nous avions donné à entendre dans l'une des éditions antérieures de ce livre qu'il existerait un jour dans l'univers du jazz de telles combinaisons impliquant plusieurs flûtes. Aujourd'hui c'est chose faite et elles paraissent si riches et différenciées qu'il est permis d'espérer — maintenant que la glace est rompue — que d'autres compositeurs et arrangeurs de jazz y auront recours.

Le vibraphone

Les instruments « à percussion », c'est-à-dire ceux que l'on frappe, sont le plus souvent employés à des fins rythmiques. Si l'un s'avère offrir en outre de multiples possibilités mélodiques, il paraît évident qu'il constituera un instrument de jazz idéal. Le vibraphone est à cet égard un « instrument de jazz idéal ». Le fait qu'un musicien aussi débordant de rythme que Lionel Hampton l'ait incorporé au jazz — ou tout au moins y ait contribué — le prouve amplement. La lenteur avec laquelle il s'est affirmé est probablement due au fait qu'il ne permet pas la production d'une sonorité jazz évoquant un cuivre. La sonorité du vibraphone ne peut être influencée que de manière indirecte, au moyen de son vibrato ajustable électriquement, ou par la force ou la sensibilité avec laquelle il est frappé.

Lionel Hampton et **Milt Jackson** sont les vibraphonistes les plus exemplaires de la tradition jazz. Hampton est un volcan d'énergie capable, comme nul autre, d'amener plusieurs milliers de personnes à un état d'extase par la simple puissance — et la virtuosité, bien entendu — de son jeu et de son attitude. Il aime être soutenu par un grand orchestre comptant des sections de trompettes, de trombones et de saxophones. Ses grandes formations s'égarent souvent sans considération de l'intonation, de l'ensemble ni de la précision, mais Lionel Hampton puise dans les orgies de riffs de ses grands orchestres un surcroît d'inspiration, de feu et de puissance qui vient s'ajouter à ceux qu'il possède déjà naturellement.

Hampton et — quelques années avant lui — **Red Norvo** introduisirent le vibraphone en jazz au début de l'ère Swing. Hampton jouait auparavant de la batterie, Norvo du xylophone. Ce dernier évolua d'une manière remarquablement ouverte du Chicago-style, au Swing, au be-bop, au cool et au jazz contemporain, démontrant un goût particulier pour les petits groupes de jazz semblables à ceux en vigueur dans le domaine de la musique de chambre.

La carrière de vibraphoniste d'Hampton commença avec Louis Armstrong, celle de **Milt Jackson** débuta en 1945 avec Dizzy Gillespie. Jackson fut membre du Modern Jazz Quartet de 1951 à 1974, année de la dissolution du groupe. Ce dernier se nommait à l'origine Milt Jackson Quartet et n'était rien de plus que la combinaison du vibraphone de Milt Jackson et d'une section rythmique. Le Milt Jackson Quartet devint le Modern Jazz Quartet sous l'influence de John Lewis, et d'aucuns ont parfois affirmé que la forme conférée à cet ensemble par Lewis a restreint le flux d'idées et de liberté improvisatrice de Jackson. Le fait est cependant que Jackson a interprété les plus beaux solos de sa carrière au sein du Modern Jazz Quartet. La tension entre la rigidité des arrangements et la liberté de l'improvisation ne limita pas l'artiste mais au contraire l'inspira, comme c'est souvent le cas en jazz.

Les improvisations de Milt Jackson méritent, plus que tout autre, d'être qualifiées de « fluides ». Un élément provoquant du jeu de Jackson est la manière apparemment inconsciente avec laquelle il fait paraître naturelles et logiques les harmonies les plus complexes. Ceci explique notamment pourquoi il est l'un des plus grands interprètes de ballades du jazz. Dès le milieu des années cinquante, Jackson fut l'un des premiers musiciens de soul.

Quelles que soient les distances que les vibraphonistes aient prises avec le style de Milt, quiconque touche à cet instrument en jazz moderne parle de lui avec respect et admiration. Il est peu probable que son héritage s'éteigne prochainement. En fait, il est un musicien qui, depuis la fin des années soixante-dix, s'est fait un nom en continuant la tradition de Milt Jackson, et celle du be-bop, d'une manière des plus convaincantes. Il s'agit de **Charlie Shoemake**.

Il va de soi que Jackson ne fut pas le seul vibraphoniste de sa génération. Il convient de citer notamment : **Terry Gibbs**, **Teddy Charles**, **Cal Tjader**, **Vic Feldman** et leurs cadets de quelques années : **Eddie Costa**, **Tommy Vig**, **Lem Winchester**, **Larry Bunker** et **Mike Mainieri**. **Gibbs** acquit la renommée à la faveur de sa collaboration avec l'orchestre de Woody Herman vers la fin des années quarante. Il continua à s'intéresser aux grands orchestres par la suite et au contraste entre son vibraphone et la sonorité d'une grande formation. **Cal Tjader** mêla le phrasé jazz aux mambo, conga, boléro, cha-cha-cha, et autres rythmes latins, favorisant une évolution et une sophistication intelligente du jazz cubain, développé par Dizzy Gillespie, Chano Pozo et Machito à la belle époque du bop. **Teddy Charles** compte au nombre de ces musiciens qui, dans les années cinquante, élargissaient déjà la tonalité, préparant la voie au jeu free.

Lem Winchester, qui mourut en 1961, fut le premier à afficher un certain goût pour la sonorité éclatante, « oscillante » de son instrument — tout d'abord de manière timide. Cette manière de jouer devint de plus en plus prononcée au fil des années grâce à des musiciens tels que **Gary Burton**, **Walt Dickerson**, **Tom Van der Geld** et **Bobby Hutcherson**. Après quinze années de règne incontesté de Milt Jackson, apparurent des musiciens qui révolutionnèrent le style de leur instrument comme seule l'avait été la basse durant cette même période. Ces musiciens accomplirent ce dont avait rêvé Ornette Coleman : ils avaient remplacé les « vieilles règles du jeu », se lançant dans « une exploration continue des possibilités de l'instrument ». Ils découvrirent que la qualité sonore étincelante, « oscillante » que nous avons associée à Lem Winchester convenait mieux à leur instrument qu'une simple « continuation » du bop traditionnel au moyen du vibraphone.

Gary Burton joue en combinant de manière fascinante un lyrisme tendre et une grande virtuosité. Il est le vibraphoniste qui poussa plus loin que quiconque la manière de jouer avec trois ou quatre mailloches simultanément, créant des effets d'accords semblables à ceux du pianiste Bill Evans, qui l'influença. Une autre influence perceptible dans son jeu est celle de la musique country et hillbilly de son État natal, l'Indiana. Burton joint tous ces éléments en un tout nouveau, indépendant, avec une maîtrise telle que son succès a dépassé le cadre du jazz. Burton est en outre à l'origine de la tendance contemporaine consistant à jouer sans le support d'une section rythmique ; une démarche qui lui valut ses premiers grands triomphes.

Walt Dickerson a transposé les idées de John Coltrane au vibraphone. Lui aussi aime explorer les sons nouveaux, et comme tous ces vibraphonistes, c'est un merveilleux improvisateur sans accompagnement. Mais la véritable « vedette » parmi les vibraphonistes plus jeunes (il est apparu vers la fin des années soixante) est **Bobby Hutcherson**. Improvisateur de grand talent, il combine avec bonheur le be-bop et le style de Coltrane, la tradition transmise par Milt Jackson et les recherches modernes sur la sonorité.

Tom Van der Geld est le plus sensible, le « plus tendre » de tous les nouveaux vibraphonistes. Ses improvisations donnent parfois à penser que les touches de son instrument n'ont pas été frappées par une mailloche mais caressées par un vent chaud et léger. **David Friedman** possède une sonorité brillante, accrocheuse, qui lui vaut parfois d'être comparé à un « Lionel Hampton des années quatre-vingts » ; il possède un goût prononcé pour les effets techniques surprises. Il inclut de temps à autre un second vibraphoniste (joueur de marimba qui plus est), **David Samuels**, dans son groupe, « multipliant » ainsi la sonorité du vibraphone. Le jeu conjoint de Friedman et Samuels sonne parfois comme s'il s'agissait d'un « ensemble métallophone » complet, procédant dans une certaine mesure de la musique balinaise.

Quelques vibraphonistes se sont intéressés aux sonorités du jazz-rock et du jazz fusion, parmi lesquels **Roy Ayers**, **Dave Pike**, **Mike Mainieri**, **Ruth Underwood** et **Jay Hoggard**.

Deux musiciens allemands installés aux États-Unis ont découvert des manières de jouer radicalement neuves ; il s'agit de **Gunter Hampel** et **Karl Berger**. Hampel, qui s'est également distingué en tant que flûtiste, clarinettiste, clarinettiste basse et pianiste, est le plus sensible des deux. Berger, qui dirige le Creative Music Studio à Woodstock, New York, est le plus dynamique ; ses racines plongent dans le bop mais il les a étendues vers la « musique du monde ». Hampel a créé avec ses différents groupes des toiles sonores fascinantes, combinant le vibraphone aux flûtes et saxophones joués dans les registres hauts.

Trois Américains ont réussi une synthèse de ces diverses tendances. Ils jouent d'une part « free » et de l'autre ils maîtrisent l'ensemble de la tradition de leur instrument : **Bobby Naughton**, **Earl Griffith** et surtout **Jay Hoggard**. Jay est un prodigieux improvisateur — « le nouvel homme du vibraphone », telle était l'opinion de maints critiques au début des années quatre-vingts. Il cherche également à découvrir des sonorités et des possibilités pour son instrument dans le jazz fusion.

On note deux tendances de jeu dans les années quatre-vingts : le jeu percutant, dans la tradition d'Hampton, propre à Jay Hoggard et à David Friedman, et la sensibilité « oscillante » introduite par des musiciens tels que Winchester, Dickerson et Hampel et développée par Tom Van der Geld et Bobby Naughton.

Le piano

D'une part : l'histoire du jazz ayant commencé avec le ragtime et le ragtime étant une musique pour piano, le jazz a débuté avec le piano. D'autre part : les premiers orchestres de rues de La Nouvelle-Orléans ne possédaient pas de piano — peut-être parce qu'on ne pouvait pas le véhiculer, mais peut-être aussi parce qu'il était incapable de produire la sonorité jazz qui paraissait essentielle aux premiers musiciens hot.

L'histoire du piano de jazz oscille entre ces deux pôles. Le piano offre plus de possibilités que tout autre instrument utilisé en jazz. Il n'est pas limité à ne produire qu'une note à la fois, comme les vents. Il est non seulement capable de donner le rythme mais encore de l'harmoniser. Il peut non seulement exposer les harmonies, comme la basse, mais encore les relier à d'autres possibilités musicales. En revanche, une ligne de cuivre possède plus d'intensité qu'une ligne de piano. Nous constatons en définitive que :

Primo : plus on exploite les possibilités « pianistiques » du piano, plus celui-ci paraît évincé par le phrasé intense des cuivres.

Secundo : plus le pianiste adopte le phrasé des cuivres, plus il réduit le potentiel véritable de son instrument — à un point qui risque de représenter un « suicide pianistique », pour quiconque est familier de la virtuosité du piano dans la musique européenne.

Art Tatum et Bud Powell, qui étaient trop grands pour céder à un tel « suicide pianistique », symbolisent les deux extrêmes de cette dernière dichotomie. Ces extrêmes n'ont cessé d'être accentués depuis les années quatre-vingts du siècle dernier, lorsque **Scott Joplin** interprétait des ragtimes dans le Midwest. Joplin était un pianiste « pianistique ». Il maintenait son instrument dans les limites des conventions de la tradition du piano romantique. (Cf. le chapitre consacré au ragtime.)

Les orchestres de new orleans n'ayant pas besoin de pianistes « pianistiques », et le style de piano « cuivré » n'ayant pas encore été découvert, il était exceptionnel de rencontrer un pianiste dans les orchestres de jazz de la vieille

Nouvelle-Orléans. On trouvait toutefois foison de pianistes dans les saloons, les bars, les « maisons » et les cabarets. Chaque maison possédait son « professor », et ce professeur était un pianiste. Il interprétait des ragtimes, et même lorsqu'il jouait du blues, des stomps ou du honky-tonk, le ragtime était toujours présent en arrière-plan.

Le grand « professeur » du piano new orleans n'était autre que **Jelly Roll Morton**, qui mourut en 1941. Morton jouait du ragtime tout en étant conscient de la musique produite par les marching bands qui déambulaient dans les rues de La Nouvelle-Orléans. Débordant d'orgueil à l'égard de ses réalisations, il devint presque paranoïaque : « On m'a volé trois millions de dollars. Aujourd'hui (1939) tout le monde joue ma musique mais personne ne le dit. Le style de Kansas City, le style de Chicago, le style new orleans — bon Dieu, tout ça c'est du style Jelly Roll Morton... »

Les « professeurs », les pianistes de « honky-tonk » et de cabaret existaient à La Nouvelle-Orléans avant et durant la période du véritable style néo-orléanais, mais ils subsistent encore à l'heure actuelle. Rares sont toutefois ceux dont la gloire dépassa les limites de la Cité du Delta. Citons **Champion Jack Dupree**, **Huey « Piano » Smith** et **Professor Longhair**, qui mourut en 1980. **Fats Domino** (dont nous avons déjà parlé dans le cadre du chapitre consacré au blues et dont nous reparlerons lorsque nous évoquerons les chanteurs de jazz) se dressa au centre du mouvement rock' n' roll des années cinquante mais n'en est pas moins issu en ligne directe de cette tradition. Nous verrons en fait, dans la partie consacrée aux vocalistes de jazz, que La Nouvelle-Orléans créa des styles à deux reprises dans l'histoire de la musique noire : tout d'abord, durant l'ère du jazz new orleans, puis cinquante ans plus tard dans le domaine du rhythm n'blues et du rock. Le « professeur » de piano néo-orléanais établit la jonction entre ces deux champs. Jelly Roll Morton faisait du jazz new orleans avec son orchestre ; Fats Domino ou Professor Longhair faisaient du rhythm n'blues et du rock' n' roll — et bien qu'un fossé d'un demi-siècle les séparât, ils appartiennent tous à la même tradition du « professeur » et du pianiste « honky-tonk ».

Le ragtime interprété dans le Midwest par Scott Joplin

était nettement différent de celui joué à La Nouvelle-Orléans par Jelly Roll Morton — mais il s'agissait dans les deux cas de musique dans laquelle on pouvait sentir les éléments du rag, les éléments du « tempo saccadé ». Le piano ne tarda guère à atteindre New York où il s'avéra différent de ce qu'il était dans le Midwest ou à La Nouvelle-Orléans. Du ragtime de New York émergea la grande époque du piano de jazz de Harlem. Mais même si Scott Joplin jouait à Sedalia, Missouri, à partir des années 1890, et si Jelly Roll Morton affirma avoir « inventé » le jazz en 1902, et si les premiers pianistes de ragtime jouèrent à New York et à Harlem vers 1910, ceci ne prouve pas que la ligne d'évolution conduit directement de Sedalia à Harlem en passant par La Nouvelle-Orléans. Les styles — ainsi que nous l'avons signalé — se développent lorsque le moment est propice, indépendamment des schèmes d'évolution causals.

James P. Johnson, qui mourut en 1955, fut le premier pianiste important de Harlem. Il avait étudié la musique ; il y eut dès le départ beaucoup de musiciens ayant reçu une formation académique parmi les pianistes, ce qui ne fut pas le cas pour les autres instruments. James P. Johnson avait étudié avec un élève de Rimsky-Korsakoff, et vers la fin de sa carrière — durant les années trente — il composa une série d'œuvres symphoniques et de musique de chambre.

Avec Johnson est révélé pour la première fois un aspect du piano de jazz au moins aussi important que les brillantes réussites en solo : l'art de l'accompagnement... l'art consistant à s'adapter à un soliste, à le stimuler et à lui donner une assise harmonique sur laquelle bâtir. Johnson réussit cet exploit de manière inégalée pour Bessie Smith, sur *Preachin' the Blues* et *Backwater Blues*, par exemple.

Le Harlem des années vingt fut une pépinière de pianistes de jazz. **Duke Ellington** se souvenait : « Tout le monde essayait de reproduire la sonorité du *Carolina Shout* que Jimmy (James P. Johnson) avait gravé sur un rouleau de piano (mécanique)... J'y suis parvenu en ralentissant le rouleau perforé... On y allait tous les soirs même quand on n'avait pas d'argent... J'ai éprouvé un grand frisson le soir où j'ai découvert Willie "The Lion" Smith... On faisait nos virées toutes les nuits à la recherche des pianistes... »

Willie « The Lion » Smith est un autre grand pianiste de la tradition du Harlem des années vingt — un maître en matière de mélodies charmantes qu'il rehaussait du rythme puissant de sa main gauche.

Les pianistes de Harlem — Johnson, Smith, Ellington, **Luckey Roberts** et le jeune **Fats Waller** — jouaient à la faveur de *« rent parties »* et de *« cutting contests »*, qui faisaient partie intégrante de la vie jazz effrénée de Harlem. Les *rent parties* constituaient un moyen de rassembler l'argent du « rent », du loyer de son appartement, dans une atmosphère amicale. Les *cutting contests* étaient des joutes opposant les principaux pianistes qui ne se terminaient que lorsque l'un d'eux avait évincé tous les autres. Le style le plus caractéristique de tous était sans conteste le « stride ». Le « stride » est une alternation swing constante d'une note basse (jouée sur un et trois) et d'un accord (joué sur deux et quatre).

Le pianiste le plus important qui ait émergé de cette tradition de Harlem fut **Fats Waller**, qui mourut à l'âge de trente-neuf ans en 1943. Louis Armstrong dit : « A chaque fois que quelqu'un mentionne le nom de Fats Waller, vous voyez des sourires apparaître sur tous les visages... » Fats était un homme double : d'une part il était l'un des plus grands pianistes de l'histoire du jazz, et de l'autre l'un des plus grands amuseurs de la musique populaire. Son talent consistait à combiner ces deux personnalités avec un naturel inimitable.

Livin' the Life I Love (« Vivre la vie que j'aime ») fut le thème de son existence et de sa musique. Il lui arrivait cependant, malgré tout son sens de l'humour, de souffrir lorsque le public paraissait apprécier plus son côté amuseur que sa musique. Gene Sedric, le ténor de Fats, raconte : « Fats était parfois très malheureux au sujet de sa musique. Vous voyez, il était apprécié pour ses qualités d'amuseur et pour ses prestations au piano ayant fait l'objet de disques, mais rares étaient les fans de Fats qui savaient qu'il possédait beaucoup plus de talent qu'il n'en exprimait dans ses enregistrements. Il n'essayait pas de prouver quoi que ce soit en chantant. C'était une façon de se détendre, rien de plus... Mais, il désirait réaliser de grandes choses à l'orgue et au piano, et il en était capable... » Sedric déclara ailleurs : « Parlons des séances d'enregistrement : on avait l'impression qu'on lui refilait toujours les morceaux les plus minables parce qu'il était le seul à pouvoir en retirer quelque chose... »

En tant que compositeur, Waller écrivit quelques-uns des plus beaux thèmes de jazz, appréciables quels que soient les styles. Les plus importants sont *Honeysuckle Rose* et *Ain't Misbehavin'*. Coleman Hawkins affirme que : « Waller savait écrire des morceaux aussi vite qu'il jouait du piano. »

En tant que pianiste, Fats avait la main gauche la plus puissante du jazz traditionnel — une main gauche capable de remplacer non seulement une section rythmique mais encore tout un orchestre. Il était à proprement parler un pianiste « orchestral ». Son piano possédait la richesse et la plénitude d'un orchestre. Il est significatif que le plus orchestral de tous les pianistes de jazz, Art Tatum, se réfère à Waller : « Fats, vieux — c'est de là que je viens... Une fichue place d'où venir, bon sang. »

L'autre grand pianiste se situant dans la lignée de Fats Waller n'est autre que **Count Basie**. Basie évoqua sa première rencontre avec Fats : « ... je m'étais rendu au vieux Lincoln Theatre de Harlem et j'ai entendu un jeune gaillard qui jouait merveilleusement de l'orgue. Dès cet instant, je suis devenu un client régulier, j'étais pendu à chacune de ses notes, assis derrière lui tout le temps, fasciné par l'aisance avec laquelle ses mains frappaient les touches et ses pieds martelaient les pédales... »

Jusqu'à la fin de sa vie, on put percevoir dans les solos de piano de Basie l'influence de Fats Waller. Il jouait une sorte de Fats « économique », une structure ingénieusement abstraite de la musique de Waller dans laquelle ne subsistent que les pierres angulaires — mais à elles seules elles remplacent tout le reste. Basie devint l'un des pianistes les plus économiques de l'histoire du jazz et la manière dont il s'arrange pour créer une tension entre des notes uniques, souvent largement espacées, est incomparable. Maints pianistes ont subi son influence : **Johnny Guarnieri** durant l'époque Swing, et durant les années cinquante **John Lewis**, le leader du Modern Jazz Quartet, chez qui on sent, au-delà de l'économie de moyens inconsciente de Basie, une connaissance profonde de tout ce qu'économie et abstraction impliquent en musique et en art. Lorsque des musiciens tels que Basie ou John Lewis laissent des espaces ouverts dans leurs improvisations, il ne s'agit pas simplement d'espaces ouverts, c'est un moyen de créer une tension et une détente au moins aussi important que chaque note jouée.

Marty Paich et **Pete Jolly**, deux musiciens de la côte Ouest, et **Nat Pierce**, de la côte Est (il a joué notamment avec l'orchestre de Woody Herman), ont interprété un style Basie modernisé, parfois cool, à l'occasion d'hommages à Basie dans les années cinquante. **Sir Charles Thompson**, le compositeur de *Robbin's Nest*, un thème de bop et « Harlem-jump » populaire dans les années quarante et cinquante, trahit lui aussi l'influence de Basie.

Un autre courant de l'évolution du piano de jazz s'est toutefois également insinué dans le jeu de Count Basie, celui des grands pianistes de boogie-woogie. Basie jouait non seulement un Fats Waller « économique » mais encore un boogie « économique ».

Aux premiers temps, les pianistes de ragtime et de Harlem considéraient toujours avec une certaine condescendance les « pauvres pianistes de boogie-woogie ». Chicago devint le centre du boogie-woogie — alors que les *rent parties* et les *cutting contests* de Harlem résonnaient du son du piano stride, celles du South Side de Chicago dansaient au rythme du piano de blues et de boogie. Le boogie-woogie plonge lui aussi ses racines dans le Midwest et le Southwest, jusqu'au Texas. C'est du Texas justement qu'est originaire l'un des quelques pianistes remarquables qui jouent toujours du piano boogie et blues pur et non commercialisé : **Sam Price**. Memphis, Saint Louis et Kansas City étaient d'importants centres du boogie-woogie. **Memphis Slim**, qui est originaire de Memphis et qui vit désormais à Paris, est l'un des représentants les plus récents du style boogie. Maints chanteurs de blues des quartiers noirs des villes du Nord comme du Sud s'accompagnent d'un piano boogie-woogie des plus convaincants, ou sont eux-mêmes d'excellents solistes de boogie, citons par exemple : **Roosevelt Sykes, Little Brother Montgomery** et surtout **Otis Spann** (décédé en 1970).

Le boogie-ostinato — les figures basses fortement accentuées et répétées de manière continue — s'est peut-être développé dans le Sud à partir des figures de banjo ou de guitares dont s'accompagnaient les chanteurs de blues. Quoi qu'il en soit le blues et le boogie sont liés dès l'origine. Les premiers boogies furent interprétés en guise d'accompagnements de blues, et presque tous les boogies existant à ce jour suivent le schème de douze mesures du blues. La différence entre le blues et le boogie est vague ; il convient de préciser que la notion selon laquelle tous les boogie-woogies sont rapides et sautillants est une généralisation abusive. Elle est tout aussi erronée que l'idée voulant que tous les blues soient lents.

Si la quête des origines du boogie-woogie nous entraîne au-delà des premiers accompagnements de blues au banjo et à la guitare, nous arrivons à une époque où la différenciation entre la musique latino-américaine (rumba, samba, tango, etc.) et nord-américaine (influencée en définitive par le jazz) n'était pas encore distincte. **Jimmy Yancey**, le « père du boogie-woogie » et d'autres pianistes de boogie ont construit certains de leurs morceaux à partir des figures basses de danses latino-américaines. Ainsi le *Lean Bacon Boogie* se fonde-t-il sur une structure de tango. Le boogie est en définitive une sorte d'« archi-rythme » de la musique noire, ce qui explique qu'on le rencontre de temps à autre à l'époque moderne, par exemple « sous une forme déguisée » dans le rhythm n'blues des années cinquante et dans la soul des années soixante, ainsi que dans les improvisations au piano de Muhal Richard Abrams des années soixante-dix. Il va de soi que ces éléments apparaissent souvent de façon modifiée et abstraite. Que le boogie-woogie authentique puisse toujours être vivant et efficace devint apparent lorsque plusieurs musiciens britanniques de rock et de blues formèrent le Rocket 88 en 1978 à l'occasion du cinquantième anniversaire du boogie-woogie (en 1928 Pinetop Smith avait enregistré son *Pinetop's Boogie-Woogie*, qui donna son nom au style dans son ensemble). Rocket 88 comprend notamment le batteur des Rolling Stones, Charlie Watts, George Green et Bob Hall (à deux pianos) ainsi qu'Alexis Korner, le père du blues britannique — le groupe rassemblait en fait dix musiciens qui jouaient le boogie avec la même intensité et la même chaleur que l'on trouvait dans les bouges à boogie du Chicago des années vingt.

Contemporains de Jimmy Yancey, **Pinetop Smith, Cow Cow Davenport** et **Cripple Clarence Lofton** furent les premiers pianistes importants de boogie-woogie. Yancey était à l'origine un danseur de claquettes, ce qui a sans doute influencé son jeu à huit mesures.

Le pianiste de boogie-woogie le plus brillant fut **Meade Lux Lewis**, qui perdit la vie dans un accident de la route en 1964. Son *Honky Tonk Train Blues*, enregistré pour la première fois en 1929, acquit une gloire légendaire. Le public blanc découvrit ce style vers le milieu des années trente alors que les Noirs, pour qui le boogie-woogie avait été créé dans les années vingt dans le South Side de Chicago et ailleurs, l'avaient dépassé depuis longtemps. Le critique de jazz John Hammond rechercha alors Lewis ; il le trouva dans un garage de la banlieue de Chicago où il était laveur de voitures. Hammond l'associa, au Café Society de New York, à deux autres pionniers du piano boogie-woogie : **Albert Ammons** et **Pete Johnson**. Les enregistrements réalisés à trois pianos par ces maîtres du boogie comptent parmi les exemples de boogie les plus prodigieux.

James P. Johnson et les autres pianistes de Harlem appartiennent à la branche du ragtime, mais ils abandonnèrent bientôt les vieux rags originaux, de sorte qu'il convient de les présenter comme « ayant été influencés » par le ragtime. De même à Chicago les pianistes qui appartenaient nettement à la branche du boogie-woogie ne furent bientôt plus qu'« influencés » par le boogie. Le premier de cette nouvelle génération fut **Jimmy Blythe**, qui travaillait souvent dans les studios d'enregistrements de Chicago durant les années vingt. Blythe était raffiné, expérimenté, ses talents variés, même s'il paraît quelquefois brusque, monotone et malhabile aux auditeurs actuels. La vérité est que nos notions relatives à ce qui est « raffiné, expérimenté et varié » se sont modifiées ; nous sommes devenus plus exigeants. Blythe savait, bien avant Basie, comment obtenir des effets boogies sans jouer à proprement parler du boogie-woogie, comme dans *Sunshine Special*, où il « dissimule » les lignes ostinato, jouées habituellement par la basse, dans la ligne mélodique.

En tant que pianiste stomp, Blythe n'était guère différent des grands pianistes de Harlem. Le stomp est le lien entre le boogie-woogie et le style de Harlem ; il établit également le lien avec la troisième lignée de l'évolution pianistique : le jeu « cuivré ». Il convient, avant d'aborder ce nouveau style, d'évoquer les pianistes blancs du Chicago-style et de ses dérivés. Ils se situent plus ou moins entre le rag et le boogie. **Joe Sullivan**, par exemple, tend plus vers Waller ; **Art Hodes**, vers le piano blues des pianistes du South Side. Le premier possède un sens de l'humour merveilleux, le second un feeling blues convaincant.

La troisième branche du développement pianistique — le jeu « cuivré » — fut le dernier à apparaître. **Earl Hines** est considéré comme le premier musicien de cette orientation ; il est incontestablement son précurseur le plus important. Son jeu a été qualifié de « piano style trompette », les puissants mouvements d'octave de sa main droite sonnent comme une traduction au piano des lignes de la trompette de Louis Armstrong. Hines n'en est pas moins un musicien à part entière débordant d'énergie et d'humour et ayant poursuivi son évolution musicale et humaine jusque dans ses vieux jours. Il est l'une de ces quelques personnalités fascinantes du jazz qui sont devenues des légendes de leur vivant.

Il est impossible qu'un piano ait la sonorité d'un cuivre, mais Hines est le fondateur d'une école dont les représentants inventèrent — peu à peu au début, puis de manière de plus en plus marquée — des lignes qui n'atteignent peut-être pas l'expressivité d'un cuivre, mais qui présentent sans conteste les contours des phrases de cuivres. Cette école mène via Mary Lou Williams, Teddy Wilson, Nat « King » Cole et surtout Bud Powell à d'innombrables pianistes de jazz contemporain.

Mary Lou Williams présente un intérêt tout particulier étant donné qu'elle connut toute l'évolution de cette école et se développa parallèlement à elle. Mary Lou, qui mourut en 1981, est sans conteste le personnage féminin le plus important de toute l'histoire du jazz instrumental. Elle commença à jouer vers 1927, dans le style blues et boogie-woogie de l'époque. Elle devint arrangeur et pianiste de l'orchestre d'Andy Kirk à Kansas City. Elle écrivit des arrangements pour Kirk, Benny Goodman *(Roll'Em)* et Duke Ellington *(Trumpet No End)* que ne peut ignorer nulle histoire des arrangements de jazz. En tant que pianiste elle illustra le Swing et le bop et devint une représentante majeure du piano de jazz moderne — ce qui incita certains critiques à prétendre que cette « Première Dame du Jazz » ne possédait pas un style propre. Elle déclara quant à elle avec une assurance justifiée : « Je considère cela comme un compliment, quoique je croie que quiconque a de l'oreille doit être capable de m'identifier sans grande difficulté. Il est vrai cependant que je me livre constamment à des expériences nouvelles, que je change, que je recherche des nouveautés. J'étais encore à Kansas City quand j'ai découvert des accords qu'on commence seulement à utiliser aujourd'hui. Le problème avec maints pianistes de talent est qu'ils s'identifient à un style au point de ne plus être capables de s'en échapper et de s'ouvrir aux idées et techniques nouvelles. » Elle démontra son ouverture aux nouveautés, en particulier en 1977, lorsqu'elle participa à un concert en duo très remarqué avec le plus célèbre pianiste de free jazz, Cecil Taylor.

Teddy Wilson est le pianiste qui perpétua la tradition d'Earl Hines à travers le style Swing des années trente. Il l'exprime avec l'intensité que les grands « cuivres » noirs imprimèrent au Swing et avec l'élégance et la grâce que Benny Goodman introduisit dans le jazz à cette époque. Cette combinison évolua de manière telle que quarante ans plus tard on avait l'impression d'entendre Teddy Wilson dans le jeu de tous les pianistes de cocktail. Wilson participa à certains des enregistrements les plus soignés et les plus représentatifs de l'ère Swing, avec les combos de Goodman ou avec ses propres groupes. Il influença presque tous les pianistes des années trente et notamment **Mel Powell, Billy Kyle, Jess Stacy** et **Joe Bushkin**. Bushkin fut bien évidemment influencé également par le « grand homme » des pianistes de jazz : **Art Tatum. Marian McPartland** a transposé l'élégance de Wilson, avec qui elle enregistra par la suite deux albums en duo, incorporant en outre maintes trouvailles musicales postérieures à Wilson. Elle est l'une de ces musiciennes qui ne cessent d'évoluer et de s'affirmer tout au long de leur vie.

Tout ce qui fut créé au cours de l'histoire du piano de jazz jusqu'à l'époque de son apogée — vers le milieu des années trente — se retrouve chez **Art Tatum**, avec en outre une virtuosité pianistique qui a été comparée à celle des grands pianistes de concert tels que Rubinstein ou Cherkassky, et qui était inconnue en jazz avant lui. Les cadences, les arpèges et les ornements de la musique virtuoso pour piano de la fin du XIXe siècle sont aussi présents dans son jeu qu'un feeling profond du blues, qu'il exprima notamment dans ses enregistrements avec le chanteur de blues Joe Turner. Nourri des techniques pianistiques du XIXe siècle, Tatum avoue une certaine préférence pour les pièces de salon de cette époque, telles que l'*Humoresque* de Dvorak, l'*Élégie* de Massenet et d'autres du genre. Ce choix n'est pas forcément compatible avec le summum du bon goût. Le tollé qui s'éleva lorsque le critique français André Hodeir souleva cette question de goût est symptomatique de l'estime que les musiciens de jazz ont pour Tatum. Même des musiciens qui par ailleurs se refusaient à écrire, prirent la plume pour assurer la défense de Tatum.

Tatum, qui mourut en 1957, fut un soliste — point à la ligne. Outre quelques enregistrements en combo avec de grandes vedettes et les quelques séances avec Joe Turner mentionnées précédemment, il avait pour habitude de jouer en solo ou avec son propre trio. Tatum demeure un personnage influent, comme le prouve le jeu du Français Martial Solal ou du Polonais Adam Makowicz, et indirectement de dizaines de pianistes qui jouent des solos de piano virtuoso. Il est permis en conséquence d'affirmer que l'approche universelle du piano d'Art Tatum connaît ses véritables triomphes dans les années soixante-dix et quatre-vingts — soit près de vingt-cinq ans après le décès du grand musicien.

Après Tatum, l'oscillation entre les conceptions pianistique et « cuivrée » du piano jazz devint particulièrement marquée. **Bud Powell**, qui mourut en 1966 dans des circonstances tragiques, fut le principal représentant de l'approche « cuivrée » et de manière générale le pianiste le plus influent du jazz moderne. A dix-huit ans il avait déjà joué avec Charlie Christian et Charlie Parker au Minton's. On l'a surnommé le « Bird du piano de jazz » et il fut sans conteste un être humain aussi tourmenté que Charlie Parker. Il passa, après sa période créative — du milieu des années quarante au début des années cinquante — la moitié de son temps dans des asiles. Il n'était plus que l'ombre du grand homme qu'il avait été durant les quelques années au cours desquelles il créa le style de piano moderne.

Le problème de Powell est en fait une intensification du problème du musicien de jazz en général, le problème de l'artiste qui crée dans un monde de discrimination sociale et raciale dont l'agressivité et le manque de sensibilité lui sont insupportables et qui ne sait ni ne veut jouer le jeu.

Powell créa des lignes nettement définies qui paraissent se dresser librement dans l'espace tel un métal incandescent qui s'est solidifié. Bud est également un romantique, son *Glass Enclosure* (une composition originale) ou ses interprétations de ballades — par exemple. *Polkadots and Moonbeams* — possèdent le charme aimable des *Scènes d'enfance* de Robert Schumann. Cette tension entre la dureté de ses lignes « cuivrées » et sa sensibilité romantique est toujours présente, et il n'est pas impossible que ce soit cette tension entre deux extrêmes en définitive incompatibles qui se soit trouvée à l'origine de la tragédie de ce musicien merveilleux. Lennie Tristano dit que Powell avait entraîné « le piano au-delà du piano... Quoi qu'on puisse dire de Bud Powell on ne réussira jamais à traduire sa grandeur ».

De Tatum vient la technique ; de Powell, le style. Tatum établit un étalon pianistique qui pendant longtemps parut inaccessible. Powell, lui, fonda une école. Ainsi, le jazz moderne compte-t-il plus de « disciples de Powell » que de « disciples de Tatum ». S'inscrivent dans la lignée de Tatum : **Billy Taylor, Martial Solal, Hank Jones, Jimmy Rowles, Phineas Newborn** et **Oscar Peterson** (qui fut bien évidemment influencé dans une certaine mesure par Bud Powell et par d'autres pianistes). **Taylor** possède, en tant que pianiste et qu'observateur de la scène jazz, une intelligence astucieuse et pénétrante. **Jones** combine le be-bop au jeu de Tatum, conférant à cette combinaison une maturité encore plus grande — notamment au cours d'impressionnantes apparitions en solo depuis les années soixante-dix. **Solal** possède l'éclat français, l'humour et l'esprit gaulois. La richesse de ses idées et de ses suggestions explose parfois tel un feu d'artifice.

Le pianiste polonais **Adam Makowicz**, qui accéda à l'avant-plan au cours des années soixante-dix, prouva de manière éclatante combien la tradition issue de Tatum était encore vivace. Makowicz joue un style Tatum d'une manière très concertante, avec des réminiscences de Chopin. Guidé par John Hammond, le plus talentueux des agents de jazz, Makowicz alla s'installer à New York en 1978 ; il y déclara : « Ce que j'apprends ici, c'est essentiellement le rythme. »

Oscar Peterson est de tous les pianistes de l'école Tatum celui qui remporta le plus de succès ; il a rappelé à plusieurs reprises combien il lui était redevable. Peterson est un « swingueur » d'une énergie prodigieuse, possédant une attaque saisissante. Il devint évident dans les années soixante-dix, lorsqu'il commença à se produire en solo (sans les petits groupes qui l'accompagnaient jusqu'alors), que les pianistes de Harlem avaient également laissé leur empreinte sur lui ; Fats Waller et James P. Johnson, avec leurs puissantes lignes de basses, sont en fait les précurseurs de Tatum. Avec le temps Peterson forma sa propre école. L'un de ses disciples, **Monty Alexander**, allie une attaque « à la Peterson » au charme de sa Jamaïque natale.

S'inscrivent dans la lignée de Bud Powell : **Al Haig, George Wallington, Lou Levy, Lennie Tristano, Hampton Hawes, Pete Jolly, Claude Williamson, Joe Albany, Dave McKenna**, l'émigrée japonaise **Toshiko Akiyoshi, Eddie Costa, Wynton Kelly, Russ Freeman, Harold Mabern, Cedar Walton, Mose Allison, Red Garland, Horace Silver, Barry Harris, Duke Jordan, Kenny Drew, Walter Bishop, Elmo Hope, Tommy Flanagan, Bobby Timmons, Junior Mance, Ramsey Lewis, Ray Bryant, Horace Parlan, Roger Kellaway, Roland Hanna, Les McCann**, l'Autrichien **Fritz Pauer** et une légion d'autres pianistes, parmi lesquels ceux que nous mentionnerons comme représentants de néo-bop contemporain (vers lequel ont évolué nombre de ceux mentionnés ci-dessus).

Al Haig, Duke Jordan et **George Wallington** jouèrent dans des combos sur la 52e Rue durant les années formatives du jazz moderne. **Lennie Tristano** (qui mourut en 1978) est le chef de file de l'école évoquée précédemment, qui eut une importance considérable à l'époque de la cristallisation du cool jazz. Il interprétait des lignes mélodiques longues, impétueuses, sensibles (s'apparentant souvent à la linéarité de Bach) sur des structures harmoniques complexes. Ainsi que le formula Lynn Anderson : « Il fut le premier pianiste à improviser spontanément des enchaînements d'accords prolongés... et des contrepoints... Une autre de ses innovations fut sa conception d'une résolution contournée, de sorte que l'harmonie ne se déplace pas toujours dans la direction prévue... » Tristano anticipa la liberté harmonique du free jazz de quelque dix années.

L'influence de Tristano s'étendit à plusieurs styles. Voici quelques pianistes qui lui sont redevables : **Don Friedman, Clare Fischer** et surtout **Bill Evans** ; parmi les plus jeunes citons : **Alan Broadbent, Connie Crothers**, et **Ken Werner**, lesquels sont autant de preuves de la pérennité de l'influence de Tristano. **Werner** est un jeune pianiste qui s'est distingué au début des années quatre-vingts en maîtrisant toute la gamme du jeu de piano du jazz contemporain avec une linéarité évoquant Tristano.

Russ Freeman, Claude Williamson et **Pete Jolly** sont les pianistes principaux de la côte Ouest. **Hampton Hawes**, qui vécut lui aussi sur la côte Ouest (et mourut en 1977), ne doit pas être classé parmi les jazzmen de la côte Ouest. Son feeling le rapprochait beaucoup plus du blues et de Charlie Parker, en raison de son héritage noir. **Mose Allison** (cf. également le chapitre consacré aux chanteurs de jazz) établit une liaison directe curieuse entre le vieux blues et les chansons folk et le jeu de piano moderne de Bud Powell. **Red Garland** est un pianiste de hard bop qui déborde d'idées. Il se distingua tout d'abord au sein du Miles Davis Quintet vers le milieu des années cinquante. Il y fut remplacé par Bill Evans (sur lequel nous aurons l'occasion de revenir), puis par **Wynton Kelly**. Kelly, et plus encore **Junior Mance, Les McCann** et **Bobby Timmons,** appartiennent au groupe des pianistes de hard bop inspirés par le funk et le gospel. Les compositions de Timmons, *Moanin', This Here* et *Dat Dere* connurent un énorme succès ; elles furent écrites vers la fin des années cinquante alors qu'il faisait partie des Messengers d'Art Blakey puis du quintette de Cannonball

Adderley. Les McCann associa, au début des années soixante-dix, sa conception soul du piano, qu'il avait introduite avec beaucoup de succès dans les années cinquante, aux sonorités électriques contemporaines. Vers 1960 **Ray Bryant**, un maître des improvisations blues expressives, créa avec ses morceaux *Little Susie* et *Madison*, une frénésie de danse qui — comme tant d'autres auparavant — avait commencé à Harlem avant de faire le tour du monde. **Ramsey Lewis** dirigea pendant de nombreuses années un trio qui combinait le gospel et le hard bop d'une manière plaisante, souvent quelque peu commerciale ; il adopta ensuite le jazz fusion. **Tommy Flanagan**, un musicien de la génération hard bop de Detroit, a trouvé une certaine délicatesse dans la violence du hard bop, qui fait défaut à tant d'autres musiciens. Son album *Our Delight* enregistré en duo avec Hank Jones en 1978 est selon moi le plus beau disque en duo de l'histoire du jazz. **Barry Harris** a toujours été considéré comme un « génie » par les musiciens originaires de Detroit. Il fut la personnalité la plus forte et la plus originale de la scène de Detroit et le professeur de nombreux musiciens qui le vénèrent. **Horace Silver** a étendu l'héritage de Powell d'une manière particulièrement convaincante à un style de jeu inspiré du funk et de la soul, allié à un sens de la forme audacieux et à une vitalité affable ; une formule qui a assuré son succès et celui de son quintette.

Thelonious Monk, qui mourut en 1982, compte aussi au nombre des pianistes en quête d'une sonorité « cuivrée ». Il fut l'un des musiciens les plus importants parmi les créateurs du bop, mais on ne prit conscience de son influence que durant la seconde moitié des années cinquante. Monk, un pionnier du jazz moderne dès l'époque du Minton's, jouait des lignes *« al fresco »*, largement espacées, souvent à peine indiquées. Il s'aventura plus loin que quiconque avant le free jazz dans des recherches de dissolution de la phrase considérée comme une unité et de l'harmonie considérée comme un système fonctionnel. Sa grande liberté harmonique était ancrée dans un riche savoir et dans une créativité puissante et originale. C'est dans sa musique qu'on entendit pour la première fois les éléments qui conduisirent à Coleman, à Coltrane, à Dolphy et à tous les musiciens d'avant-garde du jazz ; ils étaient toutefois ancrés dans un profond feeling blues et saturés d'un sens de l'humour dévastateur et burlesque. Les thèmes de Monk sont, avec leurs déplacements rythmiques et leurs structures irrégulières, parmi les plus originaux du jazz moderne.

Randy Weston, Herbie Nichols (décédé en 1963) et **Mal Waldron** sont des pianistes qui semblent suivre des lignes similaires, influencés — consciemment ou non — par Monk. Weston, qui reconnaît avoir été influencé non seulement par Monk mais encore par Ellington, a vécu pendant plusieurs années en Afrique, où il travailla également sur la musique arabe. **Nichols** joua dans des orchestres traditionnels et de blues avant d'avoir l'occasion de présenter ses compositions bizarres et nouvelles (qui, hélas ! ne retinrent guère l'attention). Il fut un pianiste vraiment original. **Mal Waldron** remporta un grand succès au Japon durant les années soixante-dix, quoiqu'il vécût à Munich. Sa manière de jouer fut qualifiée de « style télégraphique », ses phrases évoquent un mystérieux code Morse, rappelant quelque peu les signaux : « long-long-bref-long ». Il fut le dernier accompagnateur de la grande Billie Holiday. Il développa un style de plus en plus individuel dans lequel « l'espace » occupe une place importante.

Bill Evans, qui mourut en 1980, connut un succès remarquable. Il fut l'un des rares musiciens blancs à être acceptés dans les cercles étroits du hard bop — pourtant son style était très différent de celui des autres pianistes de hard bop, beaucoup plus sensible et fragile. Il fut, en termes actuels, le premier pianiste « modal ». Il peut être considéré comme un « Chopin du piano de jazz moderne », avec un talent, incomparable en jazz, qui lui permet de conférer à son piano une « sonorité » qui le situe dans les mêmes sphères qu'un pianiste tel Rubinstein. Il n'est pas surprenant qu'une combinaison aussi unique et intéressante d'éléments hétérogènes se soit également avérée heureuse sur un plan commercial (avec le Bill Evans Trio). Le pianiste allemand **Michael Naura** dit que le travail d'Evans avec d'autres musiciens — Miles Davis ou le bassiste Scott LaFaro, par exemple — révèle qu'il est « un musicien qui semble se fondre dans son environnement d'une manière presque médiumnique. Seul un être capable d'une dévotion totale joue du piano de cette manière ».

Il est significatif qu'Evans ait été à l'origine de toute une lignée de pianistes, parmi lesquels **Don Friedman** sur la côte Est, aux improvisations sensibles et claires, et **Clare Fischer** sur la côte Ouest, qui se fit en outre un nom en tant qu'arrangeur (et qui s'intéresse également à la musique latine).

Jaki Byard occupe une position particulière. Il est issu du groupe de Mingus. Il joue d'une part des improvisations très modernes, presque free aux sons abrasifs, mais d'autre part on le sent ancré dans le piano stride des années vingt. C'est un musicien possédant une maîtrise totale de la tradition noire, pour lequel Mingus et Roland Kirk sont des idéaux.

Il est intéressant de noter que les deux pianistes ne pouvant être rattachés à aucune école furent ceux qui remportèrent le plus de succès : **Dave Brubeck** et **Erroll Garner**. Brubeck a intégré dans son jeu de multiples éléments musicaux européens, de Bach à Darius Milhaud (avec lequel il étudia) ; dans sa musique ces éléments paraissent empreints d'un certain romantisme. La question de savoir si Brubeck « swingue » a fait pendant plusieurs années l'objet d'un débat passionné. Critiques et musiciens lui ont reproché de « marteler » le piano. Il n'en demeure pas moins que Brubeck est un improvisateur merveilleusement imaginatif et original. Son saxophoniste Paul Desmond et lui-même s'inspirèrent mutuellement, presque à la manière intuitive des somnambules. Brubeck a souvent atteint des sommets émouvants d'une manière particulièrement originale et personnelle. Lorsque Leonard Feather réalisa une enquête afin d'établir quel était le musicien le plus surestimé, ce fut cependant Brubeck qui arriva largement en tête. Trente-sept pour cent de toutes les personnes interrogées mentionnèrent son nom. Le cas de Brubeck est exemplaire d'une attitude largement répandue au sein de la « fraternité jazz » et dont même Louis Armstrong eut à souffrir. Brubeck fut, durant la première moitié des années cinquante, l'un des musiciens les plus loués de la scène jazz. Il était régulièrement choisi comme étant le meilleur pianiste et leader de combo — ou, de manière plus générale, comme « Musicien de l'Année ». Il était considéré à l'époque comme *la* personnification du piano d'avant-garde. Puis il connut le succès, bien au-delà des limites jugées « normales » en jazz. Et la fraternité du jazz se détourna de plus en plus de lui ; or son jeu était le même qu'auparavant. Il était d'ailleurs devenu plus swing, plus dur, plus mûr. On est en droit de se demander si le monde du jazz est tellement sclérosé dans son isolement qu'il interprète tous succès dépassant les limites « normales » comme une preuve de trahison ?

Depuis Fats Waller il n'y eut pas de pianiste dont le nom est plus synonyme de bonheur et d'humour que celui d'**Erroll Garner** (qui mourut en 1977). Garner est également comparable à Fats — et à Tatum — sur le plan de l'approche orchestrale du piano. Il maîtrise parfaitement toutes les possibilités de son clavier. *Concert by the Sea* est le titre de l'un de ses plus beaux disques ; un titre approprié non seulement parce que ce concert fut enregistré sur la côte du Pacifique, mais encore parce que les cascades pianistiques de Garner évoquent le grondement de la mer. L'auditeur avait parfois l'impression, en l'écoutant jouer, qu'il retardait trop longtemps le temps, mais lorsqu'il le libérait on savait qu'il arrivait au bon moment. Les introductions de Garner étaient également remarquables ; s'accompagnant de cadences et souvent d'allusions humoristiques, elles paraissaient retarder de plus en plus l'amorce du thème et le temps. L'audience mondiale de Garner applaudissait avec enthousiasme lorsque pianiste et public revenaient en définitive « à la maison », dans la mélodie bien connue de Garner et dans son « tempo » encore plus célèbre.

Garner fut singulier et original au point que seuls deux pianistes peuvent lui être rattachés : **Ellis Larkins** et **Ahmad Jamal**. Larkins réalisa certains des plus beaux enregistrements au piano de l'histoire du jazz, sur un disque d'Ella Fitzgerald chantant Gershwin. Son cadet Jamal occupe une position curieuse, apprécié de manière très diverse par les musiciens et les critiques. La plupart de ces derniers le considèrent à peine comme un pianiste de cocktail doué, alors que maints musiciens — en particulier Miles Davis — l'ont qualifié de « génie » prodigieux. Le timing de Jamal et sa combinaison d'ornements et d'économie sont effectivement « prodigieux ». Gunter Schuller croit que si Miles tient Jamal en si haute estime c'est en majeure partie parce que le Davis des années cinquante adopta certaines manières d'embellir de Jamal, ainsi que — dans une certaine mesure — sa simplicité sophistiquée. Or, affirme-t-il, l'immense succès de Miles date de cette adoption.

L'étape suivante dans l'évolution du piano fut franchie par **Cecil Taylor** d'une manière que même les critiques les plus perspicaces auraient jugée impossible. Dans ses paquets d'accords, courant sur tout le clavier du piano, swingue le monde du *Microcosme* de Bartok. Martin Williams affirme que Taylor transforme la musique de concert moderne en fonction de l'idiome et de la technique du jazz aussi sûrement que Jelly Roll Morton l'avait fait des marches de John Philip Sousa.

Taylor a toutefois déclaré se sentir plus à l'aise dans la tradition noire, qui est la sienne — surtout celle de Duke Ellington — que dans la musique européenne. Si vous l'écoutez avec soin vous relèverez dans son jeu des dizaines d'éléments propres à l'histoire de la musique de piano noire : des cadences blues, des phrases bop et des basses boogie. Ces ingrédients ne sont toutefois qu'esquissés, modifiés, rendus abstraits et transformés idée après idée. Son intensité n'est pas seulement liée au fait qu'il court sur le clavier, elle est nourrie, ainsi qu'il le dit, par « une sorte de mise en transe... C'est en rapport avec des forces religieuses » — au sens de la tradition africaine.

Certains musiciens ont situé l'influence de Taylor au-dessus de celle d'Ornette Coleman et nous ne devons pas perdre de vue le fait que Taylor fut présenté dès le festival de Newport de 1957, après avoir fait ses armes dans les groupes de musiciens Swing tels que Hot Lips Page, Johnny Hodges et Lawrence Brown — il est donc exact qu'il se situe chronologiquement avant Coleman. L'aspect stupéfiant des improvisations de Taylor réside dans la puissance physique de son jeu. Le pianiste allemand Alexander von Schlippenbach, qui fut fortement influencé par Taylor, a fait remarquer que n'importe quel pianiste serait capable de produire un jeu d'une telle intensité dévastatrice pendant quelques minutes alors que Taylor était en mesure de « tenir la distance » pendant toute une soirée à l'occasion de longs concerts ou de performances dans des clubs. L'un des aspects les plus encourageants, et les plus significatifs, de la scène jazz de la fin des années soixante-dix est qu'un musicien jouant une musique aussi difficile et intransigeante que celle de Taylor connaisse un succès « commercial » !

Cecil Taylor est sans conteste le pianiste le plus remarquable du free jazz, mais il en est d'autres qui, subissant ou non son influence, ont ouvert de nouvelles voies au piano de jazz. Citons : **Paul Bley, Carla Bley, Ran Blake, John Fischer, Sun Ra** (célèbre surtout en tant que leader de son grand orchestre free), **Narada Burton Greene, Dave Burrell, Bobby Few, Muhal Richard Abrams, Don Pullen, Anthony Davis** et **Amina Claudine Myers** ; ainsi que les Britanniques **Howard Riley** et **Keith Tippett** ; les Néerlandais **Fred Van Hove, Leo Cuypers** et **Misha Mengelberg** ; l'Allemand **Alexander von Schlippenbach** (leader du Globe Unity Orchestra, le grand orchestre de free jazz européen le plus cohérent) ; l'Autrichien **Dieter Glawischnig** ; le Japonais **Yosuke Yamashita** ; la Suisse **Irène Schweitzer** ; l'Italien **Giorgio Gaslini** ; et **Friedrich Gulda**. L'espace qui nous est imparti ne nous permet d'évoquer en détail que quelques-uns de ces pianistes.

Paul Bley interprète le free jazz sans humour ni affabilité. Un critique le qualifia de « James P. Johnson du jeu free ». **Ran Blake** et Carla Bley sont des musiciens très sensibles. Ran qui a été influencé par Thelonious Monk est passé maître en matière de modification de standards de grands auteurs de la musique populaire américaine. Il réduit ces morceaux en lambeaux, il les abstrait et les transplante dans un monde musical nouveau diamétralement opposé à leur univers originel (ce qui implique sans conteste un processus socio-critique). **Carla Bley** (nous la retrouverons dans le chapitre consacré aux grandes formations) est surtout connue comme interprète de ses propres compositions tendres et délicates, peut-être les plus originales depuis Thelonious Monk. La « chronotransduction » que Carla créa avec l'écrivain Paul Haines, *Escalator over the Hill*, est une sorte d'opéra jazz. Il s'agit, avec ses six faces de disques, de l'œuvre la plus importante du jazz, transcendant largement ce genre et se rapprochant d'une « musique totale » incorporant des éléments de rock, de musiques classiques indienne et européenne, etc. Le néologisme « chronotransduction » éclaire l'intention de l'œuvre : le temps et l'espace sont transcendés dans un sens musical et poétique.

La musique du pianiste japonais **Yosuke Yamashita** est également intéressante à cet égard. Les critiques américains lui ont reproché d'imiter Cecil Taylor, mais Yamashita tire sa puissance et son intensité d'apparence ritualistes, et réminiscentes de Taylor, de la tradition non pas américaine mais japonaise qui a cultivé l'intensité pendant des siècles.

Muhal Richard Abrams est le « chef » (un terme qui ne lui plairait certes pas) de l'AACM, que nous avons déjà mentionné à diverses reprises. C'est un pianiste qui a intégré dans son jeu l'ensemble de la tradition noire, du ragtime au free en passant par le boogie. **Amina C. Myers**, qui est étroitement associée à l'AACM, joue une musique free se fondant sur les « blues classiques » et sur la tradition spirituelle noire. **Don Pullen** et Anthony Davis sont deux autres pianistes « free » ayant une conscience aiguë de la tradition noire. Pullen s'est révélé particulièrement dynamique dans une série d'enregistrements fascinants avec le ténor George Adams (Pullen et Adams sont tous deux issus de groupes de Charles Mingus).

Anthony Davis est un musicien cool conscient, influencé par la musique romantique et classique, en particulier par la musique de chambre, qu'il entendait chez ses parents. Il dit : « Les innovations mélodiques et linéaires d'Ornette Coleman sont importantes parce qu'elles ont libéré la musique des longueurs de mesures et des enchaînements d'accords bebop réguliers. Nous pénétrons dans une nouvelle période musicale où les dimensions harmoniques ont à nouveau droit de cité. Je considère que presque tout ce que je joue est tonal, avec certains passages accentués plutôt qu'avec des résolutions plus traditionnelles. Il arrive même que j'utilise plusieurs secteurs tonals contrastant de manière simultanée. » Cette déclaration caractérise non seulement la position d'Anthony Davis, mais encore celle de maints jeunes musiciens du début des années quatre-vingts (notamment Jay Hoggard, qui a souvent joué avec Anthony Davis et dont nous avons parlé à la fin du chapitre consacré au vibraphone).

De même que les pianistes américains évoqués ici intègrent leur tradition dans leur jeu, leurs collègues européens se fondent sur la leur, tout en s'inspirant des grands pianistes américains contemporains, en particulier de Cecil Taylor. **Friedrich Gulda**, qui est considéré comme un grand interprète de Mozart, Beethoven et Debussy, maîtrise particulièrement bien la tradition européenne — mais *uniquement* cette tradition. Il a transposé des structures de fugues et de sonates dans le jazz moderne de la manière la plus convaincante qui soit. Le nom de Gulda étant prononcé en général lorsque les gens parlent de musiciens « classiques » importants ayant « également réussi » en jazz, il convient de préciser que son « feeling » jazz est des plus limités.

Quoi qu'il en soit le piano jazz s'est de plus en plus individualisé — non seulement parmi les représentants du free influencés par Cecil Taylor, mais encore parmi ceux n'ayant pas opté pour le free. On rencontre parmi ces derniers des pianistes défiant toute classification. **Andrew Hill**, originaire d'Haïti, a intégré des éléments africains de ses Caraïbes natales dans des compositions et improvisations de piano modernes. « Écoutez attentivement l'avant-garde et vous entendrez des rythmes africains. Vous entendrez les racines du jazz », affirme-t-il. Le fait que la nature africaine, négroïde, noire du jazz n'est pas dédaignée dans l'évolution musicale, mais qu'elle acquiert au contraire une importance de plus en plus marquée au fur et à mesure que la musique noire d'Amérique rejette les entraves des lois musicales européennes, devient particulièrement évident chez des musiciens tels que Hill — mais également tels que Muhal Richard Abrams, Don Pullen, et tant d'autres.

Dollar Brand, un musicien de Capetown, Afrique du Sud, entretient une relation encore plus directe avec l'Afrique. Sa technique instrumentale n'est peut-être guère plus que passable, mais la force spirituelle et les émotions dont il charge son jeu sont prodigieuses. Le père de Dollar appartenait à la tribu Basuto et sa mère à celle des Boschimans. Brand mêle cet héritage à une connaissance profonde d'Ellington et de Monk, mais également à des chants et des chœurs des Boers qui colonisèrent son pays natal.

Herbie Hancock s'est tourné petit à petit vers la musique

« funk commerciale » et pourtant la communauté jazz continue à le considérer comme l'un des siens, en raison notamment des deux disques *Empyrean Isles* et *Maiden Voyage* qu'il enregistra pour Blue Note dans les années soixante et qui comptent parmi les rares « poèmes sonores » convaincants du jazz, en dehors de ceux de Duke Ellington. Il s'agit de « peintures sonores de la mer » comparables à *La Mer* de Debussy. Hancock est l'un des musiciens importants qui doit sa renommée à sa collaboration au Miles Davis Quintet dans les années soixante. Le sextette qu'il dirigeait en 1973 présenta l'une des solutions les plus intéressantes et les plus exigeantes du point de vue musical au problème posé par l'électrification du jazz. Le fait que Hancock demeura un jazzman même après avoir opté pour le « funk commercial » devint évident avec le groupe VSOP qu'il dirigea pendant quelques tournées durant la seconde moitié des années soixante-dix. Le groupe rassemblait Freddie Hubbard, Wayne Shorter, Tony Williams et Ron Carter, qui jouaient tous des instruments acoustiques. Le fait devint incontestable lorsqu'il se produisit avec Chick Corea, un événement d'une ampleur mondiale qui séduisit un public qui ne se serait sans doute pas déplacé s'il n'avait été induit en erreur par les noms de Hancock et Corea, associés à des enregistrements « commerciaux » et « électriques ». Il convient de ne pas perdre de vue le fait que Hancock entendit beaucoup de rhythm & blues durant sa jeunesse. Ce style fait partie intégrante de ses racines, aussi lorsqu'il joue du funk populaire, il ne devient pas « commercial », il renoue avec son héritage.

Chick Corea est un autre musicien issu du cercle de Miles Davis, qui avant d'aborder le jazz fusion taquina le free. Corea est un musicien affable ayant un amour prononcé pour les atmosphères féeriques enfantines. Il connaît Bartok, aime les musiques latino-américaine et espagnole, et est un compositeur exceptionnel. Les critiques ont comparé ses morceaux charmants à de célèbres pièces pour piano du XIXe siècle — de Schumann et Mendelssohn — mais n'ont pas remarqué la tension jazz immanente et très sensible dont Chick Corea « remplit » son romantisme. Cette manière de « remplir » le romantisme d'une tension moderne n'est pas un phénomène inhabituel mais une tendance très actuelle.

On la retrouve dans l'œuvre d'autres pianistes importants des années soixante-dix et quatre-vingts : **Keith Jarrett, Richie Beirach, Stu Goldberg, Art Lande, Danny Zeitlin, Lyle Mays, Warren Bernhard, Walter Norris, Bob Degen, Ken Werner**, le Norvégien **Bobo Stenson**, le Français **Jean-Pierre Mas**, le Britannique **John Taylor** et **Steve Kuhn**, qui anticipa cette tendance de quelques années. Le premier musicien qui introduisit une tension moderne dans le romantisme pianistique se nommait Bill Evans. La musique de Beirach a souvent la simplicité charmante des chansons folk ; sa compagnie de disques l'a présenté essentiellement à travers cette musique esthétisée. Mais il est également un musicien d'une puissance dynamique et doué de possibilités beaucoup plus riches. Voilà qui fait souvent partie intégrante du romantisme : une attitude de modération et souvent de complaisance.

Le romantisme dépourvu de cette touche de modération est la caractéristique principale du pianiste ayant obtenu le plus de succès dans cette orientation : **Keith Jarrett**, qui est également le pianiste le plus apprécié du jazz des années soixante-dix, avec McCoy Tyner. C'est un virtuose du piano dont les doigts, et surtout la tête et le cœur, maîtrisent presque tout ce qui a jamais été joué au piano. Ses *Solos Concerts* sont des voyages musicaux non seulement à travers des siècles d'histoire du piano, mais encore à travers maints « paysages » d'une psyché humaine toujours plus complexe. Le jeu de Jarrett présente également des aspects de « suffisance » et d'« arrogance » ; termes employés par les critiques lorsque Jarrett joua au Canergie Hall dans le cadre du festival de Newport-New York de 1976. On note dans la personnalité de Jarrett, et dans sa musique, une affectation propre aux artistes de la fin du Romantisme, qui n'est pas sans rappeler les festivals Wagner à Bayreuth, et qui semble favoriser une atmosphère d'admiration et de dévotion sous-tendue par une auto-admiration.

Avec Herbie Hancock et Chick Corea nous avons déjà mentionné deux des pianistes les plus importants du jazz fusion. Les autres sont : **George Duke, Joe Zawinul, Patrice Rushen, Ben Sidran, Milcho Leviev, Stu Goldberg, Bob James, Jan Hammer**, ainsi que le Hollandais **Jasper Van**

t'Hof et les deux Allemands **Joachim Kühn** et **Wolfgang Dauner**. La plupart de ces pianistes ont également eu recours aux pianos électriques et aux synthétiseurs ; ils seront présentés dans le cadre du chapitre suivant. Il convient toutefois de signaler qu'aussi passionnés de sonorités électrifiées qu'ils soient, chacun de ces musiciens insiste pour enregistrer sur ses disques au moins une plage sur un piano à queue acoustique. Je suis par ailleurs convaincu que s'ils ne devaient pas céder à des considérations commerciales, ils préféreraient utiliser de manière exclusive le piano acoustique. **Stu Goldberg** a trouvé une voie particulièrement intéressante en développant un romantisme dur, angulaire, évoquant parfois Thelonious Monk. **Joachim Kühn** a été nommé sept fois déjà « Meilleur Pianiste de Jazz Européen ». Quant à **Milcho Leviev** il aime intégrer dans son jeu les polyrythmes de ses Balkans natals.

Au-delà de tous ces styles et courants, les alimentant en fait, se trouve le mainstream (dans le sens de cette ligne d'évolution principale de l'histoire du jazz qui mène du bebop à la musique contemporaine en passant par Coltrane). **McCoy Tyner** est la figure la plus imposante de cette tendance ; il occupe la place de Premier Pianiste dans tous les sondages effectués dans le monde du jazz depuis le début des années soixante-dix. Il est l'essence du jazz dans le sens le plus puissant, le plus swing du terme. Le critique Bill Cole écrivit : « McCoy Tyner joue du piano comme un lion rugissant. »

Tyner acquit la notoriété au début des années soixante en tant que pianiste du classique John Coltrane Quartet. Depuis lors (nous avons évoqué ce fait), le jazz, le jazz rock, le jazz fusion et la musique pop sont devenus impensables sans Coltrane. Or aujourd'hui McCoy Tyner est sans conteste le meilleur représentant de la tradition Coltrane. En fait, Tyner *est* cette tradition, la servant paisiblement, avec sérieux et religiosité.

Sahara, enregistré en 1972, fut le premier album de Tyner à être classé « Disque de l'Année » — il y en aurait maints autres. McCoy Tyner cita à l'occasion de cette publication cette phrase de l'historien arabe Ibn Khaldoun : « Ce désert est si long qu'il faut toute une vie pour le traverser de part en part, et toute une enfance pour le traverser dans sa partie la plus étroite. » Cette citation est caractéristique parce que la musique est pour McCoy Tyner « un voyage de l'âme dans des territoires vierges ». Il dit : « J'essaie d'écouter la musique de maints pays différents : Afrique, Inde, monde arabe, ainsi que la musique classique européenne... Toutes les formes de musique sont liées. »

Les autres pianistes demeurent perplexes face à la puissance que McCoy Tyner réussit à extraire de son piano. Elle est égale à celle de Cecil Taylor, mais ce dernier joue du free, un genre dans lequel il est plus aisé d'atteindre un tel niveau d'énergie. Certains pianistes martèlent les touches de leur piano de toutes leurs forces, pourtant leur sonorité est deux fois moins puissante que celle de McCoy. Celui-ci s'explique : « Vous devez ne faire qu'un avec votre instrument. Lorsque vous commencez à apprendre à jouer du piano, ce n'est rien de plus qu'un instrument. Mais après un certain temps il devient une extension de vous-même, et votre instrument et vous ne faites alors plus qu'un. »

Cette « union » avec son instrument est vraisemblablement ce qui permet à McCoy Tyner de trouver sa propre sonorité caractéristique au piano, qui se rapproche de façon patente de celle des cuivres. McCoy est l'un des rares pianistes ayant réussi cette union ; il attribue cela au fait qu'il n'utilise pas d'instruments électriques : « L'électricité est mauvaise pour votre âme. »

De nombreux pianistes sont influencés, directement ou non, par Tyner. Citons notamment **Hal Galper, John Hicks, Hilton Ruiz, JoAnne Brackeen**, et le Belge **Michel Herr**, qui est le pianiste européen ayant assimilé le style de McCoy Tyner de la manière la plus convaincante.

JoAnne Brackeen est sans doute celle qui a remporté le plus de succès. Le titre de son album *Mythical Magic* traduit parfaitement ce que l'on ressent en écoutant sa musique ; l'impression de participer à un rituel d'une puissance magico-mythique. Brackeen a joué avec Art Blakey et Stan Getz puis avec Joe Henderson avant de se produire en solo ou avec ses propres groupes. Elle étudia avec Lennie Tristano et compte parmi les nombreux étudiants à qui ce grand professeur de jazz révéla leur véritable identité. (Lennie déclarait : « Enseigner est un art — au même titre que jouer. »)

JoAnne Brackeen a créé une nouvelle image de la femme en jazz ; elle s'est imposée en tant que « musicien » de jazz sans que l'on songe à savoir s'il s'agit d'un homme ou d'une femme, tout en demeurant une femme qui refuse de se laisser exploiter par les hommes, par une société dominée par les mâles ou encore par le monde du commerce musical dans lequel s'exprime avec force le chauvinisme mâle. Elle est une femme et une musicienne de jazz qui n'éprouve nullement le besoin de fuir les implications de sa situation, que ce soit en se réfugiant dans la pseudo-infériorité féminine jugée inévitable dans le monde d'hommes qu'est le jazz ou en s'engageant dans la voie de la foi religieuse, comme ce fut le cas pour Mary Lou Williams. Une telle attitude n'avait jamais existé en jazz de manière aussi pure, aussi totale, ni aussi convaincante. Elle est la première représentante d'un nouveau type de musiciennes de jazz, qui ne se contente pas de parler d'émancipation mais qui *est* émancipée.

L'esprit de Coltrane et de Tyner est par ailleurs perceptible chez les pianistes affiliés au néo-bop contemporain. Citons : **Onajee Allen Gumbs, Kenny Barron, Kenny Kirkland, George Cables, Mickey Tucker, Mike Wofford, Andy Laverne, John Coates, Jim McNeely** et **Mark Soskin**. Chacun possède une approche personnelle et n'est pas seulement influencé par McCoy, mais également par d'autres musiciens. Ainsi **Mickey Tucker** est-il redevable à Monk et **Kenny Kirkland**, au style robuste du piano de Harlem. Ces pianistes constituent le plus grand groupe stylistique contemporain, en particulier du fait qu'ils sont liés directement à ces musiciens que nous avons rangés dans l'école de Bud Powell. **Stanley Cowell** est dans un certain sens l'un d'eux, mais nous aurions pu l'inclure parmi les pianistes « free », étant donné qu'il fait la jonction entre les deux groupes. Il compte en outre au nombre des musiciens conscients de l'ensemble de la tradition noire.

Il convient de mentionner dans ce contexte un certain nombre de musiciens européens ; ceux-ci sont toutefois trop nombreux pour que je les cite tous ; je me contenterai donc d'en évoquer trois que je considère comme étant particulièrement originaux : les Britanniques **Stan Tracey** — un véritable virtuose — et **Gordon Beck**, ainsi que l'Espagnol (ou plus exactement le Catalan) **Tete Montoliu**. Montoliu déclara un jour : « Nous, Catalans, sommes fondamentalement Noirs. » Et c'est dans cet esprit qu'il joue. **Montoliu** est sans doute « le plus Noir » de tous les pianistes européens ; il n'en demeure pas moins que ses racines plongent profondément dans la tradition de sa Catalogne natale, dont il a interprété de manière très émouvante des chansons folkloriques. **Tracey** a parfois été qualifié de « Thelonious Monk britannique », mais il est plus que cela. Son humour est typiquement britannique, riche en sous-entendus et souvent en sarcasmes.

Le fait que le dernier grand pianiste authentique de ragtime, **Eubie Blake**, ait effectué un comeback étonnant durant les années soixante-dix s'inscrit dans la logique de l'élargissement et de l'universalisation de la conscience de la tradition pianistique. En 1981, Eubie né en 1883 présentait en concert son *Charleston Rag* par ces mots : « J'ai écrit ce morceau en 1899. » Louis Armstrong n'avait pas encore vu le jour.

L'orgue, les claviers, le synthétiseur

L'orgue fut à l'origine le rêve de la musique d'église, résonnant dans le Saint des cathédrales. Ce fut « l'instrument royal » de la tradition européenne. Ligeti le présente comme étant « la plus grande prothèse du monde ».

La prise de conscience de ce rêve fut le point de départ de l'utilisation de l'orgue en jazz. Tout commença avec **Fats Waller**.

John S. Wilson écrivit : « Tel l'inévitable clown qui désire jouer Hamlet, (Fats) a un désir débordant de faire partager au public son amour de la musique classique et de l'orgue... » Un critique musical de Chicago écrivit que : « l'orgue est l'instrument le plus cher au cœur de Fats, et le piano à son estomac », ce à quoi Waller répondit : « Eh bien, j'aime vraiment l'orgue... J'en possède un chez moi et nombre de mes compositions sont nées avec lui... »

L'orgue était incontestablement l'instrument de fuite de Fats Waller. Il symbolisait un monde lointain, inaccessible dans lequel l'artiste est accepté en fonction de ses seules compétences musicales, sans discrimination raciale ou sociale, et sans égard pour ses talents d'amuseur. Il suffit d'écouter les enregistrements de Fats Waller à l'orgue — sa célèbre version du spiritual *Sometime I feel like a motherless Child*, par exemple — pour déceler un élément de sentimentalisme qui prouve que Waller n'avait qu'une notion très vague du monde dans lequel il désirait s'évader.

L'instrument qu'aimait vraiment Fats Waller était le grand orgue d'église de la tradition européenne, l'orgue à tuyaux. Il eut la chance un jour d'en jouer à Notre-Dame, à Paris. Il avoua que ce fut « l'un des plus beaux moments de sa vie ».

Fats Waller transmit son amour de l'orgue à son élève le plus célèbre, **Count Basie**, dont le jeu d'orgue est (presque) aussi léger et économe que son style de piano. Basie joua de l'orgue électrique parce qu'il était devenu évident entre-temps que l'orgue à tuyaux n'était utilisable en jazz qu'au prix de maintes difficultés. Les tuyaux résonnent trop lentement, la distance les séparant de la console étant importante et ne pouvant être négligée sur le plan mécanique. Il est en conséquence très difficile de swinguer sur un orgue à tuyaux. **Clare Fischer** expliqua la situation : « Sur un orgue à tuyaux normal, le décalage est d'environ un demi-temps, ce qui vous rend fou lorsque vous essayez de jouer de la musique rythmique. Jouer du jazz est une gageure impossible. »

Fischer enregistra en 1975 les disques les plus swing (et musicalement les plus intéressants) à l'orgue à tuyaux, sur un petit « orgue de chambre », où les distances que l'air doit parcourir dans les colonnes sont relativement courtes. **Keith Jarrett** a également réalisé des enregistrements sur un orgue d'église, avec des résultats toutefois moins satisfaisants. Parmi les Européens, **Fred Van Hove** a développé son propre style de jeu (free) sur un orgue à tuyaux — avec des colonnes sonores gigantesques.

Le terme « orgue » se réfère toutefois d'une manière générale en jazz à l'orgue électrique, sous toutes les formes disponibles sur le marché. L'orgue électrique fut tout d'abord un instrument apprécié dans les bars des ghettos noirs d'Amérique. Les premiers musiciens à atteindre la notoriété étaient directement influencés par Fats Waller et Count Basie : **Wild Bill Davis** et **Milt Buckner**. Sous leur impulsion, la combinaison orgue-guitare et orgue-ténor (plus batterie, dans les deux cas) devint populaire dans tous les quartiers noirs du pays. Entre-temps d'autres musiciens développèrent leurs styles personnels dans ce « contexte rhythm n'blues » de l'orgue — parmi lesquels : **Jack McDuff, Johnny Hammond, Don Patterson, Lou Bennett, Richard « Groove » Holmes, Lonnie Smith, Jimmy McGriff, Charles Earland** et tant d'autres. **Shirley Scott** a apporté un peu de la détente et de la gentillesse d'Errol Garner dans cette manière de jouer. Depuis le succès de **Ray Charles**, qui joue également de l'orgue, non seulement le blues, mais encore la soul et le gospel des églises noires ont été adoptés par des dizaines d'organistes.

Un nombre considérable d'organistes de rock ont repris la tradition du rhythm n'blues et du gospel ; **Stevie Winwood** (dans sa première période), **Al Kooper**, ainsi que deux musiciens noirs particulièrement orientés vers la soul, **Billy Preston** et **Booker T. Jones**.

Des musiciens tels que Richard « Groove » Holmes, Jimmy McGriff, Charles Earland, Booker T., Billy Preston, etc. nous rappellent en fait que l'orgue Hammond était déjà utilisé dans les églises de gospel bien avant qu'il ne fasse son apparition en jazz. Il est intéressant de noter que d'une manière générale l'orgue possède — superficiellement — une tradition similaire dans les mondes blanc et noir ; celle-ci implique toutefois un contexte totalement différent dans les deux cas. Il est vrai que l'orgue est issu chez les uns comme chez les autres de l'église. Mais l'« église » est associée pour les auditeurs noirs aux sonorités chaleureuses du gospel, alors que les blancs songeraient plutôt à Jean-Sébastien Bach.

Nous avons quelque peu remonté le temps afin de clarifier la position de la tradition blues et soul dans le jeu de l'orgue. Il fallut attendre **Jimmy Smith** pour que la route se dégage à tous les organistes venant après Wild Bill Davis et Milt Buckner. Smith fit pour l'orgue ce que Charlie Christian avait réussi pour la guitare : il l'émancipa. C'est grâce à lui que l'orgue fut enfin considéré comme un instrument de jazz à part entière. Son enregistrement le plus important est sans doute une improvisation sur *The Champ* de Dizzy Gillespie, enregistrée en 1956. Personne n'avait jamais reproduit auparavant à l'orgue des effets réminiscents d'un grand orchestre — en l'occurrence de la formation la plus riche de Dizzy Gillespie, celle de la fin des années cinquante. Il employa pour ce faire une étendue dynamique, haute se fondant sur des arcs de sons larges, s'élevant régulièrement.

Smith est comparable à Christian à un autre égard : il fut le premier organiste à envisager les possibilités électriques de son instrument ; une transition semblable à celle de la guitare acoustique à la guitare électrique de Christian. Il est certain que Wild Bill Davis, Milt Buckner et d'autres avaient joué de l'orgue Hammond avant Jimmy Smith, mais ils considéraient leur instrument comme une sorte de piano ayant une sonorité électrique. Smith comprit que l'orgue électrique était un nouvel instrument, parfaitement indépendant qui ne présente qu'un point commun avec le piano ou avec l'orgue conventionnel, à savoir le clavier. La prise de conscience du fait que l'électricité ne fait pas qu'électrifier et amplifier un instrument, mais le transforme en quelque chose de nouveau fut lente. L'électricité — j'insiste — représente une véritable révolution pour l'orgue, la guitare, le violon, la basse, etc.

Plus tard, dans les années soixante et soixante-dix, Smith enregistra plusieurs disques d'un pop-jazz commercial d'une valeur douteuse. Ceci n'enlève toutefois rien au fait qu'il fit de l'orgue un véhicule d'improvisations jazz de la plus haute qualité artistique.

Smith apparut sur la scène en 1956. Neuf années plus tard, on assista à la phase suivante de l'évolution de l'orgue, avec **Khalid Yasin** (qui s'appelait encore **Larry Young** à l'époque). Yasin, qui mourut en 1979, jouait de l'orgue dans l'esprit de John Coltrane. Il est intéressant de noter qu'il acquit sa renommée au moment où Smith, à force de répétitions de clichés blues et soul, paraissait devenir un « Frankenstein du Château Hammond ». Il est logique que les organistes et le public se soient enthousiasmés à l'origine pour l'immense étendue dynamique de l'instrument, pour ses possibilités fortissimo ; Yasin découvrit le potentiel de l'orgue joué pianissimo.

Yasin appartient à la génération des musiciens qui introduisirent l'héritage coltranien dans le rock progressiste. Il est regrettable qu'il ne jouit jamais d'un grand succès commercial. Son influence est toutefois omniprésente parmi les organistes de jazz et de rock modernes. Elle est particulièrement remarquable chez deux musiciens britanniques : **Brian Auger** (qui, comme Yasin, enregistra avec Tony Williams) et **Mike Ratledge** (du groupe Soft Machine).

En Europe, le Français **Eddie Louiss** (dont la famille est originaire de la Martinique) a transformé l'influence de Coltrane en un style individuel, chantant, triomphant — avec des accents caraïbes-créoles. D'autres musiciens ont créé des sonorités intéressantes à l'orgue durant les années soixante-dix : **Carla Bley, Amina C. Myers, Clare Fischer**, le Cubain **Chucho Valdez** (du groupe Irakere) et **Arturo O'Farrill**, qui est un musicien particulièrement original. Il convient toutefois de reconnaître que l'orgue de jazz a stagné depuis Khalid Yasin. Ce statu quo est dû en majeure partie au fait que depuis la fin des années soixante, un nouveau groupe de musiciens est apparu qui jouent de l'orgue, mais que j'hésite à qualifier d'organistes, dans le sens où ce terme a été employé jusqu'à présent dans ce chapitre. Pour eux, l'orgue est un instrument parmi tant d'autres : piano acoustique et électrique, synthétiseur, clarinette, et accessoires divers tels que pédale wah-wah, vibrateur, échoplex et écholette, modificateur de phase, modulateur d'enceinte, etc. Ces musiciens sont considérés comme des « artistes de *keyboards* ». Et il est vrai que le seul élément commun à tous ces instruments est le « keyboard », le clavier.

Joe Zawinul, un prototype de ces nouveaux joueurs de « claviers », se tient au centre d'une demi-douzaine d'instruments différents, tel un astronaute dans la capsule de son vaisseau spatial entouré d'un nombre impressionnant d'instruments électroniques. Il est ironique de noter que le bon vieux son du piano acoustique est également présent, produit par un Grand Piano Yamaha *électrique* (!).

Voici quelques joueurs de claviers qui ont acquis une renommée internationale (certains ont déjà été mentionnés dans le chapitre consacré au piano) : **Joe Zawinul, Herbie Hancock, George Duke, Jan Hammer, Chick Corea, Stu**

Goldberg, Kenny Kirkland, Patrice Rushen, Bob James, Richard Tee, Jeff Lorber, Barry Miles, Mike Mandel, Lyle Mays, Dave Grusin, Milcho Leviev, Dave Sancious, Ian Underwood, Joe Sample, Mark Soskin ; le Néerlandais **Jasper Van t'Hof** ; le Danois **Kenneth Knudsen** ; les Britanniques **Geoff Castle, Gordon Beck** et **John Taylor** ; ainsi que les Allemands **Wolfgang Dauner** et **Joachim Kühn** — et beaucoup, beaucoup d'autres. Ce champ du jeu de claviers électroniques est devenu si vaste qu'il est impossible d'établir des catégories. La vague d'artistes ayant envahi la scène depuis le début des années soixante-dix a produit peu d'individualités puissantes. Les musiciens possédant une sonorité reconnaissable peuvent se compter sur les doigts des deux mains.

Les instruments à clavier électroniques sont pourtant indispensables dans le jazz actuel, ainsi que nous l'avons montré dans la section consacrée aux styles de jazz. L'homme moderne vit dans un univers où règne l'électronique, ce qui implique la présence de sons électroniques et par voie de conséquence de claviers électroniques. Il y a également un phénomène de volume ; les instruments électroniques s'entendent mieux parce qu'il est plus facile de les amplifier et de les contrôler. D'une certaine manière, la sonorité du piano électrique est à celle de l'instrument acoustique ce que le vibraphone est au marimba ; elle est plus claire, plus étincelante, plus précise — c'est-à-dire plus percutante. Voilà qui constitue vraisemblablement l'une des raisons principales expliquant que le piano électrique se soit imposé aussi rapidement.

Carla Bley a fait remarquer que le manque d'individualisme était non seulement imputable aux instruments mais encore à l'industrie du disque : « L'industrie recherche une sonorité "super-nette" au point que tous les produits obtenus sont dépersonnalisés. Si vous aviez un son personnel, cela interromprait la chaîne de la netteté et perturberait tout le monde... Le producteur vous arrêterait et tout serait à recommencer. Ils s'efforcent de se débarrasser des personnalités, ils s'arrangent pour que chacun ait la sonorité de millions d'autres. Peut-être est-ce pour cela qu'il est possible de remplacer les artistes sans que l'industrie ne périclite. »

La situation est encore plus paradoxale lorsque vous considérez que le synthétiseur appartient à la famille des claviers et que le synthétiseur est l'instrument qui offre des millions et des milliards de sonorités différentes, ce qui en fait l'outil parfait pour se forger une expression personnelle reconnaissable entre toutes. Or il est encore plus de musiciens qui paraissent incapables de trouver un style personnel au synthétiseur. La richesse de diversités offertes par cet instrument est également son problème le plus crucial : il est trop facile de l'employer pour produire de simples effets, pour imiter d'autres instruments et pour jouer de manière incongrue avec les sons. C'est le propre des grands instruments dans l'histoire de la musique d'apposer une résistance certaine à leurs utilisateurs. Les personnalités s'affirment et se développent en fonction des résistances rencontrées et qu'il convient de vaincre. La facilité inhérente aux instruments électroniques contribue à abaisser ce seuil de résistance et complique donc la maturation d'une personnalité.

Il est donc, semble-t-il, dans l'ordre des choses que la majorité des joueurs de claviers aient opté pour le jazz fusion, en d'autres termes pour une musique produite avant tout à des fins commerciales. Cette musique est non seulement censée devenir rapidement un succès mais encore disparaître sans tarder du marché, afin de céder la place à de nouveaux « produits ». Il est également dans l'ordre des choses, et ce point est particulièrement intéressant, que les musiciens ayant développé une expression personnelle aux claviers électroniques l'eussent déjà élaborée au piano acoustique ; je songe à **Kenny Barron, Barry Miles** et **Bill Evans**. Ce dernier réussit à retrouver toute la sensibilité riche et brillante de son piano acoustique sur l'instrument électrique.

Les styles personnels de tel ou tel joueur de clavier ne le sont qu'en apparence, en raison même de la complexité du processus de production. J'écrivais, dans l'édition de 1973 de ce livre, qu'**Herbie Hancock** « utilisait véritablement l'électronique comme un nouveau moyen d'expression soumis à ses propres lois... créant une espèce de *Klangfarbenmelodie* comparable à celle instaurée par Arnold Schoenberg dans la musique de concert européenne ». Les spécialistes ont appris depuis lors que le synthétiseur d'Hancock était en réalité programmé par **Patrick Gleeson**, un pionnier de la musique de synthétiseur. Ainsi la sonorité obtenue appartient autant à Gleeson qu'à Hancock. (Gleeson a également créé la musique très appréciée du film de Francis Ford Coppola, *Apocalypse Now !*)

Le synthétiseur, élaboré par R.A. Moog vers la fin des années cinquante, acquit une popularité soudaine en 1968 à la suite du succès mondial du disque de Walter Carlos, *Switched-On Bach*, qui présentait des versions électroniques de certaines compositions de Jean-Sébastien Bach. Dans ce cas précis, l'électronique « simulait » les voix instrumentales originales ; on ne notait pas encore un emploi véritablement autonome des sonorités ni des possibilités instrumentales nouvelles. Carlos franchit toutefois un pas crucial avec son œuvre suivante, la bande sonore du film de Stanley Kubrick, *Orange Mécanique*.

Les premiers artistes, outre Carlos, qui recoururent au synthétiseur pour créer des sons neufs et originaux, ne furent pas des jazzmen, mais des musiciens tels que John Cage et Terry Riley.

En jazz, les nouvelles possibilités du synthétiseur, qui représentent son véritable attrait, furent exploitées de la manière la plus créative par des musiciens tels que **Paul Bley, Sun Ra, Richard Teitelbaum, George Lewis, Joe Gallivan, Pete Levin** et l'Allemand **Wolfgang Dauner**. Ces artistes ont fait mentir la rumeur selon laquelle le synthétiseur, et l'électronique en général, rendait le son mécanique et « déshumanisé ». Cette démonstration fut l'œuvre de **Sun Ra**, avec l'intensité bouillonnante de ses improvisations au synthétiseur, de **Terry Riley**, avec sa spiritualité, et de **Richard Teitelbaum** avec son niveau intellectuel très personnel.

L'aspect véritablement fascinant du synthétiseur est que le musicien est capable de faire de la musique « avec » et « sur » les échelles harmoniques avec une facilité inégalée auparavant. Les échelles harmoniques avaient toujours impliqué par le passé un élément d'imprécision, de secret et d'imprévisibilité. Les harmoniques d'un synthétiseur possèdent par ailleurs une pureté qui dégage quelque chose d'artificiel, d'aseptisé. Un orchestre symphonique ou une grande formation employant des instruments acoustiques conventionnels ont une sonorité « flottante », due au fait que les instruments tels que la trompette ou le trombone, le violon ou le violoncelle, produisent des harmoniques similaires — similaires mais pas identiques (ce qui signifie qu'elles sont en définitive différentes). En physique sonore, ceci correspond à une « impureté », mais c'est précisément cette impureté qui produit la richesse brillante des colorations sonores de ces agrégats musicaux — leur caractère « flottant », en d'autres termes. Le synthétiseur transforme l'univers « secret » de l'harmonique en un monde nouveau de pureté et de prévisibilité.

Le marché des synthétiseurs et des accessoires s'enrichit en permanence. Les spécialistes ont fait remarquer que vingt ans après sa naissance ce secteur n'en était encore qu'à ses premiers balbutiements. Il existe un nouveau jargon qui accompagne l'électronique et que les initiés utilisent comme une sorte de langage rituel. La première génération de synthétiseurs monophoniques fut suivie vers le milieu des années soixante-dix par les synthétiseurs polyphoniques et au début des années quatre-vingts par les digitaux. Ce dernier type multiplie par plusieurs millions les millions de sonorités possibles qui existaient déjà. Ainsi que nous l'avons dit, le problème réside justement dans cette richesse de possibilités. Rick Wakeman, musicien de rock britannique, adepte du synthétiseur, déclara : « L'instrument possède une avance considérable sur la plupart des musiciens. La technologie prend les artistes de vitesse. » Songez que même des instruments possédant une tradition plusieurs fois centenaire — la trompette, le trombone, le violon ou le violoncelle — offrent toujours des possibilités de jeu nouvelles, et en possèdent encore d'autres qu'il convient de découvrir et de perfectionner. Il paraît donc normal que les musiciens ayant opté pour le synthétiseur se sentent d'une part stimulés par les possibilités techniques à leur disposition et d'autre part quelque peu dépassés par les événements.

Permettez-moi de revenir une fois encore à l'orgue. Un style d'orgue, qui va bien au-delà de Larry Young, s'est développé en dehors du domaine du jazz, tout en ayant des répercussions évidentes sur ce dernier ; il s'agit de la musique de **Terry Riley**. Il est impossible de la classifier : il ne s'agit ni de jazz ni de rock ni de musique de concert d'avant-garde, quoiqu'elle ait influencé les musiciens de ces différents secteurs (Don Cherry, le groupe anglais Soft Machine ou encore le compositeur Steve Reich, pour ne citer que trois exemples). Riley ne joue pas de l'orgue avec la brillance technique et le volume caractéristiques et inévitables des organistes contemporains. Sa puissance sonore est faible, son jeu soigneux et modéré, sa musique une sorte de support à la méditation. Elle est censée être ressentie plus qu'écoutée, destinée autant à l'aura de la personne qu'à ses oreilles. La musique de Riley est modale, mais pas dans le sens de la modalité de Coltrane, même si des « oreilles jazz » la perçoivent comme telle. Il s'agit plutôt de la modalité asiatique, en particulier de celle des ragas indiens. Il s'agit pourtant bel et bien d'une musique occidentale, jouée sur des instruments électriques modernes. La musique de Riley a été qualifiée de « minérale » parce qu'elle semble ne pas changer ou si peu. L'auditeur a l'impression que les mêmes mouvements tonals sont répétés de manière permanente ; pourtant au cours de ces répétitions interviennent des modifications imperceptibles de sorte qu'à la fin d'un morceau de Riley, on atteint quelque chose de nouveau, de différent alors que l'auditeur a toujours l'impression d'entendre les mêmes mouvements tonals, les mêmes phrases et les mêmes sons qu'au début du morceau. Les phrases de Riley sont des « mantras » qui se développent et deviennent méditation — sans que s'en aperçoive le sujet méditant ; elles acquièrent efficacité dans un monde spirituel selon leurs lois propres. Riley a dématérialisé l'orgue — une réussite majeure si l'on considère qu'il n'y a guère (avec Jimmy Smith et Jack McDuff ou avec des musiciens de rock tels que Keith Emerson ou Rick Wakeman) cet instrument paraissait être l'un des plus matériels, des plus robustes et des plus solides. Il a toutefois ramené, dans le même processus, l'orgue dans le secteur qui était le sien avant l'apparition de l'électronique : le domaine spirituel. Il ne s'agit pas dans son cas d'une spiritualité régressive, mais plutôt d'une spiritualité progressant dans des espaces nouveaux non seulement de sonorités, mais encore de conscience.

La guitare

L'histoire de la guitare de jazz moderne commence avec Charlie Christian qui se joignit à Benny Goodman en 1939, et qui commença peu après à jouer dans les cercles du Minton. Il est décédé en 1942. Durant ces deux années il a révolutionné le jeu de cet instrument. Il ne fait aucun doute qu'il y eut des guitaristes avant lui ; la guitare possède, avec le banjo, la plus longue histoire de tous les instruments de jazz. Mais on a presque le sentiment qu'il y eut deux guitares différentes : celle jouée avant Charlie Christian, celle jouée après lui.

Avant Christian la guitare était essentiellement un instrument d'accompagnement rythmique et harmonique. Les chanteurs de folk blues, de *work songs* et de ballades blues s'accompagnaient à la guitare ou au banjo. La guitare (ou le banjo) fut l'instrument le plus important, et parfois le seul, durant toute la préhistoire du jazz — ce champ de musique folk archaïque influencée par l'Afrique occidentale des esclaves du Sud. Ce fut l'origine de la tradition que des chanteurs tels que **Leadbelly** et **Big Bill Broonzy** prolongèrent jusqu'à notre époque, jouant des lignes mélodiques riches et longues que les guitaristes de jazz découvrirent beaucoup plus tard.

L'histoire connue de la guitare de jazz commence avec **Johnny Saint Cyr** et **Lonnie Johnson**. Tous deux sont originaires de La Nouvelle-Orléans. Saint Cyr était un musicien d'ensemble — il a joué avec les groupes de King Oliver, Louis Armstrong et Jelly Roll Morton dans les années vingt — tandis que Johnson se concentra presque d'emblée sur le travail en solo. Le contraste entre le style rythmique plaqué et le style arpégé du soliste qui domine l'évolution de la guitare, est illustré dès l'origine par Saint Cyr et Johnson. **Bud Scott, Danny Barker** et plus tard, à l'époque Swing, **Everett Barksdale** procèdent en ligne directe de Saint Cyr. Barker enregistra avec Charlie Parker, et la collaboration entre le guitariste néo-orléanais et le grand musicien de bop ne fut nullement aussi paradoxale qu'on peut le supposer. Everett Barksdale est surtout connu pour son travail au sein du Art Tatum Trio.

Le représentant principal du style rythmique plaqué est **Freddie Green**, le plus fidèle de tous les membres de l'orchestre de Count Basie — de 1937 à la disparition de Basie. En réalité, ce que l'on nomme le concept « Basie » doit beaucoup à Freddie Green ; il contribua à assurer la merveilleuse unité des sections rythmiques de Basie. Jamais en jazz le rythme ne devint plus « sonorité » que chez Basie, et cette sonorité est en majeure partie celle de la guitare de Freddie Green. Il est rare qu'il se livre à des solos ou qu'il soit mis en vedette, pourtant il est sans conteste l'un des guitaristes les plus fiables de l'histoire du jazz. Green est le seul guitariste qui franchit la brèche créée par Charlie Christian comme si elle n'avait jamais existé. Green a en fait un successeur très prospère sur la scène du rock, du jazz rock et du funk contemporain : **Cornell Dupree**, qui reprend le rythme sûr que Green représenta pendant six décennies au sein de l'orchestre de Basie. Son jeu est bien évidemment enrichi par les multiples développements enregistrés depuis les débuts de Green.

Les guitaristes de la tradition néo-orléanaise qui combinent le style plaqué de Saint Cyr et le style arpégé introduit par Lonnie Johnson de la manière la plus originale sont **Teddy Bunn** et Al Casey. Bunn enregistra certains de ses plus beaux disques avec Tommy Ladnier en 1938 ; songeons à *If You See Me Comin'* dans lequel il s'avère en outre un chanteur très expressif. **Al Casey** s'inscrit plus dans la tradition Swing. Il acquit la notoriété à la faveur de ses nombreux enregistrements avec Fats Waller et il joua, en son temps, des solos arpégés des plus inventifs indépendamment de Charlie Christian.

Lonnie Johnson eut une influence majeure sur **Eddie Lang**, le guitariste le plus important du Chicago-style ; il enregistra d'ailleurs des disques en duo avec lui. Lang est d'origine italienne et traduit la tendance vers la *cantilène* et le *mélo* de la tradition musicale italienne que l'on retrouve chez maints musiciens de jazz d'origine italienne. L'autre guitariste important du Chicago-style est **Eddie Condon**, qui est plus influencé par Saint Cyr. C'est un musicien purement rythmique, qui fut jusqu'à son décès en 1973 le guide spirituel infatigable de la scène du Chicago-style à New York.

Il aurait suffi d'entendre tout ce qu'avaient joué ces guitaristes jusque dans la seconde moitié des années trente, puis de se rendre en Europe et d'écouter **Django Reinhardt**, pour comprendre la séduction qu'exerça ce musicien. Django est originaire d'une famille de gitans qui avait voyagé à travers la moitié de l'Europe. Il est né en Belgique, mais les Reinhardt, ainsi que leur nom l'indique, sont une grande famille de gitans allemands et l'on rencontre encore de nos jours des groupes de gitans en Allemagne qui se nomment Reinhardt et qui jouent « à la Django ». Le jeu de Django vibre de toute la sensibilité de son peuple pour les instruments à cordes, que ce soit le violon pour les gitans hongrois, ou la guitare flamenco pour les gitans espagnols de Monte Sacre. Cet héritage racial et l'admiration de Django pour Eddie Lang s'exprimèrent dans le célèbre Quintette du Hot Club de France, qui ne comptait que des instruments à cordes : trois guitares, un violon et une basse. La mélancolie de l'ancienne tradition gitane conférait une touche de magie à la musique de Reinhardt ; jusqu'à la fin de sa vie (il mourut en 1953), il prouva sa grandeur dans les pièces lentes. Les titres mêmes de ses compositions traduisent souvent l'atmosphère enchantée de la musique de Django : *Douce Ambiance, Mélodie au crépuscule, Nuages, Chants d'automne, Daphné, Féerie, Parfum, Finesse...* Duke Ellington organisa en 1946 une tournée en Amérique pour Django Reinhardt.

Django fut le premier Européen dont l'influence se fit sentir sur la scène jazz américaine chez d'innombrables guitaristes. En fait le pianiste John Lewis reconnut lui aussi avoir été influencé par Django et plus particulièrement par le climat de sa musique. Lewis intitula *Django* l'un des plus grands succès du Modern Jazz Quartet, en hommage au grand guitariste. De nombreux guitaristes se réclamaient encore de Reinhardt dans les années soixante-dix ; ainsi : aux États-Unis, **Earl Klugh**, le joueur de mandoline **David Grisman** (cf. « Instruments Divers »), **Larry Coryell** et en

Europe, les guitaristes français **Christian Escoudé** et **Boulou Ferré** (tous deux nés dans des familles gitanes), ainsi que le virtuose belge **Philip Catherine**. La sonorité de Philip incita Charles Mingus à le surnommer le « Jeune Django ».

Le phénomène Django a souvent été cause d'étonnement. Comment un tel musicien put-il émerger du monde européen ? L'explication la plus plausible est d'ordre sociologique. Les gitans européens se trouvaient dans une situation comparable à celle des Noirs américains. Les minorités ethniques ont souvent été un creuset de grands musiciens de jazz — aux États-Unis (outre les Noirs), les Juifs et les Italiens ; et en Europe en particulier les Juifs durant les années trente et quarante. Le jazz sous sa forme authentique est cri de liberté, quel que soit l'environnement racial et le style adopté.

La position d'outsider de Django est quelque peu comparable à celle de **Laurindo Almeida**, un musicien brésilien de la stature des grands guitaristes de concerts tels que Segovia ou Gomez. Almeida transposa en jazz la tradition de la guitare espagnole. Il commença sa carrière vers la fin des années quarante dans l'orchestre de Stan Kenton. Les solos qu'il interpréta sur certains enregistrements de Kenton dégagent plus de chaleur que le reste de cette musique froide et éclatante de cette phase de l'évolution de Kenton. Il fait partie depuis les années soixante-dix des LA4, avec l'alto Bud Shank, le bassiste Ray Brown et le batteur Jeff Hamilton. Ils ont remporté un certain succès avec leur mélange de musique classique, latino-américaine et jazz.

Un autre guitariste aimant mêler les différents types de musique est **Charlie Byrd** qui vit à Washington. Il maîtrise véritablement tout ce qu'il est possible d'exprimer à la guitare, de Bach à la bossa nova brésilienne.

La relation entre la tradition de la guitare baroque ibérique et de l'ère moderne (avec en outre un feeling rythmique originaire de la tradition Yoruba en Afrique occidentale) est exprimée de manière encore plus convaincante par les grands guitaristes du Brésil. Les trois plus célèbres sont **Baden Powell, Bola Sete** et **Egberto Gismonti. Powell** est le plus original et le plus dynamique sur le plan rythmique. Sete, qui vit aux États-Unis depuis 1960 et qui a joué avec Dizzy Gillespie, cite Reinhardt et Segovia comme étant ses deux maîtres. **Gismonti** est apparu durant les années soixante-dix avec le saxophoniste norvégien Jan Garbarek et le bassiste américain Charlie Haden. Ils interprétaient un type de musique qui transcende les frontières stylistiques et géographiques — une « musique mondiale » dans le meilleur sens du terme. En tant qu'auteur, Gismonti a développé son propre style de musique de chambre, qui combine de manière intelligente les musiques classique et latino-américaine (en particulier brésilienne).

Mais revenons à Django Reinhardt, qui utilisa aussi maints éléments ibéro-espagnols, dans un environnement totalement différent mais dans le cadre d'un processus d'acculturation similaire. Les lignes mélodiques qu'il jouait à l'origine sur une guitare acoustique paraissaient presque supplier qu'on leur offre les possibilités techniques et expressives de la guitare amplifiée électriquement. Grâce à **Charlie Christian**, la guitare électrique acquit un tel renom que presque vers la fin des années trente tous les guitaristes échangèrent leur instrument acoustique pour un autre, électrifié. Christian n'était pourtant pas le premier à avoir recours à la guitare de jazz électrique. Il y eut tout d'abord **Eddie Durham**, arrangeur, tromboniste et guitariste dans les orchestres de Jimmie Lunceford et occasionnellement de Count Basie. Le contraste offert dans l'enregistrement de *Time Out* par Basie en 1937 entre la guitare rythmique, acoustique de Freddie Green et le solo de guitare électrique de Durham est charmant. Des guitaristes plus récents, tels que **Tal Farlow** dans les années cinquante et **John McLaughlin** dans les années soixante-dix, ont également tiré profit des possibilités de contraste entre les guitares électrique et acoustique. Durham ne savait toutefois pas encore comment exploiter pleinement le potentiel de la guitare électrique. Il en joua comme s'il s'agissait de la vieille guitare acoustique qui n'aurait été qu'amplifiée électriquement — une situation qui évoque celle des pianistes des années soixante-dix qui approchèrent l'instrument électrique comme s'il s'agissait d'un piano à queue disposant d'une sonorité électrique sans plus. Il fallait un musicien hors pair, doué d'une prescience aiguë pour reconnaître les possibilités nouvelles de la guitare électrique. Charlie Christian fut cet homme.

Christian est comparable tout à la fois à Lester Young et à Charlie Parker. Il appartient à l'instar de Young à l'ère Swing, à la race des pionniers et à l'instar de Parker aux créateurs du jazz moderne.

Christian est un prodigieux soliste sur quelques enregistrements réalisés en privé au Minton's vers 1941 : *Charlie's Choice* et *Stomping at the Savoy*. Ces disques furent publiés par la suite et doivent être considérés comme les premiers témoignages du be-bop.

Christian ouvrit de nouveaux territoires sur le plan de la technique, de l'harmonie et de la mélodie. Techniquement, il maniait son instrument avec une virtuosité qui paraissait incroyable à ses contemporains. La guitare électrique devenait entre ses mains un « cuivre » comparable au saxophone ténor de Lester Young. Son jeu a été qualifié de « style anche », il jouait avec l'expressivité d'un saxophoniste.

Sur le plan harmonique, Christian fut le premier à fonder ses improvisations non pas sur les harmonies du thème, mais sur les accords de passages qu'il disposait entre les harmonies fondamentales.

Sur le plan mélodique, Christian atténua les riches staccato, que presque tous les guitaristes employaient avant lui, en des lignes intimement liées qui irradiaient un peu de l'atmosphère des phrases de Lester Young. Il n'est pas surprenant que Christian ait joué du saxophone ténor avant de devenir guitariste.

Tous les musiciens ultérieurs portent l'empreinte de Charlie Christian. Il y a tout d'abord la génération des guitaristes « post-Christian » : **Tiny Grimes, Oscar Moore, Irving Ashby, Les Paul, Bill DeArango, Barney Kessel** et **Chuck Wayne**. Le plus important est sans conteste **Barney Kessel** qui enregistra, au sein du trio d'Oscar Peterson et de ses propres groupes, plusieurs albums à orientation Swing, tant aux États-Unis qu'en Europe. Il est étrange de constater que ce qui paraissait révolutionnaire chez Christian devint conservateur et guère audacieux chez Kessel, dès la fin des années cinquante. **Les Paul** connut un succès commercial immense au début des années cinquante avec des enregistrements dans lesquels il superposait différentes sonorités de guitares manipulées électriquement. Ces techniques étaient considérées à l'époque dans les cercles de jazz comme des « supercheries extramusicales ». Notre point de vue actuel nous permet de considérer que Les Paul fut, bien avant Jimi Hendrix et tous les autres guitaristes dont nous parlerons ultérieurement, le précurseur de la manipulation électronique moderne du son. C'est la raison pour laquelle, vingt années après son succès, maints guitaristes de la jeune génération se réfèrent toujours à lui.

Si Kessel peut être désigné comme le guitariste le plus vital sur le plan rythmique du jazz des années cinquante, Jimmy Raney est sur le plan harmonique le plus intéressant et Johnny Smith celui qui possède la sonorité la plus subtile. Mais avant Raney et Smith, il y eut **Billy Bauer**. Issu de l'école Lennie Tristano il joua au début des années cinquante les mêmes lignes longues et abstraites à la guitare que Warne Marsh au ténor et Lee Konitz à l'alto. Bauer et Konitz réalisèrent plusieurs enregistrements en duos — rien qu'une guitare et un saxophone alto — parmi lesquels le lent et très sensible *Rebecca*, l'un des premiers duos du jazz moderne qui annonçait, déjà à l'époque, la riche production qui allait fleurir durant les années soixante-dix. **Jimmy Raney** est lui aussi redevable à l'école Tristano, mais ses mélodies sont plus concrètes et plus chantantes. Bauer jouait des accords « dissonants » et sautait de l'un à l'autre en négligeant presque totalement les accords de passage, tandis que Raney produisait des harmonies riches et nuancées, dont les interrelations paraissaient logiques, souvent presque inévitables. **Johnny Smith** déployait ces harmonies jusqu'à la dernière note. Tout un univers de sonorités caractéristiques de la fin du romantisme se développa — le monde *Prélude à l'après-midi d'un faune* introduit en jazz ; un faune fatigué, décadent qui se détend dans le soleil chaud de la fin de l'été... ou dans un *Moonlight in Vermont* (« Clair de lune dans le Vermont »). L'atmosphère de cette ballade n'a jamais été traduite avec plus de subtilité que dans le jeu de Johnny Smith.

Tous ces éléments se trouvent réunis chez **Tal Farlow**. Farlow se situait à l'origine dans la lignée de Raney, mais avec ses grands orchestres il disposa de possibilités très différentes de celles de Raney, qui ne joua que dans un style arpégé. Après Tristano et avant Sonny Rollins, rares étaient les musiciens de jazz qui jouaient des lignes longues, incessantes, paraissant s'autorenouveler et se situant au-dessus des barres de chorus, de séquences et de pont avec une maîtrise égale à celle de Farlow. Ce ne sont pourtant pas les lignes abstraites de Tristano ; ce sont plutôt les lignes concrètes du « classicisme jazz » moderne. Il est regrettable que Farlow ait disparu de la scène. Seul l'imprésario George Wein réussissait encore à le convaincre de paraître aux festivals de Newport-New York dans les années soixante-dix ; il y remporta à chaque fois un immense succès. Il retrouve enfin Red Norvo au début des années quatre-vingts sur disques et en concerts.

Au-delà de la constellation Bauer-Raney-Farlow, mais néanmoins inspirés par ces derniers, se tiennent d'autres guitaristes de jazz moderne : **Jim Hall, Herb Ellis, Les Spann, Gabor Szabo, Grant Green**, le **George Benson** des débuts, **Kenny Burrell, Larry Coryell** et le plus significatif de tous : **Wes Montgomery. Jim Hall**, et ses improvisations merveilleusement mélodieuses, acquit sa renommée à la faveur de son travail avec le Chico Hamilton Quintet et le trio de Jimmy Giuffre ; **Herb Ellis**, à travers sa longue collaboration avec Oscar Peterson. Ellis combine souvent les éléments stylistiques de Christian avec une pincée de blues et de musique country (genre dans lequel plongent ses racines).

Jim Hall, à une époque où on entendait de moins en moins les autres grands guitaristes de cool jazz (Farlow, Raney et Bauer), devint un maître en matière d'improvisations délicates, sensibles qui ont largement dépassé les frontières du cool jazz, depuis les années soixante-dix, et peuvent être considérées comme constituant le style de guitare jazz sans âge. Hall est devenu, en ce sens, le guitariste de jazz intemporel par excellence.

Né à Detroit, **Kenny Burrell** pourrait être considéré comme le principal guitariste de hard bop, mais il a évolué dans les directions les plus diverses, à la guitare électrique aussi bien qu'espagnole. Il a joué avec Dizzy Gillespie, Benny Goodman, Gil Evans, Astrud Gilberto, Stan Getz et Jimmy Smith ; voilà qui prouve amplement son ouverture d'esprit et la diversité de ses dons.

Ralph Gleason, le critique de San Francisco, a dit que **Wes Montgomery**, qui mourut en 1968, était « ce qu'il était advenu de mieux à la guitare depuis Charlie Christian ». Wes était l'un des trois Montgomery Brothers (Buddy était pianiste et vibraphoniste, Monk bassiste), qui se firent tout d'abord connaître à San Francisco. Il combinait une technique d'octave fascinante et presque inconcevable avec une retenue dure et claire, combinant la tradition blues et celle de Charlie Christian, même lorsqu'il s'adonnait au jazz le plus commercial, ce qui lui arrivait fréquemment durant les dernières années de sa vie.

L'évolution de Wes Montgomery illustre la manière dont maints musiciens de jazz deviennent les victimes de l'industrie du disque. Son producteur, Creed Taylor, n'envisageait que l'aspect rentable de son travail ; il le contraignait à jouer, avec des orchestres à cordes, des morceaux à succès. Il ne lui permettait même pas d'enregistrer, après trois ou quatre albums commerciaux, un disque de la musique qui lui était chère, « ce qui était bien le moins qu'on pouvait espérer », ainsi que le fit remarquer un jour le critique Gary Giddins. Wes déclara en 1962 dans une interview accordée à *Newsweek* : « Je connais la mélodie et vous connaissez la mélodie — alors pourquoi devrais-je jouer la mélodie ? » Quelques années plus tard il ne jouait plus que la mélodie. Wes dit vers la fin de sa vie : « Je suis toujours déprimé par le résultat de mon jeu... »

L'héritage de Wes Montgomery influença maints musiciens, et en particulier deux guitaristes qui sont diamétralement opposés : **Pat Martino** et George Benson, ce dernier dans une direction commerciale, l'autre aux antipodes. Martino est l'un des grands « outsiders » sur la scène de la guitare contemporaine ; il est l'un des rares musiciens à avoir non seulement copié la technique de l'octave de Wes Montgomery mais encore à en avoir dégagé son style propre. **George Benson** commença par représenter la grande tradition de la guitare noire, puis il devint, au cours des années soixante-dix, le guitariste superstar qui vend des disques par millions. Il est avec Herbie Hancock le musicien alignant le plus de « bestsellers » du jazz moderne. La chanteuse Betty Carter déclara dans une interview à *Rolling Stone* : « C'est comme George Benson... la manière dont il est capable de jouer, pourquoi doit-il reproduire la sonorité de Stevie Wonder pour faire de l'argent ? » Et Benson lui-même dit : « Je ne suis pas là pour éduquer le public, je suis là pour jouer pour lui. » C'est bien évidemment la voix de Benson qui rendit ses disques aussi populaires.

Mais nous avons avancé trop rapidement. Entre-temps s'était produit ce que le *Melody Maker* britannique avait nommé une « explosion de la guitare ». Le monde de la guitare s'était enrichi en quelques années de centaines sinon de milliers de facteurs. Auparavant l'instrument principal était le saxophone ténor, désormais c'était la guitare. Même les psychologues se sont penchés sur ce phénomène. Les deux instruments, affirment-ils, sont des « symboles sexuels » — le ténor étant un symbole masculin, alors que la guitare avec sa forme évoquant la silhouette d'une femme est bien entendu un symbole féminin.

Trois musiciens se trouvent à l'origine de cette explosion de la guitare dans les années soixante, chacun dans un secteur musical différent : Wes Montgomery en jazz, B.B. King en blues, et Jimi Hendrix en rock.

B.B. King (cf. le chapitre consacré aux années soixante-dix) est le père de tous les styles de guitare du rock et de la musique populaire des années soixante et soixante-dix. Il « chevauche » la sonorité de la guitare : il la laisse approcher, saute en selle, galope sur elle, l'éperonne et lâche les rênes, la bride à nouveau, en descend et saute sur le cheval suivant — sur le son suivant. King fut le premier à prendre conscience de l'évolution amorcée par Charlie Christian : la sonorité de la guitare devenait de plus en plus longue, de plus en plus extraite de l'instrument. Il est certain que cette évolution commença en réalité avant Christian ; au moment où le banjo tout d'abord, puis la guitare firent leur apparition dans la musique afro-américaine. Une ligne droite mène des gazouillis métalliques du banjo du jazz archaïque (si brefs que souvent on les entendait à peine), à Eddie Lang et Lonnie Johnson, qui (toujours sans le potentiel électrique) menaient un combat permanent contre la brièveté de leurs sons, via le style saxophone de Charlie Christian et des grands guitaristes cool des années cinquante à B.B. King —

et de ce dernier à Jimi Hendrix, ainsi que nous le verrons. Cette évolution répond à un objectif unique ; l'élongation continue, intentionnelle et l'individualisation et la malléabilité conséquente du son (qui finit par perdre de sa séduction lorsque la technologie et l'électricité rendirent les choses trop faciles). L'objectif de cette évolution — le fait qu'il est possible de produire presque tout ce qu'on désire avec la sonorité de la guitare, et quoi qu'il en soit beaucoup plus qu'avec n'importe quel autre instrument — est sans doute la raison première de l'immense progrès et de la popularité du jeu de guitare dans les années soixante et soixante-dix.

B.B. King représenta, durant les années soixante et au début des années soixante-dix, le summum de cette évolution qui nous renvoie à l'histoire et à la préhistoire du blues. **T-Bone Walker**, qui mourut en 1975, joua un rôle des plus significatifs dans la transformation de la guitare de blues rurale. Ainsi que nous l'avons signalé dans le chapitre consacré au blues, le South Side de Chicago a été le centre de la tradition blues — avec des guitaristes tels que **Muddy Waters, Jimmy « Fast Fingers » Dawkins, Buddy Guy** et plus récemment **Otis Rush**. Citons encore **Mike Bloomfield**, guitariste blanc issu de l'école de Chicago, dont le jeu, fortement influencé par Muddy Waters, était fermement ancré dans cette tradition. On dit d'Otis Rush qu'il reprend le flambeau là où B.B. King l'avait déposé, jouant un style King encore plus dur et plus chargé de tension électrique et émotionnelle. Parmi les guitaristes faisant la jonction avec le rock, citons **Albert King, Albert Collins** et **John « Guitar » Watson**. Collins dit : « Je voulais jouer du jazz. Je voulais avoir la sonorité de Kenny Burrell... On me connaissait comme interprète de blues, mais je voulais être plus qu'un guitariste de "rock-blues" ». Watson a intégré son style de guitare, qui est toujours très orienté vers la tradition du blues, dans le funk et le jazz fusion des années soixante-dix.

Le troisième grand musicien qui se trouve avec Wes Montgomery et B.B. King à l'origine de l'explosion de la guitare n'est autre que **Jimi Hendrix**. Hendrix est un « Indien noir » né à Seattle, dans l'État de Washington, en 1947, et décédé à Londres en 1970 ; il était devenu une vedette internationale entourée d'un halo mythique. Il fut du point de vue instrumental le vrai génie de l'ère rock des années soixante. La cause exacte de sa mort n'est pas encore établie avec certitude. La presse à sensation parla d'overdose d'héroïne ; le médecin légiste de suffocation provoquée par vomissure. Son ami le musicien Noel Redding dit : « J'ignore si ce fut un accident, un suicide ou un meurtre. » On ne sait toujours pas que répondre lorsqu'on se demande où sont passés les millions gagnés par Hendrix au cours de sa vie.

Hendrix fut le symbole musical de la contre-culture ; il ne peut être comparé qu'à Bob Dylan. Il déchiqueta, au légendaire festival de Woodstock, l'hymne national américain, mais c'était l'Amérique même qu'il visait : il éventra l'hymne à la mitraillette, le réduisit en lambeaux à coups d'explosions de bombes et de pleurs d'enfants.

Des centaines d'ouvrages lui ont été consacrés. Il existe des analyses complexes de sa technique de jeu : son emploi de la pédale wah-wah et du vibrato ; sa manière de recourir à des capodastres et à des bottlenecks, parfois même à ses dents ; sa manière de jouer non seulement de sa guitare mais encore de son amplificateur muni d'interrupteurs et de manettes ; sa manière de ré-accorder son instrument à la vitesse de l'éclair au beau milieu d'un morceau, utilisant des réglages inhabituels ; sa manière de frapper sa guitare plutôt que de la pincer ; sa manière de jouer avec son propre retour, de l'attendre et de lui répondre, de le renvoyer vers l'amplificateur, comme s'il posait des questions auxquelles il s'employait ensuite à répondre, ce qui suscitait de nouvelles questions. On avait souvent l'impression que son véritable partenaire était le retour, plus en tout cas que les sections rythmiques qui ne lui donnaient jamais satisfaction.

La véritable réussite de Jimi consista à ouvrir la musique à l'électronique. L'électronique devint son instrument, alors que la guitare ne servait que de moyen de contrôle. Il fut le premier à explorer l'univers vaste, insondable des sonorités électroniques, le premier à jouer de l'« électronique vivante » — plus que tous ceux qui emploient aujourd'hui cette expression accrocheuse — et il fut le premier à transformer l'électronique en musique avec l'instinct d'un véritable génie, comme s'il pinçait les cordes d'un instrument fait de vagues, de rayons et de courants. Tout ce qu'il est possible de qualifier d'électronique dans la musique actuelle — en jazz, en rock, en jazz rock, en jazz fusion et en pop — procède de Jimi Hendrix. Cette remarque vaut pour les guitaristes, mais aussi pour les musiciens utilisant un piano électrique ou un synthétiseur, et même pour ceux qui ajoutent l'électricité à leurs cuivres, pour autant qu'ils ne voient pas dans le potentiel à leur disposition un simple gadget.

Jimi Hendrix parlait de sa guitare comme d'une maîtresse. Il atteignait l'extase en jouant. Mais il la frappait aussi, la détruisait, la brûlait sur scène. Il y avait tout à la fois de l'amour et de la haine, une forme de sadisme qui était aussi du masochisme, comme un amant incapable de donner ou de recevoir de l'amour finit par perdre la tête.

Tels sont donc les piliers de la guitare actuelle : Wes Montgomery, B.B. King et Jimi Hendrix. Maints guitaristes s'en sont servis pour édifier leur propre style, **John McLaughlin** entre autres. L'étendue du jeu de ce dernier va du folk blues et de Django Reinhardt aux grands guitaristes des années cinquante, en particulier Tal Farlow, jusqu'aux joueurs de sitar indiens (cf. également les chapitres consacrés aux années soixante-dix, à McLaughlin lui-même et aux combos de jazz).

McLaughlin a joué les musiques les plus diverses : du free jazz en Europe (avec Gunter Hampel, notamment), du jazz fusion avec Miles Davis, une musique très électrifiée avec le Mahavishnu Orchestra, de la musique indienne avec son groupe Shakti, des solos et des duos avec le guitariste français Christian Escoudé. Mais il est impossible de séparer ce qu'il joue de sa spiritualité. « Dieu, dit-il, est le maître-musicien. Je suis Son instrument. »

L'un des outils utilisés par John McLaughlin est le « guitar synthesizer », qui lui doit la place qu'il occupa rapidement dans le monde de la guitare. Sa fascination est d'autant plus convaincante que la sonorité chaude, naturelle de la guitare est superposée à celle du synthétiseur. Ce dernier peut être programmé pour coupler chacune des cordes de la guitare à un son différent, par exemple : les cordes aiguës au son de la flûte ou de la trompette, les cordes moyennes à celui du trombone ou du saxophone ténor, les cordes graves au son du saxophone baryton ou de la basse.

L'univers de la guitare continue à exploser. Si nous désirons en obtenir une image ne fût-ce que partielle, nous pouvons constituer les groupements suivants (sans perdre de vue le fait qu'ils se fondent tous les uns dans les autres) : rock, jazz rock, jazz fusion, folk jazz, free, cool, traditionnel, bop-mainstream — néo-bop.

Ce sont sans doute les musiciens de rock qui sont ancrés le plus profondément dans la tradition héritée d'Hendrix (et dans celle du blues). L'espace dont nous disposons ne nous permet d'en citer que quelques-uns : **Eric Clapton, Duane Allman, Carlos Santana** (qui est également influencé par la musique latine et qui a enregistré des disques avec McLaughlin), **Jeff Beck, Nils Lofgren** et **Frank Zappa**, qui est peut-être le guitariste de rock le plus personnel.

On trouve, dans une direction diamétralement opposée, les musiciens ayant transposé la tradition des guitaristes cool des années cinquante au jazz actuel. Le plus important, celui qui était déjà actif à l'époque initiale, est **Jim Hall**, dont nous parlerons plus tard. Le *Melody Maker* le surnomma « le paisible Américain » lorsqu'il se produisit à Londres. Hall lui-même dit : « Bien que n'ayant jamais eu l'occasion de travailler avec Lester Young, c'est sa sonorité que je tente de reproduire avec ma guitare. »

D'autres guitaristes méritant une mention particulière dans ce contexte sont le Hongrois **Attila Zoler**, le Canadien **Ed Bickert** et les Américains **Howard Roberts, Michael Santiago, Doug Raney** (le fils de Jimmy Raney, qui poursuit la tradition de son père) et **Jack Wilkins. Zoller** était redevable, à l'origine de sa carrière, à l'école Lennie Tristano. Il fut le premier guitariste à transférer les longues lignes mélodiques chantantes qu'il avait apprises à cette époque dans le domaine plus libre du nouveau jazz — comme lors de ses collaborations avec le pianiste Don Friedman. Zoller est un maître de la retenue sensible, romantique, et il est incompréhensible qu'un homme possédant un tel talent ne soit connu que des initiés. **Bickert** réalisa des enregistrements avec Paul Desmond, le « poète du saxophone alto », et il convient de reconnaître que le style de Bickert est tout aussi « poétique ». **Wilkins**, peut-être le plus doué des jeunes guitaristes appartenant à cette tendance, a acquis la notoriété à la faveur de son travail avec le groupe du tromboniste Bob Brookmeyer.

Abordons le groupe plus vaste des guitaristes de jazz rock et de jazz fusion. On rencontre des positions extrêmes dans cette catégorie : rock et blues d'une part, cool et be-bop de l'autre. Il va de soi que notre liste ne prétend nullement à l'exhaustivité : **Joe Beck** (chronologiquement le premier), **Larry Coryell, Steve Khan, Eric Gale, Earl Klugh, Al DiMeola, Pat Metheny, Lee Ritenour, Vic Juris, Baird Hersey** (cf. le chapitre consacré aux grands orchestres), **Larry Carlton, Janne Shaffer**, ainsi que le Hollandais **Jan Akkerman**, le Britannique **Alan Holdsworth**, le Finlandais **Jukka Tolonen**, le Norvégien **Terje Rypdal**, et les Allemands **Volker Kriegel** et **Toto Blanke**.

Larry Coryell jouait déjà du jazz fusion vers le milieu des années soixante, alors que personne ne connaissait ne fût-ce que l'expression ; il se produisait au sein du Gary Burton Quartet et dans le groupe Free Spirits. Ses influences principales furent Jimi Hendrix et John McLaughlin : « Jimi est le plus grand musicien ayant jamais vécu, selon moi... » Mais il s'empresse d'ajouter : « Je le déteste parce qu'il m'a dépouillé de tout ce qui était à moi... » et de John McLaughlin, il dit : « McLaughlin m'a entendu jouer en Angleterre et j'entends encore certains éléments de mon style dans son jeu. Puis, lorsqu'il est venu aux États-Unis, j'ai commencé à l'écouter. Ce n'est pas un processus à sens unique. » Coryell est originaire du Texas, qui est sa troisième influence majeure : « Si vous m'écoutez avec attention, vous devez sentir que je viens du Texas. »

Eric Gale forma avec le joueur de claviers électroniques Richard Tee, le batteur Steve Gadd et Cornell Dupree à la guitare rythmique, le célèbre groupe Stuff. **Steve Khan** doit sa notoriété aux enregistrements qu'il réalisa avec les Breckers Brothers et à ceux de jazz fusion de l'arrangeur Bob James, mais il rendit également hommage à Thelonious Monk dans une suite en solo. Au début de sa carrière **Al DiMeola** réalisa un superbe album en duo, qui transcende toutes les cultures musicales, avec le fameux guitariste de flamenco **Paco De Lucia** ; mais le reste de sa carrière ne tint pas les promesses d'un aussi beau début. **Pat Metheny** remporta un succès mondial avec sa sonorité jazz rock douce et accrocheuse. Voici ce que le critique Klaus Robert Bachmann trouve dans sa musique : « Des sonorités miraculeuses, des voyages à travers les sphères, des rituels magiques, une musique enveloppée de mystère, du pop jazz hypnotique. » Metheny s'avère plus modeste : « J'aime Wes Montgomery et Jim Hall... mais il est évident que je suis loin de Wes. Je déteste dire cela mais ce que je fais est beaucoup plus "blanc". Wes était plus bluesy... » **Lee Ritenour** est sans conteste le musicien le plus demandé du jazz fusion de Los Angeles. **Jan Akkerman** a créé une combinaison fascinante où Jean-Sébastien Bach se rencontre avec le rock, et cela ne paraît nullement paradoxal sur sa guitare. **Terje Rypdal**, enfin, est un guitariste qui peint des tableaux sonores évoquant les fjords et les lacs de montagnes sombres de sa Norvège natale.

Les guitaristes de folk jazz sont reliés à bien des égards aux musiciens de jazz rock et de jazz fusion. Il n'est nullement surprenant que cette orientation se soit développée si l'on considère que la guitare est profondément ancrée dans les traditions musicales folkloriques de maintes cultures différentes. Parmi les guitaristes illustrant ce style, on trouve des artistes aussi différents que **Alex DeGrassi, William Ackerman, Les Kottke, Ry Cooder, John Fahey** et **Robbie Basho**. Ce dernier est également redevable à la musique méditative indienne ; l'un de ses morceaux est sous-titré : « construction néo-gothique pour guitare à six cordes, combinant l'Orient et l'Occident ».

Abordons le free jazz. Le premier guitariste à jouer du free dans les années soixante fut **Sonny Sharrock**, qui travailla avec Pharoah Sanders, Don Cherry, etc. Il fut suivi par **Michael Gregory Jackson** (certainement le plus créatif et le plus important de tous), **James Emery, Spencer Barefield, James Blood Ulmer** et le Britannique **Derek Bailey**. Ce dernier est sans doute le plus radical des musiciens free ; il utilise son instrument de toutes les manières imaginables. Il est l'un des musiciens les plus originaux du free jazz européen. **James Blood Ulmer**, qui est issu d'un groupe d'Ornette Coleman et a étudié et employé le « système harmolodique » de Coleman est devenu l'un des pionniers de la musique « no wave » (cf. chapitre consacré aux années quatre-vingts). Il fait la jonction entre le free et le funk, concrétisant le premier et musicalisant le dernier. La devise d'Ulmer : « Le jazz est le professeur, le funk le prêcheur. »

A l'opposé des musiciens free, nous trouvons les guitaristes qui demeurent liés à la tradition Swing. Citons parmi ceux-ci **George Barnes** (décédé en 1977) et **Bucky Pizzarelli** qui formaient un merveilleux duo de guitaristes, **Cal Collins**, et le plus célèbre de tous, **Joe Pass**. Barnes codirigea au début des années soixante-dix un quartette avec Ruby Braff, dans la lignée de qui Pizzarelli et lui se situent. Pass réalisa des enregistrements avec maints jazzmen importants de la marque Pablo de Norman Granz, parmi lesquels Ella Fitzgerald et Oscar Peterson. Il est passé maître en matière de ballade et de jam-sessions swinguantes. Collins, à l'instar du ténor Scott Hamilton et du trompettiste Warren Vaché, appartient au nouveau mouvement Swing qui s'est cristallisé depuis la fin des années soixante-dix.

Il nous reste à mentionner quelques musiciens du mainstream contemporain, qui mène du be-bop au néo-bop via Coltrane : **John Scofield, John Abercrombie, Roland Prince, Ted Dunbar, Rodney Jones, Ed Cherry, Joe Diorio, Monette Sudler, Ron Eschete.** Le plus important de cette lignée est Abercrombie, un improvisateur plein d'idées. Il a joué avec deux grands batteurs, très différents l'un de l'autre : Billy Cobham et Jack DeJohnette — et son jeu se caractérise effectivement par une diversité et une assurance rythmiques étonnantes.

Il convient que nous envisagions, avant de conclure, un musicien qui ne s'intègre dans aucune des catégories que nous avons suggérées : **Ralph Towner**, le leader du groupe Oregon, qui se sépara en 1981. Towner commença sa carrière en tant que pianiste et il joue toujours du piano. Son style à la guitare est marqué par cet élément pianistique. Towner a étudié à Vienne et il reconnaît ne pas savoir déterminer à qui il est le plus redevable : à la musique européenne, en particulier celle de Vienne, c'est-à-dire le classicisme, le romantisme et l'avant-garde viennoise (Schoenberg, Webern, etc.), ou au jazz. « Je ne suis apparu sur la scène jazz qu'après avoir acquis une technique à orientation classique à la guitare... Les instruments acoustiques me paraissent plus agréables que les instruments électriques... Je traite souvent la guitare comme un trio de pianos. Si je joue seul, j'adopte presque une approche d'homme orchestre. »

La guitare a parcouru un long chemin — du banjo africain à l'instrument de John McLaughlin et Ralph Towner, du folk blues au « guitar synthesizer ». La guitare est à l'instar de la flûte un instrument archétype. Le dieu grec Pan, le dieu indien Shiva et les dieux aztèques ont joué de la flûte ; les anges et les Apsaras — les êtres célestes féminins de la mythologie hindoue — ont joué de la guitare. Les psychologues ont attiré l'attention sur le symbole phallique que constitue la flûte et sur la similitude entre la guitare et le corps féminin. Tel un amant le guitariste doit courtiser le corps de sa maîtresse, le caresser, le câliner, afin qu'elle ne se contente pas de recevoir de l'amour mais qu'elle en donne en retour. Le guitariste et son instrument symbolisent le couple, symbolisent l'amour.

La basse

En 1911, Bill Johnson organisa l'Original Creole Jazz Band, le premier véritable jazz band à partir en tournée de La Nouvelle-Orléans. Il jouait de la contrebasse avec archet. Au cours d'un engagement à Shreveport, Louisiane, il cassa son archet. Il dut pincer les cordes de sa basse pendant la moitié de la soirée. L'effet produit fut si nouveau et si intéressant que le jeu pizzicato s'est aussitôt imposé à la contrebasse de jazz.

Cette légende, racontée par les vétérans du jazz de La Nouvelle-Orléans, est probablement une invention, mais elle présente l'avantage de refléter l'esprit de ces années pionnières. Elle est donc « vraie » sur un plan supérieur. Il est exact, à un niveau quotidien, que la contrebasse était fortement concurrencée par le tuba dans la vieille Nouvelle-Orléans. La tradition du tuba était si forte que trente ans plus tard maints bassistes Swing importants, John Kirby et Red Callender par exemple, en jouaient toujours.

La contrebasse assurait la fondation harmonique à l'ensemble de jazz. Elle constituait l'épine dorsale du groupe.

Elle remplissait en outre une fonction rythmique. Depuis le bop, les quatre temps réguliers joués par la contrebasse sont souvent le seul facteur assurant la fermeté du rythme fondamental. La contrebasse est à même de remplir cette fonction rythmique, avec plus de précision que le tuba, si on adopte un jeu pizzicato : elle prit donc sa place très tôt dans l'histoire du jazz. Trente-cinq ans plus tard, la basse électrique s'était imposée à côté de la contrebasse « acoustique ». L'évolution s'est donc faite du tuba via la contrebasse à la guitare basse électrique. Au cours de cette progression, l'impulsion rythmique est devenue plus précise, plus brève, plus nette. En revanche la sonorité, elle, est devenue moins personnelle et moins directe. Maints grands bassistes ont fait remarquer que la contrebasse acoustique était un instrument si sensible, si complexe qu'il ne serait jamais remplacé par l'électronique moderne. Il est possible que la contrebasse occupe une position médiane idéale entre les deux extrêmes que sont le tuba d'un côté et la guitare basse électrique de l'autre, parce qu'elle satisfait de manière optimale les besoins de la sonorité et du rythme.

Tous les bassistes de jazz traditionnels se réfèrent à **Pops Foster**. Foster a travaillé avec Freddie Keppard, King Oliver, Kid Ory, Louis Armstrong, Sidney Bechet et tous les grands de La Nouvelle-Orléans. Sa technique « frappée » est aisément reconnaissable. Cette manière de laisser les cordes frapper la touche de la basse conféra au jeu de Foster son impact rythmique ; cette méthode fut rejetée par les bassistes des années cinquante qui jugeaient qu'elle traduisait une incompétence technique extrême, elle fut cependant adoptée par les bassistes de free jazz afin d'augmenter la sonorité et l'intensité. Foster fut à plusieurs reprises nommé « all-time bassist » du jazz durant les années trente. En 1942, l'année où mourut Jimmy Blanton, l'homme qui « émancipa » la basse, il prit un emploi dans la compagnie du métro de New York, mais il renoua avec sa carrière musicale à la faveur de la renaissance traditionaliste ; il mourut en 1969.

John Kirby et Walter Page sont les grands bassistes de l'ère Swing. Kirby, qui est issu de l'orchestre de Fletcher Henderson du début des années trente, dirigea, vers la fin de cette décennie, un petit groupe qu'il est impossible de ne pas mentionner dans l'histoire des combos de jazz. **Walter Page**, qui mourut en 1957, fut membre de la section rythmique classique de Basie. Jo Jones rapporte que ce fut Page qui lui apprit vraiment à jouer à Kansas City « un 4/4 régulier ».

Il est deux autres bassistes de l'ère Swing qu'il convient de mentionner : **Slam Stewart** et **Bob Haggart**. Haggart fut l'épine dorsale du groupe Swing à tendance dixieland — ou dixieland à tendance Swing — de Bob Crosby ; il poursuit cette tradition en codirigeant le World's Greatest Jazz Band. Stewart est surtout connu pour la manière dont il fredonne à l'octave supérieure la ligne de basse qu'il joue à l'archet, produisant un effet évoquant le bourdonnement d'une abeille qui peut être très amusant à condition de ne pas l'entendre trop souvent. Plus tard **Major Holley** jouera également de cette façon, mais Holley chante à l'unisson avec son archet.

Il est possible, d'une manière générale, d'aborder l'histoire de la basse du même point de vue que celle de la guitare. De même que l'histoire de la guitare moderne commence avec Charlie Christian, l'histoire de la basse moderne débute avec **Jimmy Blanton**. Christian et Blanton furent tous deux révélés en 1939. Tous deux succombèrent à une maladie pulmonaire en 1942. Au cours de ces deux années, ils révolutionnèrent l'un et l'autre le jeu de leur instrument respectif, dont ils firent des « cuivres ». Les enregistrements en duo de Blanton et de Duke Ellington de 1939-1940 font songer à ceux de Charlie Christian et Benny Goodman de la même période. L'orchestre d'Ellington du début des années quarante est considéré comme le meilleur de la carrière du Duke essentiellement parce que Jimmy Blanton tenait la basse. Il conféra à l'orchestre d'Ellington un degré élevé de densité rythmique-harmonique. Blanton avait vingt-trois ans lorsqu'il s'éteignit. Il avait fait de la basse un instrument solo.

La lignée impressionnante des bassistes de jazz modernes commence avec Blanton. **Oscar Pettiford** fut son successeur immédiat. Il devint le bassiste d'Ellington peu après le décès de Blanton. Duke avait enregistré des duos avec la basse de Blanton, il enregistra des quartettes avec le violoncelle de Pettiford. **Harry Babasin** fut le premier violoncelliste de jazz, mais ce fut Pettiford qui assit la position du violoncelle en jazz. Le passage des sons profonds de la basse au registre supérieur du violoncelle paraissait une conséquence logique de l'évolution de la basse, qui d'instrument harmonique devenait instrument mélodique. Il y eut depuis lors d'autres bassistes qui choisirent le violoncelle comme instrument secondaire, tels le regretté **Doug Watkins**, puis **Ron Carter** et **Peter Warren** jusqu'à ce que le violoncelle devienne, dans le jazz actuel, un instrument à part entière. En jouent des musiciens tels que **Abdul Wadud, Dierdre Murray, David Darling, Tristan Honsinger, Kent Carter**, et le Français **Jean-Charles Capon**. (Pour de plus amples détails, cf. le chapitre « Instruments divers ».)

Pettiford, Ray Brown et **Charles Mingus** sont les grands bassistes de l'« après-Blanton ». **Pettiford**, qui mourut à Copenhague en 1960, jouait sur la 52e Rue vers le milieu des années quarante avec Dizzy Gillespie et dispensait à l'époque le « message Blanton ». Il fut pendant cette décennie le bassiste le plus demandé de New York. Pettiford organisa à plusieurs reprises dans sa carrière des grands orchestres à des fins d'enregistrement. Sa mobilité à la basse était confondante. Il savait créer des tons qui sonnaient comme s'il « parlait » à l'aide d'un cuivre. Il y eut peut-être des bassistes plus parfaits mais aucun qui sache « raconter une histoire » comme O.P. Il vécut les deux dernières années de sa vie en Europe, tout d'abord à Baden-Baden puis à Copenhague ; il y exerça une influence considérable et durable sur les musiciens européens. (Je voudrais ajouter ici une remarque personnelle. Aucun grand jazzman ne m'a appris plus qu'O.P. au cours de ces interminables soirées passées à discuter et à écouter des disques. O.P. a toujours considéré comme une sorte de mission de propager le « message » — pour reprendre son expression — du jazz.)

Ray Brown est considéré comme le musicien le plus fiable et le plus swing de la première génération des bassistes de be-bop. Il tint la vedette dans un concerto pour basse, *One Bass Hit*, enregistré par Dizzy Gillespie et son grand orchestre vers la fin des années quarante. Plus tard, il enregistra un album avec un grand orchestre de musiciens californiens dirigés par le pianiste-arrangeur Marty Paich ; cet enregistrement n'est rien de moins qu'un « concerto » grandiose pour basse et grand orchestre. Ce disque contient également un solo pour basse seule ; il possède l'aura du *Picasso* de Coleman Hawkins, un solo également non accompagné pour saxophone ténor. Brown est le bassiste fétiche des productions de disques de Norman Granz. Comparé aux prouesses techniques des bassistes actuels, il ne peut être considéré comme un virtuose moderne, mais sa manière infaillible d'infuser le swing et la détente dans un orchestre est toujours inégalée en ce début des années quatre-vingts.

Charles Mingus, qui mourut en 1979, a acquis une importance exceptionnelle non seulement en tant que bassiste mais surtout en qualité de chef d'orchestre. Mingus, qui appelait le jazz la « musique classique des Noirs », possédait une conscience aiguë de la tradition musicale noire, et il *vivait* cette tradition. Il joua pendant une brève période du jazz traditionnel avec Kid Ory au début des années quarante. Il se joignit ensuite à Hampton, dont le meilleur orchestre — celui de 1947 — doit beaucoup aux arrangements et à la personnalité de Mingus. Il acquit une réputation de soliste à la faveur de son travail au sein du Red Norvo Trio en 1950-1951. Il se consacra de plus en plus par la suite à ouvrir de nouvelles voies au jazz, ne redoutant jamais les heurts harmoniques puissants et excitants. Il y eut probablement plus d'improvisations collectives dans les groupes de Mingus des années cinquante et du début des années soixante que dans tout autre combo de jazz important de la même époque. En tant que bassiste, Mingus dirigeait et assurait la cohésion des multiples lignes et tendances différentes qui se formaient au sein de ses groupes, avec l'assurance d'un somnambule. Il contribua plus que tout autre musicien à permettre les improvisations collectives libres du nouveau jazz. Les duos de Mingus à la basse et du grand musicien d'avant-garde Eric Dolphy à la clarinette basse comptent parmi les expériences émotionnelles les plus fortes du jazz.

Mingus vécut le milieu des années soixante dans un isolement relatif. Mais de 1970 jusqu'à sa maladie fatale, il connut un comeback mondial. Celui-ci ne commença pas aux États-Unis, mais à la faveur d'une grande tournée européenne, lorsqu'il consentit après maintes invitations à se produire aux Berlin Jazz Days. Le nouveau Mingus des années soixante-dix jetait un regard en arrière sur toute l'histoire du jazz.

Le triumvirat Pettiford-Brown-Mingus paraît encore plus impressionnant lorsqu'on l'envisage à la lumière d'une foule d'autres excellents bassistes de cette génération, parmi lesquels : **Chubby Jackson, Eddie Safranski, Milt Hinton, George Duvivier, Percy Heath, Tommy Potter, Curtis Counce, Leroy Vinnegar, Red Mitchell, Paul Chambers, Wilbur Ware, Israel Crosby...**

Safranski et **Chubby Jackson** (qui joue d'une basse à cinq cordes construite sur mesure) sont connus essentiellement pour leur travail dans les orchestres de Stan Kenton et Woody Herman. **Duvivier** et **Hinton** sont très appréciés des autres musiciens en raison de leur assurance et de leur fiabilité. **Percy Heath** est un bassiste très admiré pour son jeu supérieur, ferme au sein du Modern Jazz Quartet. **Leroy Vinnegar** bouleversa les sections rythmiques californiennes bâties autour de Shelly Manne, dans la mesure où Shelly trouvait un riche potentiel mélodique dans la batterie, alors que la basse de Leroy dispensait le fondement rythmique qui rendait le swing perceptible. Leroy, et avant lui **Curtis Counce**, qui mourut en 1963, et plus tard **Monty Budwig, Carson Smith** et **Joe Mondragon** sont les bassistes de la côte Ouest qui furent le plus souvent enregistrés. **Red Mitchell** est un merveilleux soliste qui phrase avec une intensité et une mobilité égales à celle d'un saxophone. Il connut un comeback fabuleux dans les années soixante-dix, en particulier parmi le public japonais. Le regretté **Paul Chambers** possédait l'expressivité et la vitalité de la génération hard bop de Detroit. Il était en outre un maître de la basse jouée à l'archet, avec une intonation et un phrasé évoquant le saxophone ténor de Sonny Rollins. **Wilbur Ware**, qui mourut en 1979, fut un soliste unique, et le bassiste préféré de Thelonious Monk — sans doute celui qui comprit le mieux la musique de Monk parmi ceux qui jouèrent avec lui.

Nous sommes arrivés avec Chambers et Ware dans le cercle des bassistes de hard bop, qui comprend encore **Jimmy Woode** (issu de l'orchestre de Duke Ellington et devenu depuis l'un des « Américains en Europe » les plus indispensables), **Wilbur Little, Jimmy Merritt, Sam Jones**, le regretté **Doug Watkins, Reginald Workman**, etc. D'aucuns furent des précurseurs de l'évolution concrétisée par **Charlie Haden** et **Scott LaFaro**, la deuxième émancipation de la basse — la première étant associée à Jimmy Blanton et Oscar Pettiford.

Depuis la fin des années cinquante, **Haden** a souvent travaillé avec Ornette Coleman dont il fut un partenaire indispensable, plus encore peut-être au début que Don Cherry. Son Liberation Music Orchestra, pour lequel Carla Bley a écrit des arrangements, élargit non seulement la conscience musicale mais encore politique ; la musique est considérée comme le flambeau de la liberté utilisant des thèmes et des enregistrements d'Allemagne de l'Est, de Cuba et de la guerre civile espagnole. Sa coopération avec Keith Jarrett est également remarquable, ainsi que celle avec Don Cherry, dans le groupe Old and New Dreams. Haden se révéla à l'occasion de divers enregistrements en duo un partenaire des plus empathiques et des plus stimulants.

Scott LaFaro, qui mourut en 1961 à l'âge de vingt-cinq ans dans un tragique accident de la route, était un musicien de la stature d'Eric Dolphy. Il créa des possibilités nouvelles non par mépris de la tradition harmonique, mais grâce à une maîtrise supérieure de celle-ci. On comprend ce que la basse est devenue à la faveur de sa deuxième émancipation en écoutant LaFaro improviser avec le trio de Bill Evans : une sorte de guitare super-dimensionnelle à registre grave dont la sonorité possède une diversité de possibilités qui aurait été jugée impossible avant lui, mais qui n'en satisfait pas moins toujours aux fonctions traditionnelles de la basse. Le bassiste Dave Holland dit : « La basse est devenue en quelque sorte la quatrième voix mélodique du quartette. Scott LaFaro n'en fut-il pas le principal responsable ? » Le bassiste de John Coltrane, **Jimmy Garrison**, qui mourut en 1976, transforma la « sonorité guitare » de LaFaro en une « sonorité guitare flamenco », notamment dans le long solo qu'il interprète au début de la version 1966 du succès de Trane, *My Favourite Things*. Le travail de basse de **David Izenzon** (disparu en 1979) au sein du trio d'Ornette Coleman vers le milieu des années soixante est peut-être encore plus étonnant. Il conserve à sa basse la « sonorité guitare » mais en joue comme un percussionniste.

Voici maintenant les représentants du mainstream qui traverse les années soixante, soixante-dix et quatre-vingts: **Richard Davis, Ron Carter, Chuck Israel, Gary Peacock, Steve Swallow, Bare Phillips, Eddie Gomez, Cecil McBee, Buster Williams, Stafford James, Mark Johnson, Clint Houston, Dave Williams, Calvin Hill, Cameron Brown, Michael Moore, Mike Richmond, David Friesen, Glen Moore, Harvie Swartz, Frank Tusa, Gene Perla, Wayne Dockery**, le Français **Henry Texier**, le Hongrois **Aladar Pege**, l'Allemand **Günter Lenz**, le Suédois **Palle Danielson**, le Danois **Niels-Henning Ørsted-Pedersen**, le Britannique **Dave Holland**, et les Tchécoslovaques **George Mraz** et **Miroslav Vitous**.

Ces musiciens sont trop nombreux pour que nous puissions nous intéresser à chacun d'eux. **Richard Davis** est peut-être de tous ces bassistes celui dont le talent offre les facettes les plus diverses. Il compte au nombre de ces universalistes qui ont maîtrisé avec une perfection égale tous les genres, de la musique symphonique aux diverses expressions de jazz, du bop au free. **Ron Carter** et **Dave Holland** doivent leur renommée à leur collaboration avec Miles Davis. Holland, qui a également joué avec Chick Corea, Anthony Braxton et Sam Rivers, a fait une déclaration qui définit bien la situation de maints musiciens contemporains: « Ce qui engendrait une tension il y a dix ans n'en produit plus, parce que nos oreilles s'y sont accoutumées. Si vous désirez créer ce même type de tension aujourd'hui, vous devez recourir à des éléments qui sont encore plus éloignés de l'idée originale de la consonance... » Carter est un improvisateur aux idées si riches qu'il « donne parfois l'impression de jouer des duos avec lui-même », ainsi que l'exprima le critique Pete Welding. Ayant commencé avec la basse acoustique, il a maîtrisé toute une série d'instruments: pour commencer le violoncelle et plus récemment la « basse piccolo » — un instrument de musique baroque — accordée à la manière d'un violoncelle. Carter joue de la basse piccolo, qui est à la contrebasse à peu près ce que le violon est à l'alto, avec le brio et la légèreté d'un violon de concert *pizzicato*, tout en préservant néanmoins l'intensité d'un musicien de jazz tel qu'Oscar Pettiford. Il est fascinant de constater, en écoutant le quartette qu'il dirigea de 1977 à 1980, combien sa basse piccolo et la basse acoustique conventionnelle — tenue initialement par Buster Williams, puis par d'autres — se complètent, donnant l'impression que le groupe utilisait une basse unique à huit cordes. Il s'agit probablement de la sonorité de basse la plus riche à l'heure actuelle. Ron Carter confia dans une interview à *Down beat* : « L'expression "libération de la basse" a des connotations très négatives — cela signifie que quelqu'un était prisonnier jusqu'à présent... Je ne me suis jamais senti inhibé dans ce que j'essayais de jouer. Je n'avais pas le sentiment que je n'étais qu'une basse dans une section rythmique qui jouait derrière ou qui accompagnait le soliste, que ma fonction n'était rien de plus qu'une fonction... La musique recourant à la basse électrique est si différente de celle utilisant la basse acoustique que c'est comme si vous compariez des pommes et des oranges. Je ne considère pas que la basse électrique ait eu une incidence majeure sur l'évolution de la basse acoustique... »

Chuck Israel se fit lui aussi un nom en tant que leader d'un excellent grand orchestre. **Gary Peacock, Steve Swallow** et **Bare Phillips** (qui vit en Europe) sont des bassistes à la sensibilité et à la souplesse extrêmes. **Eddie Gomez** fut l'un des bassistes acoustiques les plus actifs de New York durant les années soixante-dix et quatre-vingts. Il s'est en outre avéré un partenaire charmant en duo, notamment avec la pianiste JoAnne Brackeen et avec le flûtiste Jeremy Steig.

Cecil McBee et **Buster Williams** cultivèrent et actualisèrent à la basse la tradition coltranienne d'une manière semblable à celle de McCoy Tyner au piano. **David Friesen** et **Glen Moore** se sont distingués par plusieurs enregistrements d'un style évoquant la musique de chambre — le premier en duo avec John Stowell, le dernier au sein du groupe Oregon. **Aladar Pege**, professeur de basse au conservatoire national hongrois de Budapest, est considéré en Europe, depuis le début des années soixante, comme un prodige en matière de technique de jeu. Il remporta un succès sensationnel en 1980 au Jazz Yatra de Bombay, le grand festival indien. Il a conquis par la même occasion la scène américaine et Pege a régulièrement pris la place du regretté Charles Mingus dans le groupe posthume Mingus Dynasty. **Miroslav Vitous** fut un membre fondateur du Weather Report en 1971. Il a une sensibilité particulière pour le jazz fusion progressiste. **George Mraz** et **Mike Richmond** sont des espèces de « Ray Brown de la scène contemporaine », avec leurs rythmes swing sûrs.

Le musicien ayant enregistré le plus de disques en Europe est le Danois **Niels-Henning Ørsted-Pedersen**. Durant les deux dernières décennies Niels-Henning fut l'artiste auquel firent appel presque tous les solistes américains en tournée en Europe et qui avaient besoin d'un bassiste. C'est ainsi qu'il a été amené à jouer avec Bud Powell, Quincy Jones, Roland Kirk, Sonny Rollins, Lee Konitz, John Lewis, Dexter Gordon, Ben Webster, Oscar Peterson et des dizaines d'autres musiciens célèbres.

Ørsted-Pedersen résume la situation de la basse sur la scène actuelle de la manière suivante : « La basse est devenue un instrument de plus en plus indépendant. Dans le jazz ancien, il y avait une relation très forte entre instrument et solo, et je considère qu'un solo ne devrait pas être déterminé par l'instrument. Ce qui me plaît aujourd'hui c'est qu'on a dépassé le point où on se heurtait à des difficultés techniques ; il n'y a plus de raison de se laisser impressionner par quoi que ce soit, il suffit de se soucier de faire de la musique... »

Au-delà du mainstream, nous découvrons — comme c'est le cas avec les autres instruments — les musiciens du free jazz d'une part et ceux de jazz fusion et de jazz rock de l'autre (ces derniers utilisent pour la plupart la basse électrique). Il convient de ne pas perdre de vue que même dans le cas de la basse, maints musiciens, en particulier aujourd'hui, sont devenus tellement ouverts qu'ils s'intègrent parfois dans plusieurs camps stylistiques. Nous les présenterons en conséquence dans la catégorie où on les retrouve le plus souvent. Les bassistes free importants sont : **Buell Neidlinger, Peter Warren, Jack Gregg, Sirone, Henry Grimes, Alan Silva, Malachi Favors, Fred Hopkins, Mark Helias, John Lindberg, Rick Rozie, Francisco Centeno**, le Britannique **Brian Smith**, les Japonais **Yoshizawa Motoharu** et **Katsuo Kuninaka**, l'Autrichien **Adelhard Roidinger**, le Norvégien **Arild Andersen**, l'Italien **Marcello Mellis**, les Hollandais **Arjen Gorter** et **Maarten Van Regteren-Altena**, les Allemands **Peter Kowald** et **Bushi Niebergall**, et enfin le Sud-Africain **Johnny Dyani**. Des musiciens tels que **Neidlinger, Sirone** et

Silva appartiennent à la première génération des musiciens free. Neidlinger et Sirone ont travaillé avec Cecil Taylor et Silva avec l'orchestre de Sun Ra. **Malachi Favors** joue de la basse au sein de l'Art Ensemble of Chicago, **Fred Hopkins** avec le groupe Air. **John Lindberg** a joué avec Anthony Braxton et est désormais membre du New York String Trio. **Arild Andersen** pourrait être qualifié de musicien particulièrement « romantique ». **Yoshizawa Motoharu** possède un jeu de basse très intense ancré dans la tradition japonaise — au même titre que celui de **Johnny Dyani** l'est dans la tradition sud-africaine. Enfin **Rick Rozie** a réussi au début des années quatre-vingts à ouvrir de nouvelles dimensions au jeu de basse free.

Les musiciens utilisant une basse électrique ont mis des années à résoudre les problèmes de sonorité, engendrés par le son lourd, vide de leur instrument. Leur dilemme était le suivant : d'une part, la basse électrique offrait une plus grande souplesse, sa sonorité — et son volume — s'intégrait mieux aux groupes électrifiés ; d'autre part elle manquait d'expressivité, elle ne sonnait pas « humaine », mais technique. Le premier à modifier cet état de fait au début des années soixante-dix fut un bassiste de rock : **Larry Graham** du groupe Sly and the Family Stone. Il fit ce que condamnent tous les professeurs de basse académiques : il joua — de manière incroyablement percutante — avec le pouce. Ce style de jeu avec le pouce devint une sorte de signe de reconnaissance des disques de rock et de rhythm n'blues enregistrés par la Tamla Motown ; le bassiste jouait avec une intensité telle que les cordes heurtaient parfois le manche de l'instrument comme dans le jeu « slap » des anciens bassistes de La Nouvelle-Orléans. **Stanley Clarke** combina ce style de jeu à la technique de Scott LaFaro (il remporta un immense succès avec sa musique fusion). La technique de LaFaro avait déjà été utilisée à la basse électrique par **Steve Swallow**, mais le problème fut résolu par **Jaco Pastorius**, originaire de Floride — il devint célèbre du jour au lendemain en 1976 lors de sa première prestation au sein du groupe Weather Report. Il combina le jeu avec le pouce et la souplesse de LaFaro à une technique d'octave héritée du guitariste Wes Montgomery et considérée hors de portée des bassistes ; il ajouta à tout cela son style de jeu « flageolet » très personnel. De cette manière Pastorius fit sensation ; grâce à lui la basse électrique s'était totalement « émancipée ». Cet instrument avait enfin acquis les qualités qu'Oscar Pettiford jugeait indispensables à toute basse : « Humanité, expressivité, affectivité, aptitude à raconter une histoire. » Pastorius dit : « Je joue de la basse comme si je jouais d'une voix humaine. Je joue comme je parle. J'aime les chanteurs... »

Avant de poursuivre, il convient de mentionner deux musiciens qui se situent avant l'évolution que nous venons d'évoquer : **Jack Bruce** et **Chuck Rainey**. Il nous faut également parler de l'Allemand **Eberhard Weber**, de **Miroslav Vitous, John Lee, Mark Egan, Alphonso Johnson, Don Pate, Abe Laboriel, Ralphe Armstrong, Michael Henderson, Bob Cranshaw, Jamaaladeen Tacuma** ainsi que du Danois **Bob Stief** et du Britannique **Hugh Hopper. Bruce** fut membre du légendaire groupe Cream, qui jouait dans les années soixante des improvisations rock inspirées du blues dans un style jam-session. Quoique appartenant à la scène rock, Bruce a enregistré plusieurs disques avec des musiciens de jazz tels que Charlie Mariano et Carla Bley. **Weber** revendique son allégeance à la tradition européenne, il a inclu dans son jeu et dans celui de son groupe Colours des éléments propres à cette tradition — en particulier à la période du romantisme. **Lee** a constitué avec le batteur Gerry Brown l'une des sections rythmiques les plus sûres du jazz fusion de New York. **Johnson**, qui fit partie de Weather Report, est un musicien particulièrement élégant et souple, très actif sur la scène du jazz fusion de la côte Ouest. **Hopper** est associé à la musique du groupe britannique Soft Machine. Quant à **Stief**, il est tout simplement le bassiste électrique le plus demandé de la scène européenne actuelle.

Le jazz a transformé la basse, « l'éléphant maladroit » de l'orchestre symphonique, en une voix instrumentale très sensible, aux possibilités expressives riches — à un point tel que des bassistes tels que Rick Rozie, Jaco Pastorius ou David Friesen remportent un franc succès en donnant des concerts en solo chargés d'une tension et d'une beauté musicales prodigieuses. Lorsque vous considérez que Pastorius est capable d'interpréter le *Donna Lee* de Charlie Parker — un morceau qui a rendu fou d'exaspération plus d'un saxophoniste — comme s'il s'agissait d'un exercice d'une grande simplicité, vous mesurez l'évolution qu'a suivie la basse de jazz depuis l'époque de Jimmy Blanton.

Permettez-moi, pour conclure ce chapitre consacré à la basse, de citer une fois encore le vétéran **Ray Brown** : « Prenez un type comme moi qui joue de la basse depuis qu'il a quatorze ans. J'ai vu cet instrument qui était un engin à deux temps frappé devenir un instrument doué d'une liberté totale avec des types comme Stanley Clarke... Je me suis trouvé plongé dans des situations où un type me disait : "Tu es libre." Et je répondais : "Attends une minute. Je ne sais pas si je veux être libre." J'ai parlé à des gosses qui ne connaissent qu'un mot : liberté. Ils ne savent pas ce que c'est que de jouer en respectant le temps et en aimant ça... Et pourtant j'aime ce qu'est devenue la basse. Certains des jeunes que j'ai entendus jouent de la basse comme d'une guitare et c'est fantastique. Mais j'aime aussi entendre de temps en temps jouer quelqu'un qui respecte le tempo, et qui a une bonne sonorité — ça, ça ne se remplacera jamais ! C'est comme un battement de cœur. » La jeune génération Swing (nous l'avons déjà dit à plusieurs reprises) veillera à ce que ce « battement de cœur » ne soit jamais oublié. Ces musiciens interprètent le Swing en respectant la tradition mais en étant parfaitement de leur époque. Leur représentant principal se nomme **Brian Torff** ; son jeu est très proche de celui de Ray Brown.

La batterie

Pour une personne élevée dans la tradition de la musique de concert européenne, la batterie de jazz donne l'impression d'être un ustensile à « faire du bruit ».

Cette réaction est due, aussi paradoxal qu'il y paraisse, au fait que la batterie est utilisée dans cet esprit dans la musique européenne. Les timbales telles qu'utilisées par Tchaïkovsky ou Richard Strauss, par Beethoven ou Wagner, sont des

« faiseuses de bruit » dans la mesure où elles sont destinées à créer une intensité supplémentaire et des effets *fortissimo*. La musique se déroule indépendamment d'elles ; la continuité musicale ne serait nullement interrompue si elles étaient omises. Mais le temps de la batterie de jazz n'est pas un simple effet. Il crée l'espace dans lequel se déroule la musique, la continuité musicale serait perturbée si elle ne pouvait être « mesurée » en permanence par rapport au temps de la batterie. Le rythme jazz est, ainsi que nous l'avons déjà montré, un principe d'ordre.

Ce n'est pas le fait du hasard s'il n'y avait pas de solos de batterie dans les premières formes de jazz — il n'existait en fait pas encore de batteur possédant une individualité développée. Lorsqu'on évoque les débuts de l'histoire du jazz, nous sommes en mesure de parler de Buddy Bolden et de Freddie Keppard and the Tio Family, des trompettes, des trombones et même des violonistes, mais nous ne disposons pratiquement d'aucune information relative aux batteurs. Le temps étant le principe d'ordre, et rien de plus, le batteur n'avait d'autre tâche que de marquer les temps aussi régulièrement que possible, en conséquence moins son jeu était neutre (en d'autres termes : plus il était individuel) plus le batteur laissait à désirer. Il passa beaucoup d'eau sous les ponts avant que l'on découvre que l'individualité d'un batteur pouvait ajouter un élément supplémentaire à la tension si importante en jazz — sans pour autant nuire à la fonction d'organisation.

Au début se trouvent **Baby Dodds** et **Zutty Singleton**, les grands batteurs de La Nouvelle-Orléans. Zutty était le plus tendre, Baby le plus dur. Zutty créait un rythme presque subtil ; Baby était véhément et naturel — tout au moins pour l'époque. Dodds était le batteur du King Oliver's Creole Jazz Band, avant de devenir celui du Hot Seven d'Armstrong. Il joue sur maints disques avec son frère, le clarinettiste Dodds. Baby fut le premier à jouer des breaks : de brèves éruptions de batterie, qui comblent souvent les trous entre la conclusion d'une phrase et la fin d'une unité formelle. Le break est la graine dont les batteurs — Gene Krupa, pour commencer — firent jaillir le solo de batterie.

Il est curieux de noter que ce sont les batteurs blancs qui

exprimèrent les premiers la tendance à l'accentuation des temps faibles (2 et 4) si caractéristique en jazz. Les précurseurs furent les batteurs des deux premiers groupes blancs : **Tony Spargo** (Sbarbaro) de l'Original Dixieland Jazz Band et **Ben Pollack** des New Orleans Rhythm Kings. Pollack fonda (1925) l'un des premiers orchestres de danse à orientation jazz en Californie dans lequel se firent remarquer maints musiciens qui commencèrent leur carrière dans le style de Chicago — Goodman, Teagarden et Miller. Vers la fin des années vingt **Ray Bauduc** tenait la batterie dans l'orchestre de Pollack. Ray compte parmi les meilleurs batteurs de la tradition new orleans-dixieland.

Le jeu de batterie « blanc » se développa dans une direction différente dans le cercle du Chicago-style : vers un jeu virtuoso rythmé, dans lequel le jeu devient parfois plus important que le rythme. Les trois représentants les plus importants de ce style furent Gene Krupa, George Wettling, et Dave Tough. **George Wettling** fut le seul qui demeura fidèle à la tradition musicale du Chicago-style jusqu'à la fin de sa vie (il mourut en 1968). Wettling était en outre un peintre abstrait doué. Il déclara que la batterie de jazz et la peinture abstraite ne lui paraissaient différentes que du point de vue de la technique ; le rythme est selon lui essentiel dans les deux cas. Lorsque d'aucuns s'étonnaient que Wettling s'adonne à la fois à la peinture et à la batterie de jazz, il répondait que ce qui le surprenait, lui, c'est qu'il n'y ait pas plus d'artistes dans son cas, ces deux formes d'expression musicale étant incontestablement apparentées[1]. George Wettling fut l'une de ces personnalités fascinantes qui démontrent l'unité de l'art moderne à travers leur œuvre.

Gene Krupa, qui mourut en 1973, devint la vedette de la batterie « virtuoso » de l'ère Swing. *Sing, Sing, Sing* ce morceau de l'orchestre de Benny Goodman dans lequel il interprétait un long solo (dominé par moments par la clarinette dans le registre aigu de Benny) fit délirer les fans de Swing. Krupa ne fut dépassé, sur le plan technique, que

1. Il est à noter que la même association entre peinture abstraite et batterie de jazz est également le fait de Daniel Humair, qui est tout à la fois l'un des plus importants batteurs européens et un peintre estimé. *(N.d.E.)*

par les batteurs de jazz moderne. Il fut le premier à oser utiliser la grosse caisse sur disques dans les années vingt. Il était de coutume de se dispenser de cette partie de l'équipement du batteur en raison du risque que ses réverbérations fassent sauter l'aiguille du matériel d'enregistrement primitif de l'époque.

Le batteur le plus important du cercle de Chicago fut **Dave Tough**, qui mourut en 1948. Lui aussi contribuait à démontrer l'unité de l'art ; s'il n'était pas peintre il aspirait à écrire. Il flirta durant toute sa vie avec la littérature contemporaine comme Bix Beiderbecke avait flirté avec la musique symphonique. Tough fut l'un des batteurs les plus subtils et les plus inspirés de son époque. La batterie était pour lui une palette rythmique sur laquelle il tenait les couleurs adéquates à la disposition de chaque soliste. Il acquit sa renommée vers 1944 en tant que batteur du « First Herd » de Woody Herman. Il contribua à ouvrir la voie à la batterie de jazz moderne, au même titre que **Jo Jones** au sein de l'orchestre de Count Basie, et il est intéressant de noter qu'un batteur blanc et un autre noir arrivèrent à des résultats similaires indépendamment l'un de l'autre.

Nous aurons l'occasion de revenir sur Jo Jones, mais nous tenions à mettre en évidence un point illustrant le caractère inévitable de l'évolution du jazz. Les batteurs blancs de Chicago ne furent quasiment pas influencés par les batteurs noirs, à l'exception de Baby Dodds. En dépit de relations constantes entre musiciens blancs et noirs, l'évolution de la batterie suivit dans l'ensemble deux voies indépendantes. Il n'en demeure pas moins que les deux branches arrivèrent à des résultats similaires. Dave Tough ouvrit la voie au nouveau style au sein de l'orchestre de Tommy Dorsey, auquel il se joignit en 1936. A la même époque Jo Jones faisait de même avec Count Basie.

Jo Jones se développa sous l'influence des grands batteurs noirs des styles néo-orléanais et Swing. Quatre batteurs importants s'inscrivent entre Baby Dodds et Jo Jones. Le plus marquant est **Chick Webb** dont la puissance de jeu présuppose un géant et non pas l'être malingre qu'il était. Chick Webb et, parmi les batteurs blancs, Gene Krupa furent les premiers batteurs à diriger un grand orchestre. Leur lignée se poursuivra de manière brillante avec Mel Lewis, Buddy Rich et Louie Bellson. Webb était un batteur possédant une aura magnétique. Il est des enregistrements de son orchestre sur lesquels sa batterie est presque inaudible, pourtant chaque note véhicule l'enthousiasme qui émanait de cet homme étonnant.

Bid Sid Catlett, Cozy Cole et **Lionel Hampton** succédèrent à Webb. Big Sid et Cozy (décédé en 1981) sont des batteurs Swing par excellence. Cozy réalisa ses premiers enregistrements en 1930 avec Jelly Roll Morton. En 1939 il devint le batteur de l'orchestre de Cab Calloway, dans lequel il jouait souvent des solos. Il fut, vers la fin des années quarante, le batteur des meilleurs All-Star de Louis Armstrong et, en 1954, il fonda une école de batterie avec Gene Krupa à New York.

Cole et Catlett furent longtemps considérés comme les batteurs les plus électriques du jazz ; on faisait appel à eux aussi bien pour soutenir un combo qu'une grande formation, pour jouer du new orleans, du dixieland et du Swing (Catlett participa même à certains enregistrements importants de l'histoire du bop). En d'autres termes, ils représentèrent les différents secteurs dans lesquels les autres batteurs se spécialisaient. Catlett, qui mourut en 1951, joua avec Benny Carter et avec les McKinney's Cotton Pickers au début des années trente, puis avec Fletcher Henderson. Il fut au début des années trente le batteur préféré de Louis Armstrong. « Le Swing c'est mon idée de ce que devrait être une mélodie », dit-il. Il ne s'agit peut-être pas d'une définition très scientifique, mais les musiciens de l'époque et les fans de jazz de tous temps la comprirent mieux que toutes les théories sophistiquées.

La différence entre la batterie traditionnelle et moderne devient claire lorsqu'on compare Cozy Cole et **Jo Jones**. Tous deux sont de grands musiciens mais Cole est totalement absorbé dans le beat d'une manière staccato et sans guère se soucier de couvrir musicalement ce que jouent les cuivres. Jones crée lui aussi un beat imperturbable, entraînant mais d'une manière plus legato, portant et servant les réalisations musicales. La section rythmique de Count Basie était connue dans sa période classique (avec Jones à la batterie, Freddie

Green à la guitare, Walter Page à la basse et Basie au piano) sous le nom de « the All American Rhythm Section ».

Jo Jones est le premier représentant véritable de l'unité à quatre temps égaux. Il dit : « Le moyen le plus simple de savoir si un homme swingue ou non est de s'assurer qu'il donne à chaque note son temps plein. Ainsi une note pleine compte quatre temps, une demi-note deux temps, et un quart de note un temps. Et chaque mesure compte quatre temps qui sont aussi réguliers que notre respiration. Un homme ne swingue pas quand il y a anticipation. » **Kenny Clarke** surenchérit : les quatre temps égaux devinrent *le son continu*, le martèlement incessant du rythme. Le temps fondamental était déplacé de la grosse caisse lourde et sourde vers la cymbale résonnant régulièrement.

Clarke (qui est mort en 1985, année sinistre pour la batterie de jazz, qui vit disparaître également Jo Jones, déjà cité, ainsi que Philly Joe Jones et Shelly Manne), qui fut le batteur du cercle du Minton's où se retrouvaient Charlie Christian, Thelonious Monk, Charlie Parker et Dizzy Gillespie, est le créateur de la technique moderne de la batterie. Il me semble que son importance est souvent sous-estimée par les amateurs de jazz aux États-Unis, peut-être parce qu'il s'est installé définitivement à Paris en 1956 et qu'il est devenu la figure paternelle respectée par tous les « Américains en Europe ». **Max Roach** a poussé cette manière de jouer jusqu'à sa maturité la plus complète. Il est le prototype du percussionniste moderne : le batteur n'est plus un musicien secondaire qui doit se contenter de battre son 4/4 régulier, mais un musicien accompli qui a étudié, qui est généralement capable de jouer d'un instrument supplémentaire et d'écrire des arrangements. Il est presque l'inverse de ce qu'il fut, le batteur était fréquemment le musicien le moins formé de l'orchestre ; aujourd'hui il est souvent le plus intelligent, aussi intéressant sur le plan de la personnalité et de l'éducation que de son jeu. Roach déclara un jour : « Faire avec le rythme ce que Bach faisait avec la mélodie. » Ce n'était pas seulement un slogan impressionnant ; le rythme jazz a littéralement atteint la complexité multilinéaire des lignes mélodiques du jeu baroque.

Roach fut le premier à battre des lignes mélodiques

complètes. Il existe des enregistrements privés, réalisés à la faveur des séances bop historiques au vieux Royal Roost de New York vers la fin des années quarante ; on y entend Roach dialoguer avec Lee Konitz et compléter régulièrement les phrases commencées par ce dernier. Il est possible de chanter sur le jeu de batterie de Roach aussi bien que sur celui de Konitz à l'alto. L'inverse est également vrai : le jeu de Lee à l'alto est aussi complexe sur le plan rythmique que celui de Max à la batterie. La batterie n'est plus qu'un instrument rythmique, et le saxophone alto n'est plus qu'un instrument mélodique. Tous deux ont élargi leur gamme en une fusion complexe d'éléments tels que « mélodie », « harmonie » et « rythme » qu'il était plus aisé d'identifier et de différencier autrefois qu'aujourd'hui. Ainsi, Roach fut-il capable de se passer d'un piano dans son quintette de la fin des années cinquante. Ses sidemen dirent : « Il remplace le pianiste à la batterie. »

Roach a véritablement détruit la croyance selon laquelle le jazz ne peut swinguer qu'en 4/4. Il joue des solos de batterie tout entier sur un rythme de valse précis et accentué et il réussit ce faisant à swinguer plus que bien des musiciens qui se limitent au 4/4. Il superpose des rythmes de manière étroite et structurelle — presque à la manière des contrepoints polyrythmiques, 5/4 sur 3/4 par exemple. Roach fait ceci avec une lucidité et une retenue qui confèrent un sens à sa déclaration : « Je recherche le lyrisme. » Personne n'a prouvé avec plus d'éclat que Roach que le lyrisme — le lyrisme poétique — peut être exprimé à l'aide d'un solo de batterie. Sa *Freedom Now Suite* est l'une des œuvres les plus émouvantes du jazz, dédiée à la libération des Noirs en Amérique.

Max Roach forma des groupes de batteries, réalisant en jazz ce que les Percussions de Strasbourg, par exemple, avaient fait dans le cadre de la musique de concert moderne. Il exhiba sa puissance mélodico-rythmique communicative à l'occasion de concerts ou d'enregistrements en duo, vers la fin des années soixante-dix, avec des musiciens tels que Cecil Taylor, Anthony Braxton, Archie Shepp et Dollar Brand. Le groupe de Max Roach fut l'un des protagonistes de la scène néo-bop, tenant le rôle que le Max Roach-Clifford Brown

Quintet avait assumé pendant les années cinquante à l'égard du hard bop. Quarante ans après s'être révélé pour la première fois, Max Roach fut élu principal batteur de jazz par le magazine *Down beat* en 1980.

Un point était désormais évident : la batterie était devenue un instrument mélodique... ou plus exactement était devenue *en outre* un instrument mélodique. Il va de soi qu'elle n'abandonna pas brusquement sa fonction rythmique. La conception de plus en plus complexe et musicale de la fonction rythmique permit à la fonction mélodique de se développer presque d'elle-même. La batterie suivit de manière logique et inévitable le destin des autres instruments. Il y eut tout d'abord le trombone, qui se contentait dans le style néo-orléanais de fournir le fond harmonique ; Kid Ory, avec ses effets tailgate, amorça, et Jimmy Harrison, avec son travail en solo au sein de l'orchestre de Fletcher Henderson, compléta l'émancipation du trombone. Puis vint le tour du piano, que les orchestres de new orléans — lorsqu'ils en possédaient un — utilisaient comme un instrument purement rythmique et harmonique. Earl Hines l'émancipa ; il ne renonça pas à la fonction initiale, mais il ouvrit la voie à la sonorité « cuivrée ». La guitare et la basse connurent une évolution semblable. Le jeu de guitare d'Eddie Lang à Charlie Christian est un processus d'émancipation croissante. A la basse, Jimmy Blanton réalisa cette émancipation du jour au lendemain. Enfin, Kenny Clarke et Max Roach firent de la batterie un « instrument émancipé ».

L'intérêt exprimé par Max Roach et les musiciens de bop pour la batterie et les rythmes de Cuba (qui sont en principe également originaires d'Afrique occidentale) semble donc logique. **Art Blakey** fut le premier batteur de jazz à se rendre en Afrique, au début des années cinquante ; il étudia les rythmes africains et les incorpora dans son jeu (cf. aussi le chapitre consacré à la percussion). Il a réalisé des enregistrements en duo avec le joueur de bongo cubain Sabu qui sont un mélange permanent de jazz ou de rythmes d'Afrique occidentale — un exemple typique de ces œuvres est *Nothing but the Soul*, 1954). (C'était la première fois que le terme « soul » était utilisé dans un titre de jazz ; quelques années plus tard il désignerait un style de jeu d'abord en jazz, puis en rock et en musique pop.) Vers la fin des années cinquante (avant Roach) Blakey organisa des groupes de percussion comprenant quatre batteurs de jazz — dont Jo Jones — et cinq batteurs latins, utilisant toute sorte d'instruments rythmiques et jouant sous la bannière *Orgy in Rhythm*. Les batteries étant émancipées — c'est-à-dire ayant acquis des possibilités mélodiques à partir de la complexité des rythmes — des orchestres de percussionnistes devenaient possibles au même titre que des orchestres rassemblant uniquement des bassistes et des saxophonistes.

L'élément caractéristique de ces efforts tient au fait que l'influence africaine a acquis une importance toujours plus grande parmi les batteurs de jazz. Maints théoriciens et ethnomusicologues croient que l'héritage africain était plus marqué dans les formes de jazz originales et qu'il s'est atténué par la suite. En réalité les instrumentistes de jazz — et en particulier les batteurs, en parallèle au développement de leur conscience et de leur identification politique et sociologique — ont insufflé plus d'éléments africains dans le jazz depuis l'époque du free que les musiciens représentant le jazz urbain de La Nouvelle-Orléans, de Chicago et de Harlem.

Blakey est le batteur de jazz le plus impétueux et le plus vivace ayant émergé du bop. Ses roulements et ses explosions sont célèbres. Comparé à son jeu, celui de Max Roach paraît plus doux et intellectuel. **« Philly » Joe Jones**, qui est né à Philadelphie, s'efforça de fondre les deux approches. Il joue avec la véhémence explosive de Blakey, mais il traduit en outre des éléments du cosmopolitanisme musical de Max Roach. Le jeu de **Joe Morello** est encore plus « sophistiqué », dans le sens raffiné que ce terme a acquis dans la terminologie des musiciens de jazz. Il possède de la maturité, sinon la vitalité, de Max Roach, avec un feeling hypnotique pour les improvisations de ses collègues. Morello se joignit au Dave Brubeck Quartet en 1957. Grâce à lui Brubeck gagna une conscience rythmique qui lui faisait défaut auparavant. Dix ans plus tard, **Alan Dawson** remplaça Morello pendant un certain temps. Dawson enseigna aussi l'art de la percussion au Berklee College de Boston, la plus célèbre école de jazz. Il combina l'intelligence et l'esprit à un swing et à une énergie propres aux grands batteurs de la tradition du jazz. Le travail de **Connie Kay** au sein du Modern Jazz Quartet est particulièrement intégré dans le jeu mélodique (cf. également la section consacrée aux combos de jazz).

Les batteurs de hard bop — **Art Taylor, Louis Hayes, Dannie Richmond, Pete LaRocca, Roy Haynes, Albert Heath**, et (bien qu'il ait dépassé le hard bop) **Elvin Jones**, pour ne citer que les plus importants. Tous se situent dans la lignée de Blakey et Roach.

Dannie Richmond est le seul musicien à avoir travaillé pendant une très longue période avec Charlie Mingus. Nous préciserons dans la partie consacrée aux combos combien il était important à la cohésion de la musique de Mingus (et combien il participe aujourd'hui à la continuation de son héritage). **Roy Haynes** conféra au quartette de Stan Getz, influencé par la bossa-nova des années soixante, sa véritable dimension jazz. Roy possède cette mélancolie qui est si importante pour la musique mais encore plus pour le mode de vie du musicien de jazz. Il réalisa dans les années soixante-dix des enregistrements que les fans du jazz fusion considèrent comme s'apparentant aux rythmes du jazz rock, mais qui peuvent également être perçus comme une remise en question ironique du jazz rock. **Elvin** — le troisième membre de la famille **Jones** de Detroit, qui nous donna deux autres jazzmen de talent : le pianiste Hank et le trompette-compositeur Thad — interprète une espèce de « super bop » que les musiciens considèrent comme un nouveau moyen de « contourner le rythme », après tout ce qui avait déjà été fait dans cette voie par Charlie Parker et Kenny Clarke. Elvin Jones et ses adeptes prouvèrent que l'évolution continuait à une époque où il paraissait difficile d'imaginer qu'une concentration et une compression supplémentaire des éléments rythmiques en jazz étaient encore possibles. L'évolution s'est faite également dans le sens d'un « encerclement » du rythme fondamental. Moins les batteurs jouent « sur » le rythme et plus ils jouent « autour » de lui, plus est élémentaire la perception du rythme fondamental — de manière presque paradoxale. « C'est moins et pourtant c'est plus », dit John McLaughlin au sujet d'Elvin Jones.

Avant de tenter de montrer où a mené cette évolution, il

importe que nous revenions en arrière et que nous nous intéressions à plusieurs batteurs qui se situent en dehors de ces tendances et qui représentent une approche Swing moderne intemporelle, dans laquelle les nouveaux développements sont moins de nature stylistique mais tendent vers un professionnalisme et une perfection encore plus grands. *Le* représentant principal de ces batteurs est **Buddy Rich**, *le nec plus ultra* de la virtuosité technique. Ses étonnants solos de batterie et sa non moins étonnante personnalité constituèrent les principales attractions des grands orchestres d'Artie Shaw, Tommy Dorsey et Harry James, ainsi d'ailleurs que des grandes formations qu'il dirigea lui-même. Lors d'un atelier de batterie organisé dans le cadre du festival de Newport de 1965, il « vola la vedette » à tous les autres batteurs — parmi lesquels Art Blakey, Jo Jones, Elvin Jones, Roy Haynes et Louie Bellson. Rich donne souvent l'impression d'être un grand artiste de vaudeville — un enfant de la balle qui effectue sans filet les « sauts de la mort » les plus audacieux — plutôt qu'un musicien de jazz véritable à l'instar de Roach, Blakey ou Elvin Jones. Il est intéressant de noter, sur un plan psychologique, que Buddy Rich est né dans une famille d'artistes de vaudeville.

Louie Bellson, qui est en outre un excellent arrangeur, utilisa deux grosses caisses à la place d'une et en joua avec une agilité comparable au jeu de pied d'un organiste. L'orchestre de Duke Ellington acquit, durant les années qu'il passa en son sein — de 1951 à 1953 — une nouvelle sonorité typiquement « Bellson ». **Sam Woodyard** conserva les deux grosses caisses et quinze ans plus tard elles faisaient partie intégrante de l'équipement standard de maints batteurs de rock.

Le nom de **Denzil Best** est associé à un mode de jeu connu sous le nom de technique de « fill-out ». Kenny Clarke, Max Roach et Art Blakey « fill-in » les interventions musicales en plaçant les accents là où ils le jugent nécessaire. C'est la technique du « fill-in ». Best « fills out » l'espace musical de manière égale, ne plaçant pas (ou très peu) d'accents, mais balayant continuellement la caisse claire, créant ainsi un « son continu » swing extrêmement personnel. Ceci aussi constitue le résultat final de l'évolution legato amorcée par

Jo Jones et Dave Tough. Après l'énorme succès du quintette de George Shearing vers 1950, dont Best faisait partie, sa manière de jouer a été copiée par des centaines de groupes modernes de musique de cocktail.

Dave Tough se trouve à l'origine d'une lignée d'excellents batteurs de grandes formations, tels que **Don Lamond**, le successeur de Dave dans l'orchestre de Woody Herman, ou **Tiny Kahn** qui mourut beaucoup trop jeune et qui était un arrangeur très doué, dont les thèmes sont toujours joués à l'heure actuelle. Les autres batteurs appartenant à cette tradition sont : **Gus Johnson, J.C. Heard**, le regretté **Osie Johnson** et **Shadow Wilson**, ainsi qu'**Oliver Jackson, Grady Tate, Mel Lewis, Sonny Payne** et **Rufus Jones.**

Wilson, Gus Johnson et **Payne** furent les successeurs de Jo Jones dans l'orchestre de Basie, une filiation que continue aujourd'hui **Butch Miles. Heard** participa à maintes tournées du Jazz at the Philharmonic de Norman Granz ; il est à bien des égards un Cozy Cole ou un Sid Catlett « modernisé ». **Grady Tate** est très demandé lors de séances d'enregistrement de Swing. **Mel Lewis** (cf. également le chapitre consacré aux grandes formations) a transformé la tradition de la batterie de grand orchestre d'hommes tels que Chick Webb, Dave Tough ou Don Lamond en un art contemporain.

Sur la côte Ouest **Shelly Manne** fit un pas en avant qui était aussi logique que celui d'Art Blakey mais qui le conduisit dans la direction opposée. Manne est par excellence le mélodiste parmi les batteurs de jazz. Sa manière de jouer est économique et subtile, chaleureuse et enlevée, mais elle est souvent très éloignée du Swing considéré comme étant la ligne d'évolution allant de Webb à Blakey. Par ailleurs Manne a montré qu'il était capable de swinguer — comme dans le fameux enregistrement en quartette de *The Man I Love* (avec Coleman Hawkins et Oscar Pettiford) datant du milieu des années quarante, ou dans les nombreux enregistrements en combo qu'il réalisa sur la côte Ouest — des années cinquante aux années quatre-vingts lorsqu'il commença à adopter des éléments du jazz fusion. Il devint célèbre à la faveur de plusieurs dizaines d'enregistrements qui firent de l'expression « jazz de la côte Ouest » une espèce de signe de reconnaissance.

L'autre manière de jouer de la batterie élaborée sur la côte Ouest est associée au nom de **Chico Hamilton**. Chico enregistra avec son quintette deux solos de batterie vers le milieu des années cinquante : *Drums West* et *Mister Jo Jones.* Ses conceptions deviennent évidentes lorsque l'on combine ces deux titres. Chico est une espèce de « Jo Jones de la côte Ouest ». Il fut en 1953 un des membres fondateurs du Gerry Mulligan Quartet, et il représente le style de batterie très « cool » du classicisme moderne Basie-Young — il lui arrive cependant de faire de manière empruntée ce que d'autres font naturellement. Hamilton s'est engagé dans la voix du jazz fusion depuis les années soixante-dix.

La *Drum Suite* pour grand orchestre et quatre batteurs en solo, écrite en 1956 par Manny Albam et Ernie Wilkins, deux des principaux arrangeurs du jazz moderne, est l'une des œuvres traduisant au mieux les tendances caractéristiques de tous les batteurs de jazz se situant entre Buddy Rich et Shelly Manne, qui devinrent symboliques du travail de maints batteurs de studio de New York. Les quatre batteurs étaient **Osie Johnson, Gus Johnson, Teddy Sommers** et **Don Lamond**. Gus donne en général le tempo fondamental, les autres brodent autour de lui. Aucun solo de batterie ne dépasse les huit mesures ; chacun est intégré aux interventions orchestrales. Dans l'un des six mouvements de la suite les quatre batteurs jouent en *concertante* avec quatre cuivres — Joe Newman (trompette), Hal McCusick (alto), Al Cohn (ténor) et Jimmy Cleveland (trombone). Dans un autre les cymbales sont employées de manière colorée avec des combinaisons instrumentales inhabituelles de hautbois, de cor français et de bois. Tout au long de l'œuvre il y a des échanges chaleureux entre les quatre batteurs, ou entre un batteur et un cuivre ou une section. A aucun moment les batteries ne sont utilisées différemment de l'un ou de l'autre cuivre.

Le groupe « in » de jazz new-yorkais — cette petite élite de laquelle naît presque tout ce qui existe d'important en jazz — est allée encore plus loin. Son développement mène d'**Elvin Jones** — et nous effectuons ici la jonction avec le paragraphe où nous avons mentionné pour la première fois ce prodigieux batteur — via Tony Williams à Sunny Murray, puis à Billy Cobham.

Elvin prit le *son continu* qui commença avec Kenny Clarke et le poussa jusqu'aux limites extrêmes de ce qui est possible dans le cadre d'un mètre symétrique. Il alla « jusqu'aux limites extrêmes », mais il ne les dépassa pas. Lorsque Coltrane voulut qu'il aille plus loin, Jones quitta le groupe de Trane ; un geste aux conséquences importantes. Il fut remplacé par **Rashied Ali** dans le jeu duquel le mètre fut tout d'abord dissout totalement (mais il a retrouvé depuis lors des mètres reconnaissables). Jones est toutefois demeuré l'un des grands batteurs de jazz indépendant même durant les années quatre-vingts — un musicien de la stature de Coltrane, aussi convaincant à la batterie que McCoy Tyner au piano.

Entre-temps, Miles Davis avait engagé en 1963 **Tony Williams** (qui n'avait que dix-sept ans) dans son quintette. Williams arriva — d'un point de départ différent — à une réduction similaire du temps jazz à une vibration et à un swing de type nerveux. Nous avons évoqué dans le chapitre consacré au rythme de jazz le parallèle physiologique certain de cette réduction : du rythme cardiaque du « pouls ». Ainsi, un nouveau niveau physiologique, qui était virtuellement fermé auparavant aux approches musicales, était enfin accessible. Le niveau physiologique de la grande musique classique respirait, celui du jazz « classique » reflétait les battements cardiaques et celui du nouveau jazz, le pouls.

Il convient toutefois de préciser que trois batteurs, qui travaillaient avec Ornette Coleman depuis 1959, avaient déjà montré que la « libération » du rythme n'implique pas une libération de la fonction du batteur. Ces trois musiciens se nommaient **Billy Higgins, Ed Blackwell** et **Charles Moffett** (qui a été décrit comme étant un « Sid Catlett du free jazz »). **Blackwell** est originaire de La Nouvelle-Orléans ; il a déclaré ne pas voir de contradiction entre ce qu'ont toujours fait les batteurs de sa ville natale et la nouvelle conception du jeu de batterie. Il importe de réaliser, en termes généraux, que Higgins et Blackwell — ainsi que Moffett dans une certaine mesure — jouaient essentiellement de manière métrique avec Ornette. Cela sonnait « révolutionnaire » alors que c'était « traditionnel ». Higgins et Blackwell sont demeurés des batteurs de jazz importants, le premier en participant à maintes séances d'enregistrement sur la côte Ouest, le second à travers ses collaborateurs avec, par exemple, Don Cherry et Dewey Redman.

Le représentant le plus extrême des possibilités rythmiques du free jazz fut et est toujours **Sunny Murray**. L'établissement du mètre est remplacé ici, de manière radicale, par la création d'une tension sur de longs passages. Lorsque Murray jouait avec Albert Ayler vers le milieu des années soixante, en particulier durant la période où Ayler interprétait des thèmes de musique folk, on percevait des pulsations métriques nettes dans les mélodies des cuivres, mais Murray paraissait n'en tenir aucun compte. Il jouait au-dessus du — et souvent même contre le — mètre avec des temps pulsants qui semblaient rassembler de l'énergie et se déchaîner brusquement en des roulements sauvages recourant à l'ensemble du spectre de son instrument. Valérie Wilmer écrivit : « Murray semble être obsédé dans sa musique par l'idée de force et d'intensité. »

Il ne fait aucun doute que la musique de Murray swingue avec une densité et une puissance immenses. Elle swingue sans temps ni mesure, ni mètre, ni symétrie — tout ce qui, peu de temps auparavant, était considéré comme indispensable au swing — simplement grâce à la puissance et à la souplesse de ses arcs de tension. On est tenté en conséquence de se demander s'il ne convient pas de revoir les théories antérieures relatives au swing, cette manière de jouer créant elle aussi une tension ; en réalité, elle accroît la tension dans un sens extatique la propulsant au-delà de toutes les limites acceptées. Il convient de rappeler que même dans le jazz primitif le swing était un élément de construction de tension.

Murray dit : « Je m'efforce de produire des sons naturels plutôt que des sons de batterie. J'essaie parfois de reproduire le bruit des moteurs de voitures ou le craquement continu du verre... »

Il est bien évident que Murray n'est pas le premier batteur de ce type. Parmi ceux de la « première génération » du free jazz, citons **Milford Graves, Beaver Harris, Barry Altschul** (au début de sa carrière), ainsi que Charles Moffett et Rashied Ali, dont nous avons déjà parlé, et surtout **Andrew Cyrille**, qui donna d'importantes impulsions rythmiques à Cecil

Taylor de 1964 au milieu des années soixante-dix. Il joua avec Illinois Jacquet ainsi qu'avec des groupes de percussion du Ghana ; il maîtrise en outre les différentes formes de musique de percussion européenne. Il peut être qualifié, au risque d'une simplification abusive, d'« intellectuel » des batteurs de free jazz.

Cyrille résuma l'attitude de maints batteurs à l'égard du swing : « Le "swing" est la réponse psychique naturelle du corps humain au son, qui donne à une personne l'envie de bouger son corps sans un gros effort conscient... Dans un sens plus abstrait, le "swing" est une sonorité complètement intégrée et équilibrée formant une sensibilité magique plus grande, de type spirituel, presque tangible — la connaissance consciente du fait que quelque chose de métaphysique est en cours. »

Cette « première génération » de batteurs free fut le point de départ d'une seconde et d'une troisième, dont nous parlerons plus avant.

A l'aube des années soixante-dix, s'opéra la grande synthèse — plus peut-être parmi les batteurs (et les guitaristes) que parmi les autres instrumentistes. La liberté du free jazz fut préservée, mais les musiciens prirent conscience du fait que la liberté débouche parfois sur le chaos. En revanche, la véritable liberté consiste à être capable — si on le désire — de jouer non seulement du free mais encore du bop, du cool, du hard bop, du Swing et même du dixieland : en d'autres termes, tout ce qu'un certain groupe de musiciens avaient jugé tabou parce que « hors du coup » pendant dix années.

Le rythme rock n'est pas très souple. Il régresse à certains égards vers le jeu de Cozy Cole et de Sid Catlett des années trente ; il ne met plus l'accent sur les cymbales mais sur la grosse caisse et les toms comme autrefois. Ainsi, il ne peut plus réagir aussi facilement et sans effort au jeu des solistes comme un rythme « superposé ». Mais il est direct et clair. On sait toujours où se trouve le « temps un », ce qui n'était plus toujours le cas avec les batteurs de jazz des années soixante.

La tâche du nouveau type de batteurs consistait donc depuis le début des années soixante-dix à fondre la puissance émotionnelle et communicative du rock à la souplesse et à la complexité du jazz. Les premiers batteurs qui assurèrent cette fusion, et qui la perfectionnent toujours à l'heure actuelle, sont **Tony Williams, Alphonse Mouzon** et **Billy Cobham**. Nous avons déjà parlé de Williams. Il est significatif que son jeu tendait initialement dans deux directions : le free jazz et le jazz rock. La diversité de **Tony Williams** s'exprime clairement dans son choix de sidemen pour l'enregistrement en 1978 de *The Joy of Flying* ; il rassembla des musiciens de jazz rock ainsi que des jazzmen (y compris Cecil Taylor), des Européens et des Américains issus des horizons les plus divers.

Billy Cobham remplit un rôle de pionnier au sein du premier Mahavishnu Orchestra de John McLaughlin. Il dirigea ensuite ses propres groupes, mais n'a jamais retrouvé le niveau de son jeu avec le Mahavishnu. L'évolution de **Mouzon** trahit un problème similaire. Il fut, d'une part, un membre fondateur du groupe Weather Report et d'autre part un sideman de McCoy Tyner, jouant du jazz acoustique dans la tradition Coltrane — il interprétait ces deux styles avec autant de bonheur. Mouzon répéta à plusieurs reprises vers la fin des années soixante-dix qu'il ne se considérait pas comme un musicien de jazz mais comme un musicien de rock. Le monde du rock éprouve toutefois des difficultés à l'accepter comme l'un des siens, parce que son jeu est trop complexe et trop exigeant pour un tel contexte.

Le panorama des batteurs de jazz rock et de jazz fusion contemporains s'inscrivant dans la lignée de Williams, Cobham et Mouzon est si vaste qu'il ne nous est possible d'en citer que quelques-uns : **Steve Gadd, Bernard Purdie, Peter Erskine, Harvey Mason, Lenny White, Gerry Brown, Steve Jordan, Ndugu Leon Chancler, Eric Gravatt, John Guerin, Dan Gottlieb, David Moss** et **Terry Bozzio**. Parmi les Européens (qui jouent avec une certaine retenue les différenciant de leurs collègues américains plus agressifs) citons : le Hollandais **Pierre Courbois**, le Franco-Italien **Aldo Romano** et le Suisse **Freddy Studer**.

Steve Gadd, connu pour son travail au sein du groupe Stuff et pour d'innombrables productions de studio, est le plus talentueux de ces batteurs. Développant le style de

Tony Williams, il créa la sonorité de studio « sèche » qui devint caractéristique de maints batteurs de cette lignée. **Bernard Purdie** occupe une position particulière, lui qui tira sa puissance musicale et communicative remarquable du gospel, de la soul et du blues. Lorsqu'il se joignit au groupe Weather Report durant la seconde moitié des années soixante-dix, **Peter Erskine** (qui a aussi travaillé avec de grandes formations) contribua à résoudre les problèmes de rythme que ce groupe rencontrait depuis plusieurs années. **Harvey Mason** est devenu une vedette grâce à son travail avec George Benson. **Lenny White**, qui est originaire de la Jamaïque, participa à l'enregistrement du *Bitches Brew* de Miles Davis en 1969 ; il a en outre joué avec Larry Coryell et Chick Corea. **John Guerin** et **Dan Gottlieb** sont des musiciens possédant une sensibilité toute particulière, ainsi que l'indiquent les noms des musiciens avec lesquels ils ont joué : Guerin avec la chanteuse Joni Mitchell, Gottlieb avec Gary Burton, Eberhard Weber et Pat Metheny. **Pierre Courbois** a exercé une influence significative sur l'ensemble de la scène européenne au début des années soixante-dix avec son groupe Association PC, mais il s'est depuis détourné de ce style de musique. Cette remarque vaut également pour plusieurs musiciens que nous venons de citer ; pour Lenny White, par exemple, qui joua pour commencer du jazz fusion avec Chick Corea, sur *Return to Forever*, mais également du bop et même du bop expérimental avec Heiner Stadler.

Intéressons-nous un instant à la scène britannique où nous trouvons : **Jon Hiseman, Robert Wyatt, John Marshall, Bill Bruford, Simone Phillips** et **Phil Collins. Hiseman** tient la batterie dans le groupe à succès United Jazz & Rock ensemble. Dès la fin des années soixante, **Robert Wyatt** créait, au sein du groupe Soft Machine, un réseau de rythmes sensibles qui était en avance sur celui de la plupart des autres batteurs des débuts du jazz rock — fût-ce en Amérique. **Bruford, Aldo Romano** et **Freddy Studer** comptent parmi les batteurs de jazz fusion européen les plus intéressants de la fin des années soixante-dix. Le Britannique **Ken Hyder** a intégré de façon très originale des éléments de musique folklorique écossaise et celte dans son jeu.

Ginger Baker est le « daddy » des batteurs de jazz rock

européens. Après avoir acquis la célébrité dans les années soixante avec le groupe de blues-rock Cream, il passa plusieurs années au Niger où il étudia les percussions africaines. Il essaya un comeback, mais sans succès parce qu'à l'instar de son collègue bassiste, Jack Bruce, Baker possède une puissance et un feu musicaux, mais n'a pas été capable de s'adapter aux critères de jeu atteints de nos jours.

Le panorama des batteurs free est tout aussi complexe. Les deuxième et troisième générations comprennent des musiciens tels que **Phillip Wilson, Don Moye, Steve McCall, Pheeroan Ak Laff (Paul Maddox), Thurman Barker, Bobby Battle, Warren Smith, Stanley Crouch, Ronald Shannon Jackson**, etc.

Wilson, Moye et **McCall** sont proches de l'AACM, même si Wilson opta pour un type de musique différente vers la fin des années soixante. Il joua avec le Paul Butterfield Blues Band, mais revint à la musique free durant la seconde moitié des années soixante-dix lorsque ses collègues de l'AACM connurent enfin une certaine renommée non seulement en Europe mais encore aux États-Unis. Il est aujourd'hui l'un des batteurs de free les plus ouverts et les plus intéressants. McCall apporte une qualité légère, aérienne au groupe Air. **Ak Laff** a joué avec Anthony Davis, James Newton et Oliver Lake. **Barker, Battle** et **Smith** doivent leur renommée à leur travail avec Sam Rivers. Quant à **Stanley Crouch** il a acquis une position importante en tant que critique et que producteur.

Tournons-nous vers la scène européenne, et mentionnons pour commencer les « daddies » de la batterie free : le Suisse **Pierre Favre** et le Hollandais **Han Bennink** ; le premier est perceptif et sensible, le second vigoureux et véhément. Plus que tout autre batteur actuel, Favre est capable de produire des « esquisses » de percussion si vivantes que l'on « voit » presque des tableaux ; un dimanche matin en Suisse, ou une jeune fille sur le chemin de l'école. Tandis que la sonorité de Bennink est des plus convaincantes et mûres sur les peaux, Favre est particulièrement impressionnant aux cymbales, aux gongs et à d'autres instruments de percussion métalliques. Favre et Bennink recoururent, avant même les

Américains, au riche arsenal d'instruments de percussion employés aujourd'hui par tant de batteurs et provenant d'Afrique, du Brésil, de Bali, du Tibet, d'Inde et de Chine. Favre et Bennink peuvent sans conteste être considérés comme les fondateurs d'une lignée de percussionnistes européens, dont sont issus : les Suisses **Peter Giger** et **Reto Weber**, le Finlandais **Edward Vesala** (qui a également étudié la musique balinaise), le Britannique **Tony Oxley** (qui a construit son propre ensemble d'instruments comprenant des sources de sons électroniques), ainsi que les Allemands **Paul Lovens** (connu en raison de sa participation au Globe Unity Orchestra), **Detlef Schönenberg** (qui joue dans l'un des duos européens les plus intéressants, avec le tromboniste Günter Christmann) et **Günter « Baby » Sommer**, d'Allemagne de l'Est.

Nous devons enfin mentionner les batteurs free japonais **Masahiko Togashi, Shota Koyama** et **Takeo Moriyama. Togashi** joue de la musique de percussion « spirituelle » dans laquelle on retrouve des éléments de la tradition musicale et spirituelle japonaise, y compris du Zen. Il est l'un des percussionnistes dont l'« espace » musical — le vide entre les temps — a une signification et une densité très riches. **Moriyama** et **Koyama** sont des musiciens très impétueux et intenses — leur puissance se nourrit aux sources traditionnelles non seulement noires mais encore japonaises.

Ronald Shannon Jackson franchit, au début des années quatre-vingts, un pas important qui le place devant tous ces batteurs — américains, européens et japonais. Un musicien du Moers Festival de 1980 en Allemagne dit : « En un sens, Ronald fait ce que fit Elvin Jones au début des années soixante-dix. Elvin émancipa alors les rythmes bop, Ronald Jackson émancipe aujourd'hui les rythmes rock et funk. » Jackson est le batteur le plus important de ce que le guitariste James Blood Ulmer nomme la « no-wave » — non seulement en raison de ces polyrythmes nouveaux impressionnants mais encore parce qu'il a réussi à transmettre ces polyrythmes à ses compositions et à la musique de son groupe Decoding Society. Le nouvel aspect du « free funk » est, comme pour la plupart des styles, le rythme. Jackson a réussi en outre à imprégner de ce rythme ses mélodies, presque comme le fit Dizzy Gillespie avec les rythmes de *Cubop* dans les années quarante. Jackson, qui a travaillé avec Albert Ayler, Ornette Coleman et Cecil Taylor (il a surtout été influencé par Ornette) joue du « free funk » d'une manière comparable au « free bop » de **Barry Altschul**. Ce dernier possède une intensité et une impulsivité toutes particulières dues à sa retenue. Son jeu va de la musique free au néo-bop swinguant, mais sa spécialité réside précisément dans la combinaison des deux genres.

Les camps « ennemis » du jazz fusion et du free sont réconciliés sur le plan de la batterie par des musiciens du mainstream contemporain (ce qui explique que nombre d'entre eux se soient également illustrés dans les deux autres genres) : **Billy Hart, Stu Martin, Victor Lewis, Eddie Gladden, Ben Riley, Clifford Jarvis, Al Foster, Peter Donald, Adam Nussbaum, Peter Apfelbaum, Don Alias, Eddie Moore, Alvin Queen, Woody Theus, Ronald Steen, Freddie Waits, Horacee Arnold, Wilbur Campbell, Ed Soph, Mickey Roker, Leroy Williams, Bruce Ditmas, Frank Butler, Jake Hanna, Jeff Hamilton, Paul Motian, Joe LaBarbera, Elliot Zigmund, Michael DiPasqua**, le Norvégien **Jon Christensen**, le Sud-Africain **Makaya Ntshoko** (qui vit en Europe) ainsi que le Polonais **Janusz Stefanski**...

Billy Hart est un batteur très empathique, il est sans conteste l'un des plus intenses et des plus swings de la scène actuelle, son jeu évoque un « Elvin Jones sensibilisé ». **Eddie Moore, Janusz Stefanski, Woody Theus** et **Al Foster** se situent eux aussi dans la lignée d'Elvin Jones. Foster accomplit l'exploit de rassembler deux musiciens aussi différents que Sonny Rollins et McCoy Tyner lorsqu'il les accompagna en tournée pour les disques Milestone. Il fut également le batteur auquel fit appel Miles Davis lors de son comeback tant attendu de 1981 — ce qui indiquait toutefois que Miles n'avait pas compris dans quelle direction le rythme et la batterie avaient évolué durant sa retraite.

Stu Martin (qui mourut en 1980) est issu de l'orchestre de Quincy Jones du début des années soixante. Il maîtrisait un spectre musical particulièrement large, comprenant la musique juive et celle d'Europe de l'Est. **Freddie Waits, Horacee Arnold** et **Wilbur Campbell** sont membres du groupe de percussion de Max Roach, mentionné précédemment. **Mickey Roker** était le batteur préféré de Dizzy Gillespie durant les années soixante-dix. **Victor Lewis, Eddie Gladden** et **Ben Riley** sont *les* batteurs du mouvement néo-bop moderne ; tous trois ont joué avec ses principaux représentants : Dexter Gordon et Woody Shaw. **Jake Hanna** et **Jeff Hamilton** sont de véritables hommes de swing, se référant à la musique de la grande tradition du Swing classique. **Makaya Ntshoko** crée une combinaison très personnelle, mêlant des éléments de be-bop à d'autres propres aux percussions de son Afrique du Sud natale.

Trois de ces batteurs ont joué avec Bill Evans, et tous sont marqués par la sensibilité de sa musique : **Paul Motian, Elliot Zigmund** et **Joe LaBarbera.** Motian est un autre batteur chez qui l'espace musical — l'espace entre les notes — joue un rôle distinct ; lui aussi est influencé par les techniques de percussion asiatiques.

Jack DeJohnette occupe une position particulière : il est probablement le plus universel de tous ces batteurs, et sans conteste un musicien d'une complexité incroyable. Son groupe New Directions ouvre certes de « nouvelles directions » à la musique des années quatre-vingts. Le style de jeu de DeJohnette a été décrit de manière très pertinente par le critique Lois Gilbert : « DeJohnette a apporté sa notion très personnelle du temps à une synthèse des qualités de Tony Williams et d'Elvin Jones — il est, avec Philly Joe Jones, l'un des rares batteurs qui jouent avec une décontraction égale des deux côtés du temps, l'anticipant ou le suivant selon les nécessités de la situation — il possède en outre un sens du détail sans précédent. » Il est intéressant de noter que DeJohnette commença sa carrière comme pianiste et qu'il lui arrive toujours de jouer de cet instrument sur certains enregistrements de son groupe. S'il existe des raisons de qualifier de « pianistique » le style d'un batteur, c'est certainement dans son cas. DeJohnette est également un excellent auteur, mais ses textes n'apparaissent pas d'emblée comme étant les « compositions d'un batteur ». En fait un certain type d'« écriture de batteur » très évident a prédominé dans presque tous les morceaux composés par ces instrumentistes — de Sid Catlett à Cozy Cole, à Billy Cobham et Alphonse Mouzon.

Il est curieux de noter combien l'évolution de la batterie s'est déroulée par paires des débuts à nos jours. Nous avons vu que Jo Jones est arrivé dans les années trente au sein de l'orchestre de Count Basie à des résultats similaires à ceux obtenus indépendamment par Dave Tough avec Tommy Dorsey. Parmi les batteurs bop il y a d'une part l'« impétueux » Art Blakey et l'intellectuel Max Roach. Elvin Jones se situait à l'opposé de Tony Williams dans les années soixante. Les batteurs free se partageaient entre le virulent Sunny Murray et le complexe Andrew Cyrille. En Europe l'opposition existait entre le dynamisme de Han Bennink et la sensibilité de Pierre Favre. Le même dualisme se retrouve sur la scène contemporaine avec Billy Cobham à un extrême (ou Alphonse Mouzon, si vous préférez) et Jack DeJohnette à l'autre. En réalité, cette polarité existait dès l'origine du développement de la batterie : à La Nouvelle-Orléans, l'« impétueux » Baby Dodds rivalisait avec Tony Spargo, qui intégrait des éléments européens dans la musique de l'Original Dixieland Jazz Band. (Des « éléments européens », cela impliquait à l'époque la musique de cirque et de marching band.)

Les instruments de percussion (cubains, salsa, brésiliens, africains, indiens, balinais)

Les instruments de percussion étaient autrefois les accessoires secondaires du batteur. L'arsenal devint toutefois si important durant les années soixante qu'un nouveau type de musicien est apparu : le percussionniste. Ce dernier n'est pas à confondre avec le batteur, même si d'innombrables batteurs sont *aussi* percussionnistes — et vice versa.

La plupart des instruments de percussion provenaient à l'origine d'Amérique latine : claves, chocallo, guir (ou reco reco en brésilien), guica, bongos, maracas, quijada, pandeira, etc. Puis apparurent d'autres instruments orginaires d'Inde, du Tibet, de Chine, du Japon, de Bali et d'Afrique (où naquirent la plupart des instruments de percussion latino-américains). Airto, le célèbre percussionniste brésilien, consacra plusieurs années, avant de s'installer aux États-Unis, à voyager à travers le Brésil — jungle amazonienne, Nord-Est sec et prairie du Matto Grosso — étudiant et rassemblant quelque 120 instruments différents.

Le père de tous les percussionnistes importants de la scène du jazz moderne se nomme **Chano Pozo**, originaire de Cuba (son nom complet est Luciano Pozo y Gonzales). Il intégra des rythmes cubains dans le grand orchestre de Dizzy Gillespie de 1947-1948, et devint le catalyseur de ce que l'on nomma le « Cubop ». Le créateur de cette musique demeure cependant Dizzy Gillespie, le seul improvisateur de jazz de sa génération qui pouvait improviser avec une égale aisance sur des rythmes latins ou jazz (préférant souvent les premiers qu'il jugeait moins « monotones »).

Certains morceaux que l'orchestre de Gillespie enregistra avec Chano Pozo sont de véritables débauches de différenciations rythmiques — par exemple *Cubana Be-Cubana Bop, Manteca, Woody'n You, Afro Cubano Suite* ou *Algo Bueno*. Chano Pozo fut assassiné à coups de couteau en 1948 au Rio Café d'East Harlem.

Des rumeurs donnèrent à entendre qu'il fut tué parce qu'il avait rendu publics — et avait donc désacralisé — les rythmes secrets du culte nigérien Abaquwa, auquel il avait appartenu à Cuba. La puissance de ce mystérieux joueur de conga cubain était telle que Gillespie, qui utilisa pourtant plusieurs percussionnistes latino-américains simultanément, ne réussit plus jamais à retrouver les effets produits par Chano Pozo seul.

Il est plus simple de classer les percussionnistes en fonction de leur pays d'origine ou de celui de leurs instruments. Nous aurons de cette manière des percussionnistes aux racines cubaines (puis porto-ricaines), brésiliennes, africaines et asiatiques. Ces groupes comprennent la plupart des batteurs. Il en est d'autres originaires du Mexique (actifs surtout sur la côte Ouest des États-Unis), de Trinidad, de la Jamaïque, d'Haïti, etc.

La vague cubaine a atteint sa première « crête » entre la fin des années quarante et le milieu des années cinquante. Dizzy Gillespie ne fut pas le seul à produire régulièrement des rythmes cubains, il y eut également le grand orchestre blanc le plus populaire de l'époque, celui de Stan Kenton :

songeons à ses versions à succès de *The Peanuts Vendor, Chorale for Brass, Piano and Bongo* ou *Fugue for Rhythm Section* avec le bongoïste **Jack Costanzo** ; Kenton utilisera plus tard **Carlos Vidal** au conga, **Machito** aux maracas, et d'autres dans des morceaux tels que *Machito, Mambo in F., Cuban Carnival* et *Cuban Episode.* En 1956 Kenton consacra une grande suite à la musique latine (et surtout cubaine) : *Cuban Fire,* écrite par Johnny Richards et faisant appel à six percussionnistes latins.

Les orchestres latins les plus appréciés dans le monde du jazz des années cinquante furent : à New York, l'orchestre de **Machito** (*alias* Frank Grillo) avec l'arrangeur et trompettiste de jazz Mario Bauza (qui avait aussi écrit des arrangements pour les orchestres de Chick Webb et de Cab Calloway) et celui du joueur de timbales et arrangeur **Tito Puente** ; et sur la côte Ouest, l'orchestre de **Perez Prado** avec des effets de cuivre semblables à ceux de Kenton et un nouveau type de rythmes, le mambo — la première danse latine née aux États-Unis (influencée par des rythmes mexicains). Le magazine *Down beat* définit le mambo, qui connut un énorme succès vers le milieu des années cinquante, comme étant « une rumba avec une dose de jitterburg ».

Machito joua et enregistra souvent en compagnie de grands noms du jazz — tout d'abord avec Charlie Parker (en 1948 pour commencer), puis avec Brew Moore, Zoot Sims, Stan Getz, Howard McGhee, Herbie Mann, etc. C'est l'imprésario Norman Granz qui se trouve à l'origine de la réunion de Machito et de Parker, parce que le « Cubop » était très à la mode à l'époque. Parker n'était pas aussi à l'aise avec les rythmes cubains que Gillespie. Qui plus est, ce fut Machito qui fit prendre conscience au monde du jazz du fait qu'il était erroné de se contenter d'ajouter un percussionniste cubain à une section rythmique jazz conventionnelle — comme c'était le cas en ce temps (et souvent par la suite). Il convenait en revanche de constituer des sections rythmiques dans lesquelles les percussionnistes latins étaient familiarisés avec le jazz et les batteurs avec la musique latino-américaine. Un tel groupe devrait compter plusieurs percussionnistes latins, et le bassiste devrait maîtriser les lignes de basses de la musique latine avec la même aisance que les lignes qu'il jouerait normalement.

Parmi les percussionnistes cubains importants de ces années, citons les congaïstes **Carlos Vidal, Candido** et **Sabu Martinez** et le bongoïste **Willi Rodriguez**. Ils enregistrèrent avec maints jazzmen : Vidal avec Stan Kenton, par exemple ; Candido avec Gillespie ; Sabu (qui mourut en 1979) avec Gillespie et Art Blakey.

Sur la côte Ouest, le vibraphoniste et congaïste **Cal Tjader** travaille depuis 1954 à une combinaison intelligente et chaleureuse de jazz et de musique latine, révélant souvent des éléments mexicains. Tjader est issu du George Shearing Quintet de 1949. Les critiques de jazz ont beaucoup parlé de la sonorité particulière de ce groupe, mais le Shearing Quintet était également important en termes de rythmes ; il servit de tremplin à de nombreux percussionnistes latins qui se firent connaître par la suite par leurs propres enregistrements : le timbalier **Willie Bobo**, le congaïste **Mongo Santamaria**, ainsi qu'**Armando Peraza**, qui joue des conga et des bongo.

La musique cubaine perdit beaucoup de sa séduction vers la fin des années cinquante. Une deuxième vague déferla dans les années soixante-dix sous forme de la salsa, qui a depuis été représentée non seulement par des musiciens cubains, mais encore par des instrumentistes venus de Porto Rico (et d'autres de la République Dominicaine). Ses centres se situent dans les villes américaines où se concentrent ces groupes ethniques : New York et Miami. La salsa signifie la « sauce » et a été définie comme un mélange de musique cubaine et de jazz, avec quelques pincées de blues et de rock. Les disques Fania ont remporté un succès considérable en rassemblant des musiciens de jazz et de salsa pour des séances d'enregistrement et pour de grands concerts, au Yankee Stadium et au Madison Square Garden de New York par exemple. Parmi les plus connus des « Fania All Stars » citons **Mongo Santamaria, Ray Barretto, Larry Harlow, Willie Colon** et le directeur musical de Fania Records, **Johnny Pacheco**. Il organisa tout d'abord les All Stars sur base des *conjuntos* cubains (des ensembles de taille moyenne composés de percussionnistes et de cuivres). Le pianiste Larry Harlow est l'auteur du premier opéra salsa, *Hommy*. Le pianiste et chef d'orchestre **Eddie Palmieri** (qui fut inspiré tout d'abord par Bud Powell, puis par McCoy Tyner) créa un style de concerto salsa avec des morceaux qui lui valurent le titre de « Duke Ellington de la salsa ». Vers la fin des années soixante-dix, l'évolution de l'univers de la salsa était illustré chaque année à l'occasion du Newport-New York Festival.

Le congaïste **Mongo Santamaria** a été le percussionniste le plus influent du style cubain pendant plus de vingt années, avec une foule d'enregistrements appartenant aussi bien à la musique cubaine, jazz que rock (plus tous les mélanges imaginables). Santamaria réalisa en outre le premier succès commercial de la salsa vers le milieu des années soixante avec sa version du *Watermelon Man* d'Herbie Hancock. Depuis lors sa musique a été étudiée par les percussionnistes latins (ainsi que par maints batteurs de jazz) de manière aussi sérieuse que celle de Chano Pozo dans les années quarante et cinquante. Le timbalier **Willie Bobo** est également un musicien très important ; il a enregistré des disques notamment avec Miles Davis, Stan Getz et Cannonball Adderley.

Il est apparu entre-temps toute une génération de musiciens latins qui ne sont nés ni à Cuba, ni à Porto-Rico ni en Amérique latine, mais tout simplement à New York et pour la plupart dans le quartier du Barrio dans l'East Harlem. Ray Barretto, Johnny Pacheco et Eddie Palmieri s'inscrivent dans ce groupe. Ces musiciens manifestent — ce qui semble compréhensible — un intérêt supplémentaire pour la musique nord-américaine, en particulier pour le jazz. Mais le dicton voulant qu'il faut être un Latino pour jouer de la bonne musique latine est toujours valable — à quelques exceptions près. La première fut Cal Tjader, dont l'héritage est suédois (certains éléments non latins sont perceptibles dans la « froideur » de sa musique). Le batteur **Don Alias** se classe aussi parmi les exceptions. Alias est Anglo-Saxon, mais il a grandi avec des Cubains ; il n'est pas seulement un excellent batteur de jazz — avec le groupe Stone Alliance entre autres — mais encore un brillant joueur de conga. Le batteur à succès du jazz fusion, **Billy Cobham**, qui a aussi joué avec les Fania All Stars, a une sensibilité toute particulière pour la musique latine. Cobham est originaire de Panama et a donc —

comme beaucoup de musiciens de Porto-Rico — deux racines culturelles, l'une anglo-saxonne et l'autre latine.

La règle selon laquelle seul un Latino est capable de jouer de manière convaincante de la musique latine vaut non seulement pour les percussionnistes mais encore pour les cuivres — quoique à un degré moindre. Le trompettiste Fats Navarro, qui mourut en 1950, et le ténor Sonny Rollins furent parmi les premiers improvisateurs de jazz importants sur des rythmes latins. Navarro est issu d'une famille Latino de Floride ; Rollins (quoique né à New York), d'une famille originaire des îles Vierges. Navarro jouait particulièrement bien sur des rythmes cubains ; Rollins — en tant que compositeur aussi bien qu'improvisateur — introduisit en jazz le charme aimable de la musique des Caraïbes, en particulier du calypso de Trinidad, bien avant les tendances actuelles dans cette direction. Par ailleurs il est devenu évident depuis les années soixante qu'un nombre toujours plus important de cuivres non latins s'intéressent à la musique latine (plus brésilienne que cubaine !) — en particulier depuis que deux musiciens n'étant pas d'origine latine, Charlie Byrd et Stan Getz, connurent le succès dans cette voie.

Il existe aujourd'hui maintes combinaisons de musiques latino-américaine et nord-américaine ; « latin rock », « latin salsa », « rock salsa », et plusieurs dizaines de variations. Le boogaloo fut, après le mambo, la deuxième danse latine à avoir été créée aux États-Unis — cette dernière avait toutefois des paroles anglaises et non pas espagnoles comme le mambo. Le boogaloo est un mélange de mambo et de rock'n'roll et — suivant l'interprète — de nuances de jazz et de blues. **Carlos Santana**, qui est originaire du Mexique, créa sur la côte Ouest vers le milieu des années soixante-dix une combinaison très appréciée et hautement différenciée de rythmes appartenant aux sphères du rock et de la musique latine (en particulier la salsa). Le groupe de rock Earth, Wind and Fire doit son succès à la présence en son sein de joueurs de conga et de timbales produisant une alliance heureuse d'éléments soul (ou gospel) et de rythmes salsa. Le percussionniste **Ralph McDonald** (né à Harlem dans une famille de musiciens de calypso originaire de Trinidad) a connu le succès avec son jazz fusion latin, en y incorporant des éléments de la tradition africaine.

Les rythmes latins sont presque omniprésents sur les scènes du jazz et du rock — sans doute parce que les rythmes du rock et du jazz fusion sont, ainsi que nous l'avons montré, des rythmes latins essentiellement latents.

« Salsa » est devenu un terme accrocheur qu'il convient d'employer avec prudence. Il ne se réfère plus aux rythmes cubains de manière unique, mais également à la « bomba » de Porto Rico, à la « meringue » de Santo Domingo et à d'autres danses et rythmes des Caraïbes et du Mexique. Mongo Santamaria déclara en 1971 dans une interview à *Down beat* que certains de ces rythmes sont toujours *« nanigo »*, c'est-à-dire « émanant de cultes religieux secrets ».

Rendons-nous maintenant au Brésil. Le guitariste **Charlie Byrd**, qui le visita en 1961, est à l'origine de l'intérêt des musiciens de jazz pour la musique brésilienne. Un an plus tard, en 1962, il enregistra l'album *Jazz Samba* avec **Stan Getz**, sur lequel on trouve la célèbre chanson *Desafinado* écrite par Joao Gilberto et Antonio Carlos Jobim. Le Grammy Award décerné à ce morceau fut attribué non pas à Charlie Byrd, mais à Stan Getz, le solo de guitare de Byrd ayant été supprimé de la version raccourcie du 45 tours ! En conséquence la contribution décisive de Charlie Byrd fut-elle négligée et ce fut Getz qui occupa dès lors la position dominante au centre de la vague bossa nova. Les musiciens brésiliens définirent la bossa comme étant « une samba agrémentée de cool jazz ». On eut un aperçu du potentiel de la musique brésilienne dès 1953 avec la parution, sur la côte Ouest, de l'album *Brazilliance* enregistré par un quartette comprenant le guitariste brésilien **Laurindo Almeida** et le saxophoniste alto et flûtiste **Bud Shank** (tous deux travaillent encore ensemble dans cette voie).

L'aspect percussion de la musique brésilienne ne devint évident sur la scène américaine qu'en 1967, lorsque le percussionniste brésilien **Airto Moreira** et son épouse, la chanteuse **Flora Purim**, s'installèrent à New York. Airto participa à deux morceaux de l'album pionnier de Miles Davis, *Bitches Brew*. Outre les multiples incidences qu'eut ce disque, il contribua à faire découvrir aux musiciens de jazz la valeur des rythmes brésiliens. Maints groupes de jazz majeurs des années soixante-dix firent appel à des percussionnistes brésiliens, notamment Chick Corea, McCoy Tyner, Dizzy Gillespie, Weather Report, etc. Les percussionnistes de ces groupes étaient — et sont toujours — **Airto, Dom Um Romao, Paulhino Da Costa, Guilherme Franco**, et l'un des musiciens les plus sensibles et les plus souples, **Nana Vasconcelos**. Airto est le plus célèbre d'entre eux essentiellement en raison de ses enregistrements de jazz fusion et des albums qu'il réalisa avec Flora Purim. Nana est un véritable maître de berimbao, un instrument évoquant « un arc et des flèches » : une corde métallique unique tendue sur un bâton que l'on fait vibrer à l'aide d'une pièce de monnaie, en utilisant une noix de coco pressée contre le corps du musicien en guise de caisse de résonance et de modulateur. Nana a découvert que cet instrument simple originaire de Bahia, « La Nouvelle-Orléans de la musique brésilienne », recelait un éventail fascinant de possibilités expressives. Il créa sur l'un de ses disques une « musique corporelle », n'employant aucun instrument mais se servant de l'ensemble de son corps comme d'un instrument de percussion, produisant les sons les plus divers en frappant des mains, des doigts et des pieds sa poitrine, son estomac et son tronc ainsi que ses bras, ses jambes et ses épaules.

Un autre instrument de percussion intéressant de la musique brésilienne est le guica, un tambour ouvert renfermant un tuyau qui est frotté — surtout avec un linge humide — pour produire un étrange son « rieur ». Le Brésil possède, plus que tout autre pays d'Amérique latine, une richesse immense de tels instruments et nombre d'entre eux relient directement les éléments rythmiques et mélodiques.

Les rythmes brésiliens sont plus doux, plus subtils, plus élastiques et moins agressifs que les rythmes cubains. C'est la raison pour laquelle les percussionnistes brésiliens ont été capables de réaliser une intégration parfaite du jazz et des rythmes latins, si parfaite d'ailleurs qu'il est souvent impossible de différencier les éléments constitutifs. Il convient de préciser en outre qu'il existe des liens plus puissants entre le rythme fondamental de la musique brésilienne, la samba, et celui du jazz nord-américain qu'entre ce dernier et les rythmes cubains. La fascination exercée par les combinaisons de jazz et de musique cubaine réside dans la tension entre les deux, qui engendre la puissance, agressivité et explosivité. Les mélanges de jazz et de musique brésilienne fascinent en raison de leur douceur et de leur souplesse et d'une fusion presque imperceptible de leurs rythmes, source d'élégance et de charme.

Une nouvelle union du jazz et des rythmes brésiliens fut réussie d'une manière exceptionnelle par **Guilherme Franco** dans la musique du groupe McCoy Tyner, inspirée de Coltrane. Ceci représente, en un sens, le point final — pour l'instant — d'une évolution qui commença en 1949 lorsque Nat King Cole ajouta le bongoïste **Jack Costanzo** à son fameux trio. Nat rendit toutefois bien vite sa liberté à Costanzo parce qu'il demeurait étranger à la musique du groupe. Une intégration satisfaisante du jazz et des rythmes latins paraissait tout simplement impossible à l'époque.

De nombreux musiciens de jazz américains, prenant conscience avec de plus en plus d'acuité de leurs racines africaines, ont adopté des instruments de percussion, des rythmes, des techniques et des musiciens africains. Le précurseur de cette évolution fut **Art Blakey** qui, dès les années cinquante, avait constitué pour son disque *Orgy in Rhythm* un orchestre constitué entièrement de tambours. Wayne Shorter déclara : « Le truc de Dizzy Gillespie c'était "afro-cubain". Puis Art Blakey a laissé tomber le terme cubain et a dit "Afro" et le monde du jazz a compris. » Un disque de Blakey paru en 1962 est intitulé *The African Beat* ; il regroupe : **Solomon Ilori** (tambour parlant africain), **Chief Bey** (conga, tambour télégraphique, double gong), **Montego Joe** (tambour bambara, maracas africains, conga), **James Folami** (conga) et **Robert Crowder** (tambour bata, conga). **Max Roach** et quelques autres formèrent par la suite différents groupes ne comptant que des instruments de percussion.

Le premier percussionniste africain à acquérir une certaine renommée dans le monde du jazz, et ce dès le début des années soixante, fut le Nigérien **Olatunji**, qui travailla aussi avec John Coltrane. Il employa pour ses séances d'enregistrements des musiciens tels que Clark Terry, Yusef Lateef et

George Duvivier. Pendant plusieurs années, sa composition intitulée *Uhuru* — le mot swahili pour « liberté » — avec des paroles du poète nigérien Adebayo Faleti fut la chanson dans le vent parmi les musiciens et les fans de musique de New York intéressés par les problèmes africains et la lutte pour la libération des peuples africains ; elle connut même son heure de gloire dans les cercles des Nations Unies.

Dans les années soixante-dix des percussionnistes tels que **Kalil El Zahbar, Don Moye** (de l'AACM) et **Mtume** (que fit connaître Miles Davis), ainsi que **Ralph McDonald** (que nous avons déjà évoqué) se référaient directement aux rythmes africains. El Zahbar, leader du African Heritage Ensemble, joue du « mbira » — ou « thumba » — qui est également nommé, sous une forme quelque peu différente « kalimba » et dans d'autres régions d'Afrique, « nsimbi » ou « zanza ». **Paul Berlinger**, qui a étudié la musique africaine et ses relations avec le jazz, joue également de cet instrument.

Le Creative Music Studio que dirige Karl Berger à Woodstock, New York, a souvent fait appel à des percussionnistes africains, du Ghana, de Lagos, etc. pour jouer et enseigner la « musique du monde ». Deux batteurs très appréciés haïtiens méritent d'être mentionnés ici : **Ti-Roro** (qui mourut en 1980 et pratiquait les cultes vaudous haïtiens), et son collègue un peu plus jeune **Ti-Marcel**. Ti-Roro a déclaré un jour qu'il était impossible de comprendre les percussions haïtiennes — et il faut entendre « africaines » — si on ne réalise pas que les tambours et le batteur sont « deux êtres différents ». Les « loa » — les esprits sacrés — ne parlent pas au batteur mais aux tambours. Un tambour doit être « baptisé » — on l'habille d'ailleurs tel un bébé pour la cérémonie. Les tambours sont nourris et couchés pour la nuit. Ils possèdent leur volonté propre qui va dans certains cas à l'encontre de celle du batteur — ils peuvent dans une certaine mesure refuser de « parler » à leur musicien dans des circonstances particulières. Ti-Roro dit : « Si vous ne considérez pas vos tambours comme des "êtres", vous pouvez tout au plus jouer des trucs techniques mais pas une musique significative. »

Nous allons maintenant nous intéresser au groupe de percussionnistes ayant des racines asiatiques. L'intégration la plus satisfaisante des rythmes indiens et du jazz fut réussie par le joueur de tabla indien **Zakir Hussain**. Fils et étudiant du célèbre joueur de tabla Alla Rahka, Hussain grandit avec le jazz : « J'ai entendu Charlie Parker alors que je n'avais que douze ans. Mon père avait enregistré des disques avec Buddy Rich et Elvin Jones ; il a également travaillé avec Yusef Lateef. Ainsi la musique indienne et le jazz fusionnèrent-ils très naturellement pour moi. » Hussain réalisa des enregistrements pionniers avec John Handy et Ali Akbar Khan ainsi qu'avec le groupe Shakti de John McLaughlin. Il intégra d'une certaine manière les rythmes et les sonorités des tabla indiens au jazz avec un bonheur et une perfection comparables à ceux de l'union du jazz et des rythmes brésiliens de Guilherme Franco (et d'autres).

Trilok Gurtu et **Badal Roy** sont également des percussionnistes indiens ayant travaillé avec des musiciens de jazz, ce dernier notamment avec Miles Davis. Gurtu qui enseigne au Creative Music Studio a enregistré des disques avec Don Cherry et Charlie Mariano ; c'est un excellent joueur de tabla et batteur de jazz — une combinaison qui aurait été jugée impensable il y a à peine quelques années. **Collin Walcott**, enfin, est le premier musicien d'origine américaine à avoir acquis la notoriété en tant que joueur de tabla (et de sitar), notamment avec le groupe Oregon et avec **Don Cherry**. Cherry lui-même a joué d'instruments de percussion balinais et tibétains, entre autres.

Il va sans dire, compte tenu de l'esprit cosmopolite du jazz actuel, que les techniques de percussion d'autres domaines et cultures musicaux ont également été incorporées en jazz. **Andy Narell**, par exemple, et le guitariste **Roland Prince** adoptèrent des steel-drums (instruments dont le corps est un fût métallique) de Trinidad. **Okay Temiz** a introduit en jazz les rythmes de sa Turquie natale. Karl Berger estime que « la musique turque est la musique mondiale *par excellence*, parce qu'en elle convergent les sources asiatiques, européennes et africaines ».

L'impact de la « totalité » des rythmes de percussion de maints pays devient évident lorsqu'on songe que Weather Report, le groupe de fusion le plus célèbre des années soixante-dix, employait un ou plusieurs percussionnistes en sus du batteur durant la meilleure partie de la décennie. Le premier percussionniste du groupe fut **Airto**, qui avait été le premier à jouer avec Miles Davis et Chick Corea. Après lui se succédèrent **Dom Um Romao, Alejandro Neciosup Acuna, Manolo Badrena, Alyrio Lima** et **Muruga** (ce dernier utilisait des tambours non seulement d'Amérique latine mais encore du Maroc et d'Israël). Ces musiciens appartiennent aux — ou ont maîtrisé les — cultures musicales les plus diverses.

Une autre caractéristique de cette « totalité » des rythmes de percussion est qu'un nouveau type de percussionniste a vu le jour. Il ne dépend plus d'une culture unique, mais se nourrit de plusieurs d'entre elles. Des musiciens tels que **Kenneth Nash, Sue Evans, Armen Halburian, Bill Summers, David Moss**, et d'autres appartiennent à cette catégorie.

Un percussionniste moderne utilise des dizaines d'instruments différents. Chacun possède sa tradition propre et sa technique de jeu personnelle. Il n'est plus exceptionnel qu'un percussionniste maîtrise des instruments cubains et brésiliens aussi bien qu'indiens, tibétains, turcs et marocains. Pour en jouer valablement — ou tout au moins de manière professionnelle — le musicien doit savoir de quelle manière ces instruments sont maniés dans leurs cultures natales. Voici ce qu'est devenu aujourd'hui le jazz universel.

Il serait erroné de considérer que tout ce que nous avons évoqué dans le cadre de ce chapitre correspond à un développement radicalement neuf. La nouveauté fut progressive. La tendance du musicien de jazz à intégrer tout ce qu'il découvre est immanente à ce genre musical depuis ses origines. Maints éléments apparus en jazz au cours des dernières années voire décennies étaient tout simplement ignorés des premiers musiciens de jazz — je songe par exemple à la musique indienne. En revanche la musique latino-américaine était connue dès le départ. La raison principale pour laquelle La Nouvelle-Orléans fut la ville la plus importante dans le développement du jazz ne tient pas uniquement au fait qu'il s'agit de la ville la plus au sud de l'aire culturelle nord-américaine mais encore qu'elle est la ville la plus au nord de l'aire culturelle latino-américaine — latine et créole. Ces deux influences convergèrent en son sein avec la même intensité qu'à Miami ou que dans le Barrio de New York aujourd'hui. La « nuance latine » dont Jelly Roll Morton parle au sujet de son *New Orleans Blues* fut d'emblée plus qu'une simple nuance. Ce fut une partie intégrante du jazz parce que les rythmes noirs de l'Amérique du Nord et de l'Amérique du Sud se fondaient sur les rythmes africains — en particulier ceux des Yorubas. Il est intéressant de noter à cet égard que les rythmes et les instruments africains étaient moins corrompus, plus purs et plus vivaces dans l'aire latine (surtout à Cuba, à Haïti et au Brésil) qu'en Amérique du Nord, où ils avaient subi des modifications et des mutations plus importantes — en majeure partie parce que les maîtres blancs avaient supprimé l'héritage noir de leurs esclaves. Il est permis d'affirmer, au risque d'une simplification abusive, que la musique latine est « une africanisation de danses et de mélodies européennes », alors que la musique nord-américaine est une « européanisation de rythmes africains ».

John Storm Roberts a montré que « les ingrédients latins dans le jazz néo-orléanais des débuts sont plus importants qu'on ne l'imaginait ». Il écrivit que Papa Laine, leader du premier jazz band blanc, avait vers la fin du siècle dernier un trompettiste nommé « Chink » Martin, dont les parents étaient Espagnol et Mexicain. Martin révéla dans une interview que Royal Street entre Dumaine et l'Esplanade — un point central du vieux quartier Français de La Nouvelle-Orléans — était habité principalement par des Espagnols et des Mexicains. Jelly Roll Morton ne vit jamais une dualité d'éléments noirs et blancs, mais d'emblée une trinité : « Nous avions des Espagnols, des gens de couleur et des Blancs... »

« Espagnol », dans la vieille Nouvelle-Orléans, correspond à ce que nous nommons aujourd'hui « latin ». Jelly Roll Morton alla jusqu'à affirmer que la « nuance espagnole » était l'ingrédient principal faisant la différence entre le jazz et le ragtime. L'auteur néo-orléanais Al Rose croit que le ragtime est né lorsque les orchestres noirs ont essayé de jouer de la musique mexicaine. Quant au vieux journal *New Orleans* il suppute que le mot « jazz » est une déformation de l'expression mexicaine « Musica de jarabe ». Nous ne devons pas accepter toutes ces spéculations pour argent comptant, mais elles n'en mettent pas moins l'accent sur l'importance de l'élément latin dans la vieille Nouvelle-Orléans — une importance négligée par la plupart des musiciens de jazz à ce jour.

Les éléments latins ne sont pas seulement significatifs pour la musique de la vieille Nouvelle-Orléans mais encore de La Nouvelle-Orléans actuelle. Le rock néo-orléanais contemporain, interprété par des musiciens tels que Fats Domino, Professor Longhair, Allen Toussaint, Dr John, etc., est (ainsi que nous l'avons exposé dans le chapitre consacré au piano) différent de la musique rock du Nord parce qu'il est latinisé et créolisé. Voilà qui est donc un élément constant dans la tradition musicale de la ville. Il nous renvoie vers le Mexique, vers Cuba mais également vers l'histoire espagnole de La Nouvelle-Orléans — tous ces éléments participent à la même sphère culturelle, englobant Cuba et le Mexique ainsi que l'ensemble du domaine créole jusqu'à Trinidad et à la Guyane française.

Il devient ainsi clair que sur ce plan (comme sur d'autres) le jazz s'est développé selon la loi qui présida à sa naissance. Tout était *in nuce* — déjà présent à un niveau potentiel — dans les premières formes de jazz.

Le violon

Le violon connut vers la fin des années soixante la même aventure que la flûte durant les années cinquante : il se retrouva au centre de l'attention générale, on parla même de la « vague du violon ». Voilà qui paraît paradoxal compte tenu du rôle secondaire qu'avait jusqu'alors tenu cet instrument dans l'histoire du jazz. Le violon n'est nullement un nouveau venu en jazz, il est en fait aussi ancien que les cornets de La Nouvelle-Orléans. La légèreté de sa sonorité l'empêcha longtemps d'être l'égal du consortium de trombones, trompettes et saxophones.

Les premiers orchestres de new orleans et de ragtime comprenaient souvent un violoniste mais uniquement parce que cela répondait à une coutume du XIXe siècle. Le violoniste des orchestres néo-orléanais était l'équivalent du « violoneux ambulant » des *Kaffehaus* viennois. Cette tradition du *Kaffehaus* se fit sentir jusque dans les années cinquante. Dès qu'ils ne furent plus « modernes », les violonistes mirent leur instrument au service de la musique commerciale.

Le premier violoniste important du jazz fut **Joe Venuti**. Redécouvert au cours de la décennie précédant son décès (en 1978), le « vieil homme » dégageait une vitalité étonnante, éclipsant maints violonistes plus jeunes — un phénomène semblable à celui d'Earl Hines parmi les pianistes. **Eddie South** (1904-1962) né en Louisiane la même année que Venuti n'atteignit jamais à la gloire de ce dernier. South, qui eut des contacts avec la scène européenne dès les années vingt, joua à Paris dans les années trente avec Django Reinhardt et avec le plus célèbre violoniste de jazz européen : **Stéphane Grappelli**. Ils réalisèrent à trois un enregistrement étonnant : *Interprétation swing et improvisation swing sur le premier mouvement du concerto en ré mineur pour deux violons par Jean-Sébastien Bach.* South et Grappelli interprètent la majeure partie du premier mouvement tandis que Reinhardt joue la partie de l'orchestre à la guitare. Ce disque est le premier témoignage, et sans doute le plus émouvant, de l'admiration que tant de musiciens de jazz portent à l'œuvre de Bach. Durant la deuxième guerre mondiale les troupes d'occupation allemandes à Paris brûlèrent tous les exemplaires de ce disque, qu'elles considéraient comme étant un cas particulièrement monstrueux d'« art dégénéré » *(Entartete Kunst).* Quelques exemplaires survécurent cependant et l'œuvre fut rééditée.

Stéphane Grappelli est le « grand seigneur » du violon de jazz avec son amabilité et son charme bien français. Dès 1934 il fut avec Django Reinhardt un membre clef du célèbre Quintette du Hot Club de France, le combo le plus important du jazz européen. Il vécut en Angleterre durant l'occupation allemande. Il joua dès la fin des années quarante avec maints musiciens célèbres, européens et américains, à Paris. Il disparut ensuite de la scène pendant un certain temps, mais lors de l'explosion de la « vague du violon » vers la fin des années soixante, il fit un véritable comeback. Parmi ses plus beaux enregistrements, il convient de citer ceux que le grand homme de soixante-dix ans réalisa avec des musiciens ayant la moitié de son âge ; par exemple Larry Coryell, Philip Catherine et Gary Burton.

Entre-temps **Stuff Smith** était devenu aux États-Unis le grand violoniste de jazz grâce à son disque *I'se a Muggin.* Il fut le premier à recourir à une amplification électrique. Il ignora, avec la superbe d'un maître, toutes les règles du conservatoire. Un violoniste classique risque d'avoir froid dans le dos en entendant le traitement violon que Stuff impose à son instrument, mais il n'en obtient pas moins des effets plus jazz, plus « cuivrés » que n'importe quel autre musicien de la « vague du violon » actuelle. Smith, qui mourut à Munich en 1967, était un humoriste de la stature de Fats Waller. Il dirigea, durant la deuxième moitié des années trente, un sextette sur la 52e Rue à New York avec le trompettiste Jonah Jones qui combinait le jazz et l'humour d'une manière merveilleuse. Norman Granz réunit dans les années cinquante le violon de Smith et la trompette de Dizzy Gillespie.

Ray Nance, qui mourut en 1976, fut pendant plusieurs années l'un des trompettistes de l'orchestre de Duke Ellington, mais il lui arrivait également de jouer des solos de violon. Si ses solos de trompette comptent parmi les grands exemples du genre en jazz, le violon lui servait surtout à interpréter des mélodies mélancoliques, sentimentales. Le fait que cet instrument devint de plus en plus indispensable à Nance durant les années qui précédèrent son décès illustre cependant l'importance croissante qu'acquit le violon de jazz. Il jouait en effet dans de plus petits groupes des solos de violons joyeux, swinguant qui révélaient que ses racines sur le plan du style et du phrasé appartenaient à la tradition d'Armstrong — au même titre que son jeu à la trompette.

Il est intéressant de noter que c'est un Européen qui se trouve à l'origine du succès du violon dans le nouveau jazz. **Jean-Luc Ponty**, né en 1942, fils d'un professeur de violon, électrifia de manière exemplaire et magistrale cet instrument. Sa position est donc comparable à celle de Charlie Christian pour les guitaristes et de Jimmy Smith pour les organistes.

Ponty, qui étudia le violon classique (il fut premier prix du Conservatoire National Supérieur de Paris), commença sa carrière avec de vrais enregistrements de jazz ; notamment *Violin Summit* avec Stuff Smith, Stephane Grappelli et le Danois Svend Asmussen. Il s'installa aux États-Unis en

1973, où il joua tout d'abord avec Frank Zappa, puis avec le deuxième Mahavishnu de John McLaughlin. Ponty développa vers la fin des années soixante-dix les impulsions reçues durant cette période de sa carrière, créant son propre type de jazz fusion : « plus léger, plus chaleureux, plus romantique et plus accessible » (Tim Schneckloth) que celui de McLaughlin. Il toucha ainsi un vaste public débordant le domaine du jazz fusion. Il eut également tendance à devenir « plus prévisible », pour reprendre les termes du magazine *Down beat*, et « enferma son jeu et ses arrangements dans les sacs les plus étroits ». Ponty utilise un nombre considérable d'accessoires pour créer des sons électroniques sur son violon et sa musique oscille toujours entre des effets extra-musicaux et une production de qualité supérieure.

Ponty étant le musicien qui déclencha l'intérêt contemporain pour le violon — avec les enregistrements qu'il réalisa vers la fin des années soixante — il peut être considéré comme le responsable indirect de la renaissance de la musique des vétérans Venuti et Grappelli.

Don « Sugar Cane » Harris acquit la notoriété vers la même époque que Ponty, mais il disparut — hélas ! — de la scène quelques années plus tard. Si Ponty est issu de la tradition classique, Harris, lui, venait du blues. Il fit pendant plusieurs années des tournées aux États-Unis avec le Johnny Otis's Blues Show, où il acquit son style funky blues.

Ponty et Harris sont les premiers d'une longue liste de violonistes contemporains extraordinaires. Ils furent suivis — et dans une certaine mesure accompagnés — par **Mike White, Jerry Goodman, Steve Kindler**, les Polonais **Zbigniew Seifert** et **Michal Urbaniak, John Blake**, le Français **Didier Lockwood**, les Indiens **L. Shankar** et **L. Subramaniam** ainsi que par **Leroy Jenkins, Alan Silva, Billy Bang** et **Ramsey Ameen**, dans le domaine free.

White réalisa avec Pharoah Sanders des enregistrements inspirés par Coltrane. **Goodman** est un musicien des plus éclectiques mêlant le jazz rock, la musique country et hillbilly, le son de Nashville, Mingus, la musique tzigane et classique. **Urbaniak** joue un genre de jazz fusion très personnel souvent imprégné de la musique folklorique de sa Pologne natale.

Zbigniew Seifert, que le critique Patrick Hinely compara à John Coltrane, s'est acquis une place particulière : « Ce qui relie Seifert et Coltrane, outre un dévouement total à leur instrument, est une qualité que l'on pourrait qualifier d'"impulsion contrôlée" ou de "liberté responsable". La musique de ces deux hommes est totalement imprévisible, mais il est certain qu'ils vous entraîneront avec eux jusqu'au bout. »

Écoutons Seifert lui-même : « J'imagine que ce que je joue au violon est produit par le saxophone. J'admire Coltrane et j'essaie de jouer comme il le ferait si son instrument était le violon. C'est sans doute la raison pour laquelle j'évite de jouer de mon instrument de la manière habituelle, avec tous les effets bien connus... » Quant à McCoy Tyner il n'hésite pas à déclarer lors des Berlin Jazz Days de 1976 : « Je n'ai jamais entendu un violoniste comme lui. »

Seifert est l'un des grands musiciens de jazz polonais qui ont fait de leur pays l'une des nations les plus intéressantes sur le plan du jazz. Sa musique vit dans la tension entre ses racines classiques et son amour pour Coltrane. Il existe en d'autres termes un Zbigniew de musique de chambre et un autre de tradition Coltrane. Seifert a enregistré avec Eddie Gomez, Jack DeJohnette, John Scofield, Joachim Kühn, Cecil McBee, Billy Hart, Charlie Mariano, etc. Vers la fin de 1978, quelques semaines seulement avant sa mort tragique qui survint au début de 1979, les membres du groupe Oregon, qui venaient de découvrir son style, l'invitèrent à les rejoindre en studio. Le disque *Violin* qui en résulta est dédié à sa mémoire.

Le monde du jazz a perdu Zbigniew Seifert au moment même où un autre violoniste de jazz européen arrivait sur la scène qui fut aussitôt surnommé « le nouveau Zbiggy ». **Didier Lockwood** est originaire de France, le pays des grands violonistes de jazz. Le premier d'entre eux fut **Michel Warlop**, qui joua dès la fin des années vingt. Lorsque Django Reinhardt et Stéphane Grappelli firent leurs premiers enregistrements avec grand orchestre au début des années trente, la formation était dirigée par Warlop. Warlop réalisa en 1937 que Grappelli était un plus grand violoniste que lui et il lui fit cadeau de l'un de ses instruments. Depuis ce jour le violoniste de jazz français le plus prometteur hérita du violon de Warlop. Grappelli le transmit à Ponty. Au début de 1979 Ponty et Grappelli convinrent que Didier Lockwood était devenu digne de posséder l'instrument de Warlop. La remise eut lieu lors d'un concert à Paris.

Lockwood dit : « Aucun violoniste ne m'a plus ému et influencé que Zbigniew Seifert. » La tradition coltranienne continue à vivre dans la musique de Lockwood, mais il s'intéresse plus que Seifert au jazz fusion. Il possède une élégance et un charme auxquels ne peuvent prétendre que peu de musiciens de jazz fusion actuels.

Il est remarquable que Coltrane ait exercé une telle influence sur les violonistes. Son héritage a toutefois donné des résultats très différents chez des musiciens tels que Ponty, Mike White, Seifert et Lockwood. Il engendra un style encore différent chez **John Blake**, originaire de Philadelphie, que McCoy Tyner présenta en 1979 au sein de son groupe. Blake est un improvisateur possédant la puissance dévorante des saxophonistes que l'on entendait dans les groupes de Tyner durant les années soixante-dix ; il manifeste un intérêt notoire pour la soul noire et pour la musique funk.

Il est logique que le jazz s'ouvrant à la musique indienne, deux violonistes indiens importants connaissent le succès en jazz et en jazz fusion : **L. Shankar** et **L. Subramaniam** ; le premier connu pour son travail avec le groupe Shakti de John McLaughlin, le second pour ses enregistrements avec Larry Coryell, Stu Goldberg, Herbie Hancock, Maynard Ferguson, John Handy et Ali Akbar Khan. Shankar et Subramaniam sont tous deux issus des mêmes familles de musiciens du Sud de l'Inde ; ce qui signifie qu'ils appartiennent à la culture musicale carnatique de l'Inde (l'autre étant l'hindoustani, dans la partie nord du pays). Subramaniam possède à l'heure actuelle le titre de « Violin Chakravarti » (Empereur des Violonistes), un titre conféré à un seul musicien par génération.

Leroy Jenkins est un violoniste de free jazz de grand talent, mais trop peu connu. Ses sonorités possèdent une qualité obsédante. Jenkins utilise le violon comme un instrument de percussion ou un producteur de bruit — sans se soucier des règles traditionnelles et de l'harmonie. **Ramsey**

Ameen se fit connaître vers la fin des années soixante-dix par son travail avec Cecil Taylor, **Billy Bang** avec le New York String Trio. Il a enregistré un album de violon solo des plus intéressants qui prouve qu'il est possible de découvrir de nouvelles façons de jouer, même avec un instrument ayant une tradition aussi ancienne et aussi riche que le violon.

Nul autre instrument de jazz ne compte autant d'interprètes européens. Il y a sept Européens parmi les violonistes mentionnés dans ce chapitre (plus onze Américains et deux Indiens). En outre, les Américains Eddie South, Stuff Smith et Alan Silva vécurent en Europe pendant de longues périodes ; et « Sugar Cane » Harris, L. Subramaniam et Billy Bang réalisèrent certains de leurs enregistrements les plus importants en Europe. L'ironie du sort veut que le premier violoniste de jazz célèbre, Joe Venuti, était d'origine européenne. Venuti se plaisait à raconter qu'il était né de parents italiens sur l'océan Atlantique, en route pour l'Amérique. Il avoua toutefois, alors qu'il était âgé de plus de soixante-dix ans, qu'il était né en réalité en Italie, près du lac de Côme, où une branche de la famille Venuti vit encore aujourd'hui.

Les instruments divers

Pendant cinquante ans — soit jusqu'en 1950 environ — le jazz ne recourait qu'à une « famille » relativement restreinte d'instruments. Il s'agissait dans l'ensemble de ceux employés dans le jazz de La Nouvelle-Orléans : deux instruments du groupe des cuivres (trompette et trombone), saxophone et clarinette du groupe des anches, et bien entendu les instruments constituant la section rythmique à savoir la batterie, la basse, la guitare et le piano.

L'instrumentation de jazz a toutefois été soumise à des modifications de priorités — à un degré tel que toute l'histoire du jazz peut être considérée comme un ensemble de prééminences successives d'instruments divers. Dans cette optique, le piano se distingue à l'origine, il régna durant toute la période du ragtime. La trompette accapara ensuite la première place, tout d'abord à La Nouvelle-Orléans où les « Rois du Jazz » étaient toujours des trompettes (ou des cornets), puis durant la grande période de Chicago lorsque King Oliver, Louis Armstrong et Bix Beiderbecke tenaient le haut du pavé. L'époque Swing fut le temps de la clarinette. Avec Lester Young et Charlie Parker, le saxophone devint l'instrument dominant — pour commencer le ténor, puis l'alto et enfin le ténor à nouveau. L'électronique devint le facteur sonore déterminant durant les années soixante-dix — tout d'abord sous l'aspect de la guitare électrique, mais bientôt la sonorité électronique revêtit une importance telle qu'elle supplanta celle, originale, de l'instrument amplifié ou manipulé. L'électronique uniformise la sonorité des divers instruments. Cette remarque vaut même dans le cas d'instruments aussi différents que l'orgue et la guitare. Certains groupes de rock se sont séparés parce que les musiciens jugeaient que l'orgue électronique et la guitare électrique produisaient un son si proche l'un de l'autre qu'ils pouvaient se passer de l'un d'eux. La différenciation dans la similitude est en revanche l'un des chapitres les plus attrayants des annales du jazz. Différencier les divers interprètes de l'héritage coltranien est un défi fascinant. Distinguer entre les diverses sonorités électroniques des années soixante-dix et quatre-vingts l'est tout autant.

Il y eut trois modifications majeures dans l'instrumentation de jazz. La première fut induite par Lester Young qui déplaça l'intérêt de la sonorité au phrasé ; la seconde par l'emploi de l'électronique et la troisième par l'ouverture du jazz à la musique du monde.

Lester Young ayant fait prendre conscience du fait que l'essence du jazz n'était plus unie, pour le meilleur et pour le pire, à la sonorité, il devenait possible de jouer du jazz sur n'importe quel instrument offrant des possibilités de phrasé jazz d'une souplesse et d'une clarté suffisantes. Ainsi le jazz « découvrit-il » des instruments qu'il avait jusqu'alors ignorés ; notamment la flûte, le cor français et le violon.

Certains de ces instruments s'intégraient, dans les éditions précédentes de cet ouvrage, dans la partie « Instruments divers », mais ils ont acquis au fil du temps une importance telle que des chapitres individuels leur sont désormais consacrés : flûte, violon, orgue, claviers et instruments de percussion.

Une autre raison expliquant ce processus continu de découverte d'instruments nouveaux en jazz est l'intérêt que portent les musiciens à la sonorité. Nous avons montré dans le chapitre « Les éléments du jazz » que la sonorité constituait un élément indispensable du jazz, et elle n'a cessé de passionner de plus en plus les jazzmen. Cet élément semble avoir acquis pour certains musiciens et groupes une importance de premier plan.

La découverte de nouvelles sonorités s'est avérée le moteur de maints musiciens de jazz. On s'imagina, vers la fin des années soixante, que l'électronique convenait parfaitement pour remplir cette fonction. Il devint bien vite évident que cette « débauche » de possibilités sonores — évoquée dans le chapitre consacré à l'orgue et aux keyboards — soulevait des problèmes d'individualité et de style personnel. Nous avons vu que la raison principale de cet intérêt pour la sonorité était d'arriver à l'élaboration d'une expression *personnelle.* C'est la raison pour laquelle cet intérêt pour l'électronique déboucha sur une renaissance du jazz acoustique vers la fin des années soixante-dix.

Mais intéressons-nous plus spécifiquement aux « instruments divers ». Nombre d'entre eux sont utilisés en tant qu'instruments secondaires, et nous les avons évoqués en parlant de l'instrument principal de certains musiciens : le violoncelle à propos du bassiste **Oscar Pettiford** ; la clarinette basse, surtout utilisée par **Eric Dolphy**, comme nous l'avons vu dans le chapitre consacré à la clarinette ; le hautbois et le basson de **Yusef Lateef** dans les chapitres consacrés au ténor et à la flûte. Nous avons déjà parlé de **Roland Kirk** qui jouait en plus de divers instruments de deux saxophones archaïques, en usage essentiellement dans les orchestres militaires espagnols du début du siècle : le stritch et le manzello.

Il suffit d'écouter les improvisations à la harpe d'**Alice Coltrane** pour mesurer combien ont été repoussées les limites de l'instrumentation de jazz. **Corky Hale**, sur la côte Ouest, et **Dorothy Ashby**, de New York, avaient déjà essayé dans les années cinquante de jouer de cet instrument dans une veine jazz. Une curiosité : la première harpe de jazz dont nous ayons connaissance fut jouée par **Caspar Reardon** en

1934 sur un enregistrement de Jack Teagarden, *Junk Man* (avec Benny Goodman), puis par **Adèle Girard** sur le *Jazz Me Blues* de Joe Marsala (avec Eddie Condon et Joe Bushkin !) Mais il semble que seule la modalité du nouveau jazz ait permis d'ouvrir la voie à cet instrument difficile, qui doit être constamment réaccordé. Alice Coltrane fut la première à faire de la sonorité de la harpe de jazz un élément qui soit plus qu'une simple curiosité.

Il est deux instruments qui viennent de boucler la boucle : l'harmonica et le tuba. Dans la vieille Nouvelle-Orléans, le tuba — ainsi que nous l'avons vu — fut une sorte de précurseur de la basse. Aujourd'hui des musiciens tels **Howard Johnson, Don Butterfield, Bob Stewart, Joe Dailey** et **Earl McIntyre** interprètent des solos de tuba qui ont presque l'agilité de solos de trompette. Le chanteur de blues Taj Mahal utilisa une section de tubas comme accompagnement sur l'un de ses disques. Howard Johnson dirigea durant une brève période un orchestre de tubas dans les années soixante-dix. On a souvent tendance à oublier l'homme qui se trouve à l'origine de cette évolution, il convient donc de lui rendre justice. Dès les années cinquante le bassiste **Red Callender**, le maître de Charles Mingus, incorpora, à Los Angeles, le tuba dans les sonorités alors dominantes de la côte Ouest.

L'harmonica est la « harpe » du chanteur de folk-blues. Les deux **Sonny Boy Williamson**, ainsi que **Sonny Terry, Junior Wells, Shakey Jake, Little Walter, Big Walter Horton, James Cotton, Carey Bell, Whispering Smith** et tant d'autres ont joué des solos d'harmonica « parlant » très expressifs, en général au sein des groupes de blues qui existaient (et existent toujours) dans le Sud ou dans le South Side de Chicago. Il n'en demeure pas moins que cet instrument n'a jamais réussi à se départir d'une certaine image folklorique primitive. Le Belge **Toots Thielemans** libéra l'harmonica de ce carcan. Il en joue avec une richesse d'idées évoquant les grands saxophonistes de l'ère du cool jazz.

L'harmonica s'est adjugé une place à part entière dans la famille des instruments de jazz depuis l'apparition de l'amplification électronique. Il a également fait des incursions dans le blues-rock contemporain avec des musiciens blancs tels que **Paul Butterfield** ou **John Mayal**, dans le style des grands « harpistes » de blues noirs. **Magic Dick** a enregistré des solos d'harmonica époustouflants dans un contexte purement rock. **Stevie Wonder** a combiné le raffinement de Thielemans à la sonorité « harpe » du vieux blues. **Mauricio Einhorn** a intégré la sonorité de Thielemans dans sa musique brésilienne, y ajoutant le feeling du rythme spécifiquement brésilien.

Viennent ensuite les instruments tels le cor, le hautbois, le cor anglais et le basson. Leurs « pères » (en termes de jazz) furent, dès les années cinquante, **Julius Watkins**, et **Yusef Lateef**. Watkins joua du cor lors d'enregistrements avec des musiciens importants tels que Kenny Clarke, Oscar Pettiford et Quincy Jones, atteignant une intensité remarquable, exceptionnelle sur cet instrument difficile. Lateef — qui est aussi remarquable au saxophone ténor, à la flûte, au hautbois et au basson qu'avec divers instruments exotiques tels que l'argol (une sorte de hautbois égyptien) — fut le précurseur, même avant Coltrane, de l'ouverture du jazz à la musique du monde. Dans les années cinquante, le ténor **Bob Cooper** jouait du hautbois et du cor anglais sur des disques de jazz de la côte Ouest, notamment avec Max Roach à la batterie. Les solos de basson les plus intéressants du jazz actuel sont sans doute ceux de **Frank Tiberi. Paul McCandless** a acquis une position de premier plan au sein du groupe Oregon en jouant du hautbois et du cor anglais ; c'est un musicien dont les racines plongent dans la tradition romantique de ces instruments. **Vincent Chancey** a joué des solos de cor particulièrement intelligents dans l'ensemble de Carla Bley, qui eux aussi attestent de son romantisme.

Le lyricon est un mélange subtil de cuivre et d'électronique ; il s'agit d'un instrument à vent ressemblant à un saxophone qui contrôle un synthétiseur. En ont joué **Tom Scott, Michal Urbaniak, Sonny Rollins, Wayne Shorter** et d'autres musiciens qui « humanisent » nettement les sonorités électroniques.

Envisageons maintenant quelques instruments à cordes divers. La mandoline est liée à la sonorité sérénade des groupes de mandolines italiens à un point tel qu'il est paradoxal qu'elle se soit frayé un chemin jusque dans le jazz.

Ce fut pourtant le cas — tout d'abord par l'intermédiaire de musiciens proches de la musique country et western (mais qui n'en sont pas moins de véritables « Swingers ») : **Tiny Moore** et **Jethro Burns**. Ce dernier enregistra pour la première fois avec une mandoline dès les années quarante, avec les Texas Playboys de Bob Wills. Le guitariste **John Abercrombie** (surtout convaincant dans ses enregistrements en quartette avec McCoy Tyner) et **David Grisman** l'ont utilisée dans un contexte moderne. Grisman, qui a connu un succès croissant depuis le début des années quatre-vingts, produit des sonorités évoquant une version contemporaine du Quintette du Hot Club de France de Django Reinhardt.

Nous avons déjà mentionné les « pères » du violoncelle de jazz dans le chapitre consacré à la basse. Il convient toutefois de préciser que ce fut **Abdul Wadud** (qui a enregistré avec plusieurs musiciens de l'AACM) et **David Darling** qui mesurèrent le potentiel réel de cet instrument dans le jazz actuel — Darling en recourant à des sonorités romantisantes et esthétisantes, Wadud en exprimant une réelle sensibilité jazz et un talent étonnant pour l'improvisation (sans perdre de vue pour autant la tradition classique et romantique du violoncelle). Un autre violoncelliste exceptionnel s'intégrant au mainstream contemporain est le Français **Jean-Charles Capon**. Le violoncelle est employé en free jazz par **David Eyges, Irène Aebi** (surtout dans le groupe de Steve Lacy) et par **Tristan Honsinger**, ce dernier avec un mépris radical des compromis qui fait songer, dans une certaine mesure, au style de Derek Bailey à la guitare. Eyges qui dit être influencé par le country blues, par Ornette Coleman et par les grands violonistes de jazz a enregistré plusieurs duos violoncelle-saxophone des plus intéressants avec Byard Lancaster.

Un autre moyen de découvrir de nouvelles possibilités sonores consiste à inventer des instruments. **Emmet Chapman** inventa le « stick », un instrument électrique à dix cordes capable de produire une richesse sonore telle que l'auditeur a l'impression d'entendre plusieurs instruments à cordes jouant simultanément. Chapman a enregistré avec Michal Urbaniak, avec le Transfusion Big Band du batteur Les DeMerle, etc.

L'horizon fut encore élargi par les instruments exotiques

qui devinrent disponibles à la faveur de l'ouverture du jazz aux grandes cultures musicales du monde. Ainsi, **Don Cherry** a-t-il utilisé des instruments originaires de Laponie, d'Afrique, du Tibet, d'Inde, de Chine, etc. **Han Bennink** recourt parfois à un dhung, un cor géant tibétain. **Collin Walcott, Bill Plummer**, etc., ont joué du sitar indien sur plusieurs disques de jazz. Le saxophoniste **Charlie Mariano** a étudié le nagaswaram, un instrument ressemblant à un hautbois originaire du Sud de l'Inde, pendant plusieurs années, tout d'abord à Kuala Lumpur, puis dans un petit village indien. Il a créé une union unique de la spiritualité carnatique (du Sud de l'Inde) et de la tradition coltranienne.

L'un des plus intéressants parmi ces musiciens est **Stephan Micus**, un « musicien du monde » au véritable sens du terme. Micus maîtrise une cithare bavaroise, des flûtes de bambou japonaises, un rabab afghan et divers instruments de Bali, d'Inde et du Tibet — ainsi qu'une cornemuse écossaise. Il voyagea pendant plusieurs années en Asie, étudiant ces instruments. Il en joue avec une profonde connaissance de leur tradition et de leur spiritualité, unissant leurs sonorités en un fleuve musical qui rend audible le courant de la conscience intérieure. Nous avons évoqué, à la fin du chapitre consacré au jazz des années soixante-dix, un nouveau type de musicien qui interprète une musique mondiale. Nous avons cité plusieurs musiciens illustrant cette tendance. Mais le plus visionnaire de tous est sans conteste Micus. Nombre de musiciens osant s'aventurer dans l'électronique sont en réalité engagés dans une quête de l'espace intérieur des sonorités ; Micus l'a non seulement imaginé mais encore il l'a concrétisé, non pas au moyen de l'électronique mais d'instruments vieux de plusieurs milliers d'années.

Les chanteurs de jazz

Les chanteurs

Avant le jazz, il y eut le blues et les « shouts », les « work songs » et les spirituals — tout le trésor de la musique folklorique vocale, chantée par les Noirs et les Blancs dans le Sud. C'était ce que Marshall Stearns nommait « le jazz archaïque ». De cette musique est né le jazz. En d'autres termes, le jazz s'est développé à partir de sources vocales. Ses sonorités particulières deviennent plus compréhensibles lorsqu'on songe qu'en soufflant dans leurs cuivres les musiciens s'efforçaient d'imiter les sons de la voix humaine avec leurs instruments. Ceci devint évident dans les sonorités « growl » des trompettes et des trombones de l'orchestre de Duke Ellington, par exemple, ou dans le jeu de clarinette basse d'Eric Dolphy.

En revanche, le jazz actuel est une musique essentiellement instrumentale au point que ses standards et ses critères dérivent du domaine instrumental même en matière de chant. Le chanteur de jazz utilise sa voix « comme un instrument » — comme une trompette ou un trombone ou — surtout aujourd'hui — comme un saxophone. Ainsi, les critères importants de la musique vocale européenne, tels que la pureté ou l'étendue de la voix, sont inapplicables en jazz. Certains chanteurs de jazz, parmi les plus grands, ont une voix qui, selon les critères classiques, est presque atroce. Nombreux sont ceux possédant une tessiture si limitée qu'elle leur permettrait à peine de chanter un lied de Schubert.

Le dilemme du chant en jazz peut être exprimé sous la forme d'un paradoxe : le jazz dérive dans son ensemble de la musique vocale, mais tous les chants de jazz dérivent de la musique instrumentale. Il est significatif que certains des meilleurs chanteurs de jazz — du moins parmi les hommes

— sont également des instrumentistes ; songeons à Louis Armstrong.

Les critiques de jazz des tendances les plus diverses sont toujours très élogieux lorsqu'ils disent d'un instrumentiste — tel que le saxophoniste alto Johnny Hodges, par exemple — que sa sonorité « évoque celle de la voix humaine ». En revanche, le plus beau compliment que l'on puisse faire à un chanteur est de dire qu'il a l'art de « traiter sa voix comme un instrument ».

Le symbole du dilemme du jazz vocal est **Frank Sinatra** ; presque tous les sondages relatifs aux chanteurs de jazz le plaçaient en première position durant les années cinquante, alors qu'il n'est nullement un chanteur de jazz. Cet état de fait n'était pas, comme on l'a souvent dit, dû à l'intrusion des valeurs commerciales dans le domaine du jazz. De nombreux instrumentistes de jazz impartiaux votaient pour Sinatra. Et il ne fait aucun doute qu'aucun chanteur de jazz « moderne » ne possédait à l'époque une sensibilité ni une qualité musicale comparables à celles de Sinatra. Sinatra établit, dans le secteur de la musique « commercial », les critères de tout ce qui lui succéderait.

Ainsi la première place occupée par « Frankie » dans les sondages n'est-elle pas imputable à des erreurs de jugements mais au dilemme du jazz vocal.

Seul un domaine échappe à ce dilemme : le blues. Ce détail éclaire d'autant mieux le cercle vicieux. Pendant plusieurs décennies, presque tous les chanteurs de jazz bénéficiant des faveurs du grand public se situaient en dehors du courant véritable du blues, alors que les chanteurs de blues et de gospel authentiques et de premier ordre étaient à peine connus — tout au moins jusqu'à l'explosion du blues dans le rock des années soixante. Cette percée commença dès la fin des années cinquante avec **Ray Charles**, un vrai chanteur de blues dans la tradition du folk blues et du gospel, qui fut accepté par toute la communauté du jazz moderne, et trouva une large audience au-delà des milieux du blues et du jazz. On a dit à juste titre que personne n'a fait plus pour assurer le retour du blues dans la conscience de l'Amérique que Ray Charles dans les années cinquante. Mais Charles n'était que le dernier maillon — à l'époque —

d'une chaîne interminable de chanteurs de blues dont les premiers représentants disparaissent quelque part dans les ténèbres du Sud du siècle dernier. Il fut simultanément le premier maillon de la chaîne en évolution permanente de chanteurs noirs qui interprètent des blues authentiques, et remportent néanmoins un énorme succès auprès du public blanc.

Les premiers membres célèbres de ce folklore blues sont sans doute **Blind Lemon Jefferson**, un musicien de rue, aveugle, originaire du Texas, et Huddie Leadbetter — surnommé **Leadbelly** — qui fut enfermé au Angola State Penitentiary en Louisiane, tout d'abord pour une inculpation de meurtre et quelques années plus tard pour homicide involontaire. La lignée se poursuit avec **Robert Johnson**, qui est originaire du Mississippi et fut empoisonné au Texas, **Big Bill Broonzy, Son House** et tous les chanteurs de blues qui firent de Chicago la capitale blues des États-Unis (quoique tous fussent originaires du Sud) : **Muddy Waters, Little Brother Montgomery, Saint Louis Jimmy, Sunnyland Slim, Sonny Boy Williamson, Little Walter, Memphis Slim, Howlin' Wolf** et tant d'autres. **John Lee Hooker**, qui vivait à Detroit, appartient également à ce groupe. Presque tous les chanteurs de blues sont en outre d'excellents guitaristes. Ceux qui jouent du piano s'accompagnent de lignes de basse boogie-woogie excitantes. (Le chapitre consacré au blues mentionne d'autres chanteurs de folk blues importants.)

Au fil des décennies le nombre de chanteurs de blues accédant à la renommée ne cessa de croître, alors qu'ils quittaient le Sud pour les villes du Nord et de l'Ouest. Cette grande migration du blues suivit deux courants principaux à partir essentiellement de deux grands États : le Mississippi et le Texas. Les bluesmen du Mississippi émigraient en général vers Chicago ; ceux du Texas vers la Californie. Ces deux courants diffèrent en outre sur le plan musical : la branche du Mississippi est plus dure, plus « crasseuse » ; celle du Texas plus douce, plus souple. C'est cette dernière qui fusionna avec les orchestres du Midwest à la grande époque du Swing, engendrant le blues Swing et le jazz blues. Il est évident qu'il se produisit en outre tous les mélanges et les croisements imaginables.

Le flux du Mississippi et du Texas (et de tous les États du Sud en général) s'écoula sans interruption pendant plus de cinquante ans. Mais le Sud n'en resta pas moins une pépinière de grands talents. Maints bluesmen résistèrent à toutes les tentations du Nord et de l'Ouest, notamment le merveilleux **« Lightnin' » Hopkins** du Texas. Il chante aujourd'hui encore dans les bars de Houston ; les paroles de ses chansons reflètent la vie de la ville.

Le blues était aussi vivant durant les années soixante-dix que durant les années vingt et trente. Une nouvelle génération de chanteurs de blues est apparue à la faveur des années soixante ; ils possèdent une conscience de race et expriment une révolte sociale que l'on retrouve chez maints musiciens de jazz contemporains. Parmi les membres de cette nouvelle génération du blues citons : l'harmoniciste **Junior Wells**, les guitaristes **Buddy Guy, Albert King, Albert Collins, Otis Rush**, qui devient de plus en plus important, et **Taj Mahal**, qui a rencontré le succès auprès du public de rock contemporain. Ils n'espèrent plus — comme Trixie Smith et tant d'autres bluesmen des années vingt, remplis du désespoir et de l'ironie immanents au blues — qu'un jour *« the sun will shine in their back door »* (le soleil brillera à la porte de derrière). L'ironie réside dans le fait qu'on évite la porte « de devant ». Conscients de leurs droits, ils revendiquent aujourd'hui — comme le pianiste **Otis Spann** en 1967 — *« I Want a Brand-New Home »* (Je veux une maison flambant neuf).

Lorsque j'ai visité le pénitencier d'État d'Angola au cours de l'été 1960, j'ai entendu plusieurs jeunes chanteurs de blues dont le talent n'avait rien à envier à celui des grands noms de Chicago. Je songe notamment à **Robert Pete Williams**, qui fut libéré et connut la notoriété dans les cercles du blues avant son décès survenu en 1980. La veille de ma visite, il y avait eu un violent orage. L'un des prisonniers nous raconta qu'il avait presque été frappé par la foudre. Il était encore sous l'emprise de la peur éprouvée en cette occasion. Je lui suggérai d'écrire un jour un blues sur cette expérience — il s'empara aussitôt de sa guitare, plaqua quelques accords et improvisa son *Lightning Blues* (le Blues de la foudre). La surprise vint des paroles qui traduisaient son expérience avec un réalisme intense. Ces paroles de blues sont véritablement « du jazz et de la poésie ». La différence entre jazz et poésie ici n'est qu'une question de terminologie et non pas de substance.

L'un des chanteurs-guitaristes à succès qui interpréta pendant plus de vingt ans le blues authentique des grandes villes se nomme **B.B. King**, né dans le Mississippi. King est un cousin de Bukka White, l'un des grands hommes du folk blues. On lit dans l'édition de 1966 de l'*Encyclopedia of Jazz* de Leonard Feather que King aurait déclaré qu'il « aimerait voir les Nègres cesser d'avoir honte du blues, qui est leur musique ». King a été lui-même un facteur essentiel dans la réalisation de ce désir, quoiqu'il y ait toujours (surtout parmi la classe moyenne) beaucoup de Noirs qui considèrent que le blues est une musique rustique, primitive et archaïque dont ils désirent se dissocier. Les Noirs américains n'acquerront une véritable conscience de leur propre identité — et par conséquent une égalité véritable — que le jour où ils seront aussi fiers du blues que les Allemands de Beethoven ou les Italiens de Verdi...

D'emblée, la frontière entre le folk blues, en tant que domaine distinct du jazz, et le jazz lui-même a été vague. Certains chanteurs qui sont de véritables bluesmen appartiennent autant au monde du jazz qu'à celui du blues. Le premier d'entre eux — et le fondateur de cette tradition swing vocale — fut **Jimmy Rushing**, qui mourut en 1972. Rushing, qui était originaire de l'Oklahoma — un État qui fut toujours dans la sphère d'influence du blues texan — devint *le* chanteur de blues par excellence du style Swing. Il fut le premier à ne pas chanter « sur le temps » — comme le faisaient les chanteurs de folk-blues — mais avant ou après celui-ci, à « chanter autour » des centres rythmiques et à les contourner avec ses propres accents, créant ainsi une tension plus grande. Rushing fut le chanteur de Count Basie durant les années trente et quarante, et sa manière de chanter était l'expression vocale exacte du thème instrumental de Basie datant de ces années : *Swingin' the Blues*. Appartiennent également à cette tradition **Jimmy Witherspoon**, qui vit en Californie, et **Big Miller** de Kansas City. **Joe Williams** remplaça Rushing dans l'orchestre de Basie des années cinquante. C'est un excellent musicien, qui d'une part insuffle à ses ballades une intensité très blues et d'autre part chante le blues avec la sophistication d'un jazzman moderne.

Big Joe Turner, qui vit à La Nouvelle-Orléans, est le « blues shouter » du boogie-woogie. Il travailla dans les années trente avec les grands pianistes de boogie. Une génération plus tard, il connut une deuxième vague de succès — à l'instar de maints bluesmen — avec l'apparition du rock'n'roll. Il créa l'un des premiers grands succès de ce nouveau genre : *Shake, Rattle and Roll.* **« Champion » Jack Dupree, Fats Domino**, et **Professor Longhair** (qui mourut en 1980) — originaires de La Nouvelle-Orléans — **Roosevelt Sykes** (de Louisiane), **Memphis Slim** (qui vit à Paris) et le regretté **Otis Spann** sont tous des chanteurs-pianistes de blues et de boogie-woogie très expressifs.

Un peu plus tard nous rencontrons **Leon Thomas**, qui combine la tradition blues à la musique de l'ère post-Coltrane dans des improvisations free, pour lesquelles il trouve également son inspiration dans le folklore exotique — par exemple la musique des tribus pygmées d'Afrique centrale. Thomas exprime la conscience politique aiguë de la nouvelle génération blues d'une manière particulièrement exemplaire : « A combien cela revient-il d'envoyer un homme sur la lune ? Je songe aux enfants affamés que je vois chaque après-midi... » Il est regrettable que cet excellent chanteur ne se soit produit ces dernières années qu'à la faveur de concerts rock, où l'on ne prend même pas la peine de mentionner son nom.

La ligne qui mène de Blind Lemon Jefferson via le South Side de Chicago au blues moderne d'Otis Rush et de B.B. King est la colonne vertébrale de tout chant jazz. On pourrait la qualifier de « ligne blues » du chant jazz pour la différencier de la « ligne chanson ». Il est toutefois important de considérer les échanges intensifs, continus ayant existé entre les deux. Ceux-ci sont illustrés par le premier et le plus important représentant de la « ligne chanson » : **Louis Armstrong**. La musique d'Armstrong demeure liée au blues même lorsqu'il ne s'agit pas de blues ; il convient de reconnaître qu'Armstrong chante rarement le blues au sens conventionnel du terme. Le chant d'Armstrong illustre à merveille la conception instrumentale immanente à tout chant jazz, une conception mise en évidence par les chanteurs qui sont en outre instrumentistes : des vieux chanteurs de blues qui s'accompagnent à la guitare, via le trombone Jack Teagarden, aux chanteurs-instrumentistes actuels.

Le *London Times* écrivait il y a quelques années à l'occasion d'une visite d'Armstrong : « Bien sûr, cette voix est atroce lorsqu'on l'évalue par rapport aux critères esthétiques européens. Mais l'expression qu'Armstrong met dans sa voix, toute l'âme, le cœur et la profondeur qui swingue dans chaque son, la rend plus belle que la plupart des voix parfaites et pures sur le plan technique, mais froides et sans âme que l'on trouve actuellement dans le monde blanc. »

Hot Lips Page, qui mourut en 1954, fait songer à Satchmo non seulement en tant que trompette mais, encore, en tant que chanteur. Le trombone **Jack Teagarden** (qui mourut en 1964) interpréta avec Armstrong certains des duos les plus drôles et les plus enlevés du jazz. Teagarden était un maître en matière de chant blues « sophistiqué » dès le début des années trente, bien avant que la sophistication ironique du blues devienne « moderne » vers la fin des années cinquante. On retrouvera plus tard une telle sophistication chez **Woody Herman**, mais celui-ci ne sera jamais aussi expressif que Teagarden ou les grands chanteurs noirs.

La plupart des chanteurs ayant assis leur position dans le domaine du jazz étaient en outre des instrumentistes. Les autres ont opté pour la musique commerciale : **Bing Crosby, Frankie Laine, Perry Como, Matt Denis** et **Mel Tormé**, un prodige musical qui, oscillant entre le jazz et la musique commerciale, a essayé de combiner les deux ; il est l'un des meilleurs interprètes des chansons des grands compositeurs populaires américains, l'un de ceux qui swinguent le plus. **Nat « King » Cole** fut un chanteur de jazz de première qualité tant qu'il fut essentiellement un pianiste. Il délaissa toutefois de plus en plus son piano lorsqu'il fut devenu un chanteur à succès exerçant son talent dans le domaine commercial. Son intérêt pour le jazz s'en ressentit aussi, néanmoins son chant demeura imprégné d'un esprit jazz jusqu'à son décès en 1965. Son influence s'étendit à toute une génération de chanteurs entre Ray Charles et Stevie Wonder. Ceci explique que la musique commerciale américaine est la meilleure au monde ; nombre de vedettes populaires ont payé leur tribut au jazz avant de rencontrer le succès auprès du grand public. (Songeons sur le plan instrumental à Glenn Miller, Harry James, Tommy et Jimmy Dorsey.)

L'instrumentiste de jazz est, ainsi que nous l'avons dit, particulièrement qualifié pour faire un bon chanteur de jazz. Les exemples corroborant ce fait ne doivent pas tous être recherchés à l'époque de Hot Lips Page et de Jack Teagarden, nous en trouvons également à l'heure actuelle. Le batteur **Grady Tate**, le tromboniste **Richard Boone**, le saxophoniste ténor **George Adams**, le guitariste **George Benson** et les trompettistes **Chet Baker** et **Clark Terry** sont des chanteurs notoires dans leurs styles respectifs. Terry possède beaucoup de joie et d'humour, Boone combine le blues traditionnel à la satire contemporaine, Baker possède une fragilité presque « féminine », Benson (lui aussi !) s'inscrit dans la tradition de King Cole et Adams a l'attaque mâle de son jeu de ténor.

Dans les années quarante, **Billy Eckstine** était aux chanteurs ce que Sarah Vaughan était aux chanteuses. Eckstine possédait le plus grand talent vocal depuis Louis Armstrong et Jimmy Rushing. Il appartenait au cercle bop entourant Gillespie et Parker ; il éprouvait un enthousiasme tel à l'égard de leur musique qu'il adopta lui aussi un instrument — le trombone à piston. *Jelly, Jelly* fut l'énorme succès (toujours populaire d'ailleurs) de « Mr. B » ; il mêlait le be-bop à la tradition blues.

Nous avons atteint avec Billy Eckstine l'époque du bop, et il convient que nous mentionnions : **Babs Gonzales** (qui mourut en 1979), dont le groupe guilleret Three Bips and a Bop connut un succès appréciable vers la fin des années quarante, et qui devint plus tard — en tant qu'auteur de *Oop-Bop-A-Da* notamment — l'une des grandes voix du be-bop ; **Earl Coleman**, dont le baryton sonore fut accompagné à une certaine époque par Charlie Parker ; et **Kenneth « Pancho » Hagood** et **Joe Carroll**, qui travaillèrent tous deux avec Dizzy Gillespie. Carroll rappelait Dizzy par la mobilité de sa voix et son sens de l'humour. Il est bien certain que nous ne pouvons omettre de mentionner Dizzy Gillespie lui-même lorsque nous parlons des chanteurs de bop. La voix aiguë, quelque peu orientale de Dizzy évoque la sonorité de sa trompette ; on rencontrait déjà le même phénomène d'osmose chez Armstrong. **Jackie Paris** introduisit la conception du chant bop dans le coll jazz. **Oscar Brown Jr.**, une personnalité très rayonnante, est un chanteur, un artiste de nightclub et un parolier. **Johnny Harman** est un chanteur apprécié par les musiciens ; son phrasé souple, fluide — comme dans ses enregistrements de ballades avec John Coltrane — a été très admiré par les connaisseurs. **Bill Henderson** et **Mark Murphy** chantent dans un esprit mainstream inspiré par Basie ; Murphy a mis en chanson tout un secteur du jazz avec une sophistication ravissante. **Mose Allison** transforme des chansons de blues et de folk blanches et noires en des compositions d'un style très personnel et d'un caractère soul moderne. En fait, lorsque le soul devint « dans le vent » dans les années soixante et soixante-dix, certains chanteurs blancs qui ignoraient tout de la tradition noire, se référaient au Blanc Mose Allison, qui est originaire d'une ville à majorité noire du Mississippi et a ingéré beaucoup de musique folk noire depuis son enfance.

Il est certain que le nombre de grands chanteurs de jazz — outre les chanteurs de blues et Louis Armstrong — n'est guère impressionnant. Voilà qui est en accord avec notre conception du dilemme du jazz vocal. Le chant jazz, hormis le blues, est d'autant plus efficace qu'il se rapproche d'un emploi instrumental de la voix. Les voix de femmes offrent plus de possibilités à cet égard. Il est caractéristique que maints chanteurs de jazz possédaient des voix paraissant déformées par nature, ou ayant tout au moins une sonorité inhabituelle — à commencer par Louis Armstrong. La déformation augmente souvent l'expressivité.

Du be-bop émergea également une lignée qui allait conduire au groupe vocal à succès qu'est le trio **Lambert-Hendricks-Ross. Eddie Jefferson** fut, dès le début des années quarante, le premier à ajouter ses propres paroles à des solos de jazz enregistrés. Il fut suivi dans cette voie par **King Pleasure** (dont l'adaptation d'un enregistrement de James Moody, *Moody's Mood for Love*, fut un grand succès en 1953) et la Britannique **Annie Ross** (dont la chanson *Twisted*, basée sur une improvisation au saxophone ténor de Wardell Gray, fut un succès en 1952) : **Jon Hendricks** poussa cette approche à son paroxysme. Il fut le véritable « poète du solo de jazz », un « James Joyce du jive » ainsi que le surnomma le magazine *Times*. **Dave Lambert** (qui mourut en 1966) avait arrangé et enregistré un chant de groupe en 1945 avec le grand orchestre de Gene Krupa, *What's This ?*, qui fut le premier chant be-bop à être enregistré. Ainsi Dave Lambert, Jon Hendricks et Annie Ross appartenaient déjà à la même famille musicale avant de former le Lambert-Hendricks-Ross Ensemble en 1958. Le trio commença sa carrière avec des vocalisations d'orchestrations de Count Basie et développa par la suite un style d'ensemble vocal chaleureux qui demeura unique et couvrit le spectre complet du jazz moderne. Lorsque tous trois chantaient des solos de Charlie Parker, de Lester Young, de Sonny Rollins, de Miles Davis, d'Oscar Pettiford, de John Coltrane et d'autres sur des paroles de Jon Hendricks, on éprouvait le sentiment que c'était exactement ce que tous ces grands musiciens avaient voulu dire. Yolande Bavan remplaça Annie Ross lorsqu'elle regagna l'Angleterre en 1962, mais le trio finit par se séparer en 1964. Hendricks et Jefferson (qui fut assassiné, sans doute par erreur, en 1979) prolongèrent ce style jusqu'à une époque toute récente. Hendricks écrivit une comédie musicale s'inspirant du très apprécié *Evolution of the Blues* qu'il avait créé pour le festival de jazz de Monterey ; Jefferson collabora avec le jeune saxophoniste alto Richie Cole.

La « ligne chanson », ainsi que nous la nommons, des chanteurs de jazz continua également à se développer. Elle s'est prolongée jusqu'à notre époque grâce à des chanteurs tels que **Mark Murphy, Bob Dorough, Joe Lee Wilson, Gil Scott-Heron, Lou Rawls, Ben Sidran** et **Tony Middleton**. Murphy et Dorough interprètent des chansons des grands compositeurs de musique populaire américaine avec l'intensité particulière du jazz contemporain. Rawls a développé la musique soul de manière très personnelle. Wilson est le chanteur de l'avant-garde new-yorkaise ; il a travaillé avec Archie Shepp et Rashied Ali notamment. Scott-Heron est un poète du ghetto ; il possède une conscience politique et sociale aiguë. Sidran, qui s'est également révélé en tant que pianiste, a créé un type particulier de « chanson parlée » dans le cadre du jazz fusion. Middleton, qui a enregistré accompagné au piano par le célèbre Ellis Larkins, possède une voix rauque dont la sonorité fait songer à un Ben Webster modernisé et vocalisé.

Nous avons déjà évoqué la forte influence de la musique brésilienne sur le jazz moderne, il convient donc que nous mentionnions certains chanteurs originaires de ce pays. Commençons par les deux « pères » de la musique brésilienne moderne : **Antonio Carlos Jobim** et **Joao Gilberto**. Ils furent suivis par : **Edu Lobo, Gilberto Gil, Caetano Veloso** et surtout par **Milton Nascimento**. Tous possèdent cette magie et cette poésie qui rendent la musique brésilienne si reconnaissable. Les plus jeunes de ces chanteurs ont toutefois une approche plus contemporaine et plus critique sur le plan social.

Il nous reste à évoquer le chanteur remportant le plus de succès à l'heure actuelle : **Al Jarreau**. Il maîtrise un éventail incomparable de possibilités vocales. Né dans le Milwaukee, Jarreau est issu d'une vieille famille louisianaise créole et francophone : « Bien sûr qu'il y a beaucoup de La Nouvelle-Orléans dans ma musique et beaucoup de la Louisiane, ce qui veut dire beaucoup de l'Afrique aussi... » Jarreau dit qu'il s'inspire de Billie Holiday et de Nat King Cole, mais plus encore du trio Lambert-Hendricks-Ross. Ce dernier rapport est non seulement audible mais encore visible ; en effet, lorsqu'il chante ses phrases évoquant un saxophone Al bouge les doigts et les mains comme s'il jouait d'un instrument imaginaire à l'instar de Jon Hendricks il y a maintes années. La gorge de Jarreau produit tout un orchestre de sons : batteries et saxophones, trompettes et flûtes, congas et basses, des basses les plus basses aux falsetto les plus hauts. Jarreau donne l'impression de posséder une dizaine de voix masculines et féminines, dont il jouerait à son gré.

Nous avons souvent parlé de la tradition de la musique noire dans ce livre. Parmi les instrumentistes, les musiciens d'avant-garde — ceux du cercle de l'AACM par exemple — sont souvent ceux qui la préservent.

La situation est toute différente en ce qui concerne les chanteurs. Les chanteurs d'avant-garde, et plus encore les chanteuses, n'entretiennent presque aucun rapport avec la tradition. Cette dernière est en fait cultivée dans un domaine extérieur au jazz, celui de la musique pop. Cette tendance était déjà présente parmi les chanteurs de soul des années soixante (qui sont impensables sans Ray Charles): **Otis Redding** qui mène via **James Brown** (dont le cri : *Say it loud : I'm Black and I'm Proud »* (« Crie-le bien fort : Je suis Noir et j'en suis fier ») a plus fait pour donner confiance aux masses noires que tous les discours d'Eldridge Cleaver, Rap Brown ou Stockey Carmichael) et **Marvin Gaye** (*« Save the World-Save the Babies-Save the Children ! »* — « Sauve le monde-sauve les bébés-sauve les enfants ! ») à **Stevie Wonder**. Ces chanteurs interprètent une véritable « musique noire », au sens où l'entendent Charles Mingus et Roland Kirk — on peut même parler de « musique classique noire » dans le cas de Stevie Wonder. Ce dernier a été comparé, en tant que compositeur, à Duke Ellington. Ses albums, certains comprenant plusieurs disques, sont des compositions de type suite, conçues comme de grandes œuvres avec une cohérence interne — *Songs in the Key of Life, Hotter than July* et *Journey Through the Secret Life of Plants.* Ces albums résument et récapitulent la production de la musique noire actuelle d'une manière évoquant la démarche de Duke Ellington. Wonder est un musicien possédant une universalité et une souplesse fascinantes. Il est compositeur, arrangeur aussi bien que chanteur, il joue de presque tous les instruments possibles sur ses disques et maîtrise toutes les techniques de studio modernes, comme si le studio avec tous ses gadgets électroniques était un instrument supplémentaire (ce qu'il est d'une certaine manière).

Les chanteuses

L'histoire des chanteuses de blues commence plus tard que celle des chanteurs. Nous n'avons connaissance d'aucune représentante de l'époque « archaïque ». Les chanteurs de folk-blues tels que Blind Lemon Jefferson, Leadbelly ou Robert Johnson n'ont pas d'équivalent féminin ; pas plus d'ailleurs que n'en ont leurs successeurs contemporains. Le monde simple, rural du folk-blues est dominé par les hommes — la femme est un objet.

Cette situation se modifia dès que le blues s'installa dans les grandes villes du Nord. A cette époque — vers le début des années vingt — commença l'ère du blues classique dont **Ma Rainey** fut la « mère » et **Bessie Smith**, l'« impératrice ». Nous avons étudié la période du blues classique en détail dans le chapitre consacré à Bessie Smith. Des chanteuses telles que **Bertha « Chippie » Hill, Victoria Spivey, Sippie Wallace** et **Alberta Hunter** ont repris le flambeau du blues classique, alors que **Big Mama Thornton** l'a intégré au rhythm n'blues. Il est toutefois important de noter que le climat musical se modifiait déjà vers la fin des années vingt ; l'accent se déplaçant du blues vers la chanson.

Les premières chanteuses importantes dans cette voie (qui méritent d'être écoutées de nos jours) sont **Ethel Waters, Ivie Anderson** et **Mildred Bailey**. Ethel Waters fut la première à démontrer — dès les années vingt — les multiples possibilités du chant de jazz dans de bons morceaux commerciaux. Ivie Anderson devint la chanteuse de Duke Ellington en 1932 ; elle occupa ce poste pendant près de douze ans ; Duke affirme qu'elle fut la meilleure chanteuse qu'il eût jamais dans son orchestre. Mildred Bailey, qui est en partie d'origine indienne, fut une chanteuse à succès de l'époque du Swing avec une grande sensibilité et une maîtrise parfaite du phrasé. Elle épousa Red Norvo et réalisa avec lui, Teddy Wilson et Mary Lou Williams ses plus beaux enregistrements. Son *Rockin' Chair* fut un succès considérable ; c'était un blues, mais un blues « aliéné », ironique.

Les chansons interprétées par les représentantes de cette « ligne chanson » étaient — et sont — les ballades et les morceaux populaires de la « musique commerciale », les mélodies des grands compositeurs populaires américains — Cole Porter, Jerome Kern, Irving Berlin, George Gershwin — parfois même des succès du « hit parade », mais avec une inflexion et un phrasé typiques du jazz.

L'improvisation s'est retirée vers une position finale, irréductible dans ce secteur. Les chansons doivent bien évidemment demeurer reconnaissables, et les interprètes sont dépendants des paroles. L'improvisation n'en demeure pas moins possible, dans un sens très particulier. Elle réside dans l'art de paraphraser, de juxtaposer, de transposer — dans l'altération des harmonies et dans une certaine manière de phraser. Il existe tout un arsenal de possibilités, que **Billie Holiday**, la figure la plus importante de ce courant, maîtrisait de manière superbe. Billie était la personnification d'une vérité exprimée pour la première fois par Fats Waller (puis par bien d'autres) : en jazz ce qui compte ce n'est pas tant ce que vous faites que *la manière* dont vous le faites. Prenons un exemple parmi d'autres : en 1935 Billie Holiday enregistra (avec Teddy Wilson) une petite chanson banale, *What a Little Moonlight Can Do*, et le résultat fut une œuvre d'art à part entière.

Billie Holiday ne chantait qu'incidemment le blues. Son phrasé et sa conception n'en donnaient pas moins une allure blues à tout ce qu'elle interprétait.

Billie Holiday enregistra plus de 350 disques — parmi lesquels 70 avec Teddy Wilson. Elle réalisa ses plus beaux enregistrements dans les années trente avec Wilson et Lester Young. Dans le mélange de lignes chantées par Billie Holiday et de lignes jouées par Lester Young, la question de savoir qui conduit et qui accompagne — quelle ligne est vocale et laquelle est instrumentale — devient secondaire.

Billie Holiday pourrait être surnommée : « la grande chanteuse de l'euphémisme et de la litote ». Sa voix n'a pas le volume ni la majesté de celle de Bessie Smith. Elle est petite, souple, sensible et pourtant Billie interpréta une chanson, *Strange Fruit* (1939), qui devint — plus qu'aucune autre de Bessie ou de toute autre chanteuse de blues, une protestation musicale contre la discrimination raciale. Le « strange fruit » — le « curieux fruit » — qui pendait à l'arbre était le corps d'un Nègre lynché. Billie chantait comme si elle énonçait un fait : c'est ainsi ! Tous les blues de Bessie, même une chanson d'amour banale, étaient interprétés avec plus d'emphase et de pathos que ce *Strange Fruit*. Cette œuvre fut le témoignage musical le plus imprégné de sensibilité vraie et le plus chaleureux s'élevant contre le racisme avant la version d'Abbey Lincoln de la *Freedom Now Suite* de Max Roach de 1960.

Le charme, l'élégance courtoise, la souplesse et la sophistication sont les principaux éléments de l'euphémisme de Billie Holiday. On les retrouve partout, par exemple dans

Mandy Is Two (1942), qui parle de la petite Mandy qui n'a que deux ans mais qui est déjà une grande fille. Son histoire est exprimée de manière directe et chaleureuse ! Quelle chanson simple et sans prétention ! Rien ne sonne faux comme c'est si souvent le cas avec les chansonnettes commerciales s'efforçant de reproduire la naïveté enfantine. Il est presque impensable qu'un produit destiné selon toute évidence à devenir *kitsch* puisse être transformé en œuvre d'art.

Le chant de Billie avait l'élasticité du jeu de ténor de Lester Young ; il le possédait déjà avant qu'elle ne rencontre Lester. Billie est la première artiste de jazz — pas seulement la première femme ni la première parmi tous les chanteurs — dont la musique exprime nettement la prédominance du saxophone en tant que déterminant du style et de la sonorité. Ceci advint de manière paradoxale — en apparence seulement — avant le commencement de la grande période du saxophone, qui ne s'amorça qu'avec le succès de Lester Young au début des années quarante. La sonorité « cool » du saxophone ténor est déjà présente, semble-t-il, dans le premier enregistrement de Billie Holiday, *Your Mother's Son-in-Law*, réalisé en 1933 avec Benny Goodman. Il est permis d'affirmer que grâce à Billie Holiday le jazz moderne fit ses débuts dans le domaine du chant, avant de les faire dans celui d'un instrument quelconque.

Billie Holiday se trouve à l'origine du jazz moderne pour une autre raison encore, elle fut la première à découvrir — subconsciemment sans doute — que non seulement sa voix était un instrument mais encore le micro. Holiday fut la première à comprendre qu'un chanteur qui utilise un micro doit travailler sa voix de manière différente qu'un chanteur n'employant pas de micro. Elle humanisa sa voix en jouant du microphone, découvrant des subtilités inconnues auparavant — et inutiles parce qu'il aurait été impossible de les rendre audibles.

La vie de Billie Holiday a souvent été racontée et encore plus souvent falsifiée : de servante à Baltimore elle accéda via un viol et la prostitution à une position de chanteuse à succès, puis les narcotiques lui firent descendre la pente. En 1938 elle travailla avec l'orchestre d'Artie Shaw, un groupe blanc. Pendant des mois elle dut passer par la porte de service alors que ses collègues blancs utilisaient la porte principale. Elle dut loger dans des hôtels minables et il arrivait même qu'elle ne puisse pas partager le repas de ses collègues. Elle dut souffrir toutes ces humiliations non seulement parce qu'elle était Noire mais encore parce qu'elle était la seule femme de l'orchestre. Billie avait le sentiment qu'il lui fallait subir tout cela afin de donner l'exemple. Si *une* artiste noire était capable de réussir, d'autres pouvaient en faire autant. Billie subit tout cela... jusqu'à ce qu'elle s'effondre.

Avant cela, elle s'était produite avec un autre grand orchestre, celui de Count Basie — et avait souffert une humiliation inverse, peut-être encore plus cuisante que celle qui lui avait été imposée dans l'orchestre de Shaw. Billie était Nègre au même titre que les musiciens de Basie, mais sa peau risquait de paraître trop claire à certains clients ; or il était inconcevable à l'époque qu'une chanteuse blanche se produise avec un orchestre noir. Ainsi, lors d'un engagement à Detroit, Billie dut-elle se couvrir le visage d'un maquillage noir.

Durant les dernières années de sa vie — elle mourut à quarante-quatre ans en 1959 — la voix de Billie Holiday n'était souvent plus que l'ombre de ce qu'elle avait été. Elle ne possédait plus la souplesse ni l'éclat des premiers enregistrements ; elle était épuisée, rauque et vieille. Pourtant même à cette époque son chant conservait toute sa puissance magnétique. Il est extraordinaire de découvrir tout ce qu'a perdu une grande artiste lorsque sa voix, sa technique et sa souplesse l'abandonnent et qu'il ne lui reste plus que la puissance spirituelle de sa créativité et de son expressivité. Entendre les enregistrements réalisés par Billie Holiday dans les années cinquante est une expérience presque atroce : une chanteuse privée de tous les attributs matériels et techniques de sa profession qui n'en demeure pas moins une grande artiste.

Billie Holiday occupe une position centrale dans la grande chanson de jazz. Ses enregistrements majeurs avec Teddy Wilson, Lester Young et d'autres grands noms de l'époque Swing constituent un témoignage convaincant du fait que le dilemme du jazz n'affecte que les chanteurs de second ordre. C'est en réalité dans la résolution presque paradoxale de ce dilemme que réside l'art véritable. C'est la raison pour laquelle nous nous sommes intéressés si longuement à Billie Holiday.

Holiday fut suivie par maintes chanteuses dont le dénominateur commun fut — et est toujours — l'application de l'art de Billie Holiday à leur domaine stylistique particulier.

Mais intéressons-nous maintenant à **Ella Fitzgerald**. Elle aussi fit ses débuts à l'époque du Swing.

Née en 1918, elle n'est la cadette de Billie Holiday que de trois ans. Ella est non seulement une grande chanteuse de Swing mais encore l'une des plus grandes voix du jazz contemporain. Nulle autre chanteuse — et presque aucun autre grand musicien de jazz — ne maîtrise une telle étendue musicale. Son grand succès dans les années trente, *A-Tisket, A-Tasket*, enregistré avec l'orchestre de Chick Webb, était une chanson naïve habillée des sonorités Swing de l'époque. Dans les années quarante ses scats[1] sur des thèmes tels que *How High The Moon* ou *Lady Be Good* mènent au cœur du bop. Ella développa dans les années cinquante une conception de ballade mûre. Ses interprétations des standards des grands compositeurs américains — Gershwin, Kern, Porter, Berlin — comptent parmi les documents éternels de la musique américaine. Des années soixante aux années quatre-vingts, elle garda une maîtrise impeccable des différents styles qu'elle a interprétés.

Quoiqu'elle ait pu changer au fil des ans, Ella a toujours conservé la simplicité et la franchise de la jeune fille de seize ans qui fut découverte en janvier 1934 dans un concours pour amateurs à l'Apollo Theatre de Harlem — comme tant d'autres talents du jazz (notamment Sarah Vaughan, sa principale concurrente). Le « prix » que gagna Ella à cette occasion était un « bref » engagement au sein de l'orchestre de Chick Webb, mais cinq ans plus tard, lorsque Webb mourut, elle faisait toujours partie du groupe. En 1939, Ella reprit pendant un certain temps la direction de l'orchestre de Webb.

1. Le *scat* est un style vocal dans lequel le chanteur remplace les paroles originales par des onomatopées. *(N.d.T.)*

La longue vie artistique d'Ella Fitzgerald, qui couvre plusieurs décennies, nous a emmenés très en avant — au-delà d'une période qu'il nous faut envisager ici.

Les trois chanteuses les plus importantes des années quarante et cinquante étaient à l'origine associées à l'un des trois pôles d'attraction du jazz instrumental de l'époque : le cercle entourant Woody Herman, celui de Stan Kenton et celui gravitant autour de Charlie Parker et de Dizzy Gillespie.

Mary Ann McCall fut la chanteuse du Herd de Woody Herman vers la fin des années quarante. Elle avait une conception musicale correspondant à celle des solistes de Woody, notamment Serge Chaloff ou Bil Harris.

June Christy fut la voix de l'orchestre de Stan Kenton, et l'atmosphère chaleureuse et humaine de son chant lui acquit maints amis, même s'il n'était pas toujours possible de la suivre sur le plan de l'intonation. June Christy remplaça **Anita O'Day** auprès de Kenton en 1947. Anita est toujours considérée, trente ans plus tard, comme la « plus grande chanteuse de jazz » ; elle possède une assurance musicale de virtuose, une capacité d'improvisation rare.

Des chanteuses encore plus importantes sont issues du cercle de Charlie Parker et Dizzy Gillespie : **Sarah Vaughan, Carmen McRae** et **Betty Carter**, qui chanta à l'origine avec l'orchestre de Lionel Hampton. Sarah, comme tant de chanteuses de jazz, fit ses premières armes dans une église de gospel. Elle dit : « Vous devez faire passer un peu de votre âme dans votre chant, comme dans les spirituals... Cela fait partie de ma vie. » En 1943, elle devint la chanteuse de l'orchestre de Earl Hines, en 1944 de celui de Billie Eckstine. Les deux orchestres étaient des « pépinières de talents » pour les musiciens de be-bop et Sarah eut d'emblée le sentiment que : « Bird et Diz étaient le summum. Je le crois toujours. Je pense que leur façon de jouer a influencé ma manière de chanter. »

Sarah Vaughan fut la première chanteuse de jazz véritable qui possédait une tessiture égale à celle d'une chanteuse d'opéra. Son contralto riche et sombre introduisit une sonorité nouvelle dans le chant de jazz. Son aptitude à modifier cette sonorité de la manière la plus diverse qui soit et de la charger littéralement d'un contenu émotionnel demeure inégalée de nos jours.

La stature de Sarah Vaughan est telle que les autres chanteuses de sa génération demeurèrent dans son ombre. Ceci est particulièrement regrettable dans le cas de **Carmen McRae** (qui fut l'épouse de Kenny Clarke, le créateur du style be-bop à la batterie). Elle est également l'une des grandes individualités du jazz moderne. Nat Hentoff la compara à « une figure de proue exotique d'un baleinier de la Nouvelle-Angleterre », il parlait de sa personnalité et de l'individualisme puissant de son chant.

La communauté du jazz ne reconnut que tardivement **Betty Carter**, la cadette de huit ans de McRae, comme appartenant aux grandes chanteuses de bop. Elle dut attendre le milieu des années soixante-dix pour devenir la personnification du chant be-bop — en fait du chant de jazz en général. Le critique Peter Rüedi la présenta comme « consciente d'elle-même et de sa situation sociale, drôle, courtoise, bluesy, "crasseuse", d'une agressivité explosive, totalement soumise à son chant et toujours directe à en être crue. Son ton possède la "sécheresse" lyrique et accrocheuse du Dexter Gordon des débuts... »

Parmi les autres chanteuses de cette génération citons : **Chris Connor, Jackie Cain, Dakota Staton, Ernestine Anderson, Lorez Alexandria, Abbey Lincoln, Helen Merrill, Carol Sloane, Nina Simone, Nancy Wilson** et **Sheila Jordan.**

Ernestine Anderson résume bien l'opinion de la plupart d'entre elles lorsqu'elle dit : « Si j'avais le choix, je chanterais comme Ella et je respirerais comme Sarah Vaughan. » Toutes veulent en effet sonner comme Ella Fitzgerald sur le plan de l'expression et comme Sarah en termes de phrasé ; quoique d'aucunes visent la combinaison inverse, le mélange du phrasé d'Ella à l'expressivité de Sarah.

Jackie Cain se fit connaître dans l'orchestre de Charlie Ventura. Elle forma avec son mari, le pianiste-arrangeur Roy Kral, le duo vocal le plus parfait de l'histoire du jazz — enjoué, agréable et drôle. Elle a souvent été accompagnée par John Lewis, l'ancien leader du Modern Jazz Quartet, et il est vrai qu'elle possède un peu de sa sensibilité et de sa sophistication. La voix de **Nina Simone** est des plus passionnées lorsqu'elle chante la dignité et l'identité du peuple noir, une cause dans laquelle elle s'investit en tant que femme, chanteuse, pianiste — en un mot en tant qu'être humain. Elle qualifia un jour le blues de « mémoire raciale », et cette mémoire est la source de ses chansons aussi modernes qu'elles paraissent. Une autre voix dans la lutte noire est celle d'**Abbey Lincoln** ; elle interprète en particulier des chansons de Max Roach, son ex-époux. Sa version de *Freedom Now Suite* est poignante d'émotion. **Sheila Jordan** revêt une importance particulière. Elle a « émancipé » la « ligne chanson » ouvrant la voie aux chanteuses du free jazz dont nous parlerons plus tard. Sheila est surtout connue pour sa collaboration avec George Russell — en particulier dans le grandiose et satirique *You Are My Sunshine*, un chef-d'œuvre de cynisme.

Il nous faut une fois encore revenir quelque peu en arrière : Duke Ellington employa, dans cette démarche visant à utiliser la voix humaine de façon aussi instrumentale que possible, **Adelaïde Hall** dans les années vingt et **Kay Davis** dans les années quarante. La voix de Kay Davis était utilisée dans une sorte de coloratura au-dessus de l'orchestre, souvent agencée avec la clarinette, créant un mélange de sons fascinant. D'autres adoptèrent par la suite cette combinaison d'une voix et d'un ensemble orchestral, mais rares étaient ceux qui se souvenaient que sur ce plan aussi le Duke avait été le premier.

Un résultat de la conception instrumentale du chant jazz est le développement du scat : un assemblage « absurde » de syllabes et d'onomatopées. **Louis Armstrong** « inventa » le scat dans les années vingt ; l'histoire veut qu'il ait oublié les paroles de sa chanson au cours d'une séance d'enregistrement. **Anita O'Day, June Christy, Sarah Vaughan, Carmen McRae, Dakota Staton, Jackie Cain, Annie Ross, Betty Roché, Betty Carter** et d'autres ont créé d'excellents scats, mais la maîtresse du genre, souvent baptisé « bebop vocal », est **Ella Fitzgerald**.

Il est certain qu'il existe également une « ligne blues » parmi les chanteuses, qui se rattache à celle des chanteurs de blues mentionnés au début de ce chapitre. La dernière des grandes chanteuses de blues classiques, **Alberta Hunter**, réalisa en 1980 quelques enregistrements d'une merveilleuse expressivité. Elle avait alors quatre-vingt-trois ans ! Cette prouesse est encore plus impressionnante lorsqu'on sait qu'Alberta écrivit *Down Hearted Blues*, le premier succès de Bessie Smith, en 1923 ! Elle chanta dans les années vingt avec Louis Armstrong, Sidney Bechet et Fletcher Henderson.

Le blues se révèle être, parmi les chanteuses, l'élément constant de la musique noire : il évolue constamment mais demeure toujours le blues dont le message se transmet d'une génération à l'autre. Voici quelques femmes qui contribuèrent à préserver cette chaîne : **Helen Humes** (avec Count Basie dans les années trente ; elle aussi chanta, mieux que jamais, dans les années soixante-dix), **Dinah Washington** (qui mourut en 1963), **Betty Carter** (qui succéda à Dinah Washington dans l'orchestre de Lionel Hampton), **Ruth Brown, LaVerne Baker, Etta Jones** et tant d'autres. Dinah Washington fut surnommée « la Reine du Blues ». Elle aussi fit ses premiers pas dans le gospel, et ses racines demeurent audibles dans la plupart de ses enregistrements. Son humour sardonique — parfois même cynique — donnait à ses prestations une dimension supplémentaire.

Janis Joplin introduisit l'art du blues classique en rock. Presque tout ce qu'elle chanta aurait été impensable sans Bessie Smith — pourtant le chant de Janis sonnait toujours plus dur, plus cru, plus fort, plus agressif. Elle fut poussée par une volonté farouche de vivre et d'aimer jusqu'à son décès en 1970, qui encouragea les médias à toute sorte de spéculations. Le chant de Joplin montre de manière particulièrement exemplaire combien les artistes blancs — même ceux qui paraissent entretenir une relation « authentique » avec la musique noire — ont vulgarisé le message de leurs modèles noirs. Karl Belz, auteur d'une *Story of Rock*, évoque la relation de Bill Haley avec les grands artistes de blues noirs — Big Joe Turner par exemple — au début de l'ère du rock n'roll : « Il avait tendance à crier les paroles de ses chansons plus qu'à les "vocaliser". » Cette critique vaut également pour des dizaines de chanteurs blancs issus de la musique noire. Ils *paraissent* authentiques mais en réalité ils ne le sont pas.

Janis Joplin était une personne très impulsive, une femme qui paraissait vivre dans un état d'explosivité permanent. Lorsqu'elle chantait a capella qu'elle voulait une Mercedes-

Benz parce que ses amis roulaient en Porsche, ou qu'on lui livre une TV couleur pour trois heures, ces requêtes (quoique humoristiques) sonnaient comme une incantation mystique, comme une prière désespérée. L'auditeur a le sentiment que le monde risque de s'écrouler si la Mercedes ou la TV couleur ne sont pas livrées en temps voulu.

On trouve des échos de Janis Joplin chez maintes chanteuses de rock, notamment chez **Maggie Bell**, qui est originaire de Glasgow, ou chez **Genya Ravan**, une Polonaise installée aux États-Unis.

L'héritage de la tradition du spiritual et du gospel noir s'insinuèrent avec encore plus de force dans le mainstream du chant féminin, dans les années soixante. Le monde blanc découvrit cet héritage à travers les enregistrements de **Mahalia Jackson**, qui mourut en 1972 — mais Mahalia ne fut que l'une des merveilleuses chanteuses de musique religieuse noire. Il convient de ne pas oublier **Dorothy Love Coates, Marion Williams, Clara Ward, Bessie Griffin** (cf. le chapitre consacré au spiritual).

La musique soul naquit lorsque la tradition du gospel s'insinua enfin dans la musique populaire. Ses représentantes sont des chanteuses telles **Tina Turner, Diana Ross** et surtout **Aretha Franklin**, qui a été surnommée la « Billie Holiday des années soixante-dix ». Aretha est la fille du Révérend C.L. Franklin, le prêcheur de la *New Bethel Baptist Church* de Detroit. Elle entendit dès sa plus tendre enfance le son des gospels dans l'église de son père. Elle se joignit au chœur dès qu'elle fut en âge de chanter ; elle devint soliste alors qu'elle avait à peine douze ou treize ans. Elle cite Mahalia Jackson comme l'artiste l'ayant le plus influencée ; plus tard elle insista sur l'importance particulière de certains musiciens de jazz dans son développement : Oscar Peterson, Erroll Garner et Art Tatum. Aretha est elle-même une bonne pianiste inspirée par la soul.

Les succès d'Aretha comptent parmi les meilleurs morceaux de la musique pop des années soixante-dix, mais un de ses enregistrements présente un intérêt tout particulier du point de vue du jazz : *Amazing Grace*, enregistré en 1972 à la New Temple Missionary Baptist Church de Los Angeles, avec la congrégation locale. Il s'agit ni plus ni moins d'un service gospel swinguant jusqu'à la transe. C'était non seulement un retour vers le monde musical et spirituel de ses origines — ce qui en soi aurait déjà été très important — mais une redécouverte consciente et joyeuse de ses propres racines.

Issue des Supremes, **Diana Ross** est plus qu'une spécialiste du soul. Lennie Tristano déclara dès 1969 : « Diana Ross est, selon moi, la plus grande chanteuse de jazz depuis Billie Holiday » — une déclaration qui fut accueillie avec une certaine incrédulité par la communauté du jazz. Cette attitude s'est toutefois modifiée après l'excellente performance de Diana Ross interprétant le rôle de Billie Holiday dans le film *Lady Sings the Blues.* Hélas ! cette apparition demeure le seul trait marquant de sa carrière.

La distance n'est pas bien grande entre les chanteuses mentionnées ci-dessus et celles du domaine du jazz fusion ou celles se situant à la limite entre le jazz et le jazz fusion. Il est tant de chanteuses illustrant les directions les plus diverses dans ce style que nous devons nous limiter à mentionner les plus représentatives : **Phoebe Snow, Dee Dee Bridgewater, Ricky Lee Jones, Bonnie Herman** (la voix riche et « sensuelle » des Singers Unlimited), **Marlena Shaw, Ann Burton, Jean Carn, Lorraine Feather, Gayle Moran** (connue pour ses enregistrements avec Chick Corea) et **Angela Bofill.** Ron Welburn dit d'Angela : « Elle pourrait devenir la première chanteuse à avoir introduit une véritable dignité artistique dans le genre du jazz fusion. »

Betty Carter a fait remarquer qu'il était presque impossible aujourd'hui d'être une chanteuse de jazz : « Je suppose que je suis la dernière des Mohicans. C'est compréhensible : chanter du jazz n'est pas une pratique rentable. Les jeunes chanteuses sont attirées par la chanson commerciale — et il faut regarder la situation en face : si ce que vous chantez devient commercial, ce n'est plus du jazz. » Maintes chanteuses évoquées ci-dessus ont découvert cette vérité de manière particulièrement douloureuse. Dee Dee Bridgewater en offre un exemple. Elle parvint à la renommée avec le grand orchestre de Thad Jones-Mel Lewis au début des années soixante-dix ; elle enregistra avec lui des disques époustouflants, dont certains dans la ligne d'avant-garde, notamment un duo avec le bassiste Reginald Workman. Elle se trouva au début des années soixante-dix dans la position que connaît aujourd'hui Angela Bofill : elle était la chanteuse de jazz la plus prometteuse. Depuis, Dee Dee Bridgewater a abandonné l'univers du jazz.

Certaines chanteuses de folk sont également intéressantes dans le cadre du jazz. Les chanteuses noires se réfèrent à la tradition du gospel, de la soul et du blues tandis que les chanteuses de folk plongent leurs racines dans la musique anglo-américaine. Les deux représentantes de cette direction qui s'avèrent les plus intéressantes du point de vue du jazz sont **Judy Collins** et **Joni Mitchell**. Judy Collins a réalisé un travail superbe en incorporant les chants, les cris et les signaux désabusés des baleines dans sa chanson *Farewell to Tarwathie*. L'album de Joni Mitchell intitulé *Mingus*, enregistré en 1979, est le plus bel et le plus émouvant hommage à ce grand musicien. Les critiques ont reproché au chant de Joni Mitchell d'être trop éthéré et fragile pour évoquer la musique de Mingus ; or ce fait même prouve l'ampleur des implications du message de Mingus. Mitchell a toujours aimé employer des musiciens de jazz pour ses séances d'enregistrement, notamment le bassiste Jaco Pastorius et le batteur Don Alias. L'importance du jazz pour Joni Mitchell est illustré par le fait qu'elle déclara un jour que le disque le plus important dans son évolution fut l'album *Count Basie* de Lambert, Hendricks et Ross.

La tradition de la musique folk anglo-américaine est à des chanteuses telles que Collins et Mitchell ce que la tradition de la samba (qui est elle-même ancrée dans la musique Yoruba d'Afrique occidentale) est aux chanteuses brésiliennes. **Flora Purim** est la plus célèbre d'entre elles dans l'hémisphère nord parce qu'elle s'installa aux États-Unis en 1968. Il existe toutefois au Brésil des voix encore plus impressionnantes, pratiquement inconnues aux États-Unis ou en Europe — **Ellis Regina** et **Maria Bethânia**. La première possède la souplesse d'Ella Fitzgerald, la seconde l'énergie émotionnelle de Billie Holiday.

Purim et son époux, le percussionniste Airto Moreira, se trouvaient au cœur d'un « mouvement brésilien » sur la scène américaine des années soixante-dix. Flora fut introduite tout d'abord par Stan Getz et Gil Evans puis par Chick Corea (dans son premier groupe Return to Forever, formé au début des années soixante-dix). L'un de ses plus beaux enregistrements s'intitule *Open Your Eyes, You Can Fly* (1976), l'album est dans son ensemble un chant de liberté triomphant. On sent que la chanson reflète une expérience personnelle. Flora venait d'être libérée de prison ; elle avait été accusée de se droguer mais le fait ne fut jamais prouvé.

Flora Purim : « J'ai appris à faire voyager des sons de mon diaphragme à ma gorge, à mon nez, à travers ma tête... Lorsque je me suis rendue aux États-Unis mes amis m'ont mise en garde : "Ne chante pas de jazz ni de musique américaine, la concurrence est trop forte." J'ai suivi leur conseil. J'ai chanté une musique simplement humaine. »

Flora Purim nous amène à notre dernier groupe de chanteuses : celles qui interprètent du free jazz. Les premières représentantes de cette tendance furent l'Américaine **Jeanne Lee** et la Norvégienne **Karin Krog**, dès le début des années soixante. Viennent ensuite les Britanniques **Norma Winstone, Julie Tippetts** et **Maggie Nichols** ; la Polonaise **Urszula Dudziak** ; l'Américaine **Jay Clayton** ; la Française **Tamia**, l'Israélienne **Rimona Francis**, la Gréco-Américaine **Diamanda Gallas** ; et l'Américaine **Lauren Newton**. Ces chanteuses ont introduit la « voix considérée comme un instrument » dans des domaines qui auraient paru inaccessibles quelques années auparavant. Chanter ne consiste pas uniquement pour elles à vocaliser des chansons mais à crier, rire et pleurer, à reproduire les râles de l'expérience sexuelle et le babillement des bébés. Le corps tout entier, de l'abdomen aux sinus et au crâne, devient un instrument, une source vibrante de sons, un « corps de sonorités ». Toute la gamme des bruits humains — et plus spécifiquement féminins — est employée ; rien d'humain ni d'organique ne paraît leur être étranger. Ces chanteuses hurlent et geignent sans retenue, produisant les sons convenant à la chanson, à l'ambiance ou à l'atmosphère — pourtant ce manque de retenue n'est qu'apparent, parce que tous ces sons doivent être formés, maîtrisés et intégrés musicalement pour acquérir un sens.

« La voix considérée comme un instrument » — il n'est possible d'employer cette expression qu'en termes relatifs :

ce qui paraissait être le *nec plus ultra* de la vocalisation instrumentale dans les années vingt avec Adelaïde Hall dans l'orchestre de Duke Ellington, fut surpassé par Ella Fitzgerald dans les années quarante, par la chanteuse indienne Yma Sumac dans les années cinquante, par Jeanne Lee et Karin Krog dans les années soixante, par Urszula Dudziak dans les années soixante-dix et par Lauren Newton et Diamanda Gallas dans les années quatre-vingts. Chacune de ces voix fut présentée à son époque comme représentant le summum de leur art — il en sera toujours ainsi.

Jeanne Lee a acquis la notoriété essentiellement grâce aux textures musicales artistiques qu'elle tisse au sein du groupe de son époux, le multi-instrumentiste Gunter Hampel. Son chant coule d'un feeling musical autant que littéraire. Jeanne a vocalisé la poésie moderne. Il n'existe aucune chanteuse qui possède sa sensibilité aiguë pour les mots ; elle écoute et suit la sonorité de chaque terme, de chaque syllabe. **Karin Krog** enregistra l'un de ses plus beaux disques en duo avec le ténor Archie Shepp — et aussi paradoxal que cela paraisse la jeune femme originaire de la froide Scandinavie et Shepp avec sa conscience hautement développée de la musique noire accèdent à une fusion parfaite. Le chef d'orchestre Don Ellis fit venir Karin Krog d'Oslo à Hollywood pour enregistrer quelques morceaux. Il confia : « Il n'y a pas une seule chanteuse aux États-Unis qui aurait pu accomplir ce qu'elle a fait. » **Norma Winstone** combine l'expérience du nouveau jazz à des formes de chansons classiques, en particulier la ballade. Elle s'exprima de manière très impressionnante dans le groupe Azimuth, avec le pianiste John Taylor (son époux) et le trompettiste Kenny Wheeler.

La carrière de **Julie Tippetts** alla à contre-courant. Elle n'évolua pas du jazz vers la musique pop, mais de la pop vers le free jazz. Durant la seconde moitié des années soixante, elle enregistra sous le nom de Julie Driscoll avec l'organiste Brian Auger — notamment son succès *This Wheel on Fire*. Elle était l'une des chanteuses de rock les plus sensibles et les plus souples sur le plan musical ; elle était en outre l'une de celles que l'on entendait le plus souvent. On eut souvent l'impression dans les années soixante-dix que sous le nom de Julie Tippetts elle fuyait son ancienne identité dans une musique d'une abstraction plus exigeante et plus complexe. La Polonaise **Urszula Dudziak** électronisa sa voix — elle en fit un instrument de percussion. Elle canalise sa voix à travers un certain nombre de synthétiseurs différents et utilise un instrument de percussion électronique construit sur mesure. Un critique américain écrivit : « Imaginez que la *Girl from Ipanema* vienne de Varsovie au lieu de Rio et vive aujourd'hui à New York — alors vous aurez une idée de la sonorité de sa voix. » **Jay Clayton**, qui s'intéresse en outre à la musique minimale et à la musique « classique » moderne, a travaillé avec Steve Reich, Muhal Richard Abrams et John Cage. **Tamia** (qui vit à Paris) s'est produite avec le batteur suisse Pierre Favre et avec des danseurs japonais, mais elle aime par-dessus tout donner des concerts en solo. Elle possède, écrit *Le Monde de la Musique*, « une voix qui va au-delà du simple fait de chanter ». **Rimona Francis** intègre dans son chant la tradition musicale israélienne et les mètres irréguliers de Bulgarie (dont sa famille est originaire), mais elle fait également songer à Bartok et aux vocalisations arabes. **Lauren Newton** d'Oregon maîtrise la gamme de styles la plus riche de toutes les chanteuses. Elle a étudié la musique baroque ainsi que la musique de concert moderne — Schoenberg et Ligeti, notamment. Elle inclut toutes ces expériences dans une forme d'improvisation très légère et spirituelle qui ne manque pas d'idées nouvelles ; Lauren dit : « J'ose faire en jazz des choses auxquelles vous ne songiez même pas en musique de concert moderne. Le jazz vous donne plus de liberté, mais le jazz est aussi plus exigeant. » **Diamanda Gallas**, de San Diego, commence là où les autres chanteuses décrochent en général. Elle atteint d'emblée un degré d'intensité presque dément, agressant les oreilles des auditeurs de ses cris et de ses éruptions vocales. Elle est pareille à une bacchante en délire transposée de la mythologie grecque à l'époque moderne (et de fait elle est d'origine grecque !) Et si une seule Diamanda ne vous suffit pas, elle chante sur plusieurs enregistrements de sa propre voix.

Ainsi que nous l'avons dit, Betty Carter a le sentiment que le chant jazz — au sens strict du terme — est un art qui se meurt. Il est vrai qu'il est difficile de trouver dans l'univers du jazz actuel une seule jeune chanteuse qui jazz swingue dans la veine de Mark Murphy ou Bob Dorough chez les hommes. Mais pendant des années on a entendu dire que les grands orchestres étaient morts — puis les grandes formations firent un retour en force. Il n'est pas impossible que le chant jazz féminin connaisse un destin semblable. Le monde du jazz a besoin d'une Betty Carter contemporaine et d'une compagnie de disques qui lui permette de chanter du jazz — du jazz pur — sans toutes les exigences (explicites ou tacites) relatives au « potentiel commercial ». Alors et alors seulement cette musique possédera un potentiel commercial indubitable.

Les grands orchestres de jazz

Il est difficile de déterminer à quel moment commença l'histoire des grands orchestres. Ce qui était à un moment de la musique néo-orléanaise devint l'instant d'après du jazz de grand orchestre, et nous nous retrouvons au seuil de l'ère Swing. On dénote dans *The Chant*, enregistré en 1926 par les Red Hot Peppers de Jelly Roll Morton, des traces de sonorités de grand orchestre, quoique l'idiome soit du jazz néo-orléans le plus pur. Et lorsque King Oliver céda son orchestre à Luis Russell en 1929, l'orchestre, quoique étant sensiblement le même, se transforma d'un groupe de New Orleans en une formation de Swing. Le cas de **Fletcher Henderson** illustre combien ces transitions s'opérèrent en souplesse. C'est avec lui que commence la véritable histoire des big bands du jazz. Il dirigea de grands orchestres du début des années vingt à 1938 et exerça une influence qui ne peut être comparée qu'à celle de Duke Ellington. (Nous ne parlerons pas d'Ellington dans ces pages parce que son esprit imprègne presque toutes les phases de l'histoire des grands orchestres de jazz ; en outre un chapitre complet lui est consacré dans la première partie de ce livre.)

Fletcher Henderson jouait à l'origine un type de musique qui ne différait guère de celle pratiquée à La Nouvelle-Orléans. Entre 1925 et 1928 il enregistra des disques sous le nom des Dixie Stompers. Lentement, de manière presque imperceptible, des sections se formèrent, réunissant les instruments apparentés. Dès lors les sections allaient devenir la caractéristique des grands orchestres de jazz classiques. Parmi les premières, on note les trios de clarinettes. On en rencontre chez Henderson ainsi que chez Jelly Roll Morton — et bien entendu chez Duke Ellington. L'évolution du groupe de neuf ou dix musiciens qu'Henderson avait à l'origine[1] au travail d'ensemble typique des sections compactes de trompettes, trombones et saxophones de l'apogée de sa carrière est progressive et à peine perceptible.

Fletcher Henderson et les origines

Fletcher Henderson avait un véritable instinct pour les tendances. Il n'était pas comme Ellington un homme à la pointe de l'évolution. Il suivait — mais non pas sans donner ampleur et richesse à la tendance en vigueur. C'est la raison pour laquelle il ne conservait jamais très longtemps les mêmes musiciens ; il changeait souvent de personnel contrairement à Duke Ellington.

Les musiciens trouvèrent dans les différents grands orchestres d'Henderson une liberté qui paraît contraire même à l'opinion générale que l'on se fait du travail des grandes formations. La liberté concernait les questions externes : en 1932, John Hammond supervisa une séance d'enregistrement avec l'orchestre d'Henderson. Elle était prévue pour 10 heures. Cinq hommes arrivèrent à 11 h 30. Le dernier musicien se présenta à 12 h 40 — il s'agissait de John Kirby (avec sa contrebasse). La fraîcheur et la spontanéité de la musique d'Henderson est le côté agréable de telles attitudes, qui ne sont pas courantes dans les séances d'enregistrement actuelles.

Henderson, qui mourut en 1952, était un grand arrangeur ; certains experts le considèrent comme l'arrangeur le plus important du jazz traditionnel, après Duke Ellington. Quoi qu'il en soit, Duke et lui furent les premiers à savoir écrire pour de grandes formations avec une sensibilité sûre en ce qui concerne l'improvisation jazz.

La diversité de l'orchestre d'Henderson était considérable. Vers 1930 un programme comprenait par exemple : les vieux *King Porter Stomp* et *Singin' the blues* de Jelly Roll Morton avec Rex Stewart jouant un solo *à la* Beiderbecke ; un morceau mettant en évidence la sonorité puissante du

1. Un personnel qui serait qualifié de combo à l'heure actuelle, mais qui à l'époque était ce que l'on faisait de plus imposant.

saxophone ténor de Coleman Hawkins ou le trombone fluide de Jimmy Harrison ; puis éventuellement un morceau du répertoire du vieux Original Dixieland Jazz Band tel que *Clarinet Marmalade*, et enfin *Sugar Foot Stomp*, modelé sur le fameux *Dippermouth Blues* de King Oliver avec Stewart jouant le solo original d'Oliver. Ce mélange était agrémenté de véritables stomps adaptés au goût du public de Harlem[1], des morceaux tels que *Variety Stomp* ou *Saint Louis Shuffle* — et de temps à autres un succès commercial de l'époque tel que *My Sweet Tooth Says 'I Wanna' But My Wisdom Tooth Says « No »*.

Henderson avait toujours l'art de choisir ses solistes. Les musiciens ayant joué dans son orchestre ont été mentionnés dans presque tous les chapitres consacrés aux instruments. Parmi les principaux citons : les saxophonistes Don Redman et Benny Carter ; les ténors Coleman Hawkins, Ben Webster et Chu Berry ; le clarinettiste Buster Bailey ; les trompettes Tommy Ladnier — qui avait une sonorité blues —, Rex Stewart, Red Allen, Roy Eldridge et Joe Smith ; les trombones Jimmy Harrison, Charlie Green, Benny Morton ; et le batteur Sid Catlett ; ainsi que le frère de Fletcher, Horace, qui jouait du piano (ainsi qu'Henderson). Nombre de ces musiciens devinrent par la suite des chefs d'orchestre, les plus célèbres étant Redman et Carter.

Don Redman est sans doute le musicien le plus sous-estimé en jazz. Il a dit un jour : « J'ai modifié ma manière d'écrire des arrangements après avoir entendu Louis Armstrong. » Il enregistra à partir de 1928 avec les McKinney's Cotton Pickers ; de 1931 à 1940 (puis par intermittence jusqu'à son décès survenu en 1964), il dirigea son propre orchestre. Maints musiciens ayant joué avec Henderson se sont retrouvés dans les orchestres de Redman. Redman raffina la musique d'Henderson. Il convient toutefois de préciser qu'un dénominateur commun à toute l'évolution du jazz orchestral consiste en un raffinement ininterrompu des idées « classiques » de Fletcher Henderson.

En 1931 Redman réalisa la première composition d'une

1. Un goût qui a changé depuis lors, notamment au profit d'une accentuation du temps et par conséquent d'une préférence pour les éléments de rhythm n' blues.

grande formation au sens moderne du terme. Elle comprenait trois trompettes, trois trombones, une section de quatre saxophones et une section rythmique avec piano, guitare basse et batterie. Les quatre saxophones s'en virent adjoindre un cinquième pour la première fois en 1933 dans l'orchestre de Benny Carter. Ceci constitue l'instrumentation standard d'un grand orchestre — à cette nuance près que la section des cuivres accueillait parfois vers la fin des années trente, et de manière plus généralisée par la suite, quatre voire cinq trompettes et quatre trombones. Voilà qui nous donne un total de dix-sept ou dix-huit musiciens, et le fait qu'un tel ensemble soit considéré comme un « grand » orchestre est propre à la nature du jazz. Pour la musique européenne, il s'agit encore d'un ensemble de chambre. Un orchestre serait considéré comme étant « grand » à partir d'une centaine de musiciens. La multiplication impressionnante des mêmes voix, employées dans les grandes formes symphoniques — une multiplication visant uniquement le plus souvent à augmenter le volume ou l'effet — est contraire à la nature du jazz. Le jazz tend vers une instrumentation linéaire de chaque voix : chaque instrument a un objectif musical distinct, perceptible ; chaque instrument est utilisé comme une « voix ».

Benny Carter dirigea pendant une brève période les McKinney's Cotton Pickers — d'après le nom du manager du groupe — après le départ de Redman. Carter devint le prototype du chef d'orchestre tel qu'on en rencontrerait de plus en plus par la suite : des leaders qui étaient avant tout des arrangeurs et qui dirigeaient des orchestres pour l'unique raison qu'ils désiraient entendre leurs idées traduites dans le type de sons qu'ils avaient en tête. La carrière de Carter en tant que chef d'orchestre fut en conséquence malheureuse et riche en interruptions ; il n'en devint pas moins le véritable spécialiste de la section de saxophone — et un maître de la création mélodique. Personne ne réussit jamais à utiliser les saxophones de manière aussi riche que lui... Les sonorités de saxophones découvertes par Carter en 1933 — dans des enregistrements tels que *Symphony in Riffs* ou *Lonesome Nights* — introduisirent une couleur tonale entièrement nouvelle, qui deviendrait de plus en plus importante en jazz.

La richesse des possibilités découvertes par Carter dans la section de cinq saxophones n'est pas étrangère au fait que maints leaders d'orchestres modernes préfèrent se passer d'un trombone ou d'un trompettiste que d'un saxophoniste.

L'époque Goodman

L'influence de Fletcher Henderson se fit d'abord sentir chez l'homme de grand orchestre le plus important des années trente : **Benny Goodman**, « le Roi du Swing ». Vinrent ensuite tous les grands orchestres blancs influencés par Henderson et Goodman, notamment celui de **Tommy** et **Jimmy Dorsey**, ainsi que le groupe d'Artie Shaw, sur lequel nous reviendrons. Ils combinaient l'influence d'Henderson et celle des orchestres blancs des années vingt plus ou moins proches du style de Chicago : **Ben Pollack, The Wolverines, Jean Goldkette**.

L'orchestre de Goodman jouait une musique évoquant celle de Fletcher Henderson, mais plus raffinée, débarrassée des « impuretés » d'intonation et de précision. Il devint le symbole de l'ère Swing. La crête de la vague B G (qui commença en Californie en 1935 lorsque Goodman et ses musiciens avaient presque abandonné tout espoir de réussite) se situe en 1938, lors du célèbre concert de Carnegie Hall qui marque l'entrée décisive du jazz dans les salles de musique « sérieuse ». Goodman (et John Hammond) avait engagé des membres des orchestres de Duke Ellington et de Count Basie pour cette prestation. Ceux-ci se produisirent aux côtés des célèbres solistes du grand orchestre de Goodman : les trompettistes Harry James et Ziggy Elman, le batteur Gene Krupa, le pianiste Jess Stacy — et des solistes des petites formations de Goodman : le pianiste Teddy Wilson et le vibraphoniste Lionel Hampton. Goodman et plus tard Artie Shaw furent les premiers à oser présenter des musiciens noirs dans des orchestres blancs ; cela se passa tout d'abord sous la forme « diplomatique » d'attractions en solo, de sorte que les racistes ne soient pas confrontés à des musiciens noirs installés au milieu de Blancs.

Fletcher Henderson fut, durant les premières années, le

principal arrangeur de l'orchestre de Benny Goodman, et l'orchestre conserva toujours l'empreinte Henderson, en dépit des changements d'arrangeurs. Seul Eddie Sauter conféra une « nouvelle sonorité » à l'orchestre Goodman du début des années quarante — dans des morceaux tels que *Superman* avec un solo de trompette de Cootie Williams, *Clarinet à la King*, une mise en valeur de la clarinette de Benny, et *Moonlight on the Ganges*. Sauter n'utilisait plus les sections de manière contrastante comme le faisait Henderson, mais les fondait parfois et créait de nouvelles « sections » en combinant des instruments de sections différentes qu'il dissolvait ensuite en fonction du flux de la musique. Il inaugura ainsi une technique qu'il allait perfectionner — en collaboration avec l'arrangeur Bill Finegan — dans le **Sauter-Finegan Band** des années cinquante. Cet orchestre combina la qualité artistique de la musique de concert — notamment l'emploi fréquent des instruments de percussion au-delà du temps jazz — et un sens de l'humour très jazz et soigneusement américanisé. (Il convient de savoir que ce processus de « dissolution » des sections ne faisait que commencer avec Eddie Sauter ; il allait se poursuivre — d'une manière beaucoup plus radicale — avec des chefs d'orchestre tels que Gil Evans et Sun Ra.)

Le clarinettiste **Artie Shaw** — après avoir tenté sans grand succès, en 1936, d'introduire un quartette à cordes dans un grand orchestre — joua le jazz de grand orchestre le plus raffiné et le plus subtil de la fin des années trente et des années quarante — à l'exception bien entendu de celui de Duke Ellington. Shaw appréciait une certaine sensibilité impressionniste, tout en préservant la vigueur puissante des grandes formations de Swing. Il engagea régulièrement des artistes noirs dans son groupe : Billie Holiday, les trompettistes Hot Lips Page et Roy Eldridge, etc. Nous avons déjà évoqué en parlant de Billie Holiday les affronts que ces musiciens devaient endurer durant les tournées de l'orchestre : les hôtels qui leur fermaient leurs portes, les restaurants qui refusaient de les servir et les directeurs de salle de spectacle qui les contraignaient à utiliser la porte de service...

Trois orchestres Swing blancs ne s'intègrent pas dans la lignée Henderson-Goodman : le **Casa Loma Band**, et les orchestres de **Bob Crosby** et de **Charlie Barnet**. Le Casa Loma Band de Glen Gray jouissait des faveurs de collégiens bien avant Benny Goodman. Il était, par la raideur de ses arrangements et son jeu d'ensemble mécanique, le précurseur de l'orchestre de Stan Kenton de la fin des années quarante — le groupe pour lequel Pete Rugolo écrivait des arrangements et qui est associé à l'expression « jazz progressif ». Gene Clifford était le « Rugolo » du Casa Loma Band. Il écrivit des morceaux qui paraissaient alors aussi imposants et compacts que les enregistrements « Artistry » de Kenton quinze années plus tard : *White Jazz, Black Jazz, Casa Loma Stomp.*

Bob Crosby interprétait un Swing influencé par le dixieland, faisant songer à l'orchestre de Ben Pollack (qu'il reprit en 1935) et aux New Orleans Rhythm Kings et annonçait en quelque sorte la lignée moderne du dixieland commercialisé. Il possédait une section rythmique dixieland idéale : Nappy Lamare (guitare), Bob Haggart (basse) et Ray Bauduc (batterie). Le **World's Greatest Jazz Band** a ranimé, depuis la fin des années soixante, la vieille tradition de Bob Crosby.

Charlie Barnet a fondé son premier grand orchestre en 1932 et il dirigea presque sans interruption jusque dans les années soixante des orchestres qui étaient tous conçus en fonction de l'attirance qu'il éprouvait pour la musique de Duke Ellington. Il convient peut-être de préciser que la relation de Barnet à Ellington correspond à celle de Goodman à Henderson. *Cherokee*, enregistré en 1939, fut l'indicatif de l'orchestre de Barnet ; des dizaines de programmes de radio l'adoptèrent dans le monde entier.

Les rois du Swing noirs

Fletcher Henderson n'influença pas seulement la plupart des orchestres blancs des années trente, il dirigea lui-même le premier orchestre à succès de Harlem. Ce concept, l'orchestre de « Harlem », devint un label de qualité pour les orchestres de jazz, au même titre que le terme « New Orleans » était un label de qualité pour le jazz traditionnel. Même Benny Goodman désira jouer pour le public expert et enthousiaste

— et enthousiasmant — de Harlem qui avait transformé le Savoy Ballroom en un célèbre centre de musique et de danse durant l'ère Swing. En 1937, Goodman se livra à un tournoi musical avec l'orchestre de Harlem le plus populaire de l'époque, celui de Chick Webb — Goodman en sortit perdant ! Quatre mille personnes se pressaient dans le Savoy Ballroom, et cinq mille autres s'entassaient dans Lenox Avenue pour assister à cette lutte amicale.

La lignée de « Harlem » mène directement de Henderson à Cab Calloway, Chick Webb et Jimmie Lunceford, puis à Count Basie et aux divers orchestres de Lionel Hampton ; et par-delà aux grands orchestres be-bop du Harlem des années quarante, aux groupes jump des années cinquante *à la* Buddy Johnson ; ou aux orchestres qui accompagnaient les performances de **Ray Charles**.

Cab Calloway, l'amuseur du style scat, reprit en 1929 la direction des Missourians, un orchestre venu du Midwest à New York. Dès lors et jusqu'à la fin des années quarante, il conduisit en permanence de bons orchestres ; les derniers valent essentiellement en raison des musiciens qui les composaient : Ben Webster, Chu Berry, Jonah Jones, Dizzy Gillespie, Hilton Jefferson, Milt Hinton, Cozy Cole.

Le nain **Chick Webb**, bossu de surcroît, régnait en maître au Savoy Ballroom de Harlem. Duke Ellington raconte : « Webb était fou de tournois, et ses types avaient pour habitude de défier tous les groupes qui jouaient là, le plus souvent ils s'en sortaient vainqueurs bien que les autres orchestres fussent souvent deux fois plus nombreux qu'eux. Mais l'inoubliable et adorable Chick remportait toutes les joutes, et les membres de son orchestre jouaient comme des fous en permanence. » Gene Krupa qui fut défait par Webb alors qu'il jouait au sein de l'orchestre de Benny Goodman déclara : « Je n'ai jamais été battu par un meilleur homme. » La pianiste-arrangeur Mary Lou Williams se souvient : « Une nuit que j'errais dans Harlem j'ai débarqué au Savoy. Après avoir dansé sur quelques morceaux, j'ai entendu une voix qui m'a fait frissonner... J'ai presque couru jusqu'à la scène pour voir à qui elle appartenait et j'ai aperçu une jeune fille charmante, à la peau brune, qui avait une attitude modeste et chantait comme personne. J'ai appris qu'elle s'appelait

Ella Fitzgerald et que Chick Webb l'avait découverte dans l'un des concours pour amateurs organisés à l'Apollo. »

Jimmie Lunceford était au moins aussi important que Webb ; il était le chef d'orchestre par excellence. Avec lui la « précision » acquit une importance primordiale dans le jeu des grands orchestres de jazz. Il conduisit, de la fin des années vingt jusqu'à sa mort survenue en 1947, un orchestre dont le style était essentiellement élaboré par Sy Oliver, l'un des trompettes de la formation. Ce style est marqué par un deux temps « déguisé » derrière le mètre Swing 4/4, et par le travail à l'unisson efficace de la section de saxophones, avec sa tendance aux glissandi. Le rythme et la sonorité de la section de saxophones de Lunceford furent abondamment copiés par les orchestres de danse commerciaux des années cinquante, en particulier par celui de Billy May. Le tempo « Lunceford » produisait un effet d'une puissance telle que la désignation générale de « Swing » ne paraissait pas suffisante. On parla donc de « bond ». La musique de Lunceford « bondissait » d'un temps à l'autre d'une manière qui mettait en évidence le moment de « lassitude », comme dans le jeu de piano d'Erroll Garner. L'écriture d'Oliver fut le premier traitement véritablement nouveau de la section de saxophones depuis le travail de Redman et de Carter. De là naquit la première sonorité orchestrale typique — outre les growls d'Ellington et les trios de clarinette des orchestres de Fletcher Henderson et d'Ellington. Ces sonorités et ces instrumentations particulières qui collent à un orchestre comme une marque de fabrique et le rendent identifiable dès les premières mesures devenaient de plus en plus populaires.

Avec **Count Basie** (mort en 1984) le courant des orchestres de Kansas City se fondit à celui des orchestres à succès de Harlem. Appartiennent à la veine de Kansas City l'orchestre de **Bennie Moten** (que Basie reprit en 1935) ; les orchestres de **Jay McShann** et d'**Harlan Leonard** dans lesquels joua Charlie Parker ; et bien avant ceux-ci **Andy Kirk and His Twelve Clouds of Joy**. Tous avaient une orientation blues et boogie, avec une technique riff marquée, utilisant de brèves phrases blues répétées comme thèmes ou pour augmenter la tension, ou employant de telles phrases riff comme éléments de contraste. La pianiste et arrangeur d'Andy Kirk n'était autre que Mary Lou Williams, et c'est en majeure partie grâce à son influence que l'orchestre de Kirk évolua bien au-delà des simples formules blues-riff des autres orchestres de Kansas City.

Basie conserva à l'origine (ainsi que dans certains de ses enregistrements actuels) la formule blues-riff de Kansas City, mais il en fit beaucoup plus qu'une formule. Il y trouva la substance qui confère à sa musique — qui a assimilé au fil des ans maints éléments nés de l'évolution des grands orchestres de jazz — sa puissance. Basie a conduit des grandes formations depuis 1935, avec de brèves interruptions. L'orchestre de Basie des années trente et quarante mettait l'accent sur une brochette de solistes brillants : Lester Young et Hershel Evans (ténor) ; Harry Edison et Buck Clayton (trompettes) ; Benny Morton, Dickie Wells et Vic Dickenson (trombones) ; et l'« All American Rhythm Section » déjà évoquée. Dans les orchestres modernes de Basie, l'accent est mis sur une forme de précision guillerette, qui émerge de la manière la plus naturelle qui soit du swing. D'aucuns ont dit que Basie produisait un « swing orchestré ». L'orchestre de Basie des années cinquante comprenait lui aussi d'excellents solistes : les trompettistes Joe Newman et Thad Jones, les saxophonistes Frank Foster, Frank Wess et Eddie « Lockjaw » Davis ; les trombones Henry Coker, Bennie Powell et Quentin Jackson ; et *last but not least* Basie lui-même, dont le piano économe fait swinguer un orchestre comme nul autre.

Basie présenta dans les années soixante-dix des enregistrements avec des arrangements de Bill Holman et Sam Nestico. La « machine Swing » toujours indestructible de Basie comprenait les trompettes Sonny Cohn, Frank Szabo et Bobby Mitchell ; les trombones Al Grey, Curtis Fuller et Bill Hughes ; les saxophonistes Eric Dixon, Bobby Plater, Jimmy Forrest et Charlie Fowlkes. Freddie Green prêtait toujours à l'orchestre ses sonorités de guitare inimitables ; et Basie avait à nouveau trouvé en la personne de Butch Miles un batteur Swing étonnant.

Count enregistra surtout d'excellents disques en combo : des jam-sessions avec Eddie Lockjaw Davis, Joe Pass, Clark

Terry et Benny Carter ; des tentatives en quartette avec notamment Zoot Sims ; une séance d'enregistrement avec le chanteur de blues Joe Turner ; et — le plus remarquable de tous — un album en trio avec le pianiste Basie.

Woody et Stan

Les éléments de l'ère Swing sont demeurés plus importants pour les styles des grands orchestres modernes que pour les improvisations des solistes individuels. **Woody Herman** devint en 1936 l'homme en vue d'un collectif de musiciens ayant appartenu à l'orchestre de Isham Jones. « Swing à la Benny Goodman » était alors l'expression à la mode. Herman ne jouait pourtant pas du Swing conventionnel, mais du jazz. Il baptisa sa formation **« The Band That Plays The Blues »**. *The Woodchopper's Ball* était le plus grand succès du groupe. Lorsque éclata la guerre, l'orchestre qui jouait le blues commença à se désagréger, mais bientôt naquit la ligne talentueuse des Herds d'Herman. Le « First Herd » fut peut-être l'orchestre de jazz blanc le plus vigoureux qui existât jamais. *Caldonia* fut son plus grand succès. Igor Stravinsky entendit ce morceau à la radio en 1945 et demanda à Herman s'il l'autorisait à écrire une composition pour son orchestre. Ainsi naquit l'*Ebony Concerto* ; un morceau en trois mouvements dans lequel Stravinsky combine ses idées classiques et le langage du jazz. Il est possible que les amateurs de jazz n'apprécient pas cette œuvre (parce qu'elle ne « swingue » pas) ; il n'en demeure pas moins que l'*Ebony Concerto* est sans conteste la meilleure composition « inspirée par le jazz » écrite à ce jour par un grand compositeur classique du XXᵉ siècle.

Le bassiste Chubby Jackson était l'épine dorsale du First Herd. Les batteurs furent Dave Tough, puis Don Lamond. Flip Philips tenait le ténor ; Bill Harris s'imposa du jour au lendemain comme un trombone important avec son solo sur *Bijou* ; John LaPorta jouait de l'alto ; Billy Bauer, de la guitare ; Red Norvo, du vibraphone ; et Pete Candoli, Sonny Berman et Shorty Rogers de la trompette — en un mot, une palette de vedettes telle qu'aucun orchestre de l'époque ne pouvait en aligner.

Chubby Jackson se souvint que les musiciens se félicitaient souvent à la fin d'une soirée pour leurs solos respectifs ; voilà qui traduit bien l'esprit de cet orchestre.

1947 vit la formation du « Second Herd ». Il devint le « Four Brothers Band » évoqué dans le cadre du chapitre consacré au saxophone. Il s'agissait également d'un orchestre de be-bop composé de Shorty Rogers et Ernie Royal (trompettes) ; Earl Swope (trombone) ; Lou Levy (piano) ; Terry Gibbs (vibraphone) ; les ténors cités ci-dessus et la chanteuse Mary Ann McCall. Le grand succès de la sonorité des Four Brothers s'intitulait *Early Autumn*, écrit par Ralph Burns. Le *Lemon Drop* de George Wallington était caractéristique de la musique bop du Second Herd.

Les années cinquante virent la formation des troisième et quatrième « Herman Herds », etc. ; les transitions ne sont guère nettes. Herman lui-même dit un jour : « Mes trois "Herds" ? J'ai l'impression qu'il y en eut quatre-vingts. » Ralph Burns écrivit un « livre » (c'est-à-dire un recueil d'arrangements) pour le troisième Herd dans lequel la sonorité des Four Brothers devint la marque de fabrique de l'orchestre. (Ce n'avait pas été le cas dans l'orchestre des Four Brothers proprement dit, où la section typique des Brothers, comprenant trois ténors et un baryton, était employée parallèlement à la section de saxophones à cinq voix dans laquelle l'alto occupait la première place.)

En dépit des rumeurs relatives à la mort des grandes formations, Woody Herman a traversé les années soixante et soixante-dix avec un tel bonheur que même ses fans ont renoncé à compter le nombre de Herds. Herman adapte les thèmes rock les plus musicaux à la conception de son grand orchestre — notamment le *Light My Fire* des Doors ou encore *La Fiesta*, le succès latin de Chick Corea. Il découvrit un nouvel arrangeur fascinant, le Néo-Zélandais **Alan Broadbent**, un musicien qui étudia à la Berklee School de Boston ainsi qu'avec Lennie Tristano. Il prouve que même aujourd'hui il est possible de créer des sonorités nouvelles et excitantes à partir de l'instrumentation de grand orchestre apparemment éculée. Broadbent écrivit également un concerto qu'interpréta le « Herman Herd » avec le Dallas Symphony Orchestra.

Stan Kenton, qui mourut en 1979, a dirigé plusieurs orchestres de styles différents, il convient donc de lui consacrer plus d'espace qu'à la plupart des autres orchestres. Le morceau le plus typique de Kenton est intitulé *Concerto to End All Concertos* — le titre à lui seul est déjà caractéristique. Il s'ouvre sur des figures de basses copiées maladroitement de Rachmaninoff et interprétées par le pianiste Kenton. Le climat musical de la fin du romantisme est omniprésent derrière ces figures, de même que la notion voulant que taille et volume soient synonymes de puissance expressive — tel semble être l'univers d'idées propre à Kenton. C'est de ce climat qu'émergea le premier morceau célèbre de Kenton, *Artistry in Rhythms*, en 1942. Il fut suivi par une série d'autres « Artistries » : in Percussion, in Tango, in Harlem Swing, in Bass, in Boogie. L'arrangeur Pete Rugolo est souvent à l'origine de ce style élaboré et riche en effets, mais Kenton lui-même avait déjà clairement établi le style « Artistry » lorsque Rugolo, qui se trouvait encore sous les drapeaux, lui offrit un arrangement en 1944. Rugolo, qui étudia avec Darius Milhaud, l'important compositeur moderne français, est le principal responsable de la deuxième phase de la musique de Kenton, le «jazz progressif» au sens restreint du terme ; un style encore plus puissant et élaboré, chargé d'accords massifs et de paquets de sonorités à couches multiples. Kenton remporta un succès considérable vers la fin des années quarante, la période principale de l'influence de Rugolo. Ses solistes occupaient les premières positions des sondages : le batteur Shelly Manne ; le bassiste Eddie Safranski ; le ténor Vido Musso ; le trombone Kai Winding — et surtout la chanteuse June Christy. Sa voix était la plus engageante de l'orchestre.

Encouragé par le succès, Kenton forma un grand orchestre de concert en 1949, renforçant sa composition jazz d'une section de cordes et de bois supplémentaires. Kenton trouva également un nom prétentieux pour ce nouveau projet : « Innovations in Modern Music ». Il s'agissait toutefois d'« innovations » que Hindemith, Bartok, Stravinsky et les autres grands compositeurs avaient introduites vingt à trente années auparavant. *Conflict* de Pete Rugolo est un morceau typique, utilisant la voix de June Christy comme un instrument et de violents contrastes entre les sonorités éthérées des cordes et le grondement des cuivres — mentionnons également la deuxième série d'*Innovations*, la *House of Strings*, de Bob Graettinger aux sonorités évoquant la Music for Strings de Bartok. La suite impressionnante de Graettinger, *City of Glass*, suggère les images esquissées par le titre au moyen de sons froidement abstraits, chatoyants, fantomatiques.

Puis — en 1952-1953 — l'orchestre Kenton le plus significatif du point de vue du jazz vit le jour. Kenton paraissait avoir oublié une partie de son passé et semblait décidé à faire une musique swing. Celle-ci n'était peut-être pas influencée de manière directe par Count Basie, mais elle cadrait parfaitement avec une époque marquée par l'esprit Basie. Kenton avait rassemblé maints solistes talentueux dans cet orchestre qui mettait l'accent sur les solos swings comme jamais aucune de ses formations ne l'avait fait. Zoot Sims et Richie Kamuca jouaient du ténor ; Lee Konitz de l'alto ; Conte Candoli de la trompette ; Frank Rosolino du trombone. Gerry Mulligan écrivit des arrangements tels que *Swinghouse* et *Young Blood*, et Bill Holman — visiblement inspiré par Mulligan — fournit des orchestrations dans lesquelles un jeu d'ensemble contrapuntique était employé avec beaucoup de simplicité et de spontanéité artistique. Bill Russo préserva la tradition Kenton d'une musique très exigeante se fondant sur un mélange complexe de sections.

Kenton travailla de plus en plus, au cours des années suivantes, au sein de collèges et d'universités américaines. Il créa les « Kenton Clinics », dans lesquels ses musiciens et lui initièrent des milliers de jeunes gens aux principes du jazz contemporain, en particulier à ceux de la musique de grand orchestre. Kenton ne renonçait pas à faire des sacrifices personnels, fournissant souvent des arrangements et des musiciens gratuitement ou à un tarif modeste. « Stan est le catalyseur de l'enseignement du jazz en Amérique », déclara le Docteur Herb Patnoe du collège De Anza de Californie.

Kenton connut vers la fin des années soixante et au début des années soixante-dix un regain de popularité imprévisible. Il s'entoura de jeunes musiciens contemporains avec lesquels il joua une musique plus directe, plus simple qu'au cours de ses périodes « progressive » et « Artistry ». Il n'avait cependant rien perdu de sa puissance ni de son incomparable pathos. Il enregistra certaines de ses meilleures œuvres ultérieures lors de concerts organisés par des universités.

Kenton avait entre-temps rompu ses relations avec Capitol Records, la firme avec laquelle il travaillait depuis le début de sa carrière ; il commença à distribuer ses disques par correspondance sous le label « Creative World of Stan Kenton ». Cette initiative encouragea la création de maintes compagnies de disques indépendantes, distribuant leurs disques de la même manière. L'expérience a démontré que la diffusion par correspondance touchait les clients de manière plus rapide, plus simple et plus efficace que les méthodes conventionnelles qui même après quatre-vingts années de jazz paraissent incapables de satisfaire les demandes des amateurs de ce genre.

Les grands orchestres bop

Pendant ce temps était né le be-bop et avec lui plusieurs tentatives de formation de grand orchestre be-bop. On en relève les premiers signes dans le grand orchestre d'Earl Hines des années quarante. Le fameux pianiste, identifié au style de piano « trompette » du deuxième Hot Five de Louis Armstrong, dirigea de grandes formations presque sans interruption de 1928 à 1948 dans un esprit dans lequel le Jump de Harlem et le bop se fondaient de manière harmonieuse. **Billy Eckstine**, un élève d'Hines, est à l'origine de la première tentative visant à jouer du bop avec une grande formation lorsqu'il créa son orchestre en 1944. Sarah Vaughan et lui en furent les chanteurs (cf. le chapitre consacré aux chanteurs de jazz). Dizzy Gillespie, Fats Navarro et Miles Davis jouèrent dans l'orchestre — ils en furent les voix de trompette moderne les plus importantes. Art Blakey était à la batterie ; et aux saxophones se succédèrent Charlie Parker, Gene Ammons, Dexter Gordon et Leo Parker.

En 1947 l'orchestre dut se dissoudre, mais à cette époque **Dizzy Gillespie**, qui avait occupé pendant un temps le poste de directeur musical de l'orchestre Eckstine, avait concrétisé la transformation finale du bop en jazz de big-band. Gillespie, Tadd Dameron, John Lewis et Gil Fuller assuraient les arrangements. Lewis était au piano, Kenny Clarke à la batterie, Milt Jackson au vibraphone, Al McKibbon (puis Percy Heath) à la basse, James Moody et Cecil Payne aux saxophones ; quant à Chano Pozo il ajouta les rythmes cubains incroyablement entraînants si caractéristiques de l'orchestre — des rythmes qui font songer à l'orchestre de **Machito**, qu'il convient de citer parmi les grands orchestres importants de l'époque. C'était le chaudron de sorcières dans lequel était brassé le mélange de rythmes cubains et de phrases jazz. A certaines époques, la section des cuivres rassemblait des musiciens nord-américains et la section rythmique des Cubains (cf. le chapitre consacré aux instruments de percussion). En fait, l'une des raisons pour lesquelles Dizzy engagea Chano Pozo (et plus tard d'autres percussionnistes cubains) est qu'il désirait capturer l'excitation de la musique de Machito.

Gillespie constituait son grand orchestre lorsque le président Truman avertit les Japonais, au cours de l'été de 1945, qu'ils devaient se soumettre ou souffrir une « destruction définitive ». Son groupe était sur le point de jouer au moment où fut lancée la première bombe atomique. Ce fait se charge d'un symbolisme presque spectral quand on écoute un morceau comme *Things to Come*. On songe à l'*Apocalypse in Jazz* mentionnée dans notre montage Parker-Gillespie avec ses phrases sèches, trépidantes et décadentes.

Il est significatif que les accents de *Things to Come* n'aient pas été repris durant les vingt années qui suivirent, jusqu'aux tentatives de formation de grands orchestres de free jazz.

Divers orchestres s'inscrivant entre Kenton et Herman méritent d'être évoqués ici. **Les Brown** produisait une musique de danse si sophistiquée et musicale que les amateurs de jazz, en particulier les musiciens, lui réservaient bon accueil. **Claude Thornhill** jouait ses solos de piano d'ambiance au sein d'une sonorité de grand orchestre qui inspira la conception du Miles Davis Capitol Orchestra vers la fin des années quarante. **Elliot Lawrence** interprétait des arrangements swing de Gerry Mulligan, Tiny Kahn et Johnny Mandel — à la fois simples et intéressants sur le plan musical.

Boyd Raeburn dirigea un orchestre, vers le milieu des années quarante, qui évoquait à bien des égards celui de Kenton. *Boyd Meets Stravinsky* est l'un de ses titres représentatifs. Des solistes tels que le pianiste Dodo Marmarosa, le bassiste Oscar Pettiford et le batteur Shelly Manne (et même Dizzy Gillespie à une certaine occasion) conféraient une sensibilité jazz aux arrangements de George Handy et **Johnny Richards**, notamment. Ce dernier écrivit ceux des enregistrements de 1950 dans lesquels Dizzy Gillespie utilise des cordes — il s'agissait des arrangements pour cordes les plus jazzy jamais créés à l'époque. Il forma, vers le milieu des années soixante, un orchestre qui s'efforça de développer les idées du jazz progressiste. Le groupe de Richards produisait d'immenses blocs de sonorités empilés les uns sur les autres et donnait la préférence aux mètres irréguliers.

Avec Basie pour base

La conviction selon laquelle il existe une contradiction irréconciliable entre le swing et une production élaborée s'imposa de plus en plus vers le milieu des années cinquante. Elle est en accord avec ce que nous avons nommé le « classicisme Basie ». Les grands orchestres de cette veine faisaient une musique se situant au-delà de l'expérimentation. **Maynard Ferguson**, qui émergea en 1950-1953 de l'orchestre de Kenton, organisa son Dream Band vers le milieu des années cinquante pour un engagement au Birdland de New York. Il s'agissait véritablement d'un orchestre de rêve. Chaque musicien était un représentant célèbre de son instrument, et tous partageaient le même idéal musical : jouer du jazz swinguant, inspiré du blues, tout à la fois intéressant sur le plan musical et enlevé. Jimmy Giuffre, Johnny Mandel, Bill Holman, Ernie Wilkins, Manny Albam, Marty Paich, etc. fournirent les arrangements. Maynard décida en définitive de former un orchestre permanent plutôt qu'un groupe de studio dont les membres étaient incapables ou peu disposés à quitter New York. Il trouva d'excellents jeunes musiciens qui jouèrent un jazz de grand orchestre aussi effréné que celui du « First Herd » de Woody Herman, mais plus nettement ancré dans le langage du classicisme moderne de Basie-Young. *Fugue*, écrit par le trombone-arrangeur Slide Hampton pour Ferguson, est peut-être la fugue la plus swing qu'ait jamais produite le jazz.

Ferguson vécut en Grande-Bretagne durant les années soixante (où il dirigea également un orchestre à succès), mais dans les années soixante-dix il connut un comeback commercial en Amérique. Ferguson dit : « La nostalgie ne m'intéresse pas. Il faut évoluer avec le temps... il faut adopter et utiliser les rythmes en vigueur. Durant le pseudo-âge d'or des grands orchestres, les fameux chefs de l'époque jouaient tous les meilleurs morceaux du moment — pourquoi n'en irait-il pas de même aujourd'hui ? » Ferguson interpréta donc des succès populaires contemporains dans des arrangements jazz rock riches en effets qui ne suscitaient pas l'enthousiasme des amateurs de jazz mais qui remportèrent un grand succès auprès du public jeune. On note de plus en plus une tendance vers un pathos d'opéra, comme si Ferguson était devenu une espèce de « Puccini de la musique de grand orchestre ».

Mais revenons-en aux années cinquante, à l'époque où l'influence de Basie était plus forte que celle d'Ellington. **Shorty Rogers** produisait une sorte de jazz à la Basie avec une conception caractéristique de la côte Ouest, riche en inventions originales et spirituelles. L'arrangeur Quincy Jones, le bassiste Oscar Pettiford, le tromboniste Urbie Green, le trompettiste de Boston Herb Pomeroy, etc., enregistrèrent tous des disques avec grand orchestre dans lesquels l'influence de Basie était évidente.

Quincy Jones intitula *This is How I Feel About Jazz* son premier album orchestral, enregistré avec des solistes aussi prestigieux qu'Art Farmer (trompette), Lucky Thompson et Zoot Sims (ténors), Phil Woods (alto), Herbie Mann et Jerome Richardson (flûtes), Jimmy Cleveland (trombone), Milt Jackson (vibraphone) ; Hank Jones et Billy Taylor (pianos), et Charles Mingus et Paul Chambers (basses). Il écrivit dans le texte de présentation de la pochette que la musique reflétait ses sentiments à l'égard « des éléments les moins cérébraux et les plus fondamentaux du jazz ». Il ajouta encore : « Je préférerais qu'on ne colle pas d'étiquette à cette musique, car elle est probablement influencée par toutes les voix originales, qu'elles appartiennent au jazz ou pas, depuis le chanteur de blues Ray Charles jusqu'à Ravel... Nous ne voulons nullement prouver quoi que ce soit, si ce n'est peut-être que "la vérité ne fait pas toujours mal"... Nos objectifs principaux dans cet album étaient : soul, équilibre et honnêteté... »

Jones a toujours aimé l'Europe. En 1959 il introduisit dans le Vieux Monde le premier grand orchestre américain moderne qui se fixa de manière permanente en Europe. L'orchestre devait assurer la musique du spectacle *Free and Easy*, mais celui-ci fut un échec. Quincy réussit, au prix de maintes difficultés, à conserver l'orchestre uni pendant un certain temps, grâce à des engagements à Paris, en Suède, en Belgique et en Allemagne. Parmi ses membres citons : Phil Woods, Sahib Shihab, Budd Johnson et Jerome Richardson pour la section saxe ; Quentin Jackson, Melba Liston, Jimmy Cleveland et le Suédois Ake Persson pour la section de trombones. La musique était saine, simple et honnête ; il s'agissait à bien des égards du jazz de grand orchestre le plus agréable de la fin des années cinquante, après ceux d'Ellington et de Basie. Il est certain que Quincy n'apporta rien de très neuf. Il perfectionna toutefois l'ancien et le fit éclater comme personne ne l'avait fait. Il est regrettable que Jones — son orchestre étant retourné aux États-Unis où il continua à se produire pendant quelques mois — ait renoncé à lutter pour survivre face au manque de débouchés commerciaux.

Jones est devenu l'un des arrangeurs et des compositeurs de cinéma et de télévision les plus appréciés d'Hollywood. On sent la tradition jazz dans tout ce qu'il écrit, et Quincy produit de temps à autres un album de jazz fusion avec grand orchestre, dans lequel il mêle avec un talent unique des éléments commerciaux et une qualité jazz indéniable.

Tout aussi intéressants à cet égard sont les enregistrements avec grand orchestre de **Gerry Mulligan**, lequel réussit presque à produire un son « à la Basie »... en plus sophistiqué. **Bill Holman** fut le premier à tenter, vers la même époque, de mettre sur pied un grand orchestre de hard bop — avec des arrangements intenses et concentrés de thèmes bop tels que l'*Airegin* de Sonny Rollins. Quelque temps plus tard (en 1960) apparut pour la première fois un grand orchestre de jazz « funk », soul et gospel, mais uniquement à des fins d'enregistrements : il s'agissait du Big Soul Band de **Johnny Griffin**, qui utilisait des arrangements de Norman Simmons.

Sur la côte Ouest durant les années soixante, **Gerald Wilson** se distingua avec un grand orchestre qui suscita beaucoup d'admiration parmi les musiciens. Wilson, qui avait écrit des arrangements pour Lunceford, Basie, Gillespie et pour d'autres orchestres importants, ne désirait pas créer du neuf, mais plutôt résumer avec puissance et brio le « mainstream » de l'évolution du jazz orchestral jusqu'à son époque.

Gil Evans et George Russell

L'homme qui produisait un jazz de grand orchestre possédant une sonorité vraiment « neuve » se nommait alors **Gil Evans**. Gil, qui était issu de l'orchestre de Claude Thornhill, écrivit pour le Miles Davis Capitol Band et refit équipe avec Davis en 1957 — pour produire ces sonorités chaleureuses, brillantes, impressionnistes que nous avons envisagées dans le chapitre consacré à Miles Davis. La formation d'Evans devint la traduction en grand orchestre de la trompette de Miles Davis. Evans créa occasionnellement — quoique trop rarement — des sonorités similaires pour d'autres solistes, parmi lesquels le trompettiste Johnny Coles et le guitariste Kenny Burrell.

Plus tard Evans — qui était devenu un vétéran aux cheveux gris — s'ouvrit au free jazz et même aux compositions du guitariste rock Jimi Hendrix. Mais Gil, qui éclata les sections de grand orchestre classiques avec un souci extrême de la sonorité, n'est pas un arrangeur aussi « diligent » que Quincy Jones, par exemple. Il laisse sa musique mûrir en lui et écrit rarement une œuvre qui soit finie. Même durant les séances d'enregistrement, il fignole certains passages ou reconstruit des compositions en des arrangements complets. Sa musique naît bien souvent pendant qu'il l'interprète — presque à la manière d'Ellington à ses débuts. C'est la raison pour laquelle il existe — hélas ! — trop peu d'enregistrements de ce musicien personnel et incomparable (qui entretient toujours des contacts étroits avec Miles Davis).

L'autre grand arrangeur solitaire est **George Russell**, que nous avons déjà mentionné à plusieurs reprises. Il émergea aussi à la faveur de la révolution jazz des années quarante. Russell créa durant les années cinquante son « concept chromatique lydien d'organisation tonale », la première œuvre dérivant une théorie relative à l'harmonie jazz des lois immanentes du jazz, et non des lois de la musique européenne. Le concept d'improvisation de Russell, « lydien » en termes de conventions médiévales, et néanmoins chromatique au sens moderne, fut le grand précurseur de la « modalité » de Miles Davis et de John Coltrane. Russell vint en Europe pour les premiers Berlin Jazz Days en 1964, et s'installa ensuite en Scandinavie. Il enseigne aujourd'hui au très honorable New England Conservatory de Boston. Il a créé avec des musiciens européens aussi bien qu'américains plusieurs œuvres qui sont aussi individuelles, aussi différentes de ce qu'écrivent la plupart des arrangeurs, que celles de Gil Evans.

Les grands orchestres free

Le free jazz avait entre-temps envahi la scène et la question se posait de savoir quelle sonorité pourrait avoir ce genre nouveau interprété par un grand orchestre.

Le musicien qui fit la transition du jazz orchestral tonal au jazz orchestral tonal libre fut le bassiste **Charles Mingus**, avec ses concerts de grand orchestre. Ces concerts exceptionnels se déroulaient souvent à la limite du chaos, en termes d'organisation, mais n'en produisirent pas moins des résultats — surtout de prodigieuses improvisations collectives — qui ébranlèrent le monde du jazz pendant plusieurs années.

L'orchestre le plus loué de la carrière de Mingus fut vraisemblablement celui avec lequel il enregistra en 1971 son album *Let My Children Hear Music*. Mingus fit le commentaire suivant : « Le jazz est la musique classique des Noirs... Permettez à mes enfants d'entendre de la musique — pour l'amour de Dieu — nous avons entendu suffisamment de bruit... J'en suis arrivé moi-même à apprécier les musiciens qui ne se contentaient pas de swinguer, mais qui inventaient de nouveaux schèmes rythmiques ainsi que de nouveaux concepts mélodiques. Ces individus se nomment Art Tatum, Bud Powell, Max Roach, Sonny Rollins, Lester Young, Dizzy Gillespie et Charlie Parker, qui est à mes yeux le plus grand génie parce qu'il bouleversa toute son époque. Il est toutefois inutile de comparer des compositeurs. Si vous aimez Beethoven, Bach ou Brahms, c'est parfait. Ce sont des compositeurs qui travaillaient avec un crayon. Moi j'ai toujours désiré être un compositeur spontané... »

La compositrice (et pianiste) Carla Bley et le trompettiste Mike Mantler présentèrent leur **Jazz Composers Workshop** tout d'abord à New York, puis au festival de Newport de 1965.

Le **Jazz Composers Orchestra** évolua dès lors, sous la direction de Mike Mantler, avec des solistes tels que Don Cherry, Roswell Rudd, Cecil Taylor, Pharoah Sanders, Larry Coryell, Charlie Haden, Gato Barbieri : la crème de l'avant-garde new-yorkaise. Il convient de parler avec le plus grand respect de la contribution personnelle de Mantler, compte tenu de la difficulté de trouver — aux États-Unis plus encore qu'en Europe — un public pour de telles productions d'avant-garde.

Le Jazz Composers Orchestra fut également impliqué dans l'opéra jazz, *Escalator Over the Hill*, de Carla Bley et Paul Haines, que nous avons évoqué dans le chapitre consacré aux pianistes. Carla Bley est devenue entre-temps une figure de plus en plus importante avec des groupes de taille moyenne. Ses compositions et ses orchestrations sont des collages imaginatifs d'éléments de jazz swing et d'hymnes nationaux (tournés bien évidemment en dérision), de musique du monde et de chansons enfantines — le tout imprégné d'un humour souvent critique sur le plan social (comme dans le morceau qu'elle écrivit en 1980 après l'élection de Ronald Reagan à la présidence des États-Unis).

L'autre grand nom du free jazz orchestral est **Sun Ra**. Sun Ra, qui avait fait ses armes comme pianiste de remplacement de l'orchestre de Fletcher Henderson à la fin des années quarante, forma à Chicago dès le milieu des années cinquante un grand orchestre incorporant des sonorités totalement nouvelles pour l'époque — des sonorités que leur compositeur et créateur percevait comme « cosmiques », une « musique des galaxies extérieures » et des « Mondes Héliocentriques ». Sun Ra se fit représenter sur la couverture de l'un de ses albums en compagnie de Pythagore, de Tycho Brahe et de Galilée.

La musique de Sun Ra est plus que du simple free jazz orchestral d'avant-garde. C'en est sans conteste, mais derrière elle se tient toute la tradition noire : les riffs Swing de Count Basie et les sonorités de saxophone de Duke Ellington ; les « vocalisations » de Fletcher Henderson ; les vieux blues et chansons noires ; les danses africaines fougueuses et les marches égyptiennes ; la musique de percussion noire d'Amérique du Sud, du Nord, d'Amérique Centrale et d'Afrique ; les spectacles nègres et le rituel vaudou ; la liturgie noire — le tout célébré par un chef d'orchestre qui donne l'impression d'être un homme-médecine africain propulsé dans l'ère spatiale.

La musique de Sun Ra est encore plus dégagée des sections propres aux orchestres conventionnels que celle de Gil Evans ou du Jazz Composers Orchestra. Les instruments jouent ensemble dans des combinaisons se modifiant constamment. Les saxophones du Sun Ra Cosmic Arkestra sont particulièrement remarquables : John Gilmore, Marshall Allen, Pat Patrick et Danny Davis. Leurs sonorités de saxophone et de bois sont aussi nouvelles et révolutionnaires que le furent les sections de saxophones de Benny Carter au début des années trente. L'Arkestra comprend, entre autres instruments rarement utilisés : des constructions originales des membres du groupe, un hautbois, un basson, une clarinette basse, un cor anglais, un violon, un alto, un violoncelle, un groupe de danseurs et parfois même un mangeur de feu.

Les compositions de Sun Ra portent des titres tels que *Next Stop Mars, Outer Spaceways Incorporated, Saturn, It's After the End of the World, Out in Space*, etc. Maints auditeurs non avertis les ont jugés naïfs ainsi d'ailleurs que l'attitude générale de Sun Ra. Ils se moquent des danseurs et des acrobates que Sun Ra fait bondir sur la scène ; ou encore d'un film qu'il a projeté sur sa musique et dans lequel Sun Ra est présenté sous l'apparence du Christ une dizaine de fois en vingt minutes. Ils tournent en dérision les « robes saturniennes », les « capuchons galactiques » et les « rosaires cosmiques » que portent les musiciens et les danseurs. L'apogée d'un spectacle de Sun Ra consiste parfois en une scène impliquant un télescope disposé à côté de l'orgue du maître et à travers lequel celui-ci recherche sa « planète natale, Saturne » durant des « sommets cosmiques » particuliers.

Mais là où il y a art noir, la naïveté n'existe pas. Elle n'existait pas lorsque les choristes du Cotton Club de Harlem reprenaient dans les années vingt le tintamarre des comédies musicales blanches de Broadway, accompagnées par les sons de jungle de Duke Ellington ; elle n'existait pas lorsque le prêcheur d'une église revivaliste noire exprimait à ses paroissiens son espoir, qu'ils puissent « se rendre au Paradis ce soir ! A l'instant même ! Par métro » ; elle n'existait pas lorsque Louis Armstrong chantait *I Hope Gabriel Likes My Music* (J'espère que [l'archange] Gabriel aime ma musique). Elle n'existait que dans la tête des critiques blancs ; ils reprochaient à Sun Ra d'être naïf voire charlatan mais ils ne disaient pas un mot de sa musique — et encore moins de l'homme — en revanche ils parlaient beaucoup d'eux-mêmes. Pour LeRoi Jones, la musique de Sun Ra est l'expression la plus précise de la survivance de la tradition noire. Quant à Sun Ra lui-même il déclare : « Je peins des tableaux d'infini avec ma musique, et c'est la raison pour laquelle tant de personnes sont incapables de la comprendre... »

L'Europe offre, contrairement aux États-Unis, un nombre considérable de grands orchestres de free jazz, dont celui d'**Alexander von Schlippenbach**. Son Globe Unity est né en 1965 à l'occasion des nouvelles rencontres de jazz de Baden-Baden, et il était prévu à l'époque qu'il ait la vie brève. Pourtant il interprète toujours dans les années quatre-vingts ses propres arrangements — qui se moquent de la tradition du jazz tout en lui rendant hommage — ainsi que ses improvisations collectives impétueuses. Le fossé séparant le free jazz de la musique de concert moderne est comblé par le *London Jazz Composers Orchestra* du bassiste Barry Guy.

Le disque pionnier de John Coltrane, *Ascension*, et l'enregistrement avec double quartette, *Free Jazz* d'Ornette

Coleman (tous deux évoqués dans le chapitre consacré à ces deux musiciens) furent des expériences phares pour de nombreux grands orchestres de free jazz. La forme était créée : des improvisations enfiévrées, trépidantes, desquelles émerge un solo qui — à son tour — s'intensifie jusqu'au moment de l'improvisation collective suivante (qui débouchera à nouveau sur un solo). Cette forme a été développée ensuite par d'autres — différenciée, sublimée et structurée. Les musiciens ayant obtenu les résultats les plus prometteurs de directions futures sont **Anthony Braxton** (avec son Creative Music Orchestra), **Karl Berger** (avec son Woodstock Workshop Orchestra), **Leo Smith, Roscoe Mitchell**, et en Europe **John Tchicai, John Stevens, Willem Breuker, Mike Westbrook, Keith Tippett** et **Loek Dikker**, qui apportèrent tous leurs solutions et leurs expériences personnelles. Ainsi Braxton offrit-il des abstractions et des aliénations radicales ; Berger travaille sur la musique du monde ; Breuker transforme de manière critique et satirique les succès populaires hollandais du XIXᵉ siècle ou du patrimoine folklorique en musique free ; et Mike Westbrook crée des visions larges et émouvantes intégrant parfois des poèmes des grands lyriques classiques et romantiques britanniques.

Les grands orchestres rock

Il y eut trois courants principaux dans le jazz de grand orchestre du début des années soixante-dix :

1. Développement continu des grands orchestres de free jazz.
2. Développement continu des grands orchestres conventionnels, utilisant des thèmes et des tendances contemporaines.
3. Les grands orchestres de rock.

Ainsi bien entendu qu'un vaste éventail de combinaisons de ces trois courants.

Envisageons pour commencer les grands orchestres de

rock tels que **Blood, Sweat and Tears, Chicago, Dreams** ou **Flock**. Le qualificatif « grand » devrait apparaître entre guillemets parce que nous avons affaire ici à des groupes comptant en général de sept à onze membres ; ils sont donc relativement petits par rapport aux conventions des grands orchestres de jazz. Il est toutefois devenu coutumier de les baptiser « grands orchestres » parce qu'ils ont tendance — avec l'aide de l'électronique — à jouer en « sections ». N'oublions pas, par ailleurs, que les grandes formations de jazz du début ne comprenaient pas plus de huit à onze musiciens. Il n'est pas impossible qu'une évolution logique ait bouclé la boucle ici. Il était permis de supposer que le grand orchestre de rock se situait au début d'une évolution similaire à celle qu'avaient connue les grands orchestres de jazz depuis les années vingt. Hélas ! cet espoir ne s'est pas concrétisé.

Ces pseudo-grands orchestres de rock n'ont pour ainsi dire pas évolué. L'auditeur est souvent frappé par une étrange raideur et immobilité, évoquant à bien des égards celle de Stan Kenton dans les années quarante. Nombre de jeunes musiciens constituant ces formations sont issus des groupes universitaires formés par Kenton et ses « cliniques ». Le rapport n'est donc peut-être pas fortuit.

Le grand orchestre de rock, qui évolua plus que les autres, est sans conteste **Blood, Sweat & Tears**. Il devenait — pendant une certaine période — de plus en plus souple, de plus en plus jazz d'un disque à l'autre. **Chicago** paraissait prometteur au début, mais il s'enfonça dans une répétition stéréotypée de ce qui existait déjà dans le premier album. Il est intéressant de noter que maints grands orchestres de rock n'ont existé que pendant un laps de temps limité :

Dreams avec le trompettiste Randy Brecker et le batteur Billy Cobham (qui se joignit par la suite au Mahavishnu Orchestra de John McLaughlin), et **The Flock**, qui pratiquait des improvisations collectives revigorantes, touchant au free jazz (et à la musique de Mingus !) — eux aussi perdirent leur musicien le plus important (le violoniste Jerry Goodman) au profit du Mahavishnu Orchestra.

Le problème initial de tous ces groupes est d'ordre technique : équilibrer les cuivres acoustiques et l'instrumentation électronique fondamentale des groupes de rock. Les grands orchestres conventionnels enregistrent en général un LP en deux ou trois séances, alors que plusieurs semaines, voire plusieurs mois, sont nécessaires pour qu'un grand orchestre de rock obtienne des résultats satisfaisants. Ceci explique le haut degré de fatigue humaine et d'épuisement des membres de tels groupes. Blood, Sweat & Tears modifia son personnel trois fois en quelques années, jusqu'à ce qu'il ne subsiste plus qu'un musicien du groupe original en 1974.

Les résultats musicaux obtenus offrent souvent un contraste grotesque par rapport à l'effort engagé. A l'inverse des autres formes de rock, les grands orchestres n'ont pas réussi à employer ni à sophistiquer la tradition, en particulier celle du jazz. Leurs parties de cuivre ne sont dans l'ensemble guère plus que des riffs de guitare orchestrés. L'emploi des cuivres est souvent si primitif que l'on a l'impression d'entendre des débutants n'ayant pas la moindre idée des mystères de l'arrangement orchestral — que ce soit de jazz ou de musique de concert.

Il convient en un sens de classer **Santana** parmi les grands orchestres de rock. Ce groupe ajouta à l'instrumentation rock habituelle des instruments de percussion latins et parfois des cuivres, créant ainsi une débauche de rythmes excitants. L'album *Caravanserail* de Santana est particulièrement impressionnant, une caravane musicale allégorique traversant des dimensions futures d'espace et de temps — la caravane du moi humain engagée dans son voyage éternel de réincarnation en réincarnation. La qualité méditative de John Coltrane et les dimensions multiples de Gil Evans s'opposent avec art dans l'impact percutant de la musique de Santana.

Il y a peu **Franz Zappa** était encore le seul musicien à avoir trouvé dans le rock — dans le vrai rock s'entend — des voies musicales susceptibles de rivaliser avec le niveau de qualité et de complexité des grands orchestres de jazz. Il est significatif de noter que Zappa ne commença pas avec le jazz, le blues ou le rock comme tous les autres. Il déclara souvent à la faveur d'interviews qu'il avait décidé de devenir musicien en entendant les œuvres d'Edgar Varese, le grand compositeur moderne qui, dès les années vingt, aborda et résolut maints problèmes propres à la musique classique des années cinquante et soixante ; problèmes d'intégration de bruit, d'électronique, de percussion, de techniques de collage, de densité musicale, etc. Au début des années cinquante, Zappa, qui était alors inconnu, assista au *Kurse für Zeitgenössische Musik* (Cours de Musique Contemporaine) à Darmstadt, en Allemagne, où étudiaient et enseignaient maints compositeurs ayant bouleversé l'univers de la musique d'avant-garde contemporaine : Boulez, Stockhausen, Nono, Zimmermann, Ligeti, Henze, Kagel, Berio... Tel est le monde qui forma Zappa — et qui l'attire même aujourd'hui — mais que vous n'êtes pas censé remarquer : ce qui explique son excentricité, son humour bizarre, son attitude, tout à la fois ironique et sincère. Ne donne-t-il pas l'impression d'être un Don Quichotte luttant contre les moulins à vent de son époque ? Et n'aime-t-il pas donner cette impression ?

Maints critiques estiment que la musique de Zappa atteint son apogée avec *The Grand Wazoo*, un album enregistré en 1972. Cette œuvre dénote, disent-ils, les influences de Miles Davis, John McLaughlin, Manitas de Plata, Gil Evans, Kodaly, Prokofiev, Stravinsky, Kurt Weill, etc. Le critique Harvey Siders considère que l'un des morceaux du *Grand Wazoo* est le mariage le mieux réussi du jazz et du rock.

Les grands orchestres éternels : les années soixante-dix et quatre-vingts

Quiconque considère le nombre limité de disques convaincants ayant été enregistrés à l'heure actuelle par les grands orchestres de rock, mais prend également en considération le fait que les productions excellentes des grands orchestres conventionnels sont de plus en plus nombreuses depuis le début des années soixante-dix, ne peut certes pas parler de « la fin des grands orchestres ». Maints chefs d'orchestre et arrangeurs éminents ont prouvé que le grand orchestre présentait toujours des possibilités appréciables. Citons : **Don Ellis, Buddy Rich, Louie Bellson, Thad Jones-Mel Lewis, Oliver Nelson, Doc Severinsen, Toshiko Akiyoshi-Lew Tabackin** et, en Europe, **Kenny Clarke-Francy Boland** et

Chris McGregor et sa **Brotherhood of Breath**. Il y a en outre toute une lignée d'arrangeurs et de chefs d'orchestre actifs depuis plusieurs décennies et qui ont su adapter leur musique à l'époque — notamment Woody Herman, Count Basie, Maynard Ferguson...

L'ampleur de la musique contemporaine de grand orchestre est très large d'une part en raison des possibilités nouvelles que l'on découvre en permanence, et d'autre part du fait que presque toutes les découvertes réalisées durant les quarante années de l'histoire des grands orchestres demeurent vivaces.

Don Ellis (qui mourut en 1978) est issu du sextette de George Russell du début des années soixante ; il étudia ensuite la musique indienne avec Hari Har Rao. Il s'intéressait en particulier à l'emploi de mètres et de séquences rythmiques nouveaux. D'autres musiciens ont bien entendu recouru aux mètres asymétriques en jazz avant Ellis — Thelonious Monk et Max Roach, puis Dave Brubeck et Sonny Rollins et, si l'on remonte plus loin, Fats Waller et Benny Carter, dès les années trente — mais personne n'alla aussi loin qu'Ellis, qui confie : « Je me suis dit que puisqu'il était possible de jouer dans un mètre par exemple de 9, divisé en 2-2-2-3, il devait être possible de jouer dans des mètres encore plus longs, et ceci conduisit au développement de mètres tels que 3-3-2-2-2-1-2-2-2(19). J'ai essayé divers schèmes différents pour arriver à cette division particulière de 19, mais ce fut celle qui swinguait le plus. Le mètre le plus long que j'ai utilisé à ce jour est un morceau en 85. »

Certains mètres d'Ellis ressemblent à des équations mathématiques — par exemple le blues en 11 qu'il jouait sous forme de $\frac{3^{2/3}}{4}$ avec aisance naturelle et swing.

Il dit avec ironie que si son orchestre était amené à jouer un tempo 4/4 traditionnel, il serait préférable de le lui présenter comme étant un « 5/4/1 », autrement ce ne serait pas drôle.

Sur l'un de ses disques, *Tears of Joy*, Ellis a intégré un quartette à cordes et un quintette à vent dans la conception du grand orchestre. Il est devenu possible grâce à une technique nouvelle d'amplification et d'ajustement électronique — le *Barcus-Berry Transducer System* — de donner autant de puissance aux cordes et aux vents qu'aux sections de cuivres et de saxophones.

Buddy Rich en revanche n'est nullement un expérimentateur. Son grand orchestre « célèbre » de manière efficace sa maîtrise spectaculaire de la batterie. Une soirée avec le Rich Big Band, c'est du « show business » au sens conventionnel du terme, mais poussé à un degré de perfection absolue. Le répertoire de l'orchestre comprend des succès éternels, des thèmes de jazz classique, des originaux et des morceaux contemporains de bonne qualité.

Un autre batteur, **Louie Bellson**, réalisa occasionnellement des enregistrements avec grand orchestre, mais il n'y occupe pas une position centrale de vedette ; il remplit un rôle fonctionnel à la batterie pour présenter des arrangements convaincants (souvent des œuvres personnelles) qui combinent la tradition des grands orchestres à une ambiance rock contemporaine.

Nombre de ces formations — celles de Rich, Bellson et Maynard Ferguson, par exemple — recrutent leurs musiciens parmi les diplômés de cours de jazz de collèges et d'universités américains. Il est permis d'affirmer, en un sens, que la formation poussée de ces jeunes musiciens confère à ces orchestres un niveau de professionnalisme supérieur à celui de la majorité de leurs précurseurs. Il n'est aucun problème technique qu'ils ne soient capables de résoudre. Ils lisent une partition sans la moindre difficulté et jouent plus haut et plus vite que quiconque. Il leur manque toutefois cet objectif magique du musicien de jazz : l'individualité. Ceci met à nu un problème fondamental de l'éducation musicale : l'individualité ne s'apprend pas. Elle doit se développer de manière organique, comme une plante. Dans notre monde moderne médiatisé — abreuvé de programmes de radio et de télévision standardisés — l'individualité est une plante qui éprouve de sérieuses difficultés à croître. Le système éducatif américain, un modèle pour le monde, et ses professeurs de jazz devraient consacrer plus d'attention à ce problème.

Revenons une fois encore de quelques années en arrière et rendons-nous en Europe. Le **Clarke-Boland Big Band** prouve combien la tradition des grandes formations peut demeurer vivante même lorsque aucune concession n'est consentie à l'« esprit du temps ». Dans les années soixante, le patriarche de la batterie Kenny Clarke et l'arrangeur belge Francy Boland réunirent certains des plus célèbres expatriés américains — parmi lesquels les trompettistes Benny Bailey, Art Farmer et Idrees Suleiman ; les saxophonistes Herb Geller et Sahib Shihab — ainsi que des musiciens européens de la stature du tromboniste suédois Ake Persson (qui mourut en 1975), du trompettiste allemand Manfred Schoof et des saxophonistes britanniques Ronnie Scott et Tony Coe. Le second batteur, Kenny Clare, était un musicien britannique qui faisait songer à Clarke non seulement par le nom mais encore par le jeu. Il complétait de manière impressionnante la sensibilité musicale et stylistique de Clarke par son professionnalisme à toute épreuve, masquant parfois un manque de vigueur du vieux maître.

Les arrangements du pianiste Boland furent considérés pendant plusieurs années comme étant « les plus traditionnels des arrangements contemporains pour grand orchestre ». Ce jugement est illustré de manière exemplaire par les albums *Sax No End* (avec les ténors Johnny Griffin et Eddie Lockjaw Davis) et *Faces* (avec des portraits musicaux des membres du groupe). Il est regrettable que l'orchestre se soit séparé au moment même où il commençait à connaître le succès auprès d'une audience plus vaste, au début des années soixante-dix.

C'est vers cette époque que **Peter Herbolzheimer** forma son **Rhythm Combination & Brass**. Ce fut l'orchestre européen le plus professionnel durant les années soixante-dix et même au début des années quatre-vingts — il est incontestable qu'il consentait maintes concessions aux modes du moment, mais de temps à autres, il affichait un haut degré de compétence musicale et une puissance swing produite par certains des meilleurs musiciens d'Europe et quelques hôtes américains.

Le plus convaincant des grands orchestres récents fut pendant la majeure partie des années soixante-dix le **Thad Jones-Mel Lewis Orchestra**. Il se produisait le lundi au Village Vanguard de New York. Sans faire de compromis à l'esprit rock de l'époque, les deux leaders, le trompettiste et arrangeur Thad Jones et le batteur Mel Lewis réussirent à séduire un large public et à créer un jazz orchestral qui, aussi swing qu'il fût au sens traditionnel du terme, était riche en sonorités et en idées inédites. Le jazz de toutes les époques — y compris celui des années soixante, la musique de John Coltrane et celle de l'ère post-Coltrane — se fondait dans les arrangements, fournis en majeure partie par Thad Jones et interprétés par une troupe d'élite des meilleurs musiciens de New York.

Hélas ! Jones et Lewis se séparèrent en 1979. Jones devint à Copenhague le leader d'un orchestre composé de musiciens scandinaves et américains ; l'un des grands orchestres européens qui swinguent le plus de nos jours. Mel Lewis poursuit la tradition de l'orchestre de New York en essayant d'élargir son panorama.

Entre-temps un autre orchestre s'est imposé à Los Angeles, le **Toshiko Akiyoshi-Lew Tabackin**. Depuis 1978, les critiques s'accordent à le considérer comme le grand orchestre numéro 1. Il doit son originalité aux compositions et aux arrangements de la pianiste japonaise Toshiko Akiyoshi. Elle dit : « Lorsque je me penche sur le passé et que j'analyse ce que j'ai fait, je constate que j'ai eu tendance dans bien des cas à écrire ce que vous pourriez nommer des couches de sonorités. En d'autres termes, j'aurais une chose, puis j'en entendrais une autre qui s'ajouterait à la première. C'est un peu comme une photographie à double exposition... » L'élément particulièrement original de la formation est une section de cinq flûtes que Toshiko a formée avec des membres de son orchestre, son époux Lew Tabackin étant la première flûte. Elle a aussi réussi à élargir le champ de la section de saxophones en ajoutant différents types de flûtes et de clarinettes selon des combinaisons nouvelles et originales. Elle puise, pour certains morceaux, dans la tradition japonaise, par exemple dans le *gagaku*, l'ancienne musique de la cour des empereurs japonais.

Le courant de la tradition des grands orchestres s'écoule toujours. Maintes formations du monde entier en font partie. Voici certaines des principales : **Jaki Byard's Apollo Stompers, Frank Foster's Jazzmobile Orchestra, Ed Shaugnessy's Energy Force**, le **Dave Matthews Big Band** et le **Juggernaut** de **Nat Pierce** et **Frank Capp**.

Outre ces grands orchestres établis, divers arrangeurs réalisent d'occasionnels enregistrements de jazz orchestral, contribuant à façonner l'univers du grand orchestre contemporain. Parmi ceux-ci, il en est plusieurs que nous avons déjà mentionnés — en particulier **Oliver Nelson**. Le meilleur moyen de présenter Nelson consiste à donner une liste de ses musiciens préférés : Charlie Parker, John Coltrane, Gil Evans, George Russell. Le titre de l'un de ses disques, *The Blues and the Abstract Truth* (le blues et la vérité abstraite) indique la position de Nelson : le champ de tension entre la tradition du blues et la vérité des abstractions de l'avant-garde.

En Grande-Bretagne, le pianiste sud-africain **Chris McGregor** a « appliqué » la tradition ellingtonienne au free jazz dans sa **Brotherhood of Breath** ; il ajouta à ce mélange des rythmes bantous et zoulous et des mélodies et motifs de son pays natal. Des émigrés sud-africains jouent aux côtés de musiciens britanniques — ils ne possèdent certes pas la précision habituelle des artistes de studio, mais la friction d'intonation et d'harmonie au sein de la Brotherhood of Breath a un effet africanisant et intensifiant. Il y a beaucoup de musique folk dans les sonorités de la Brotherhood.

On note dans l'ensemble un retour de la tradition dans l'univers des grands orchestres de la fin des années soixante-dix et du début des années quatre-vingts. Il ne s'agit plus d'orchestres de free jazz ou de rock, mais de l'instrumentation conventionnelle des grandes formations (quatre trompettes, quatre trombones, une section de cinq saxophones, avec des déviations, des altérations et des additions mineures). Telle est la situation trente ans après qu'on a entendu parler pour la première fois de la « mort » des grands orchestres.

Enfin, il existe également des grandes formations qui utilisent les éléments rock de manière créative — sans la raideur et le manque d'inspiration évoqués précédemment. Citons notamment **Les DeMerle Transfusion** et **The Year of the Ear** de **Baird Hersey**. Le guitariste Hersey a incorporé un synthétiseur et d'autres sonorités électroniques dans le style swing puissant de son orchestre. Quant à Lee Underwood il écrit au sujet de l'orchestre de Le DeMerle : « Cet orchestre mêle l'intensité de la côte Est au savoir-faire de la côte Ouest, et la sophistication du jazz à l'urgence du rock' n'roll. »

Il existe au moins deux grands orchestres de ce genre en Europe : le **United Jazz & Rock Ensemble**, du pianiste Wolfgang Dauner, avec des musiciens tels que Charlie Mariano, Barbara Thompson, Albert Mangelsdorff et Jon Hiseman ; et le **Vienna Art Orchestra** fondé par le compositeur suisse Mathias Rüegg, avec son humour souvent typiquement viennois. Ces groupes ont prouvé que le jazz de big-band pouvait connaître un succès immense — en particulier auprès d'un public jeune — pour autant que les musiciens choisissent la voie de l'innovation et de l'originalité.

Il est un autre ensemble dont la sonorité est encore plus éloignée de celle des grands orchestres habituels ; il se fit connaître en 1979 à l'occasion de la Havana Jam organisée à Cuba par les disques CBS. Ce groupe, **Irakere**, qui a depuis lors acquis une réputation mondiale, est dirigé par le pianiste-compositeur Chucho Valdez. Irakere joue du « jazz cubain » dans la lignée de l'orchestre de Machito, mais sa musique est encore plus excitante, engageante et contemporaine que celle des groupes cubains installés aux États-Unis. La *Missa Negra* de Chucho Valdez est un rituel de musique noire qui se réfère tout à la fois à l'Afrique d'hier et à un nouveau type de sonorité de grand orchestre latinisé de demain. Irakere ne représente cependant que le sommet de l'iceberg : Cuba foisonne de groupes semblables. Le monde américano-occidentalo-européen n'en a pas encore pris conscience.

Il convient pour conclure de mentionner un autre univers de grand orchestre qui est « underground » dans les deux sens du terme : il s'agit des grandes formations des collèges et des universités américains. Il existe des centaines de grands orchestres de toutes les tendances imaginables (et parfois même inimaginables). Ces orchestres constituent l'« underground » vital, la base des grands orchestres professionnels de demain. D'aucuns supportent la comparaison avec certains des grands orchestres les plus célèbres de la scène contemporaine. Quiconque connaît cette scène « parallèle » — avec sa vitalité volcanique — ne peut manquer de rire lorsqu'il entend quelqu'un demander si les grandes formations sont mortes.

Les combos de jazz

Les combos de jazz

Le jazz est à l'origine une musique de petits ensembles, une musique de combo bien avant que le mot « combo » n'existât. Ce terme fut inventé lorsqu'il devint nécessaire d'établir une différence entre les big bands et les petits groupes. Avant cela, tous les orchestres de jazz étaient automatiquement des combos, et quelqu'un qui ignorerait de quelle manière évolueraient les orchestres des années vingt de Fletcher Henderson et de Duke Ellington serait en droit de considérer également ces ensembles comme étant des « combos ».

Le jazz ayant été d'emblée un art de petits ensembles, il convient d'écrire l'histoire des combos de manière différente de celle des grands orchestres. Presque tous les jazzmen ayant joué dans des combos, un tel historique se transformerait bien vite en une énumération interminable de noms. Le principe sélectif requis repose sur le fait qu'un combo devrait être plus qu'un simple groupe de musiciens s'étant rassemblés pour jouer ensemble. « Intégration » est devenu un mot clef dans la critique de jazz à la suite de la création du Modern Jazz Quartet de John Lewis. Et nous tenons là la « clef » de notre histoire des combos.

Intégration signifie — en termes de mathématiques et de musique — que tout appartient à un ensemble, que tous les éléments sont subordonnés à l'idée maîtresse.

En ce sens, Dave Brubeck fit une déclaration significative relative à la situation du combo : « L'important en jazz à l'heure actuelle est qu'il fait vivre l'esprit de groupe. Pour qu'il y ait jazz il doit y avoir un sentiment de groupe... » Voilà qui décrit ce que nous avons nommé la situation sociologique du jazz au début de la section traitant du style Swing et dans le chapitre consacré à l'arrangement. Le jazz est tout à la fois une musique individuelle et une musique collective. Nul autre art n'a atteint ces deux objectifs de manière aussi extrême. Le sociologue ne manquera pas de trouver dans une telle simultanéité des aspects philosophiques, politiques et historiques. Avec le jazz, cette simultanéité de l'individu et du collectif, ou si vous voulez de la liberté et de la nécessité a pris pour la première fois apparence musicale. Ce point met en évidence, mieux que tout autre, le fait que le jazz est une expression artistique légitime de notre temps. En conséquence, l'histoire des combos de jazz est presque un résumé de l'histoire du jazz.

Les premiers combos importants, dans le sens sélectif que nous avons retenu, sont les **Red Hot Peppers** de Jelly Roll Morton (1926 à 1930) et le deuxième **Hot Five** de Louis Armstrong avec Earl Hines (1928). Morton fut le premier à arranger des morceaux du début jusqu'à la fin et à leur donner l'empreinte d'une personnalité créatrice ; les enregistrements du Hot Five d'Armstrong parvenaient à l'intégration grâce au rapport quasi hypnotique entre Louis et ses musiciens, en particulier Earl Hines.

Orrin Keepnews écrit dans le texte de couverture d'un album de Morton : « C'est une musique complexe, imbriquée. Les musiciens ne travaillaient pas sur des partitions écrites, mais chaque morceau était précédé d'environ une demi-heure consacrée à l'étude de la pièce en question, au placement des solos et à la mémorisation des arrangements fondamentaux. Telle est la réponse définitive à quiconque prétendrait que le jazz est déficient en matière de contrepoint ou de profondeur de structure musicale. Il s'agit d'une combinaison remarquable d'improvisation et d'arrangement... Ce sont tous des musiciens talentueux, mais il n'en demeure pas moins que la voix qu'on entend ici, la sonorité unique, unifiée est celle de Morton. C'est la marque de sa grandeur... »

Le Hot Five d'Armstrong avec Hines (qui comptait souvent six voire sept musiciens) et les Red Hot Peppers de Morton rassemblent pour la première fois des éléments qui n'existaient que séparément auparavant : l'improvisation collective des anciens orchestres de La Nouvelle-Orléans dans lesquels le talent des solistes et l'individualité de l'improvisateur en général étaient à peine esquissés ; ce talent

« solistique » même ; et enfin la création consciente ou intuitive d'une forme à travers une personnalité exceptionnelle.

Les combos Swing

Les années trente marquent un retour en arrière par rapport à ce mouvement. En 1935 Benny Goodman forma son **Benny Goodman Trio.** Il devint l'embryon et le modèle non seulement de tous les autres combos de Goodman — le quartette avec Lionel Hampton et les sextettes avec Charlie Christian et Cootie Williams — mais encore des combos qui se développèrent en tant qu'« orchestre au sein de l'orchestre » dans toutes les grandes formations importantes. Ainsi, Artie Shaw forma-t-il son **Gramercy Five** dans lequel il jouait de la clarinette et Billy Butterfield puis Roy Eldridge de la trompette. Tommy Dorsey, Bob Crosby et Jimmy Dorsey formèrent des combos de dixieland dans leurs grands orchestres : Tommy Dorsey son **Clambake Seven** avec Pee Wee Erwin (trompette), Bud Freeman (saxophone ténor), Dave Tough (batterie), etc. ; Bob Crosby ses **Bob Cats** avec Matty Matlock (clarinette), Eddie Miller (ténor), Hank Lawson (trompette) et la section rythmique mentionnée dans le chapitre consacré aux grands orchestres. Plus tard, vers la fin des années quarante, Jimmy Dorsey forma son **Original Dorseyland Jazz Band** avec Ray Bauduc à la batterie. Chew Berry recruta ses **Stompy Stevedores** surtout dans les rangs de l'orchestre de Cab Calloway, dont il était membre. L'orchestre de Count Basie avait ses **Kansas City Six** et **Seven** et Woody Herman ses **Woodchoppers.**

Le plus important de ces « orchestres dans l'orchestre » vit le jour dans l'ensemble de Duke Ellington. Les trompettistes Cootie Williams et Rex Stewart, le clarinettiste Barney Bigard et l'altiste Johnny Hodges réalisèrent tous les enregistrements dans lesquels l'atmosphère de la musique d'Ellington était projetée de manière étonnante dans de petites combinaisons instrumentales changeant constamment. L'« esprit Ellington » servait de facteur d'intégration. Il était si puissant que certains enregistrements réalisés par Lionel

Hampton avec des musiciens issus en majeure partie de cet orchestre se paraient d'une aura ellingtonienne remarquable.

L'opposé de l'intrégration imprégnant les enregistrements réalisés par les musiciens d'Ellington se trouve dans les groupes constitués par **Teddy Wilson** à partir de 1935. Ceux-ci ne devraient pas être évoqués ici en raison de notre principe sélectif en manière de définition des combos. Ici les solos suivent d'autres solos, mais il est surprenant de noter que ce climat musical crée souvent sa propre unité — en particulier lorsque Billie Holiday et Lester Young sont membres du groupe. Il n'est certes rien d'« intégré » dans un disque tel qu'*Easy Living* (1937), pourtant de la première note à la dernière nous sommes plongés dans un climat unifiant créé par le morceau, les paroles et la manière dont chante Billie Holiday et dont les musiciens se sentent en accord avec elle.

Il est remarquable de constater que le tournant dans l'évolution du jazz, qui se produisit vers la fin des années trente et au début des années quarante, impliqua non seulement les innovations harmoniques, mélodiques et rythmiques des musiciens bop mais encore engendra de nouveaux concepts d'intégration. En 1938 le bassiste **John Kirby** forma un ensemble qui produisait à tous égards une musique Swing au meilleur sens du terme, mais qui était néanmoins un combo en un sens qui ne deviendrait la règle que dans les années cinquante. Avec Kirby — ainsi qu'avec le **King Cole Trio** — commence la véritable ligne d'« intégration » de l'histoire des combos qui mène via le **Art Tatum Trio** et le **Red Norvo Trio** aux combos caractéristiques des années cinquante et soixante : le **Gerry Mulligan Quartet**, le **Modern Jazz Quartet**, le **Jimmy Giuffre Trio**, le **Max Roach-Clifford Brown Quintet**, le **Miles Davis Quintet**, le **Horace Silver Quintet**, les **Jazz Messengers** d'**Art Blakey**, les divers groupes de **Charles Mingus**, ceux d'**Ornette Coleman** — et jusqu'au **Weather Report** et au **Mahavishnu Orchestra** de **John McLaughlin** — et plus loin encore (vers la fin des années soixante-dix) à **Air** et au **World Saxophone Quartet**...

Le « Biggest Little Band in the Land » (le plus grand petit orchestre du pays) de Kirby créait des cadres de sonorités complémentaires aérés dans lesquels le trompettiste Charlie

Shavers, le clarinettiste Buster Bailey, l'altiste Russell Procope et le pianiste Billy Kyle improvisaient des solos charmants et plaisants. L'orchestre possédait une sonorité tout à fait identifiable. Ce fut le premier ensemble à connaître le succès en tant que combo complètement « intégré », au sens où le seraient le Gerry Mulligan Quartet et le Modern Jazz Quartet quinze ans plus tard.

Nombre de ces combos à succès ultérieurs naquirent sur la côte Ouest et il est logique que celui qui se trouve, avec le groupe de Kirby, à l'origine de cette évolution ait fait ses débuts dans cette région : il s'agit du **King Cole Trio**. Ce fut le premier combo de type trio-piano moderne : il ne s'agissait pas simplement d'un pianiste accompagné par une section rythmique, mais de trois instruments constituant une entité unique. Nat « King » Cole créa son trio en 1940, avec Oscar Moore à la guitare et Wesley Prince à la basse. Plus tard Cole engagea Irving Ashby à la guitare et Johnny Miller à la basse. Le succès du chanteur Cole éclipsa toutefois dans les années quarante le pianiste et Nat finit par abandonner la formule du trio pour devenir un chanteur de succès populaires.

Bop et Cool

Entre-temps le bop était arrivé. Le **Charlie Parker Quintet**, avec Miles Davis à la trompette, servit d'étalon tant pour la musique elle-même que pour la taille des combos qui l'interprétaient. On retrouvait enfin l'union de la musique et de la structure qui avait disparu depuis le vieux jazz dixieland. Il s'agissait alors du contrepoint libre de la trompette, du trombone et de la clarinette sur un rythme à deux temps ; désormais la trompette et le saxophone jouaient à l'unisson sur le nouveau rythme legato. Cette unité de la musique et de la structure demeura obligatoire pour les combos de hard bop : les **Jazz Messengers** d'Art Blakey, le **Horace Silver Quintet**, le **Max Roach Quintet** (d'abord avec le trompettiste Clifford Brown puis avec d'autres musiciens) et — surtout — du milieu des années cinquante à la fin des années soixante le **Miles Davis Quintet**. La viabilité de cette structure fut prouvée lorsqu'elle fut à nouveau adoptée dans le néo-bop vers la fin des années soixante-dix, dans les groupes notamment de Dexter Gordon, de Woody Shaw et de tant d'autres.

Il est naturel que durant cette longue période maints musiciens se soient efforcés d'élargir et de varier les structures des chansons et des groupes tout en préservant leur forme fondamentale. Au milieu des années cinquante, le pianiste Horace Silver y parvint de manière particulièrement heureuse grâce à la construction individuelle de ses thèmes. Ainsi, il pouvait utiliser deux phrases blues de douze mesures, les faire suivre d'un bridge de huit mesures emprunté à la forme du song, puis répéter la phrase blues, combinant ainsi la forme song et le blues ; il lui arrivait également de combiner un thème principal de quinze mesures avec un interlude de seize mesures — « même si ce n'est pas égal cela donne l'impression de l'être », déclara Horace — et ainsi de suite suivant une multitude de compositions similaires. Il est un point qu'il convient de préciser : si la musique actuelle, même dans les formes les plus exigeantes du rock, a réussi dans bien des cas à se libérer de la nature schématique de la forme song conventionnelle à trente-deux mesures, c'est en majeure partie grâce à Silver, qui ouvrit la voie à cette évolution. Il est certain qu'il existait des formes uniques déviant des conventions dès les premiers jours du jazz — comme dans la musique de Jelly Roll Morton ou dans celle de William Christopher Handy (notamment *Saint Louis Blues*) — mais on avait perdu cela de vue avec le temps. Horace Silver renoua avec cette tendance.

Quelques années avant le premier succès de Silver dans cette voie — vers la fin des années quarante — Lennie Tristano avait déjà raffiné et abstrait le format Parker. Il employait lui aussi deux cuivres, mais il s'agissait de deux saxophones — Lee Konitz (alto) et Warne Marsh (ténor) — il leur adjoignit une troisième ligne « cuivrée » avec la guitare de Billy Bauer. On trouve dans le **Lennie Tristano Sextet** une linéarité très mobile, évoluant sur des harmonies très différenciées. Le bop ayant élargi le matériau harmonique, Lennie Tristano « élargit » la ligne — convaincu qu'il était que les musiciens de jazz avaient consacré assez de temps aux problèmes harmoniques et que le moment était venu de renforcer la conscience de la ligne et de la mélodie. Il est des enregistrements tels que *Wow* qui possèdent une vigueur que les jazzmen ne retrouveront qu'avec le hard bop de la fin des années cinquante ; mais sa musique possède surtout une froideur pensive, inspirée qui évoque l'atmosphère des cloîtres médiévaux dans lesquels des débats scolastiques se tenaient au crépuscule.

Avant Tristano des musiciens de bop s'étaient déjà employés à élargir la structure de quintette de Parker, en ce qui concerne la sonorité. Il y eut tout d'abord **Tadd Dameron, James Moody** et **Charlie Ventura** : Dameron dans ses enregistrements pour Blue Note, pour lesquels il faisait appel à des musiciens tels que le trompettiste Fats Navarro et les ténors Wardell Gray et Allen Eager ; James Moody avec son disque significatif et trop négligé *Cu-ba* (également pour Blue Note) ; et Charlie Ventura avec son combo Bop For the People dans lequel la chanteuse Jackie Cain et le pianiste Roy Kral (qui deviendra son époux) chantaient des duos vocaux drôles et enlevés. Toutes ces tendances culminèrent dans le **Miles Davis Capitol Band**. Il établit de manière définitive la sonorité comme un élément de structuration. (Nous avons discuté en détail de cet ensemble dans le chapitre consacré à Miles Davis.)

Il s'ensuivit des combinaisons et des développements divers de ces trois éléments : l'harmonique lié au nom de Charlie Parker ; la sonorité pour laquelle le Miles Davis Capitol Band créa un idéal ; et l'intégration qu'avaient amorcée le John Kirby Band et le King Cole Trio.

Sur la côte Ouest, par exemple **Shorty Rogers** et ses Giants et **Gerry Mulligan** et ses Tentettes enregistrèrent des disques dans lesquels ils perfectionnèrent la sonorité du Davis Capitol Band, quoiqu'en la rendant quelque peu stérile. Plus tard Rogers réduira ses Giants à la taille d'un quintette et créera une musique de la côte Ouest polie correspondant au modèle parkérien — au même titre d'ailleurs que le batteur **Shelly Manne**. Il est l'un des rares musiciens de la côte Ouest assez souples pour préserver leur propre conception musicale tout en s'adaptant continuellement à l'évolution du flux musical — jusque dans les années quatre-vingts. Aujourd'hui il réalise, avec de jeunes musiciens, des disques qui sont en partie influencés par le rock, mais qui n'en conservent pas moins vivante la tradition du jazz des années cinquante.

Sur la côte Est, **J.J. Johnson** et **Kai Winding** trouvèrent une solution impressionnante. Ils joignirent leurs deux trombones dans un quintette, et préservèrent ainsi la formule des deux cuivres du bop, tout en découvrant une sonorité structurante dans les subtilités des tonalités différenciées du trombone. Cette structure était d'une simplicité telle qu'elle fut souvent copiée. Winding lui-même l'imita — après que le combo original se fut séparé — en combinant quatre trombones au lieu de deux. **Al Cohn** et **Zoot Sims** réunirent deux ténors — et parfois deux clarinettes — au lieu des trombones. **Phil Woods** et **Gene Quill** entreprirent une association similaire avec les saxophones alto. Les ténors **Eddie « Lockjaw » Davis** et **Johnny Griffin** projetèrent cette idée dans l'univers du hard bop vers la fin des années cinquante. Et au début des années soixante-dix, le batteur Elvin Jones transplanta ce concept de l'« instrument doublé » dans l'ère post-Coltrane en utilisant deux ténors.

Les grands points d'intégration

A une date antérieure — vers la fin des années quarante — le vibraphoniste **Red Norvo** avait formé un trio avec le guitariste Tal Farlow et le bassiste Charlie Mingus. Plus que tout autre groupe celui-ci établissait ce que l'on pourrait baptiser le « jazz de chambre ». Les lignes du vibraphone, de la guitare et de la basse se fondaient, s'opposaient et se contournaient en des échanges légers, détendus, transparents. Si Norvo — représentant d'une génération plus ancienne — ne possédait pas un jeu aussi « moderne » que Farlow et Mingus, le double plateau stylistique ainsi créé acquérait un charme supplémentaire. La fonction linéaire que Norvo avait assignée à la basse de Mingus (qui sera remplacé par Red Mitchell) fut adoptée à partir de 1953 par le célèbre quartette de Gerry Mulligan. Gerry supprima le piano, confiant le soin d'indiquer les accords à une ligne de basse unique qui prenait une signification contrapuntique supplémentaire et qu'il couvrait des lignes de son saxophone baryton et de la trompette de Chet Baker. Plus tard, lorsque Chet Baker (qui devint célèbre presque du jour au lendemain grâce à son jeu au sein de ce quartette) eut acquis son indépendance, il fut remplacé par le trombone à piston de Bob Brookmeyer ou par les trompettes de John Eardly et Art Farmer. Mulligan jouait, d'une manière qui a été décrite comme « affairée », des contre-mélodies ou des riffs contrapuntiques sur son baryton derrière les improvisations du second cuivre de son quartette. Il devint ainsi évident que même le riff — l'un des éléments les plus rudimentaires du jazz — pouvait être employé de manière structurelle au sein du combo moderne. Il devint bientôt évident que plus on se familiarisait avec la sonorité surprenante de ce quartette, plus la nature formulable de sa musique s'imposait. Aussi, Gerry Mulligan, qui est non seulement un grand musicien mais encore un homme prévoyant, élargit son quartette jusqu'à en faire un sextette. Il revint régulièrement à cette formation pendant plus de vingt-cinq ans.

Le combo cité le plus souvent est le **Modern Jazz Quartet** de John Lewis, avec Milt Jackson au vibraphone, Percy Heath à la basse et Kennie Clarke, puis Connie Kay à la batterie. Fondé en 1951 et dissout en 1974, ce fut le combo à l'existence la plus longue de l'histoire du jazz. Lewis, l'un des compositeurs de jazz les plus doués sur le plan mélodique, fut stimulé de manière considérable par l'art contrapuntique de Jean-Sébastien Bach. Il lui arrivait souvent au début d'adopter une forme classique presque littéralement — surtout dans *Vendome*, une version précise et intelligente d'une invention baroque — à la différence près qu'il remplaçait les « épisodes » dans la forme de l'invention par des improvisations des membres du Modern Jazz Quartet. Lewis découvrit par la suite des possibilités contrapuntiques mieux adaptées au jazz qu'à la musique ancienne. Il dit : « La petite pièce intitulée *Versailles*, qui prend également pour modèle une forme “classique” — celle de la fugue —, me paraît n'avoir aucun rapport avec son modèle, dont les exemples les plus célèbres sont ceux de Bach. Nous avons commencé à travailler sur de nouveaux concepts de jeu qui donnent une liberté plus grande à la créativité de l'improvisateur tout en produisant une forme encore plus forte... » Lewis s'attela de la même manière à une intégration de la partie de percussion au jeu linéaire et contrapuntique de son quartette. Son percussionniste Connie Kay possédait tout un arsenal d'instruments rythmiques auxiliaires : cymbales à doigt, triangles, petit tambour chinois, etc. Connie Kay fut l'un des premiers musiciens à avoir enrichi la gamme des instruments de percussion, une tendance qui se poursuivra jusque dans les années soixante.

Voici une réflexion relative à la suite *Fontessa* qui traduit la relation jazz que Lewis entretenait avec la musique baroque : « *Fontessa* est une petite suite inspirée par la Commedia dell'Arte de la Renaissance. Je songeais en particulier à leurs pièces, qui consistaient en de vagues intrigues sur lesquelles les détails — les lignes, etc. — étaient improvisés... »

Le MJQ — ainsi qu'on nomme souvent le combo de Lewis — avait suivi une évolution nettement perceptible. Les éléments propres à Bach se firent rares durant les années soixante, mais furent compensés par une intensité jazz plus swing. Le *Django* de Lewis, par exemple, devint de moins en moins mélancolique au fil des enregistrements, et de plus en plus swing et intense.

Le MJQ exerça une influence considérable. Il arrivait même que l'on décèle des échos de la volonté formative de Lewis dans les combos de hard bop adoptant la structure de Charlie Parker. **Oscar Peterson** lui-même, dont le trio était à l'origine une version modernisée des trios de King Cole et d'Art Tatum, a rendu hommage au principe d'intégration de John Lewis.

Le **Dave Brubeck Quartet**, formé en 1951, connut une longue évolution semblable après que Brubeck eut tout d'abord acquis son expérience avec un ensemble à huit musiciens (1946) et avec un trio (1949). Brubeck a probablement enregistré plus de succès que tout autre musicien de jazz et pourtant — ou plus exactement : en conséquence — il a fait l'objet de critiques violentes. Brubeck possède néanmoins un charisme qui l'a conduit de succès en succès pendant plus de trente ans (cf. le chapitre consacré au piano).

Le partenaire le plus important de Brubeck fut Paul

Desmond, un « poète du saxophone alto », dont les improvisations ont été beaucoup plus vantées par les critiques que le jeu de piano de Brubeck. Desmond fut remplacé vers la fin des années soixante par Gerry Mulligan. Ce dernier a toujours été un improvisateur très orienté vers le swing, « affairé », et il est évident que sous son impulsion le Brubeck Quartet jusque-là quelque peu élégiaque et cool devint un groupe nettement plus intense et « hot ». Depuis les années soixante-dix, Brubeck se produit régulièrement avec ses trois fils, ou avec l'un ou l'autre d'entre eux ; ils ont ajouté un élément de jazz fusion occasionnel à sa musique.

Du hard bop au free

Nous avons déjà évoqué les combos de hard bop au sujet du Charlie Parker Quintet. Il paraît évident qu'une évolution vers une intégration plus grande est également perceptible ici. Même le groupe de hard bop le plus énergique, les **Jazz Messengers** — dynamisés par le travail de percussion frénétique d'**Art Blakey** — tend à posséder au moins un (parfois même deux) « intégrateurs » musicaux, dans le sens de la fonction remplie par John Lewis au sein du MJQ, mais en l'occurrence en termes de hard bop. Horace Silver, puis Benny Golson, Bobby Timmons, Wayne Shorter, Cedar Walton, George Cables, etc. remplirent cette fonction auprès de Blakey dont les groupes ont été d'une importance primordiale pendant plus de trente ans — jusque dans les années quatre-vingts. (Nous reviendrons sur le bop contemporain plus avant dans ce chapitre.)

Une intégration merveilleuse est également une caractéristique des divers groupes que dirigea **Max Roach** depuis sa collaboration avec Clifford Brown et Sonny Rollins au milieu des années cinquante : des ensembles sans piano avec des sonorités riches à trois cuivres ; plus tard avec le pianiste Ron Mathews et le trompette Freddie Hubbard ; souvent aussi avec sa propre épouse, Abbey Lincoln. L'œuvre principale de Max Roach, *Freedom Now Suite*, est exemplaire non seulement en raison de son contenu mais encore de sa structure. La musique que Roach produisit avec ses groupes durant les années soixante-dix est encore plus dense et concentrée : elle comprend deux sonorités de cuivres saisissantes (grâce notamment au trompettiste Cecil Bridgewater et au saxophoniste Bill Harper). Roach est en outre l'un des rares musiciens — sinon le seul, en dehors des églises de gospel — ayant résolu le problème difficile consistant à intégrer un chœur dans un contexte jazz.

Au centre de tous ces combos se dresse le **Miles Davis Group** (rassemblant maints musiciens différents), qui fut une sorte d'épine dorsale de l'ensemble de l'évolution du jazz du milieu des années cinquante au début des années soixante-dix. D'aucuns ont dit que Miles devint, ce faisant, *le* « faiseur de vedettes ». Voici une liste de musiciens issus de ses groupes : les saxophonistes John Coltrane, Cannonball Adderley, Hank Mobley, Wayne Shorter, George Coleman, Sam Rivers, Dave Liebman et Steve Grossman ; le clarinettiste basse Benny Maupin ; les pianistes Red Garland, Bill Evans, Wynton Kelly, Herbie Hancock, Chick Corea, Joe Zawinul et Keith Jarrett ; le guitariste John McLaughlin ; les bassistes Paul Chambers, Ron Carter et Dave Holland ; les batteurs Philly Joe Jones, Tony Williams, Jack DeJohnette, et Billy Cobham ; et le percussionniste Airto Moreira — une liste défiant toute comparaison ! Le rôle joué par ce grand musicien est étudié selon des points de vue différents dans les chapitres consacrés aux années soixante-dix ainsi qu'à Miles Davis lui-même.

Il importe, compte tenu de notre principe de définition du combo, de noter que le concept de « modalité » introduit par Miles et par John Coltrane crée un degré élevé d'unité — et donc d'intégration. Le facteur d'intégration est ici l'« échelle » — non plus de multiples changements d'accords variant constamment, mais un accord unique (ou quelques accords).

John Coltrane transplanta ce principe dans un jazz « plus libre » — dans le sens évoqué au chapitre le concernant (et tout au long de ce livre). L'un des plus beaux enregistrements du Coltrane Quartet « classique » — avec McCoy Tyner au piano et Elvin Jones à la batterie — est le fameux *A Love Supreme*, qui combine la ferveur spirituelle à une complétude formelle d'une manière inégalée en jazz. Ce groupe, par sa qualité d'improvisation et d'échange, par la valeur durable de ses thèmes (composés essentiellement par son leader) et avec sa « qualité d'ensemble » constitue toujours un modèle pour maints groupes de jazz.

Avant Coltrane il y eut des groupes qui contribuèrent à ouvrir la voie au free jazz, mais il n'y eut que le quartette (puis trio) d'**Ornette Coleman** qui ait suivi une démarche stylistique parallèle à la sienne. Les impulsions données par Coleman et Coltrane ne se fondirent pas avant les années soixante-dix — et même à cette époque cette démarche fut rare, citons essentiellement l'AACM (sur laquelle nous reviendrons prochainement).

Parmi les groupes qui ouvrirent la voie au nouveau jazz, il en est trois qui ont une importance particulière : les **Jimmy Giuffre Trios** des années cinquante et les orchestres de **Charles Mingus** et de **George Russell**. Jimmy Giuffre enregistra au début des années cinquante son album *Tangents in Jazz*, dans lequel le batteur — en tant que percussionniste — est attiré dans le développement mélodique et structural de la musique à un point tel qu'un temps continu est presque inutile. Dans le trio organisé par Giuffre en 1954 il n'y avait pas de batteur et l'on peut avancer que dès le départ il songeait déjà à cette extrémité, de manière consciente ou non ; dès lors que la batterie est employée plus ou moins comme un instrument mélodique, il doit exister d'autres instruments capables de remplir cette fonction avec plus de bonheur. Giuffre recourut dans ce trio à la guitare de Jim Hall et à la basse de Ralph Pena. Il franchit une étape supplémentaire lorsqu'il fit équipe avec le trombone à piston de Bob Brookmeyer dans un trio dépourvu de section rythmique — deux cuivres plus une guitare dans un réseau de lignes vivifiant se fondant tant sur la musique de chambre que sur la musique folk.

Encore plus importants pour les développements ultérieurs sont les divers groupes que dirigea **George Russell** à partir de la seconde moitié des années cinquante — en particulier ses sextettes avec des musiciens tels que le tromboniste Dave Baker, le multi-instrumentiste Eric Dolphy, et le trompettiste Don Ellis. La musique de Russell atteint la qualité d'un hymne dans sa modalité swing libre — une tonalité qui ne touchera un vaste public qu'avec *A Love Supreme*, enregistré quelques années plus tard par John Coltrane. Sa musique possède également un caractère abstrait qui paraît annoncer le travail d'Anthony Braxton.

Le principal pionnier du nouveau jazz fut toutefois **Charles Mingus**. Ainsi que nous l'avons vu sa musique restaura la tendance à l'improvisation collective. Il est certain qu'il y eut de tout temps des improvisations collectives en jazz, mais depuis que ce genre avait abandonné le contrepoint en trois parties du new orleans, l'accent s'était déplacé vers l'improvisation en solo — un musicien accompagné par une section rythmique. Avec Mingus l'improvisation redevint collective à un degré inconnu depuis le jazz néo-orléanais. Cette démarche était révélatrice non seulement d'une tendance musicale, mais encore sociale. Le fait que les enregistrements révolutionnaires de Mingus auxquels nous faisons allusion ici datent de la fin des années cinquante n'est nullement fortuit ; cette période précédait le nouvel éveil de la conscience sociale et politique des années soixante. Le jazz avait régulièrement anticipé et annoncé de telles évolutions. Le philosophe Theodor Adorno écrivit : « La musique polyphonique dit : "Nous". » De la même manière le jazz néo-orléanais et dixieland d'une part, et Charles Mingus et le jazz free et collectif des années soixante et soixante-dix d'autre part disent « Nous ». La musique des grands individualistes — notamment Charlie Parker, Lee Konitz, et avant eux Coleman Hawkins et Lester Young — dit « Je ».

Parmi les enregistrements les plus importants que Charles Mingus réalisa dans cette veine citons : *Better Git It in Your Soul, Goodbye, Pork Pie Hat, Open Letter to Duke, Mingus, Mingus, Mingus* (avec Eric Dolphy), et *Tijuana Moods* (avec Clarence Shaw à la trompette) ainsi que *The Black Saint and the Sinner Lady* (avec Charlie Mariano). Le batteur Dannie Richmond joue un rôle essentiel dans le succès de presque toutes les productions de Mingus. Avec l'assurance d'un somnambule, il suivait les multiples changements de tempo de son leader (relativement nouveaux et inhabituels en jazz à l'époque), et conférait ainsi une unité à la musique.

Ornette et après

Hormis *Intuition* et *Digression* de Lennie Tristano (qui en 1949 étaient les anticipations isolées de développements ultérieurs), le **Ornette Coleman Quartet** de 1959-1960 fut le premier groupe à jouer « free », tout en satisfaisant d'emblée au critère d'intégration défini au début de cette section. Coleman et son trompettiste Don Cherry se produisirent au Five Spot, un club de New York, où ils ravirent le public soir après soir pendant plusieurs mois. Les nombreux musiciens présents dans l'audience étaient fascinés par la précision avec laquelle Ornette et Don se retrouvaient à l'unisson après leurs longues excursions free en solo — quoique même les spécialistes ne comprissent pas pourquoi ils se réunissaient à ce moment précis plutôt qu'à un autre. Un musicien déclara : « C'est imperceptible pour vous, mais il ne fait aucun doute qu'Ornette et ses musiciens savent ce qu'ils font. Dans quelques années tout le monde comprendra » (une prédiction qui n'a pas manqué de se réaliser). Le bassiste Charlie Haden avait un effet particulièrement intégrateur dans ce groupe, avec ses lignes basses totalement libres qui renonçaient aux harmonies conventionnelles, mais n'en créaient pas moins unité et structure.

Ornette se sépara quelques années plus tard du second cuivre, formant un trio. Il est permis de supposer qu'il assuma lui-même les rôles de trompettiste et de violoniste — en dépit des vives critiques dont il faisait l'objet ; il désirait en effet disposer de colorations sonores supplémentaires tout en façonnant la musique de son groupe de manière aussi directe et immédiate que possible. Coleman dut attendre la fin des années soixante pour trouver en la personne du saxophoniste ténor Dewey Redman un cuivre s'accordant avec lui. Quelques années plus tard Redman rejoignit le groupe **Old and New Dreams** de Don Cherry rapprochant la musique de Coleman de la tendance des années soixante-dix vers la musique du monde. Redman joue également de la musette, un instrument arabe, tandis que Cherry incorpore des éléments propres à la musique indienne, tibétaine et parfois même amérindienne.

De Coleman et Coltrane sont issus tous les groupes de free

jazz mettant l'accent sur l'expérience collective de leur musique dans une mesure inconnue auparavant. Consternés par l'isolement de l'individu dans la société moderne, ces musiciens ont le sentiment que leurs improvisations les unissent à un degré tel qu'en dehors de la musique « seul l'amour permet de connaître » (Don Cherry). Le morceau de Cherry *Complete Communion*, enregistré en 1965 tout d'abord à Paris puis à New York, traduit jusque dans le titre ce concept de « communication totale ».

Il existe d'autres groupes qui ont compensé l'isolement de l'individu s'exprimant sans contrainte par une relation collective plus forte et plus intensément personnelle. Citons l'**Archie Shepp Quintet** avec le tromboniste Roswell Rudd ; le **New York Art Quartet** avec l'alto John Tchicai (ainsi qu'avec Rudd) ; l'**Albert Ayler Quintet** et maints groupes européens gravitant autour de Tchicai à Copenhague ; de Jan Garbarek à Oslo ; de Tomasz Stanko à Varsovie ; d'Albert Mangelsdorff, de Manfred Schoof, de Peter Brötzmann et de Gunter Hampel en Allemagne ; de Michel Portal à Paris ; de John Stevens, de John Surman, d'Allan Skidmore, de Paul Rutherford, de Tony Oxley, etc., à Londres...

Les divers groupes de l'AACM, que nous avons déjà mentionnés à diverses reprises, méritent une mention particulière dans ce contexte.

L'AACM

Dès le début des années soixante le pianiste **Richard Abrams** avait fondé l'AACM à Chicago, l'*Association for the Advancement of Creative Musicians* (l'association pour l'évolution des musiciens créatifs). L'AACM est un rassemblement des musiciens qui a joué un rôle très important non seulement sur le plan musical mais encore sur celui du processus d'identification des musiciens noirs. L'AACM connut ses premiers succès en Europe, après avoir reçu un écho trop limité à Chicago. Vers la fin des années soixante, mus par une volonté délibérée de réagir contre le manque d'intérêt du public américain pour la musique free (et ses implications politiques et sociales !), certains des principaux musiciens de l'AACM allèrent s'installer à Paris — notamment les saxophonistes Joseph Jarman et Roscoe Mitchell, le trompettiste Lester Bowie, le bassiste Malachi Favors, et le multi-instrumentiste Anthony Braxton. Dès lors l'**Art Ensemble of Chicago** ne tarda pas à être connu dans toute l'Europe. Jarman, Mitchell, Bowie et Favors n'ayant pas un batteur régulier (Phillip Wilson, Don Moye et Steve McCall ne travaillèrent que pendant de brèves périodes avec le groupe), ils commencèrent bien vite à jouer eux-mêmes des percussions. Bowie adopta la grosse caisse, et Mitchell, Jarman et Favors la gamme complète des divers instruments de percussion devenus courants en nouveau jazz. De cette manière les parties de percussion — jouées alternativement par des musiciens dont l'instrument principal était la trompette, le saxophone et la basse — furent intégrées complètement dans l'activité mélodique. Cette innovation fut une contribution capitale de l'Art Ensemble de Chicago.

Il n'y eut jamais, à ma connaissance, aucun combo de jazz qui disposa d'une palette aussi importante de couleurs instrumentales que l'Art Ensemble of Chicago. Les quatre musiciens emportaient au cours de leurs tournées européennes d'importants chargements d'instruments. Mitchell et Jarman sont des artistes possédant maintes cordes à leur arc. Le premier joue du saxophone alto, soprano, ténor et basse, de la clarinette, de la flûte, du piccolo, des sirènes, des sifflets, du tambour métallique, des congas, des gongs, des cymbales, etc., etc. ; le second du sopranello, du saxophone alto et ténor, de la clarinette alto, du hautbois, de la flûte, du piano, du clavecin, de la guitare, des marimba, de l'accordéon, du vibraphone et de dizaines d'instruments de percussion divers. Les musiciens de l'AACM utilisèrent cette instrumentation impressionnante pour réaliser des enregistrements en France, en Allemagne et en Grande-Bretagne, notamment la première création de musique AACM interprétée par un grand orchestre, aux nouvelles rencontres de jazz de Baden-Baden de 1969.

La majorité du public de jazz américain prit conscience de l'importance de l'AACM quelque dix ans plus tard. Ce fut un processus lent, commençant avec le succès d'Anthony Braxton et se poursuivant par le fait que maints musiciens de l'AACM occupèrent des positions de premier plan dans le sondage réalisé auprès des critiques en 1979 par le magazine *Down beat*.

Entre-temps deux autres groupes ayant leurs racines dans l'AACM s'étaient formés : **Air** (Henry Threadgill aux saxophones et aux flûtes ; Fred Hopkins à la basse ; Steve McCall à la batterie), et le **World Saxophone Quartet** (Hamiet Bluiett, saxophone baryton et flûte ; Julius Hemphill, saxophone soprano et alto ; Oliver Lake, saxophone alto et soprano et flûte, David Murray, saxophone ténor et clarinette basse).

L'un des disques d'Air ayant remporté le plus de succès s'intitule *Air Lore* (1980). Il est dédié aux premiers rags de Scott Joplin et aux compositions néo-orléanaises de Jelly Roll Morton, ce qui est une démonstration de reconnaissance remarquable à l'égard de la tradition compte tenu du caractère avant-gardiste de cette musique. La sonorité d'Air correspond au nom du groupe : elle est aérée, légère, lâche, claire et transparente. Le **World Saxophone Quartet** réalise lui aussi une musique correspondant à son nom : la majorité de la communauté des critiques considère qu'il s'agit du meilleur groupe de saxophones qui soit à l'heure actuelle dans le monde. Le World Saxophone Quartet est lui aussi ancré dans la tradition du jazz (jusqu'au new orleans et au jazz de Harlem des années vingt) ; il est en outre redevable à la musique des ensembles de bois français des XIXᵉ et XXᵉ siècles. Le World Saxophone Quartet joue surtout une musique « hip », pleine d'un humour transmettant un flux permanent de signaux codés ou non.

Il est bien évident que d'autres musiciens de l'AACM (ainsi que d'une association similaire fondée à Saint Louis, BAG, ou encore des musiciens proches de ces organisations) ont également réalisé une musique de combo de haut niveau. Citons notamment le saxophoniste **Oliver Lake** et le trompettiste **Leo Smith** ; les quatre membres du World Saxophone Quartet enregistrant ou se produisant sous leur propre nom ; **Richard Abrams**, le grand esprit innovateur de l'AACM ; ainsi que le musicien le plus célèbre de l'AACM **Anthony Braxton**. Braxton s'est distingué en particulier avec ses quartettes, qui comprenaient le tromboniste George Lewis puis son collègue Ray Anderson ; Braxton était engagé dans un processus progressif d'abstraction de la musique jusqu'à ses limites.

L'attitude de la plupart de ces musiciens à l'égard de la tradition est éclairée par une formule des musiciens de l'Art Ensemble de Chicago : *Ancient to the future*. Ceci ne signifie pas seulement (dans le sens rationaliste occidental) « regarder vers le futur à partir d'un passé ancien » mais encore se référer (dans le sens des anciens concepts de la mythologie africaine) à une « suspension du temps ». Abrams dit : « Mes pensées... sont mon... avenir... maintenant et à jamais... symbolisant... le passé... le présent... et l'avenir... — dans l'instant présent éternel... » Cette réflexion est typiquement africaine. Ou asiatique. Certes pas occidentale.

Le fait que Muhal Richard Abrams ait influencé les musiciens de l'AACM, et pas uniquement en termes de musique, est en accord avec le processus de sensibilisation mentionné précédemment. Le tromboniste George Lewis confie qu'il fut incité à entreprendre ses études extramusicales — surtout la philosophie allemande — par Muhal. Joseph Jarman déclara qu'avant de rencontrer Abrams il était « comme tous les autres Nègres "hip" du ghetto » des rues du South Side de Chicago. Son avenir devait être sombre comme celui de la plupart des jeunes gens prisonniers des ghettos. Mais Jarman rencontra Muhal et sa vie prit une direction toute différente. Il semble qu'Abrams, qui demeura plus ou moins à l'arrière-plan pendant plusieurs années, se souciait plus d'encourager la carrière des autres membres de l'AACM que la sienne. Il dut attendre la seconde moitié des années soixante-dix — en fait son apparition au festival de Montreux en 1978 — pour asseoir sa renommée de pianiste et de compositeur ; un résultat qu'avaient déjà obtenu des membres plus jeunes de l'AACM.

La conscience de la forme, qui revêt une importance essentielle pour la majorité de ces musiciens, explique qu'ils se réfèrent souvent à Duke Ellington. Muhal Richard Abrams confia au critique Gary Giddins : « Si la tendance continue à évoluer dans la même direction, je crois que nous atteindrons un point similaire à celui où se trouvait Duke... avec, bien entendu, quelques critères supplémentaires... »

Les années 1970

Entre le début des années soixante-dix et le début des années quatre-vingts, la situation des combos a été semblable à celle des grands orchestres. Il y eut quatre courants et diverses combinaisons entre ceux-ci :

1. Les combos s'inscrivant dans la lignée du mainstream actuel, parmi lesquels les groupes de hard-bop et de néo-bop occupent une place particulière, de plus en plus importante depuis la fin des années soixante-dix.

2. Les groupes jouant de la musique free évoqués dans le cadre du chapitre consacré à l'AACM.

3. Les groupes de jazz-rock et de jazz fusion, dont le développement fut engendré par l'album *Bitches Brew* de Miles Davis.

4. Les groupes de « musique de chambre » qui raffinèrent la tradition du Red Norvo Trio ou de Jimmy Giuffre Trio. Le prototype en est le groupe **Oregon** de Ralph Towner (il se sépara en 1980) avec Paul McCandles (hautbois et cor anglais), Glen Moore (basse) et Collin Walcott (sitar, tabla, percussion). Oregon constitue en un sens l'apogée du jazz intégré, de type « musique de chambre » — au même titre que le trio dirigé par Keith Jarrett vers 1971-1972, avec le bassiste Charlie Haden et le batteur Paul Motian, constitue le summum dans l'histoire des groupes que l'on a pris pour habitude de nommer « piano trio ». Ainsi que nous l'avons vu, l'élément essentiel dans le « piano trio » est que les sidemen du pianiste ne se contentent pas de lui fournir un accompagnement, leur musique est intégrée de manière aussi équitable que possible dans l'ensemble musical.

Le mainstream

Les groupes du mainstream des années soixante-dix regroupent de nouveaux ensembles mais également d'anciens qui furent formés dans les vingt années précédentes (et ont donc déjà été mentionnés). Les groupes dont les « premières versions » datent des années cinquante ont bien entendu intégré les expériences musicales postérieures au même titre que ceux ayant vu le jour dans les années soixante-dix. Nous les citerons donc « pêle-mêle » : **Art Blakey's Jazz Messengers**, le **Dizzy Gillespie Quintet**, le **Max Roach Quartet**, le **Cannonball Adderley Quintet**, le groupe de **McCoy Tyner**, le **Phil Woods Quartet**, le **Woody Shaw Quintet** et **Herbie Hancock's VSOP**. La plupart de ces groupes ont régulièrement changé de personnel.

McCoy Tyner occupe une position centrale en tant que source de force et d'inspiration. Cannonball Adderley, qui mourut en 1975, réunit une fusion particulièrement heureuse d'éléments de la soul, du funk et du rhythm n'blues dans sa musique de combo. Son frère, le joueur de cornet Nat Adderley, prolonge cette tradition avec son groupe **Cannonball Adderley Brotherhood**.

Les racines de Cannonball Adderley plongent bien évidemment dans la tradition parkérienne. Le groupe **Supersac** de Med Flory, en Californie, comprend cinq saxophonistes qui interprètent les morceaux et les solos inoubliables du Bird harmonisés, orchestrés et arrangés — une réalisation étonnante du point de vue technique lorsqu'on considère qu'un saxophoniste seul se heurte souvent à des problèmes considérables lorsqu'il s'efforce de reproduire la musique de Parker. Une telle entreprise doit être encore plus complexe pour cinq saxophonistes, or Supersax obtient une précision brillante ! Il convient toutefois de signaler que cette précision confère un caractère quelque peu artificiel à la musique du Bird. Le World Saxophone Quartet a lui aussi interprété certaines compositions de Parker. Ce groupe fait revivre la musique du Bird de manière beaucoup plus dynamique que Supersax chez qui elle semble avoir été reconstruite, sans plus.

Le caractère bop est vivant dans tous ces groupes ; mais il a acquis une importance nouvelle depuis la fin des années soixante-dix, ce que même les observateurs les plus perspicaces n'avaient pas prévu. D'aucuns éprouvèrent le sentiment pendant les années soixante-dix que le be-bop s'estompait progressivement. Et le voici qui revient en force. Le néo-bop des années soixante-dix et quatre-vingts (dont nous avons parlé à diverses reprises) a produit un nombre considérable de groupes nouveaux. Les combos du grand ténor vétéran **Dexter Gordon**, l'initiateur de ce mouvement, les domine tous.

Le jazz électrique, le jazz-rock, le jazz fusion

L'intégration du jazz et du rock — longtemps attendue, souvent annoncée et en définitive accomplie par Miles Davis avec son album *Bitches Brew* — façonna le style des groupes de jazz les plus connus (et les plus rentables) des années soixante-dix. Les groupes ayant ouvert la voie à ce développement aux États-Unis et en Grande-Bretagne ont déjà été évoqués dans le chapitre consacré aux années soixante-dix. Les groupes de jazz-rock et de jazz fusion vedettes de cette décennie se nommaient : **Weather Report, Eleventh House** (de **Larry Coryell**), **Mahavishnu Orchestra** (de John McLaughlin), **Lifetime** (dirigé par le batteur Tony Williams), **Gary Burton Quartet, Return to Forever** (de Chick Corea) ; les groupes de la première moitié des années soixante-dix d'**Herbie Hancock ; Pat Metheny Quartet ; Jeff Lorber Fusion ; Nucleus** (du trompettiste Ian Carr) et **Paraphernalia** (de la saxophoniste Barbara Thompson) en Grande-Bretagne ; **Association PC** (du batteur **Pierre Courbois**) et **Pork Pie** (du joueur de claviers Jasper Van t'Hof) en Allemagne et aux Pays-Bas ; **Magma** en France ; et enfin les groupes du guitariste **Volker Kriegel** et du saxophoniste **Klaus Doldinger** en Allemagne.

Ce sont surtout les musiciens de Miles Davis qui, au début des années soixante-dix, prolongèrent l'évolution amorcée par *Bitches Brew*. Citons le saxophoniste soprano et ténor Wayne Shorter, les joueurs de claviers Joe Zawinul, Chick Corea et Herbie Hancock ; les batteurs Tony Williams et Jack DeJohnette, le guitariste John McLaughlin...

Les premiers pas dans cette direction furent accomplis notamment par Wayne Shorter avec ses deux albums *Super Nova* et *Odissey to Iska*, ce qui est relativement surprenant étant donné que ce grand musicien ne poursuivit guère dans la voie de l'arrangement et de la composition. Shorter est le seul vent (ténor et soprano) sur ces deux disques ; il est accompagné de guitaristes, de bassistes, d'un vibraphoniste et de percussionnistes. L'Odyssée d'Iska est le voyage mythique d'un explorateur noir — un Ulysse nigérien — qui devient un symbole de l'âme humaine. Shorter dit au sujet de l'album : « Peut-être pourriez-vous rattacher cette musique au voyage de votre propre âme. »

Odyssey of Iska est un « poème tonal » impressionnant en jazz, faisant songer aux poèmes tonals d'Herbie Hancock évoqués dans le chapitre consacré au piano. Il est un fait indéniable que depuis le *Maiden Voyage* d'Hancock, les musiciens ont eu de plus en plus tendance à créer des compositions de formes plus grandes, complètes en soi, des suites et poèmes tonals. Songeons par exemple au *Grand Wazoo* de Zappa (mentionné dans le chapitre consacré aux grandes formations) ou à *Zawinul*, édité vers la même époque que les deux disques de Shorter : « Impression des journées de Joe Zawinul, jeune berger en Autriche... Poème tonal évoquant les funérailles de son grand-père par une froide journée d'hiver dans un village de montagne autrichien... Premières impressions de New York lorsque Zawinul enfant y débarqua d'un bateau en provenance de France... » Trois vents (flûte, trompette, saxophone soprano) sont confrontés à deux bassistes et à trois percussionnistes ; cet ensemble est complété de deux pianos électriques — celui de Zawinul et celui d'Herbie Hancock. Miles Davis était enthousiaste.

On espéra d'emblée de grandes choses lorsque Joe Zawinul et Wayne Shorter fondèrent le groupe Weather Report en 1971. Dans le premier groupe Miroslav Vitous jouait de la basse et Alphonse Mouzon de la batterie, mais Mouzon l'instinctif et Vitous l'intellectuel s'accordaient mal. Les musiciens chargés des rythmes se succédaient régulièrement durant la majeure partie des années soixante-dix, jusqu'à ce que le bassiste Jaco Pastorius vienne consolider le groupe vers la fin de la décennie ; il devint le membre le plus important du groupe après Zawinul, tandis que Shorter paraissait ne plus remplir son rôle de coleader. Les amis de Shorter ont souvent regretté qu'il ne soit pas plus souvent mis en avant dans les albums de Weather Report à l'occasion de solos compte tenu de l'importance énorme de ce saxophoniste prodigieux.

Il ne fait aucun doute qu'après le *Bitches Brew* de Miles et à égalité avec le Mahavishnu Orchestra de John McLaughlin, Weather Report est le groupe de jazz fusion le plus important et le plus influent. Mais WR a constamment attiré l'attention. Après avoir publié une critique dévastatrice de son album *Mr Gone*, paru en 1979, *Down beat* fut inondé pendant des mois de lettres de fans et d'adversaires du groupe. La critique de *Mr Gone* disait à peu près ceci : « Weather Report a fait au jazz des années soixante-dix ce que Paul Whiteman lui avait fait dans les années vingt... Tel Whiteman, Weather Report a sur-orchestré sa sonorité. Alors que l'orchestre de Whiteman transformait le jazz hot en sirop, Weather Report a fait paraître l'expérimentation trafiquée... En ne prenant pas de risques, ils n'ont rien à perdre, mais ils n'ont rien de plus à gagner... » Cette critique fut attaquée avec une véhémence telle par les fans de Weather Report qu'une évaluation définitive de ce disque — qui n'est peut-être pas leur meilleur — paraît impossible à l'heure actuelle.

Zawinul insiste sur le fait que sa musique au sein de Weather Report est ancrée dans la tradition du jazz, en particulier du be bop. L'une de ses compositions les plus célèbres s'intitule *Birdland*, d'après le fameux club de jazz de Broadway, qui lui-même emprunta son nom à Charlie Parker. Zawinul était presque tous les jours au Birdland vers la fin des années cinquante. Vingt années plus tard, en 1980, il déclara : « Le vieux Birdland était le lieu le plus important dans ma vie. » Il croit que cela transparaît dans toutes les phases de la musique de Weather Report. La majorité des critiques demeurent sceptiques, mais en 1980 WR produisit un nouveau disque redevable à maints égards au be bop (peut-être inspiré par la vague néo-bop) : *Night passage*.

Herbie Hancock (cf. également le chapitre consacré au piano) avait quitté Miles Davis avant *Bitches Brew*. Il créa en 1972 le disque *Crossings* avec sa riche instrumentation électronique (piano électrique, mélotron, Moogsynthétiseur), dans laquelle s'imbriquent trois cuivres : Benny Maupin (saxophone soprano, flûte alto, clarinette basse, piccolo),

Eddie Henderson (trompette) et Julian Priester (trombone). Herbie obtint grâce à cette orchestration des sonorités rappelant la prodigieuse palette de Gil Evans. *Quasar*, le titre d'un morceau, est représentatif de la musique : des explosions cosmiques mystiques, primordiales dans lesquelles le temps paraît immobile.

Le batteur **Tony Williams** avait lui aussi quitté Miles Davis en 1969 pour se consacrer de manière plus intense à l'intégration du jazz et du rock. Les différents ensembles qu'il forma sous l'appellation Lifetime étaient des groupes de rock à orientation jazz, dont Williams ne réussit pas à résoudre les problèmes d'intégration — moins pour des raisons musicales que psychologiques. C'est néanmoins dans le Lifetime de Tony Williams que John McLaughlin trouva les outils nécessaires à la formation de son Mahavishnu Orchestra.

Larry Young lui-même (alias Khalid Yasin) fut incapable de réaliser l'intégralité de son potentiel artistique à l'orgue au sein du Lifetime de Williams. Des groupes tels que celui-ci — ou que Weather Report et le Mahavishnu Orchestra — mettent en lumière la complexité des mécanismes musicaux et humains (et techniques !) qu'il convient de prendre en considération. Une bonne dose de chance est nécessaire pour que de tels organismes produisent de la bonne musique : un quartette à cordes se heurte à moins de difficultés.

Le processus d'attribution auquel sont soumis les groupes de jazz rock et de jazz fusion apparaît également de manière évidente dans la musique de **Chick Corea**. Les critiques sont presque unanimes à reconnaître que le meilleur des groupes qu'il conduisit — tout d'abord sous le nom de **Return to Forever** — fut celui de 1972 (avec la chanteuse Flora Purim, le percussionniste Airto Moreira, le saxophoniste et flûtiste Joe Farrell et le bassiste Stanley Clarke. Ce fut l'une des productions les plus heureuses et les plus légères du jazz contemporain. Ses groupes ultérieurs ont néanmoins conservé l'aspect ludique, communicatif, si caractéristique de sa musique.

Il est probable que la musique de fusion la plus dense, la plus satisfaisante sur le plan artistique à ce jour est celle du guitariste **John McLaughlin** et de son **Mahavishnu Orchestra** — la meilleure formation est également la première (celle de

1971-1972 avec Jan Hammer aux claviers, Billy Cobham à la batterie, Jerry Goodman au violon et Rick Laird à la basse). Il s'agit de la démonstration la plus convaincante des effets surprenants, libérateurs, délicieux et spirituels qu'est susceptible d'engendrer ce type de jazz.

Les morceaux du premier Mahavishnu Orchestra portent des titres tels que *The Dance of the Maya, A Lotus on Irish Streams, Sapphire Bullets of Pure Love, Meetings of the Spirit, Awakening, Sanctuary* et *Vital Transformation*, caractéristiques de l'esprit méditatif présent au cœur de ces pièces. Le volume sonore de cette musique ajoute encore à la puissance de cet esprit — ce qui n'est paradoxal qu'en apparence ; il dispense une forme de paix du fait même de sa sur-puissance. La musique du Mahavishnu créait une « cathédrale de sons » qui n'admettait rien de plus que ces sons.

Un aspect négatif de la densité de cette musique fut que les musiciens ne tardèrent pas à s'épuiser dans des tensions et des conflits tant personnels que musicaux, ce qui entraîna la dissolution du groupe. McLaughlin n'atteint jamais avec ses autres Mahavishnu le niveau de qualité de ce premier orchestre. Il commença, à partir de 1976, à se produire avec un nouveau groupe **Shakti** (qui se sépara en 1978). Shakti représentait un tournant remarquable après la phase « haute énergie » électronique de McLaughlin. Les quatre musiciens de Shakti — McLaughlin à la guitare et trois Indiens parmi lesquels le violoniste L. Shankar et le joueur de tabla Zakir Hussain — jouaient de la musique acoustique à bas volume. C'était une rencontre du jazz non seulement avec la culture musicale de l'Inde mais encore avec la spiritualité et la religiosité indiennes. Shakti atteignit un niveau de perfection auquel ne parviendra qu'un autre groupe, né de la collaboration du maître sarod **Ali Akbar Khan**, probablement le plus célèbre représentant actuel (avec Ravi Shankar) de la musique classique indienne, et du saxophoniste alto **John Handy**, qui s'était fait connaître à la faveur de son travail avec Charles Mingus. Khansahib (ainsi que le nomment les étudiants de son école de musique Ali Akbar Khan proche de San Francisco) et Handy commencèrent à jouer ensemble en 1971 ; ils reprirent leur collaboration en 1980-1981 lorsque le violoniste du sud de l'Inde le docteur L. Subramaniam se joignit à leur groupe **Rainbow**. Rainbow est surtout remarquable par l'intensité de ses envolées effrénées, tandis que le point fort de Shakti était sa densité et son unité.

Les critiques ont ressenti Shakti — venant après la musique du Mahavishnu de John McLaughlin — comme une « rupture abrupte ». L'amour de McLaughlin pour la musique et la spiritualité indienne était toutefois perceptible dès sa phase Mahavishnu. Qui plus est la musique de Shakti possédait une densité et une unité similaires à celles des enregistrements du Mahavishnu. McLaughlin dit : « L'Inde fait partie de ma maison sur cette planète... L'Inde fait partie de moi tant sur le plan psychologique que sur le plan physique. » Le nom de ses deux orchestres est également révélateur. Mahavishnu signifie « compassion, puissance et justice divines » et Shakti « intelligence, beauté et puissance créatives ».

Après Shakti McLaughlin n'eut plus de groupe véritablement intégré. Il retourna dans un premier temps vers la musique électrique — avec son **One Truth Band**, qui connut lui aussi des compositions diverses. Depuis lors il a essentiellement travaillé en solo et réalisé des duos acoustiques avec le guitariste français Christian Escoudé et d'autres.

Le processus d'attrition du jazz-rock et du jazz fusion est d'une certaine manière un phénomène inquiétant. Rien de semblable ne s'était jamais produit auparavant en jazz. Seuls deux groupes d'un niveau artistique respectable se sont fait connaître durant la seconde moitié des années soixante-dix. le **Jeff Lorber Fusion** et le **Pat Metheny Group**. Ce dernier avec son intégration « enjolivée », parfaite et quelque peu polie fait songer à un « Modern Jazz Quartet du jazz fusion ». La plupart des autres groupes à succès — **Spyro Gyra** par exemple — rapprochent le jazz fusion du disco et d'autres tendances pop commerciales. Ils sont soucieux de créer des produits qui se vendent — et ce faisant eux-mêmes sont devenus des produits.

L'espoir existe cependant grâce à une nouvelle forme de jeu élaborée essentiellement par des musiciens noirs. En référence ironique à la « new wave », le guitariste de rock

James Blood Ulmer — l'un de ses représentants principaux — l'a baptisée « no wave » ; d'autres parlent de « free funk » ou encore de « punk jazz ». Cette tendance est née moins du délire du commerce musical (qui ne tarda pourtant pas à la récupérer) que de la rencontre underground du free jazz, du jazz traditionnel et de la new-wave rock. Le premier à avoir réussi dans ce cadre à créer une musique de combo intégrée fut **Shannon Jackson**, avec son groupe **Decoding Society** — en rendant mélodiques les schèmes polyrythmiques de sa batterie et en les transférant au jeu de son groupe. (Pour de plus amples informations relatives à la « no-wave » et au « free-funk », cf. le chapitre consacré aux années quatre-vingts.)

Une définition du jazz

La question « Qu'est-ce que le jazz ? » devrait trouver réponse dans un dictionnaire ou dans une encyclopédie. Il s'avère cependant qu'une étude de ces ouvrages réserve d'amères déceptions. J'ai été incapable d'y trouver une seule définition satisfaisante.

Ceci illustre de manière paradoxale le fait que la méthode souvent présentée aux critiques comme étant exemplaire pour arriver à une compréhension du phénomène du jazz — la méthode de la musicologie occidentale avec sa tradition impressionnante — ne convient pas à ce style de musique. Seule une intelligence véritable de la nature du jazz permet de le comprendre. Les jazzmen sont donc mieux placés à cet égard que les théoriciens. Toutes les tentatives de définition se fondant sur d'autres points de vue — notamment celui de la musique européenne ou de la musique africaine, ce qui est de plus en plus courant depuis les années soixante — se révèlent systématiquement insatisfaisantes. C'est la raison pour laquelle les personnes concernées par le jazz prirent sur elles de rechercher une définition utile. Ces tentatives ont également une histoire et il convient de noter que chaque nouvelle venue se fondait sur les précédentes. Marshall Stearns et le critique californien Woody Woodward apportèrent tous deux une contribution appréciable à cette entreprise. Conservant à l'esprit leurs définitions, ainsi d'ailleurs que toutes les autres, je voudrais proposer celle-ci :

Le jazz est une forme de musique artistique qui vit le jour aux États-Unis grâce à la rencontre des Noirs et de la musique européenne. L'instrumentation, les mélodies et les harmonies du jazz sont essentiellement issues de la tradition musicale occidentale. Le rythme, le phrasé et la production sonore, ainsi que les éléments de l'harmonie blues sont dérivés de la musique africaine et de la conception musicale des

Afro-Américains. Le jazz diffère de la musique européenne par trois éléments fondamentaux, qui visent à accroître l'intensité :

1. **Une relation particulière au tempo, définie par le terme « swing ».**
2. **Une spontanéité et une vitalité de la production musicale dans lesquelles l'improvisation joue un rôle majeur.**
3. **Une sonorité et un phrasé qui reflètent la personnalité de l'exécutant.**

Ces trois caractéristiques fondamentales dont les éléments essentiels se sont transmis — et se transmettent toujours — oralement d'une génération à l'autre créent un nouveau climat de tension, dans lequel l'accent n'est plus mis sur de grands arcs de tension, comme dans la musique européenne, mais sur une diversité d'éléments générateurs de tensions qui s'élèvent et chutent en permanence. Les différents styles et les phases d'évolution qu'a connus le jazz depuis ses origines vers la fin du siècle dernier se caractérisent en majeure partie par le fait que les trois éléments fondamentaux du jazz acquièrent temporairement une importance diverse et que la relation qu'ils entretiennent entre eux se modifie en permanence.

Cette définition met en évidence le fait que le jazz s'est développé de la confrontation entre « Noir » et « Blanc », et qu'il ne s'agit donc ni d'une musique totalement européenne ni d'une musique totalement africaine. L'origine des diverses catégories musicales — mélodie, harmonie, rythme, sonorité — dans des cultures musicales aussi différentes que l'européenne et l'africaine, est ainsi indiquée. Les définitions se devant d'être concises, il s'est avéré nécessaire de simplifier certains points. Ainsi, il ne fait aucun doute que l'instrumentation de jazz dérive d'Europe ; mais le banjo, par exemple, qui occupait la place de la guitare à l'origine, était une invention noire. En outre l'appareil de percussion développé par le jazz au cours de son évolution diffère de manière significative de celui de la musique européenne. Des conclusions inverses valent pour la sonorité. Ainsi que nous l'avons montré, la sonorité jazz est en majeure partie une création noire, mais il existe simultanément une multitude de sonorités vocales et instrumentales en jazz qui sont familières à la musique européenne.

A ce stade, nous avons lié nos découvertes aux réflexions émises dans la section consacrée aux « éléments du jazz ». C'est là que nous en sommes arrivés aux trois caractéristiques significatives — swing, improvisation, sonorité/phrasé jazz. Les six points repris à la fin du chapitre consacré à l'improvisation peuvent être considérés comme une interprétation supplémentaire du Point 2 de la définition.

Le paragraphe final de notre définition contient une pensée qui n'est pas présente dans les définitions antérieures du jazz. Il ne fait aucun doute qu'il serait possible d'écrire une histoire du jazz du point de vue des trois caractéristiques du jazz — swing, improvisation et sonorité/phrasé — et de leurs relations mutuelles. Toutes ces caractéristiques sont importantes, il est vrai, mais leurs relations se modifient, et ces relations mouvantes font également partie intégrante de l'évolution du jazz.

Le fait que la sonorité et le phrasé jazz se trouvent en opposition dialectique a déjà été démontré. Dans le jazz néo-orléanais, le phrasé correspondait toujours dans une large mesure à celui de la musique folk et de la musique de cirque européennes. D'autre part, la sonorité jazz typique y était considérablement développée. Plus tard, ce type de sonorité sera considéré comme une exagération. Le phrasé jazz est devenu de plus en plus important à titre compensatoire. Ainsi le jazz moderne, depuis le cool jazz, est aussi éloigné de la musique européenne, sur le plan du phrasé, que l'ancien jazz l'était sur celui de la sonorité.

A l'extrême le phrasé et la sonorité jazz paraissent mutuellement exclusifs. Le phrasé jazz s'arrête là où la sonorité jazz est la plus forte — par exemple dans les solos « jungle » de Tricky Sam Nanton, Bubber Miley ou Cootie Williams (lorsqu'il jouait avec l'orchestre de Duke Ellington). La sonorité « jungle » dicte le phrasé, et cette sonorité existe en soi — au-delà du phrasé jazz. En revanche la sonorité jazz paraît en majeure partie suspendue lorsque le phrasé jazz est porté à son plus haut niveau — comme dans les improvisations du ténor de Stan Getz, les solos de flûte de Hubert Laws ou les lignes d'alto de Lee Konitz dans les années cinquante. Les manœuvres musicales sont dictées unilatéralement par le phrasé au point qu'il semble possible de produire des sonorités possédant une signification expressive en dehors du flux de la phrase.

Une relation similaire, quoique moins précise, existe entre le Swing et l'improvisation. Tous deux sont des facteurs de spontanéité. Il appert donc que lorsque la spontanéité s'exprime de manière extrême au moyen du Swing, l'improvisation décline. Même lorsqu'un enregistrement de l'orchestre de Count Basie ne contient aucun solo improvisé personne ne songerait à prétendre qu'il ne s'agit pas de jazz. En revanche, lorsqu'on donne libre cours à l'excès d'improvisation, le Swing passe à l'arrière-plan, c'est le cas dans maints solos non accompagnés ou dans certains enregistrements de free-jazz. Cette suppression du Swing au profit de la liberté est déjà illustrée par le tout premier enregistrement totalement « free » de l'histoire du jazz : *Intuition*, de Lennie Tristano.

Les relations entre les éléments du jazz changent constamment. Dans les années trente, alors que la sonorité typique du jazz néo-orléanais tendait déjà à disparaître alors que le phrasé fluide du jazz moderne n'était pas encore arrivé à son plein épanouissement, le Swing remporta des victoires telles que swing — l'élément — et Swing — le style — se retrouvaient confondus jusque dans la terminologie. Il a existé de tout temps des formes de jazz s'efforçant de projeter l'essence du jazz dans un élément constitutif unique. Les pianistes de ragtime possédaient le swing, mais ni l'improvisation ni la sonorité jazz. Les premiers orchestres de New Orleans possédaient quant à eux cette sonorité jazz, mais un rythme plus proche de la marque que du swing et une forme d'improvisation collective qui tôt ou tard devait déboucher sur des arrangements de tête toujours répétés. Il existe dans le domaine du style Swing un type de musique de grand orchestre dans lequel l'improvisation, la sonorité et parfois même le phrasé passent à l'arrière-plan — et néanmoins le swing est parfait. Jimmy Giuffre projeta souvent, durant les années cinquante, toute l'essence du jazz dans une seule phrase inspirée de Lester Young. En revanche — ainsi que ces « exemples exceptionnels » l'indiquent clairement — dans les vrais sommets du jazz, les trois éléments sont présents de manière simultanée, quoique entretenant des relations variées les uns avec les autres : de Louis Armstrong et Jimmy Harrisson à Coleman Hawkins et Lester Young jusqu'à Charlie Parker, Miles Davis et John Coltrane.

Il importe également de noter que le swing, l'improvisation et la sonorité (ou le phrasé) sont des éléments d'intensité. Plus ils diffèrent les uns des autres plus ils concourent à créer l'intensité.

Le swing engendre l'intensité par la friction et la superposition des niveaux de temps.

L'improvisation donne naissance à l'intensité du fait que la voie allant du musicien à la sonorité est plus courte et plus directe que dans tout autre type musical.

L'intensité est produite, dans la sonorité et le phrasé, par l'immédiateté et la franchise avec laquelle une personnalité humaine particulière s'exprime d'une manière sonore.

Il est donc permis de supposer que la tâche principale et la signification réelle des éléments fondamentaux du jazz reposent sur la création d'une intensité structurée. Cette compréhension est également contenue dans le free avec sa chaleur extatique, aussi idiosyncratique que puisse souvent apparaître l'interprétation des trois éléments fondamentaux dans cette musique.

Dans toutes ces différenciations la question décisive est celle de la qualité, de la stature. On serait tenté d'adopter ce critère comme quatrième « élément du jazz » dans notre définition (il y figure d'ailleurs implicitement dans le terme « artistique » de la première phrase). Ainsi si Stan Kenton ou Keith Jarrett ont trouvé leur place en jazz — une place qui leur fut sans doute contestée à certains moments de leur carrière, mais qui n'en est pas moins tout à fait acceptée — c'est en raison de la qualité et de la stature de leur musique, qui sont indiscutables même s'il y a beaucoup à dire quant à leur traitement des éléments essentiels du jazz. Cette remarque vaut également pour la culture musicale européenne — entre autres. Même s'il était possible de donner une définition précise de ce qu'est la musique « classique », une musique qui comprendrait tous les éléments propres à cette définition mais à qui la stature — la qualité — des grandes œuvres ferait défaut ne pourrait être qualifiée de « classique ».

Il importe à cet égard de discuter certaines idées qui furent développées pour la première fois — à ma connaissance — par l'auteur américain Robert M. Pirsig. Pirsig (dans son ouvrage *Zen et l'entretien des motocyclettes*) a démontré que les définitions sont « *square* » « carrées » parce que la qualité est définie « entièrement en dehors du processus analytique ». Ainsi l'aspect qualité est nécessairement exclu de toute tentative de définition. Pirsig écrit : « Lorsque vous supprimez la qualité, vous obtenez *Squareness* quelque chose de carré. »

Les fans de jazz jugeront peut-être que de telles considérations sont trop intellectuelles, pourtant elles expliquent pourquoi nous qui appartenons à la communauté du jazz sommes étrangement insatisfaits par toutes les définitions (y compris celle que je viens de proposer). Les érudits du jazz pourront élaborer des définitions toujours plus complètes et raffinées, mais le point important leur échappera toujours. En réalité il *doit* leur échapper, pour les raisons développées par Pirsig (de manière trop complexe pour que nous puissions les résumer ici). Les musiciens connaissent mieux que les scientifiques ce qui demeure exclu de toute définition. Nous avons déjà cité Fats Waller : « L'important n'est pas *ce que* vous jouez, mais *comment* vous le jouez. »

Pirsig dit : *Toute* définition est insatisfaisante parce qu'il est impossible de définir la qualité. Le terme « square » — et son antonyme « hip » — est issu du langage jazz. Le jazz est une « musique hip ». Mais l'aspect du « hip » (ainsi que Norman Mailer l'a démontré dans son importante étude *The White Hipster*) échappe au langage. C'est la raison pour laquelle le fait voulant que les définitions ne puissent être qu'approximatives s'applique au jazz plus qu'à tout autre domaine.

Cette situation explique que des milliers de groupes de musique de cocktail, de pop et de rock jouent dans le monde entier un type de musique qui satisferait à tous — ou à presque tous — les critères de notre définition, et à toutes les définitions du jazz existant à ce jour, et qui pourtant ne peuvent être considérés comme faisant du jazz. D'innombrables groupes « commerciaux » font *aussi* des improvisations, parfois même ils ont un phrasé et des sonorités jazz ; ils swinguent dans bien des cas — pourtant leur musique n'est pas du jazz. En revanche, nous avons montré que la présence d'*un seul* élément jazz, chez de purs musiciens de jazz, suffit souvent à assurer le caractère jazz de leur musique.

Il importe de comprendre que le jazz est une question de qualité. La qualité est ressentie plutôt que comprise rationnellement. Les musiciens devaient le savoir, à un niveau subconscient, depuis que le jazz existe. Pour eux la musique doit d'abord et avant tout être « bonne » pour être perçue comme étant du jazz. Tous les autres critères jouent un rôle secondaire, aussi importants soient-ils.

Il est un autre fait qu'il convient de prendre en considération dans ce contexte. L'emploi constant des éléments, des styles, de la virtuosité, des techniques et des idées du jazz en musique commerciale contraint le musicien de jazz à créer constamment du neuf. En ce sens André Hodeir fit remarquer que les innovations d'aujourd'hui sont les clichés de demain.

Le principe du cliché ne réside pas uniquement dans les abus de jazz en musique commerciale, il est intrinsèque à la nature même du jazz. Presque toutes les strophes de blues sont devenues des clichés. Les célèbres lignes de blues existent en tant qu'entités récurrentes : « *I've been drinkin' muddy water, sleepin' in a hollow log...* », « *My baby treats me like a low-down dog...* », « *Broke and hungry, ragged and dirty too...* », « *'cause the world is all wrong...* », « *But the meanest blues I ever had...* », « *I'm just a lonely, lonely as a man can be...* », « *Can't eat, can't sleep...* », « *I'm gonna buy myself a shotgun...* », « *Take me back baby...* », « *I love you, baby, but you sure don't treat me right*[1]... », etc. Les grands chanteurs de blues les utilisaient à leur guise, prenant une

1. « J'ai bu de l'eau fangeuse dans un tronc creux... », « Ma chérie me traite comme un vulgaire chien... », « Fauché et affamé, en haillons et crasseux aussi... », « Parce que le monde est dégueulasse... », « Mais le blues le plus mesquin que j'aie jamais

ligne ici, une autre là, les adaptant l'une à l'autre, et parfois ne se donnant même pas cette peine.

Ce qui est vrai pour les paroles l'est également pour la musique. Lorsque Jimmy Smith ou Horace Silver enregistrent un blues, les arrangements et les solos improvisés sont saturés d'éléments structurels propres à un demi-siècle d'histoire du blues. Tout ce que jouent les musiciens de bop modernes est saturé d'éléments caractéristiques des enregistrements de Charlie Parker qui, quoique n'étant pas des clichés en soi, se prêtent certainement à leur formation.

Revenons en arrière dans la tradition du jazz : tous les trois ou quatre blues de Bessie Smith on trouve des phrases, parfois des lignes entières, qu'on aurait aussi bien pu entendre dans d'autres contextes chez d'autres chanteurs de blues. Chaque boogie n'est rien de plus qu'un montage mouvant d'« entités » faites d'ostinatos et de phrases mélodiques largement standardisées. Presque tous les breaks improvisés sur les vieux enregistrements du Hot Five ou du Hot Seven d'Armstrong, de Johnny Dodds ou de King Oliver, de Jimmie Noone ou de Kid Ory, sont mutuellement interchangeables. Il existe une cinquantaine — voire moins — de « breaks modèles » dont tous les autres sont dérivés.

Plus on recule dans le temps plus ce caractère de modèle devient apparent. Les éléments africains que Marshall Stearns, Alan Lomax et Alfons Dauer ont découverts dans le jazz consistent de manière presque exclusive en de tels modèles et « entités » conjonctifs ; ils étaient non seulement empruntés à la musique africaine en tant qu'« entités » mais encore ils possédaient cette caractéristique dans la musique africaine elle-même. Leur nature de modèle est si compacte qu'ils ont survécu au fil des siècles presque sans altérations. Considérons le tango : le rythme fut apporté d'Afrique par les esclaves, et aujourd'hui il existe dans le folklore africain tout autant que dans la grande tradition du tango argentin, dans les danses folkloriques, dans la musique de danse et de bar lente et lascive, dans les basses du boogie-woogie, et dans

eu... », « Je suis seulement seul, aussi seul qu'un homme peut l'être... », « J'peux pas manger, j'peux pas dormir... », « Je vais me payer un fusil... », « Reprends-moi, bébé », « Je t'aime, chérie, mais c'est sûr tu me traites mal... »

des centaines de phrases intermittentes. Partout on retrouve la même figure ostinato — le modèle avec sa tendance au cliché.

Tout le jazz consiste en de tels « modèles ». Ce sont des fragments — tels que les lignes descendantes des vieux blues ou du « funk » moderne — qui possèdent parfois l'aura des mots par lesquels commencent les contes de fées : « Il était une fois... » Ceux-ci aussi constituent un élément modèle. Et il en va du jazz comme des contes de fées, où les éléments-devenus-symboles deviennent contenu : la méchante sorcière jette un sort au noble prince et le roi au cœur de pierre fond devant la belle bergère, et enfin le prince rencontre la jolie bergère qui se découvre être une princesse ensorcelée — sorcière et prince, magie et cœur de pierre, roi et bergère... voilà autant d'éléments susceptibles d'être réunis en d'inépuisables combinaisons.

La musique de concert occidentale a tendu avec toujours plus d'acuité vers l'abstraction et ce faisant elle a perdu presque tous les anciens modèles et les anciennes entités. Les éléments structurels et formels ont été, dans leur ensemble, remis en question — thème et variation, forme sonate, trio. Or aujourd'hui la musique de concert espère retrouver de nouveaux modèles et de nouveaux éléments conjonctifs ; elle ne dispose d'autre choix pour ce faire que de reprendre les anciens modèles et éléments qui sont entre-temps devenus sujets à caution. Le processus a été tout différent en jazz, où tous ces éléments sont toujours demeurés présents de la manière la plus naturelle, la plus évidente et la plus vivante qui soit.

Modèle, élément, entité, cliché peuvent coïncider — littéralement et note pour note. Mais en tant que modèle, qu'élément et qu'entité ils ont une signification alors qu'en tant que cliché, ils sont vides de sens. Mais du fait même qu'ils peuvent coïncider, il existe une tendance inhérente au cliché dans les modèles, les éléments et les entités. C'est en grande partie sur la base de cette tendance que le jazz se renouvelle en permanence. Sa vitalité, voilà ce qu'il possède de plus fascinant. Le jazz va à l'encontre de tout académisme — ce même académisme qui a fait de la grande musique européenne le souci exclusif de la bourgeoisie nantie.

La vivacité du jazz est telle que les normes et les canons sont constamment rejetés — même là où les anciens modèles et les anciennes entités demeurent significatifs. Voilà qui complique la position du critique de jazz. On lui a souvent reproché de ne disposer d'aucun critère.

En réalité, il est remarquable que la critique de jazz possède autant de critères. L'évolution est si rapide que le type de critères propres à la musique européenne — souvent élaborés une ou deux générations après qu'une musique particulière a vu le jour — est dépourvu de signification. Essayer de fixer une fois pour toutes les critères d'une musique telle que le jazz, en perpétuelle transformation et s'enrichissant sans cesse, c'est donner dans l'intolérance la plus absolue.

Nous insistons : l'important n'est pas de définir des critères et de juger un art par rapport à ceux-ci ; l'important est d'avoir l'art et de réorienter en permanence les critères en fonction de son image. Cette démarche n'étant guère pratique, on a tendance à l'éviter — tant en jazz qu'en dehors. Le jazz est avant tout une musique de révolte contre tout ce qui est trop rigoureux, il exige que ses auditeurs révisent des critères qui étaient valables il y a plusieurs années et soient disposés à découvrir de nouvelles normes.

Près d'un siècle après sa naissance, le jazz est toujours ce qu'il était à l'origine : une musique de protestation — ce détail aussi contribue à assurer sa vivacité. Il s'insurge contre la discrimination sociale, raciale et spirituelle, contre les clichés de la moralité bourgeoise mesquine, contre l'organisation fonctionnelle de la société de masse moderne, contre la dépersonnalisation inhérente à cette société, et contre cette catégorisation de critères qui mène à l'élaboration automatique de jugements à chaque fois que ces critères ne sont pas satisfaits.

Maints musiciens américains, en particulier parmi les Noirs, considèrent la protestation en termes raciaux. Il ne fait aucun doute qu'ils ont raison. Il n'en demeure pas moins que si l'aspect racial avait été le facteur crucial, leur musique n'aurait pas été comprise dans le monde entier, et qu'elle n'aurait pas été acceptée de manière presque immédiate par des musiciens appartenant aux races, aux couleurs et aux systèmes politiques les plus divers. Ici comme partout l'élément racial du jazz s'est transcendé lui-même depuis longtemps pour devenir universel. Il est partie intégrante de la révolte mondiale à l'encontre d'une société orientée vers la domination, laquelle est perçue comme étant une menace par des millions d'individus cultivés dans tous les secteurs, dans le monde entier, dans chaque pays, dans chaque système social — en un mot par ceux-là mêmes qui forgeront le jugement que prononceront sur notre époque les générations futures : une menace non seulement pour eux-mêmes et leur productivité créative, mais pour la dignité et la valeur humaines essentielles.

Postface

Mon objectif a été, dans toutes les éditions de cet ouvrage, de montrer l'*ensemble* de l'étendue du jazz — du ragtime et du new orleans à nos jours. Ainsi le champ couvert devient-il de plus en plus large au fil du temps. La première édition de 1953 couvrait quarante années, celle-ci un siècle. Je me suis souvent demandé en écrivant combien de lecteurs étaient en mesure d'apprécier la musique de Jelly Roll Morton au même titre que les sonorités de Weather Report.

J'ai donc raccourci de manière radicale certaines sections. De nombreux noms de musiciens ont été supprimés dans les chapitres consacrés aux instruments de jazz — non seulement des musiciens des premiers temps mais encore des adeptes du rock lorsqu'il s'avérait qu'ils n'avaient pas d'incidence sur le jazz actuel. Cette autolimitation m'a également été imposée par la quantité impressionnante de matériau à traiter en un nombre limité de pages.

Il fut bien souvent pénible d'évoquer de manière sommaire des musiciens importants — notamment dans les groupes particulièrement nombreux des saxophonistes soprano et ténor, des pianistes et des guitaristes. Ces champs sont devenus tellement vastes à l'heure actuelle qu'il est impossible de donner plus qu'une liste de noms représentatifs.

Un autre problème est lié au langage. Presque tous les musiciens des styles anciens occupent une position propre, indépendante de celle de leurs collègues. Considérez ce point : il y avait moins de musiciens jouant de tous les instruments utilisés dans le Chicago-style des années vingt que de musiciens jouant d'un instrument bien précis dans certains styles actuels — notamment les saxophonistes ténors de la tradition Coltrane. Il est impossible que le langage les différencie tous. Le problème fondamental de la critique et de la littérature musicale est que la musique est plus différenciée que le langage. Ainsi que le dit Mendelssohn, le célèbre compositeur romantique, au début du XIXe siècle, il est difficile d'écrire au sujet de la musique — non pas parce que celle-ci est vague, mais parce qu'elle est plus précise que les mots.

Maints musiciens appartiennent à plusieurs catégories. Ils changent et évoluent. Or la plupart d'entre eux ne peuvent apparaître que sous un chapeau si l'on veut conserver une certaine cohérence au flux de noms et de faits. Ceci me paraît regrettable surtout dans les chapitres traitant du saxophone ténor et du piano, où le nombre de musiciens à prendre en considération est impressionnant. Je ne vois, hélas ! pas comment échapper à ce dilemme. La critique et l'historiographie sont impossibles sans généralisations. Egon Friedell, l'éminent historien culturel autrichien, écrivit : « Toutes les classifications réalisées par les hommes sont arbitraires, artificielles et erronées. Mais une simple réflexion révèle que ces classifications sont utiles et indispensables et surtout qu'elles sont inévitables parce qu'elles correspondent à une tendance innée à notre mode de pensée. »

Tout musicien présenté dans la section consacrée aux instruments est par nécessité envisagé à un certain point de son développement. En réalité une vie humaine n'est pas un point mais une ligne, menant d'un point de départ à un point final via une multitude de points intermédiaires — en d'autres mots une vie est une séquence de points innombrables. Il ne nous est le plus souvent possible de décrire qu'un « point » unique : un style de jeu unique, un groupement spécifique dans lequel est classé le musicien. Mon objectif a été de le placer dans la catégorie où la majorité des critiques le situent — et surtout (et idéalement) où le musicien lui-même se situe.

***

Il est important de transmettre une impression de totalité et d'unité du jazz. C'est la raison pour laquelle je me suis efforcé d'éviter autant que faire se peut le fanatisme et le sectarisme dont font preuve les partisans de styles de jazz particuliers. Je me suis aperçu qu'une telle attitude n'était nullement révolue. Stanley Dance, le critique auquel j'ai toujours voué une admiration particulière, a déploré le fait que l'édition de 1973 de ce livre comprenait des musiciens de rock tels que Janis Joplin, Frank Zappa, les Allman Brothers, Cream, Julie Driscoll-Tippetts (qui est désormais une chanteuse de jazz à part entière), Jimi Hendrix, Nina Simone et Soft Machine. Les jeunes critiques en revanche apprécièrent cette ouverture d'esprit, y voyant une des qualités de l'ouvrage. Il est toujours difficile de trouver le juste milieu.

Le jazz est par nature une musique éclectique — et l'a toujours été. Le jazz n'aurait jamais vu le jour sans éclectisme. Le point important est le suivant : la différence entre « pureté » et « éclectisme » est le simple fait que la pureté existe depuis si longtemps qu'on a tendance à oublier combien éclectique elle fut à une certaine époque.

Il est certain que notre attitude à l'égard du rock est différente dans le jazz actuel que dans celui des années soixante-dix. Le rock était alors plus créatif qu'il ne l'est aujourd'hui, en conséquence plus de musiciens de rock trouvaient leur place dans le monde du jazz. (Il ne s'agit pas seulement d'une opinion subjective : le chanteur des Rolling Stones, Mick Jagger, un homme qui doit savoir de quoi il parle, a le sentiment que le rock' n'roll est devenu un « passé recyclé », sans plus.)

Le rock est impensable sans le jazz (parce que le jazz — et la musique noire en général — est la source principale du rock), mais le jazz est impensable sans le rock. Il est cent fois plus de musiciens de jazz ayant influencé l'univers du rock que de musiciens de rock ayant influencé le jazz. Cette dernière tendance n'en existe pas moins : le jeu de guitare contemporain serait inconcevable sans la vedette de rock que fut Jimi Hendrix, de même que la basse contemporaine serait inimaginable sans le bassiste rock Larry Graham. Dans une certaine mesure, la même remarque vaut également pour certains schèmes de batterie de jazz-rock et de jazz fusion ; il convient toutefois de reconnaître en définitive que ceux-ci ne sont pas issus du rock mais du blues et du rhythm n'blues, du funk et de la soul, et de la musique des ghettos noirs. En revanche, il ne fait aucun doute que dans le domaine du rock — si ce type de catégorie est applicable dans le cas présent — Frank Zappa a formé de grands ensembles plus convaincants et plus exigeants sur le plan artistique que ceux engendrés par l'univers du jazz fusion. Ainsi Zappa, Hendrix et Graham sont des musiciens de rock qui ont incontestablement leur place dans ce livre au même titre que Johnny Dodds, Jimmie Noone, King Oliver et Jelly Roll Morton.

***

J'ai supprimé le chapitre consacré au jazz européen : les musiciens européens ne doivent plus être consignés dans un « ghetto ». Les plus importants d'entre eux — et *uniquement* ceux-ci, les plus créatifs donc — font désormais partie de la scène universelle. Ceci signifie qu'ils sont inclus dans les chapitres traitant de leurs instruments. Je tiens toutefois à préciser que je n'ai mentionné que les Européens (et les Japonais) qui selon moi (donc en toute subjectivité) satisfont aux critères de qualité du jazz américain qui sont à l'origine même de ce livre. Même si les Européens et les Japonais ont fait de sérieux progrès depuis les années soixante, il n'en demeure pas moins que les grands pionniers, les créateurs de style sont toujours originaires d'Amérique. Et rien ne suggère une modification de cette tendance dans un avenir proche.

Le jazz est devenu selon moi — et selon la plupart des non-Américains qui aiment ce genre et lui consacrent des écrits — une musique du monde. Le jazz est américain et il est universel, ce qui n'est contradictoire qu'en apparence. Il faut avoir des racines pour être universel. Mozart, Haydn, Schubert, Strauss, Schoenberg et Webern sont aussi viennois qu'il est possible, ils n'en sont pas moins universels.

Je me suis efforcé d'envisager le jazz : 1. comme étant américain — c'est la raison pour laquelle 90 p. 100 des musiciens cités dans cet ouvrage sont américains — et 2. comme étant universel — c'est la raison pour laquelle j'ai traité de manière équitable les quelques musiciens créatifs originaires d'Europe, du Japon, du Brésil et d'Afrique.

En fait l'expression « musique du monde » s'applique au jazz plus qu'à toute autre musique jouée aujourd'hui. (Il va de soi qu'elle implique toujours, dans le sens où elle est employée à l'heure actuelle, un niveau artistique.) Les Américains devraient être plus conscients — et plus fiers — du fait qu'ils ont créé la véritable musique du monde du XXe siècle.

***

La question s'est posée de savoir pourquoi ce livre consacré au jazz est-il l'œuvre d'un Allemand ? Pour être tout à fait honnête, je l'ignore. La question telle que l'entendent les Américains n'est toutefois pas tant de savoir pourquoi ce livre vient d'Allemagne, mais plutôt pourquoi il vient d'Europe. Et je crois que je suis à même de répondre à cette question.

Si le jazz est originaire d'Amérique, la littérature et la critique de jazz sont impensables sans l'Europe. La première évaluation sérieuse du jazz vient de Suisse ; elle est l'œuvre du chef d'orchestre Ernest Ansermet et date de 1919. Le premier livre consacré au jazz fut écrit par un Belge, Robert Goffin, en 1932. Le premier magazine de jazz fut édité par un Français, Hugues Panassié, vers la fin des années vingt. Et c'est également un Français, Charles Delaunay, qui compila la première discographie jazz, à partir de 1936. A l'époque, le jazz était déjà accepté par maints intellectuels européens comme une forme artistique sérieuse. Les grands artistes européens, d'Hindemith à Stravinsky et de Picasso à Matisse, lui avaient déjà rendu hommage dans leurs œuvres. Or dans son pays d'origine le jazz était — et serait encore pendant un certain temps — considéré comme une espèce de musique de cirque. En fait, même en 1976, lors de l'importante conférence « The United States in the World » (les États-Unis dans le monde), organisée à Washington D.C. à l'occasion des cérémonies du bicentenaire des États-Unis, les scientifiques, les artistes, les écrivains et les intellectuels de Pologne, de Hongrie, de France, d'Allemagne, d'Inde, de Thaïlande et du Japon appuyèrent ma thèse selon laquelle le jazz est la contribution la plus importante de l'Amérique à la culture du monde. Les participants américains nièrent ce fait avec véhémence !

En 1965 John Coltrane occupa la première place dans le sondage organisé par le magazine *Down beat* auprès des critiques — il s'agit du plus important sondage relatif au jazz étant donné qu'il touche tous les critiques du monde. John Coltrane doit sa place à 64 p. 100 des critiques européens mais à seulement 32 p. 100 des américains. En réalité les Européens lui donnaient déjà leurs votes depuis plusieurs années mais ils étaient systématiquement évincés par leurs collègues américains. Quelques années plus tard, vers la fin des années soixante, les critiques européens furent les premiers à signaler que les musiciens de l'AACM de Chicago contribuaient de la manière la plus créative qui soit à l'époque à l'évolution de cette forme de musique. Les Américains n'en prendraient conscience que quelques années plus tard. Il fallut attendre la fin des années soixante-dix pour qu'un nombre respectable de musiciens de l'AACM occupent des places de premier plan dans les sondages américains. Albert Ayler, Cecil Taylor, Eric Dolphy, Ornette Coleman, Chick Corea, Lester Bowie, Joseph Jarman, Roscoe Mitchell, Anthony Braxton étaient des vedettes en Europe avant même que les médias américains ne parlent d'eux.

Le magazine de jazz le plus important n'est pas, comme on aurait tendance à le croire, une publication américaine mais bien japonaise : *Swing Journal*, publié à Tokyo — vient ensuite *Jazz Forum* le magazine de l'*International Jazz Federation* publié à Varsovie, en Pologne.

Lorsque John McLaughlin se rendit aux États-Unis en 1969, il dit : « Il n'est qu'un lieu où tout arrive, c'est New York. » Il a certainement raison, mais sept années plus tard le même John McLaughlin décidait de vivre à Paris et il dit désormais : « Les Américains n'ont toujours pas réalisé que le jazz est un art. Les Européens, eux, l'ont compris. Pour les Américains, le jazz n'est qu'une question d'argent. En Amérique, l'industrie du disque fait ce qu'elle veut des musiciens. »

Il est également un fait que les trois principaux critiques de jazz américains, Leonard Feather, Dan Morgenstern et Stanley Dance sont nés en Europe.

*
* *

Certains critiques — notamment le Canadien Larry Tepperman (dont les suggestions et les corrections me furent précieuses) — ont affirmé que la totalité du jazz actuel était trop large pour être traitée en un seul ouvrage. Il a déclaré que les faiblesses de mon livre étaient en fait des « problèmes génétiques », fondés sur « la nature de l'œuvre et non pas imputables à l'auteur ». Je dois accepter cette critique.

Les musiciens en revanche — et je note cela avec gratitude — ont été favorables à ce livre depuis l'origine. Les « professeurs de musique » l'ont utilisé dans leurs cours — de Marion Brown à Atlanta à Richard Davis à l'université du Wisconsin, d'Anthony Davis à Yale à John Handy à San Francisco.

Les artistes créatifs ont toujours considéré que la fonction principale du critique n'était pas tant de critiquer que de décrire la situation et d'aider à la faire comprendre. J'ai toujours estimé que tel devait être mon objectif principal. Il est certain que ce livre est riche en critiques — de Mezz Mezzrow à Dave Brubeck et même à Keith Jarrett. Je crois toutefois qu'arriver à un jugement critique personnel sur chaque musicien mentionné consisterait à surestimer le travail du critique. Quiconque s'attellerait à une telle tâche tomberait dans le travers que maints musiciens (et artistes en général) reprochent au critique : celui d'assumer la position d'un maître omniscient.

Mon propos était de présenter des faits en accord avec la position acceptée à l'heure actuelle par la critique de jazz internationale. Je n'ai pas mentionné les multiples « théories parallèles » ; les miennes sont quant à elles indiquées sans ambiguïtés ; elles s'appliquent plus particulièrement au phénomène swing et à la définition du jazz, ainsi qu'à certaines idées relatives à l'improvisation, au glissement de la production de sonorité vers le phrasé, au problème de la tension en jazz, au développement de la batterie, et à certaines considérations relatives au jazz-rock et au jazz fusion.

***

Les diverses éditions de cet ouvrage ont été publiées en seize langues différentes et plus d'un million d'exemplaires ont été distribués. Il est parfaitement naturel que des critiques et des suggestions aient émané de divers côtés. Je me suis efforcé d'en tenir compte dans cette édition.

Un ouvrage tel que celui-ci s'inspire, par nécessité, d'autres l'ayant précédé. Je suis tout particulièrement redevable à l'*Encyclopedia of Jazz* de Leonard Feather (Quartet Books, Londres) ; à *Jazz — Its Evolution and Essence* d'André Hodeir (Da Capo) ; aux deux anthologies de Nat Shapiro et de Nat Hentoff *Hear Me Talkin' to Ya* (Dover) et *The Jazz Makers* (Rinehart & Company, Inc., New York) ; à *Urban Blues* de Charles Keil (University of Chicago Press) ; et à *The Latin Tinge* de John Storm Roberts (Oxford University Press). L'information qui n'est pas issue de ces ouvrages et pour laquelle une source spécifique n'est pas mentionnée est issue des magazines de jazz *Down beat* (USA), *Melody Maker* (Grande-Bretagne), *Jazz Hot* et *Jazz Magazine* (France), *Jazz Podium* (Allemagne) et *Jazz Forum* (édité en Pologne) — et surtout de la source qui est et demeure la plus importante pour un critique de jazz : le contact personnel avec les musiciens.

C'est à ces derniers que je suis le plus redevable — je leur dois des milliers d'heures de conversations, des années de bonnes relations (avec beaucoup), et d'amitié (avec certains) et surtout je leur suis reconnaissant pour leur musique. Il est important pour moi de conclure ce livre avec ces mots de gratitude.

Index
discographique

La présente discographie ne se veut ni exhaustive, ni même sélective, mais simplement illustrative : elle ne constitue pas une anthologie du jazz, mais cherche à fournir, pour la plupart des musiciens cités dans l'ouvrage, une référence enregistrée exemplaire de leur style (plusieurs références rendant compte de leur évolution pour les musiciens les plus importants).

Nous avons retenu de préférence des disques récemment édités ou réédités ; certains, déjà supprimés des catalogues des distributeurs, peuvent encore se trouver en magasin, et réapparaîtront sans doute — peut-être sous une présentation autre que celle d'origine, aussi ne citons-nous les labels et numéros de catalogue qu'à titre purement indicatif. L'amateur obstiné saura dénicher les autres chez les disquaires spécialisés dans l'importation ou l'occasion.

Le nom de chaque musicien est accompagné de la mention de son instrument, selon les abréviations d'usage : tp, trompette ; tb, trombone ; cl., clarinette ; b-cl., clarinette basse ; fl., flûte ; ss, saxophone soprano ; as, saxophone alto ; ts, saxophone ténor ; bs, saxophone baryton ; gt, guitare ; p, piano ; b, basse ou contrebasse ; dm, batterie ; vb, vibraphone ; hca, harmonica ; vln, violon ; l'abréviation voc.

désigne les chanteurs et chanteuses. Les numéros qui suivent ces mentions renvoient aux pages du livre.

Afin de ne pas trop alourdir la discographie, nous n'avons pas donné le personnel des grands orchestres dans le détail : lorsque les musiciens ayant appartenu à ces grandes formations (celles de Basie, d'Ellington, d'Herman, etc.) sont cités dans le livre, on trouvera à leur nom dans l'index un renvoi à la rubrique concernant le leader de l'orchestre (avec éventuellement un numéro, si plusieurs disques sont cités). Ainsi, par exemple, on lira à l'entrée « Barney Bigard » : « voir D. Ellington (1, 2) », ce qui signifie que Bigard joue dans les enregistrements 1 et 2 apparaissant sous le nom d'Ellington.

Didier Michaux.

Home from homes (1977, avec Roy Babbington et Joe Gallivan.) Ogun OG 522
Lovie AUSTIN (p), 91.
voir I. Cox, E. Waters.
Roy AYERS (vb), 329.
Albert AYLER (ts), 270, 410, 521.
Albert Ayler (1964, avec Don Cherry, Norman Howard, Henry Grimes, Earl Henderson, Gary Peacock et Sunny Murray.)
Black Lion 65 601
In Greenwich Village (1966-1967, avec Don Ayler, Alan Silva, Henry Grimes, Beaver Harris, etc.)
Impulse Metal 9155
New Grass (1968, avec Joe Newman, Garnett Brown, Bernard Purdie, etc.)
Impulse AS 9175
Don AYLER (tp).
voir A. Ayler.
Harry BABASIN (b, violoncelle), 386.
Manolo BADRENA (perc.), 429.
voir Weather Report.
Benny BAILEY (tp), 256, 257.
voir K. Clarke, Kl. Doldinger, G. Gruntz.
Buster BAILEY (cl), 186, 276, 474, 510.
voir I. Cox, L. Hampton (1), Fl. Henderson (2), M. Rainey.
Derek BAILEY (gt), 382, 442.
voir Company, Workshop Freie Musik.
Mildred BAILEY (voc.), 456.
voir Famous Esquire Jazz Concert, P. Whiteman.
Chet BAKER (tp), 250, 255, 274, 451, 514.
Jazz at Ann Arbor (1954, avec Russ Freeman, Carson Smith, Bob Neel.)
Pacific Jazz PJ 120
Daybreak (1979, avec N.H. Ørsted Pedersen.)
Steeple Chase SCS 1142
voir aussi St. Getz, G. Mulligan (1, 6).
Dave BAKER (tb), 518.
voir G. Russell.
Ginger BAKER (dm), 60, 166, 413.
voir Cream.
LaVerne BAKER (voc.), 464.
Billy BANG (vln), 434, 436.
voir String Trio of New York.
Gato BARBIERI (ts), 314, 493.
voir C. Bley, D. Cherry, Ch. Haden, JCOA.
Spencer BAREFIELD (gt), 382.
Danny BARKER (gt), 367.
Thurman BARKER (dm), 414.
Everett BARKSDALE (gt), 367.
voir S. Bechet, E. South.
George BARNES (gt), 253, 383.
voir L. Armstrong, B.B. Broonzy.
Charlie BARNET (p, o), 120, 285, 478.
voir B. Griffin.
Ray BARRETTO (perc.), 421, 422.
voir J. Steig, S. Stitt.
Kenny BARRON (p), 356, 363.
voir J. Blake, T. Harrell, H.M. Peterson, D. Schnitter.
Gary BARTZ (as), 127.
voir J. McLean.
Robbie BASHO (gt), 382.
Count BASIE (p), 15, 30, 36, 38, 75, 95, 106, 109, 111, 118, 163, 183, 193, 243, 252, 264, 267, 298, 299, 302, 303, 304, 307, 317, 320, 334, 335, 337, 358, 359, 368, 371, 399, 400, 408, 418, 448, 452, 453, 459, 464,

* Sackville Records, Box 87, Station J, Ontario M4J 4 × 8. Canada.

A night at Birdland, vol. 1 et 2 (1954, avec Clifford Brown, Lou Donaldson, Horace Silver, Curly Russell.)
Blue Note BLP 1521
BLP 1522
The Jazz Messengers au Club Saint-Germain (1958, avec Lee Morgan, Benny Golson, Bobby Timmons, Jimmy Merritt. RCA FX L3 7052
The Big Beat (1960, avec Lee Morgan, Wayne Shorter, Bobby Timmons et Jimmy Merritt.)
Blue Note BST 84029
Recorded live at Bubba's (1980, avec Wynton Marsalis, Bobby Watson, etc.)
Philips 6313 211
voir aussi Th. Monk, S. Rollins, H. Silver (1), etc.

Toto BLANKE (gt), 381.

Jimmy BLANTON (b), 33, 102, 103, 385, 386, 390, 396.
voir D. Ellington.

Carla BLEY (p), 50, 53, 102, 195, 259, 349, 361, 395, 441, 493.
1 - *Escalator over the hill* (1968-1971, avec grand orchestre.) JCOA EOTH
2 - *Social Studies* (1981, avec grand orchestre.) Watt 11
voir aussi Ch. Haden, JCOA, N. Rota.

Paul BLEY (p), 53, 349, 364.
Ramblin with Bley (1966, avec Mark Levinson et Barry Altschul.)
Red Record VPA 117

BLOOD, SWEAT AND TEARS
Child is father to the man (1968, avec Al Kooper), 60, 260, 497.
CBS 63 296

Mike BLOOMFIELD (gt), 212, 377.
The live adventures of Mike Bloomfield and Al Kooper (1968, avec Carlos Santana, etc.) CBS 66 216
voir aussi P. Butterfield, B. Dylan.

Hamiet BLUIETT (saxophones), 319, 523.
Birthright (1977)
India Navigation 1030
voir aussi Ch. Mingus, World Saxophone Quartet, The Young Lions.

Arthur BLYTHE (as), 73, 128, 296.
Blythe spirit (1980, avec Abdul Wadud, etc.) CBS 85 194
voir aussi L. Bowie, J. DeJohnette.

Jimmy BLYTHE (p), 337.

Willie BOBO (dm), 421, 422.
Drums session (1974, avec Jerome Richardson, Bobbi Humphrey, Chuck Domanico, Louie Bellson et Shelly Manne.) Inner City 6051

Angela BOFILL (voc.), 466, 467.
voir D. Valentin.

Francy BOLAND (p), 500.
White Heat (1976, avec grand orchestre.)
MPS (import) 68.189
voir aussi K. Clarke.

Buddy BOLDEN (cornet), 248, 397.

Sharkey BONANO (tp), 249.

Graham BOND (o), 60, 166.

Richard BOONE (tb), 451.
voir E. Wilkins.

Earl BOSTIC (as), 145, 292.

Joe BOWIE (tb), 268.
Defunkt (1980)
Island 6313 125

Lester BOWIE (tp), 259, 522, 550.
The 5th power (1978, avec

Arthur Blythe, Amina Claudine Myers, Philip Wilson, Malachi Favors.) Black Saint BSR 0020
voir aussi M. Mellis.

Nelson Boyd (b), 129.
voir M. Davis (1).

Terry Bozzio (dm), 412.
voir F. Zappa.

JoAnne Brackeen (p), 11, 355, 356, 392.
Aft (1977, avec Ryo Kawasaki et Clint Houston.) Timeless SJP 115

Alex Bradford (voc.), 215.
voir M. Williams.

Bobby Bradford (tp), 259.
voir J. Carter.

Ruby Braff (tp), 253, 383.
America the beautiful (1984) Concord GW 3003
voir aussi B. Freeman.

Dollar Brand (p), 35, 351, 402.
Zimbabwe (1983, avec Carlos Ward, etc.) Enja 4056

Wellman Braud (b), 102.
voir S. Bechet (1), D. Ellington (1, 2).

Anthony Braxton (as), 35, 58, 69, 127, 270, 282, 284, 290, 295, 296, 391, 394, 402, 496, 519, 522, 523, 550.
Live at Moers Festival (1974) Ring Records 01 002
Elements of Surprise (1976, avec George Lewis.) Moers Music 01 036
Six Compositions : Quartet (1981, avec Anthony Davis, Mark Helias, Ed Blackwell.) Antilles AN 1005
voir aussi Ch. Corea.

Michael (ts) et Randy (tp) Brecker 260, 381, 497.
Blue Montreux II (1978, avec Larry Coryell, Eddie Gomez, Warren Bernhardt, etc.) Arista AB 4245
voir aussi P. Erskine, H. Galper, JCOA, P. Metheny, etc.

Willem Breuker (chef d'orchestre), 281, 313, 496.
Kollektief à Paris (avec Leo Cuypers, etc.) Marge 05

Cecil Bridgewater (tp), 256, 517.
voir MM. Carvin.

Dee Dee Bridgewater (voc.), 466.

Nick Brignola (bs), 319.
Baritone Madness (1977, avec Ted Curson, Pepper Adams, Dave Holland, Roy Haynes.) Bee Hive* BH 7000
voir aussi T. Curson.

Alan Broadbent (arrangeur), 343, 483.
voir W. Herman (3).

Bob Brookmeyer (tb), 38, 74, 268, 305, 380, 514, 518.
And his orchestra (1956, avec Al Cohn, Gene Quill, Hank Jones, etc.) RCA PL 43 550
voir aussi M. Albam, S. Getz, G. Mulligan.

Big Bill Broonzy (gt, voc.), 165, 198, 202, 204, 205, 367, 446.
1930's blues (1932-1942, avec Memphis Slim, George Barnes, etc.) Biograph BLP-C 15
Big Bill Broonzy, disque compact. Vogue 600041
voir aussi C.C. Lofton.

Peter Brötzmann (saxophones), 313, 521.

* Bee Hive Records, 1130 Colfax Street, Evanson (Ill.) 60201 U.S.A.

voir S. Bechet (2).

Jethro BURNS (mandoline), 442.

Ralph BURNS (arrangeur), 102, 195, 483.
voir R. Charles, W. Herman (1).

Dave BURRELL (p), 349.
Black Spring (1977) Marge 08
voir aussi Ph. Sanders, A. Shepp.

Kenny BURRELL (gt), 374, 377, 491.
And Coleman Hawkins (1958-1962, avec Tommy Flanagan, Ray Bryant, Osie Johnson, etc.) Prestige 68 338
voir aussi B. Evans, E. Jones, J. Smith, G. Washington.

Ann BURTON (voc.), 466.

Gary BURTON (vb), 69, 70, 327, 381, 413, 432, 527.
The Gary Burton Quartet (1967-1968, avec Larry Coryell, Steve Swallow, Roy Haynes et Bob Moses.)
voir aussi Ch. Corea.

Joe BUSHKIN (p), 339, 440.
voir E. Condon, W. Smith the Lion.

Frank BUTLER (dm), 416.
voir C. Counce, E. Hope, S. Criss, J. Coltrane.

Billy BUTTERFIELD (tp), 508.
voir E. Condon, B. Goodman, L. Young.

Don BUTTERFIELD (tuba), 440.
voir B. Brookmeyer.

Paul BUTTERFIELD (voc., gt), 212, 440.
East-West (1966, avec Mike Bloomfield, etc.)
Elektra 7315

Jaki BYARD (p), 135, 346, 503.
voir B. Ervin, R.R. Kirk, Ch. Mingus.

Don BYAS (ts), 121, 298, 299, 301, 310.
Two Kings of the tenor sax (1944-1945, avec Hot Lips Page, Teddy Wilson, Slam Stewart, etc.)
Commodore 6.24058
Memorial (1951-1955, avec Martial Solal, Mary Lou Williams, etc.)
Vogue 400 015
voir aussi Ch. Christian, D. Gillespie (2).

Charlie BYRD (gt), 305, 370, 423, 424.
Blues sonata (1961)
Riverside 68 910

Donald BYRD (tp), 39, 256.
voir P. Adams, G. Gryce, Th. Monk, S. Rollins, H. Silver (2).

George CABLES (p), 356, 516.
voir D. Gordon, A. Pepper.

Ernie CACERES (bs), 316.
voir E. Condon, D. Gillespie (2).

Shirley CAESAR (voc.), 215.

Jackie CAIN (voc.), 462, 463, 512.
voir Ch. Ventura.

Hadley CALIMAN (ts), 315.

Red CALLENDER (b), 384, 440.
voir E. Garner, L. Hampton (1), Ch. Parker (2), A. Tatum, M. Tormé, L. Young, etc.

Cab CALLOWAY (voc.), 118, 119, 120, 218, 248, 400, 420, 479, 508.
1 - *Minnie the Moocher* (1933-1934, avec grand orchestre).
RCA INT 5121
2 - *Jumpin' Jive* (1935-1947, avec grand orchestre).
CBS 21115

Delois Barrett CAMPBELL (voc.), 215.
voir the Soul of black music.

Wilbur CAMPBELL (dm), 416.
voir V. Freeman.

Papa CELESTIN (tp), 248.

Andrea CENTAZZO (perc.).
USA Concert (1978), avec Toshinori Kondo, etc.) Ictus 0018

Francisco CENTENO (b), 393.
voir J. Hoggard.

Serge CHALOFF (bs), 303, 317, 318, 461.
Boston blow-up (1955) Affinity AFF 63
voir aussi W. Herman (1, 2).

Paul CHAMBERS (b), 132, 389, 489, 517.
voir J. Coltrane, M. Davis (3, 4, 6), K. Dorham, G. Gryce, W. Kelly, B. Little, W. Montgomery, O. Nelson, I. Quebec, S. Rollins, etc.

Vincent CHANCEY (tp), 441.
voir Sun Ra.

Ndugu CHANCLER, 412.
voir J. Sample.

Emmet CHAPMAN (stick), 442.

Mark CHARIG (tp), 260.
voir K. Tippett.

Ray CHARLES (p, voc.), 40, 63, 207, 217, 359, 445, 450, 455, 479, 490.
25 ans de Ray Charles Atlantic 60 014
Yes Indeed (1959) Atlantic 50 917
The genius of Ray Charles (1959, avec Paul Gonsalves, etc. Arrangements de Ralph Burns, Al Cohn, Quincy Jones, Ernie Wilkins.) Atlantic 50 915

Teddy CHARLES (vb), 223, 327.
All Stars (1963, avec Eric Dolphy, Zoot Sims, Jerome Richardson, Jimmy Raney, Osie Johnson, etc.) United Artists UAS 6365
voir aussi Ch. Mingus.

Louis CHAUVIN (p), 18.

Don CHERRY (tp), 48, 50, 71, 146, 152, 258, 259, 313, 324, 366, 382, 390, 409, 428, 443, 493, 520, 521.
Complete Communion (1966, avec Gato Barbieri, Ed Blackwell, etc.) Blue Note-BST 84 226
MU (1969, avec Ed Blackwell.) Affinity AFF
voir aussi A. Ayler, C. Bley, Codona, O. Coleman, JCOA, Old and New Dreams, S. Rollins, 313, 520.

Ed CHERRY (gt), 383.
voir D. Gillespie.

CHICAGO, 497.
At Carnegie Hall (1972) CBS 30 865

Jon CHRISTENSEN (dm), 416.
voir J. Garbarek.

Charlie CHRISTIAN (gt), 32, 62, 120, 223, 233, 276, 340, 367, 368, 371, 374, 376, 386, 401, 403, 433, 508.
Live (1939-1941, avec Cootie Williams, Billy Butterfield, Benny Goodman, Georgie Auld, Fletcher Henderson, Count Basie, Gene Krupa, Dave Tough, Lionel Hampton, etc.) Jazz Antology JA 5181
Live Sessions (1941, avec Joe Guy, Hot Lips Page, Don Byas, Thelonious Monk, Nick Fenton, Kenny Clarke, etc.) Jazz Legacy 500 114

Pete CHRISTLIEB (ts), 307, 315.
voir W. Marsh.

Günter CHRISTMANN (tb), 270, 415.

voir Globe Unity Orchestra.

June CHRISTY (voc.), 461, 463, 484.

Eric CLAPTON (gt), 69, 138, 166, 209, 212, 380.
History of Eric Clapton (1972, avec John Mayall, Cream, etc.) Polydor 2668 011
voir aussi Cream.

Kenny CLARE (dm), 502.
voir K. Clarke, F. Boland.

CLARINET SUMMIT
You better fly away (1971, avec John Carter, Didier Lockwood, Perry Robinson, Eje Thelin, Stan Tracey, Gianluigi Trovesi, etc.) MPS 68 251

Kenny CLARKE (dm), 32, 113, 120, 129, 232, 401, 403, 405, 406, 408, 441, 462, 487.
Live at Ronnie's Scott (1969, avec grand orchestre.) MPS 88 019
voir aussi S. Bechet (1), Ch. Christian, M. Davis (1, 2, 3, 5), D. Gillespie (2, 3), D. Gordon, J.J. Johnson, C. Hawkins (2), M.J.Q., Th. Monk, Ph. Newborn, Ch. Parker (4, 5), H. Silver (2), I. Sulieman, Trombone Album, etc.

Stanley CLARKE (b), 394, 396, 530.
Stanley Clarke (1974, avec Jan Hammer, Bill Connors, Tony Williams, John Faddis, Lew Soloff, Garnett Brown, etc.) Atlantic 50 101
voir aussi J. Mitchell.

Buck CLAYTON (tp), 72, 252, 481.
Jam Session (1953, avec Urbie Green, Charlie Fowlkes, Sir Charles Tompson, Freddie Green, Walter Page, Jo Jones, etc.)
voir aussi C. Basie, JATP.

James CLEVELAND (voc.), 215.
voir A. Franklin.

Jimmy CLEVELAND (tb), 268, 408, 490.
voir Cl. Brown, M. Ferguson, G. Krupa, Trombone Album.

John COATES (p), 356.

Arnett COBB (ts), 298.
The complete Apollo Session (1947) Vogue 500 116
voir aussi Al Grey.

Billy COBHAM (dm), 66, 173, 240, 241, 383, 408, 412, 417, 422, 497, 517, 531.
Observations & (1981)
voir aussi G. Benson, T. Scott, H. Silver.

CODONA
Codona 2 (1980, avec Don Cherry, Colin Walcott, Nana Vasconcellos.) ECM 1177

Tony COE (cl., ss, ts).
Nutty (on) Willisau (1983, avec Chris Lawrence et Tony Oxley.) Hat Art 2004
voir aussi F. Boland.

Al COHN (ts), 38, 183, 303 à 307, 408, 513.
Non-pareil (1981) Concord Jazz CJ 155
voir aussi M. Albam, B. Brookmeyer, R. Charles, M. Ferguson, W. Herman (2, 3), Ph. Wilson.

Sonny COHN (tp), 481.
voir C. Basie (3, 4).

Henry COKER (tb), 481.
voir C. Basie (3), Illinois Jacquet, Trombone Album.

Cozy COLE (dm), 30, 400, 407, 411, 417, 479.
voir D. Gillespie (1), L. Hampton (1), F. Newton, L. Young.

Nat King COLE (p, voc.), 338, 426, 450, 454, 510, 512, 515.

* Stash Records, P.O. Box 390, Brooklyn, NY 11215, U.S.A.

Giant Steps (1959, avec Tommy Flanagan, Wynton Kelly, Paul Chambers, Art Taylor et Jimmy Cobb.)
Atlantic 40 376
My favorite things (1960, avec McCoy Tyner, Steve Davis et Elvin Jones.)
Atlantic 40 287
Live at the village Vanguard (1961, avec Eric Dolphy, McCoy Tyner, Reggie Workman et Elvin Jones.)
Impulse 204 271
A love supreme (1964, avec McCoy Tyner, Jimmy Garrison et Elvin Jones.)
Impulse 204 270
Ascension (1965, avec Freddie Hubbard, Dewey Johnson, John Tchicai, Marion Brown, Pharoah Sanders, Archie Shepp, McCoy Tyner, Art Davis, Jimmy Garrison et Elvin Jones.)
Impulse JAS 45
Kulu se mama (1966, avec Pharoah Sanders, McCoy Tyner, Jimmy Garrison, Elvin Jones, Frank Butler, etc.) Impulse A 9106
Live at the Village Vanguard again ! (1966, avec Pharoah Sanders, Alice Coltrane, Jimmy Garrison et Rahied Ali.) Impulse JAS 16
Cosmic Music (1966, avec Pharoah Sanders, Alice Coltrane, Jimmy Garrison, Rashied Ali et Ray Appleton.)
Impulse AS 9148
voir aussi M. Davis, Th. Monk, S. Rollins.

Perry COMO (voc.), 450.

COMPANY
Company 5 (1977, avec Leo Smith, Steve Lacy, Evan Parker, Anthony Braxton, Derek Bailey, Tristan Honsinger et Martin Van Retgeren Altena.)
Incus (import) 28

Eddie CONDON (gt), 95, 250, 277, 368, 440.
Dixieland Jam Sessions (1944-1950, avec Bobby Hackett, Billy Butterfield, Max Kaminsky, Wild Bill Davison, Hank Lawson, Jack Teagarden, Peanuts Hucko, Pee Wee Russell, Edmund Hall, Ernie Caceres, James P. Johnson, Joe Bushkin, Bob Haggart, Dave Tough, George Wettling, etc.)
MCA 510 206

Chris CONNOR (voc.), 462.
Out of this world (1954-1955, avec J.J. Johnson, Kai Winding, Herbie Mann, Ellis Larkins, etc.)
Affinity AFF 122

Ry COODER (gt, voc.), 382.
The slide area (1982)
Warner WB K 5697

Bob COOPER (ts, hautbois), 303, 321, 441.
Shifting winds (1955, avec Jimmy Giuffre, Shelly Manne, etc.)
Affinity AFF 59

Chick COREA (p), 63, 67, 69, 70, 137, 164, 168, 195, 311, 352, 361, 391, 413, 425, 428, 468, 483, 517, 527, 530, 550.
Circle-Paris concert (1971, avec Anthony Braxton, Dave Holland, Barry Altschul.)
ECM 1018

8 - *Miles in the sky* (1968, avec Wayne Shorter, George Benson, Herbie Hancock, Ron Carter et Tony Williams.)
9 - *In a silent way* (1969, avec Wayne Shorter, Herbie Hancock, Chick Corea, Joe Zawinul, John McLaughlin, Dave Holland, Tony Williams.) CBS 63 630
10 - *On the corner* (1972, avec Benny Maupin, Dave Liebmann, Herbie Hancock, Chick Corea, Michael Henderson, Jack DeJohnette, Billy Hart, etc.) CBS 85 549
11 - *The Man with the horn* (1980, avec Vincent Wilburn, Al Foster, etc.) CBS 36 790
12 - *Decoy* (1984, avec John Scofield, Al Foster, etc.) disponible en disque compact CBS 25 951
voir aussi B. Carter (1), D. Gillespie (2), Ch. Parker (1, 2, 4), S. Rollins.

Reverend Gary DAVIS (gt, voc.), 205.
Reverend Gary Davis (1935-1949 Yazoo L 1023

Richard DAVIS (b), 391, 500, 551.
voir E. Dolphy, B. Ervin, Ch. Hamilton, A. Hill, E. Hines, R. Kirk, P. Martino, Ph. Sanders, S. Vaughan.

Steve DAVIS (b), 149.
voir J. Coltrane, Ch. Mangione.

Wild Bill DAVIS (p, o), 63, 359, 360.
voir S. Stitt.

Wild Bill DAVISON (tp), 247.
voir E. Condon, K. Doldinger.

Jimmy Fast Fingers DAWKINS (gt, voc.), 377.
Hot Wire 81 (1981) Isabel Records 900 508

Alan DAWSON (dm), 404.
voir Cl. Brown (1), B. Ervin, T. Farlow.

Elton DEAN (as), 296.
voir Soft Machine, K. Tippett.

Bill DEARANGO (gt), 372.
voir D. Gillespie (2).

Tony DECARLO (tp), 303.

Buddy DEFRANCO (cl), 276, 277, 278, 317.
voir D. Gillespie (2), A. Tatum.

Bob DEGEN (p), 353.
Chartreuse (1977, avec Harvie Swartz.) Enja 3015
Children of the night (1978, avec Cameron Brown, Terumasa et Motohiko Hino.) Enja 3027

Alex DEGRASSI (gt), 382.

Jack DEJOHNETTE (dm), 168, 241, 383, 417, 418, 435, 517, 527.
voir M. Davis, G. Peacock, T. Rypdal, K. Wheeler.

Paco DELUCIA (gt), 381.

Les DEMERLE (dm), 442, 504.

Matt DENNIS (voc.), 450.

Willie DENNIS (tb), 268.
voir Four Trombones, G. Krupa, G. Mulligan (5).

Paul DESMOND (as), 293, 296, 317, 346, 380, 516.
East of the sun (1959, avec Jim Hall, Percy Heath et Connie Kay.) Discovery DS 840
voir aussi D. Brubeck, G. Mulligan.

Raoul DESOUZA (tb), 268.

Vic DICKENSON (tb), 112, 263, 264, 267, 481.
voir S. Bechet, T. Buckner, B. Holiday, A. Hunter, L. Young.

Steeple Chase SCS 6010
voir aussi B. Golson, A. Hill, Th. Monk, Ch. Parker (1), S. Rollins, H. Silver (4).

Bob DOROUGH (voc.), 453, 471.
Devil may care (1982)
52ᵉ Rue Est 52RE001

Jimmy DORSEY (as, cl), 95, 119, 126, 258, 274.
voir B. Beiderbecke, P. Whiteman.

Tommy DORSEY (tb), 95, 126, 250, 262, 274, 406, 508.
The Indispensable Tommy Dorsey (1935-1937)
RCA PM 43 692

Reverend Isaac DOUGLAS (voc.), 215.
voir the Soul of black music.

Bob DOWNES (fl.), 323.

Kenny DREW (p), 342.
voir T. Edwards, K. McIntyre, S. Rollins.

Gerd DUDEK (ts), 314.
voir Globe Unity Orchestra, P. Giger.

Urszula DUDZIAK (voc.), 468, 469, 470.
voir M. Urbaniak.

George DUKE (p), 353, 361.
voir F. Zappa.

Ted DUNBAR (gt), 383.
voir Xanadu at Montreux.

Champion Jack DUPREE (p, voc.), 331, 449.
Blues from the gutter (1958, avec Pete Brown, etc.)
Atlantic 40 526

Cornell DUPREE (gt), 368, 381.

Eddie DURHAM (tb, gt, arrangeur).
voir C. Basie (1), G. Miller, B. Moten.

Honoré DUTREY (tb), 81.
voir J. Dodds, K. Oliver.

George DUVIVIER (b), 389, 426.
voir J. Albany, E. Coleman, St. Grappelli, E. Jefferson, M. Holley, O. Nelson, B. Powell, G. Schuller, S. Scott, etc.

Johnny DYANI (b, voc.), 393, 394.
Grand Mother's Teaching (avec Butch Morris, etc.)
JAM 0582
voir aussi K. Jamal, Workshop Freie Music.

Bob DYLAN (gt, p, voc.), 208, 378.
Highway 61 revisited (1965, avec Mike Bloomfield, Al Kooper, etc.)
CBS S 62 572
John Wesley Harding (1968)
CBS S 63 252
voir aussi V. Spivey.

Allen EAGER (ts), 303, 304, 512.
voir G. Mulligan (1).

John EARDLEY (tp), 514.
voir K. Dodlinger.

Charles EARLAND (o), 359.
Black drops (1970)
Prestige PR 10 029

EARTH, WIND AND FIRE, 423.
The Best of Earth, Wind and Fire (1978) CBS 83 284

Billy ECKSTINE (voc.), 120, 122, 123, 301, 308, 451, 461, 486.
Together (1945, avec grand orchestre.) Spotlite 100

Harry EDISON (tp), 72, 252, 317, 481.
The Swinger (1958)
Verve 2304 538
voir aussi C. Basie (4), E. Fitzgerald, B. Holiday, Z. Sims, L. Young.

Teddy EDWARDS (ts), 309.
Out of this world (1980, avec Kenny Drew, Jesper Lundgard et Billy Hart.)

Steeple Chase SCS 1147

Mark EGAN (b), 395.

Mauricio EINHORN (hca), 441.

Roy ELDRIDGE (tp, voc.), 30, 112, 116, 119, 181, 182, 252, 254, 264, 277, 474, 477, 508.
Une petite laitue (1950-1951, avec Don Byas, etc.)
Jazz Legacy 500 092
voir aussi C. Berry, F. Henderson (1, 2), I. Jacquet, Famous Esquire Jazz Concert.

Duke ELLINGTON (p), 75, 79, 80, 98 à 106, 120, 125, 135, 150, 183, 191, 195, 251, 253, 263, 273, 276, 280, 286, 291, 292, 299, 310, 312, 316, 317, 332, 339, 345, 348, 352, 369, 386, 389, 406, 422, 433, 444, 455, 456, 463, 469, 472, 473, 476 à 481, 489, 491, 494, 495, 506, 508, 509, 524, 536.
1 - *The Complete Duke Ellington*, vol. 4-5-6 (1932-1936, avec grand orchestre.)
CBS 88 035
88 082
88 137
2 - *The Indispensable Duke Ellington*, vol. 1 à 8 (1927-1940, avec grand orchestre.)
RCA PM 43 687
PM 43 697
PM 45 325
NL 89 274 2
3 - *The Great Duke Ellington* (1946, avec grand orchestre.)
Musidisc CV 1077
4 - *The Complete Duke Ellington* (1947-1952, avec grand orchestre.) CBS 6606
5 - *Ellington at Newport* (1956, avec grand orchestre.)
CBS 84 403
6 - *Money Jungle* (1962, avec Charles Mingus et Max Roach.)
Blue Note BNP 25 113
7 - *This one for Blanton* (1973, avec Ray Brown.)
Pablo 2310 721
voir aussi E. Fitzgerald.

Mercer ELLINGTON (tp), 105.
voir D. Ellington (4), E. Fitzgerald (5).

Don ELLIS (tp), 49, 469, 499, 500, 518.
voir Ch. Mingus (1), G. Russell.

Herb ELLIS (gt), 374.
voir L. Armstrong, E. Fitzgerald, JATP, O. Peterson, B. Webster, etc.

Ziggy ELMAN (tp), 476.
voir B. Goodman (1).

Kalil EL ZAHBAR (perc.), 427.

Keith EMERSON (p, o), 366.
Emerson, Lake and Palmer: Pictures of an exposition (1971) Island 6396 011

James EMERY (gt), 382.
voir String Trio of New York.

Peter ERSKINE (dm), 412, 413.
Peter Erskine (1982, avec Michael et Randy Brecker, Mike Mainieri, Eddie Gomez, Don Alias, etc.)
voir aussi J. Mitchell.

Booker ERVIN (ts), 309.
The Freedom and Space Sessions (1963-1964, avec Jaki Byard, Richard Davis et Alan Dawson.) Prestige 68 360
voir aussi E. Dolphy, C. Mingus.

Pee Wee ERWIN (tp), 508.

Ron ESCHETE (gt), 383.

Christian ESCOUDÉ (gt), 369, 379, 532.

ABC Records (import) 68 089
Vic FELDMAN (vib), 327.
voir J.-J. Johnson, A. Toussaint.
Nick FENTON (b), 120.
voir Ch. Christian.
Maynard FERGUSON (tp), 253, 436, 488, 489, 500, 501.
Maynard Ferguson conducts the Birdland Dreamband (1956, avec grand orchestre.) RCA PM 43 841
voir aussi D. Washington.
Boulou FERRÉ (gt), 369.
Pour Django (1979) Steeple Chase SCS 112
Glenn FERRIS (tb), 268.
Alive in Paris (1980) RCA PL 37 452
Bobby FEW (p), 349.
Continental Jazz Express (1979) Vogue JT 2605
voir aussi St. Lacy Workshop Freie Musik.
Bill FINEGAN (arrangeur), 477.
voir G. Miller.
Clare FISCHER (o), 343, 346, 358.
Clare declares (1975) MPS 68 148
Ella FITZGERALD (voc.), 347, 383, 460 à 463, 467, 469, 480.
1 - *Original Favorites* (1938-1952, avec le grand orchestre de Chick Webb.) MCA 250 4681
2 - *Ella and Louis* (1956-1957, avec Louis Armstrong, Oscar Peterson, Herb Ellis, Ray Brown, Buddy Rich et Louie Bellson.) Verve 2615 034
3 - *Ella swings lightly* (1958, avec Marty Paich, Bud Shank, Bill Hollman, Med Flory, Joe Mondragon, Mel Lewis, etc.) Verve 2304 134
4 - *Ella in Berlin* (1960, avec Jim Hall, Gus Johnson, etc.) Verve 2304 155
5 - *Ella at Duke's place* (1965, avec le grand orchestre de Duke Ellington.) Verve 2304 419
6 - *Fine and Mellow* (1974, avec Harry Edison, Clark Terry, Eddie Lockjaw Davis, Zoot Sims, Tommy Flanagan, Joe Pass, Ray Brown et Louie Bellson.) Pablo 2310 829
voir aussi Ch. Webb.
Tommy FLANAGAN (p), 342, 344.
Thelonica (1982, avec George Mraz et Art Taylor.) disponible en disque compact. Enja 4052 3112 25
voir aussi K. Dorham, J. Coltrane, E. Fitzgerald, R. Haynes, J.J. Johnson, J.R. Monterose, B. Wallace, etc.
Med FLORY (as), 526.
voir E. Fitzgerald, W. Herman (3), Supersax.
James FOLAMI (perc.), 426.
Carl FONTANA (tb), 267.
Joe FORD (as, fl.), 296, 325.
voir McCoy Tyner.
Ricky FORD, 311.
Shorter Ideas (avec Jimmy Knepper, James Spaulding, etc.) Muse 5314
voir Ch. Mingus.
Jimmy FORREST (ts), 481.
Night Train (1952-1953) Delmark 435
Sonny FORTUNE (as), 296.
voir M. Carvin.
Al FOSTER (dm), 141, 416.
voir M. Davis, S. Jones, H. Silver (4, 5).

Frank FOSTER (ts), 298, 302, 481.
voir C. Basie (3).

Gary FOSTER (as).
voir T. Akiyoshi (2).

Pops FOSTER (b), 385.
voir L. Armstrong, S. Bechet (1, 2), Spiritual and Gospel Songs.

FOUR TROMBONES
Vol. 1 & 2 (avec J.J. Johnson, Kai Winding, Willie Dennis, Benny Green, John Lewis, Charles Mingus et Art Taylor.) America AM 6055 AM 6058

Bruce FOWLER (tb), 268.

Charlie FOWLKES (bs), 318, 481.
voir C. Basie (3), B. Clayton.

Rimona FRANCIS (p, voc.), 468, 470.
Bulgarian Beans (avec Leszek Zadlo, Jasper Van't Hof, Frank Tusa, etc.)
MPS (import) 68.187

Guilherme FRANCO (perc.), 425, 426, 428.
voir M. Tyner, D. Schnitter.

Aretha FRANKLIN (voc.), 217, 465.
Aretha's greatest hits
Atlantic 40 279
Amazing Grace (1972, avec le Rév. C.L. Franklin, James Cleveland, etc.)
Atlantic 60 023

Rev C.L. FRANKLIN (voc.), 465.
voir A. Franklin.

Bud FREEMAN (ts), 95, 113, 301, 508.
Stop, look and kisten to Bud Freeman (1955, avec Ruby Braff, George Wettling, etc.)
Affinity AFF 112
voir aussi R. Stewart.

Chico FREEMAN (ts), 312, 313, 315.
Spirit Sensitive (1979, avec Cecil McBee, etc.)
India Navigation IN 1045
voir aussi J. Hoggard, D. Pullen.

Russ FREEMAN (p), 342.
voir Ch. Baker, Ch. Parker (2), A. Pepper.

Von FREEMAN (ts), 313, 315.
Have no fear (1975, avec Wilbur Campbell, etc.)
Nessa N-6

David FRIEDMAN (vb), 328, 329.
Double image (1977)
Enja 2096

Don FRIEDMAN (p), 343, 346, 380.
voir B. Little.

David FRIESEN, 391, 392, 395.
voir J. Stowell.

Blind Boy FULLER (gt, voc.), 205.
With Sonny Terry and Bull City Red (1935-1940).
Blues Classics 11

Curtis FULLER (tb), 266, 267, 268, 481.
Smokin' (1974, avec Bill Hardman, Cedar Walton, Billy Higgins, etc.)
Mainstream MRL 370
voir aussi B. Golson, D. Gordon.

Steve GADD (dm), 381, 412.
voir D. Sanborn, J. Steig.

Eric GALE (gt), 381.
Montreux summit
CBS 88 286

Rory GALLAGHER (gt, voc.), 212.
Irish Tour (1974)
Chrysalis CTY 1256

GALLERY
Soaring (avec Paul McCandless, David Darling, Michael DiPasqua, etc.) ECM 1206

Joe GALLIVAN (dm, claviers), 313, 364. *voir* Ch. Austin.

Hal GALPER (p), 355.
Ivory Forest (1979, avec John Scofield, Adam Nussbaum, etc.) Enja 3053
Reach out ! (avec Michael et Randy Breker, Wayne Dockery et Billy Hart.) Steeple Chase SCS 1067

Jan GARBAREK (ts), 290, 314, 370, 521.
Belonging (1974, avec Keith Jarrett, Palle Danielson et Jon Christensen.) ECM 1050
Ist's OK (avec David Torn, Eberhard Weber et Michael DiPasqua.) ECM 1294

Red GARLAND (p), 132, 148, 342, 517.
voir M. Davis, S. Rollins.

Erroll GARNER (p), 122, 183, 346, 347, 465, 480.
Play, piano play (1947, avec Red Callender et Hal West.) Spotlite SPJ 129
Dreamy (1950-1956, avec Shadow Wilson, etc.) CBS 84 267
Concert By the Sea (1955, avec Eddie Calhoun et Denzil Best.) CBS 62 310
voir aussi Ch. Parker.

Jimmy GARRISON (b), 149, 151, 159, 390.
voir B. Carter (2), A. Coltrane, J. Coltrane, S. Rollins.

Giorgio GASLINI (p), 349.
Sharing (1978, avec Roswell Rudd.)
voir aussi R. Rudd.
Dischi Della Quercia* Q 28 007

* Dischi Della Quercia, Via Caminadella 9, 20123 Milano.

Marvin GAYE (voc.), 455.
Marvin Gaye Motown 535 027

Herb GELLER (as), 293.
voir M. Ferguson, D. Washington.

George GERSHWIN (compositeur).
Barbara Hendricks chante Gershwin (1981, avec Katia et Marielle Labèque, François Jeanneau.) Philips 9500 987

Stan GETZ (ts), 135, 181, 187, 211, 303, 304, 305, 306, 355, 374, 405, 420, 422, 423, 424, 468, 537.
At Storyville (1951, avec Jimmy Raney, Al Haig, Teddy Kotick et Tiny Kahn.) Jazz Legacy 500 079 500 107
Recorded Fall (1961, avec Bob Brookmeyer, Steve Kuhn, John Neves et Roy Haynes.) Verve 813 359-1
Getz/Gilberto (1963, avec Joao et Astrud Gilberto, Antonio Carlos Jobim.) Verve V6 8545 disque compact 815 058-2
Dynasty (1971, avec Eddy Louiss, etc.) Verve 2615 054
Line for Lyons (1983, avec Chet Baker, Jim McNeely, George Mraz et Victor Lewis.) Sonet 520 390
voir aussi W. Herman (1, 2, 3).

Terry GIBBS (vb), 161, 327, 483.
voir W. Herman (2).

Peter GIGER (dm), 415.
Illegitimate Music (avec Gerd Dudek, Gunter Lenz et

Albert Mangelsdorff.)
Nagara (import) MIX-1014

Gilberto GIL (voc.), 454.

Astrud GILBERTO (voc.), 374.
voir S. Getz.

Joao GILBERTO (gt, voc.), 424, 454.
voir S. Getz.

Dizzy GILLESPIE (tp), 32 à 36, 39, 55, 80, 114 à 128, 131, 134, 143, 145, 146, 153, 168, 181, 223, 232, 241, 251 à 256, 265, 267, 292, 294, 299, 300, 302, 318, 326, 327, 359, 360, 370, 374, 387, 401, 415, 416, 419, 420, 425, 433, 451, 452, 461, 479, 486, 487, 488, 491, 493, 526.
1 - *The Great Dizzy Gillespie* (1945-1946, avec différents orchestres.
Musidisc CV 1156
2 - *Dizzy Gillespie's orchestra* (1946-1949, avec différents orchestres.)
RCA PM 42 408
3 - *Dizzy Gillespie et les Double-Six* (1963, avec James Moody, Kenny Barron, Bud Powell, Kenny Clarke, etc.)
Philips 6313 221
4 - *At Montreux* (1980, avec Toots Thielemans et Bernard « Pretty » Purdie.)
Pablo 2308 226
5 - *Musician, composers, raconteur* (1981, avec James Moody, Milt Jackson, Ed Cherry, etc.)Pablo 2620 116
6 - *To a Finland Station* (1983, avec Arturo Sandoval, etc.)
Pablo 2310 889
voir aussi L. Hampton (1), C. Hawkins (2), W. Herman (3), Ch. Parker (1, 2, 4, 5, 7).

John GILMORE (ts), 312, 494.
voir Sun Ra.

Adèle GIRARD (harpe), 440.

Egberto GISMONTI (p, gt), 72, 370, 371.
voir Ch. Haden, N. Vasconcelos.

Jimmy GIUFFRE (cl, ts), 38, 102, 195, 223, 244, 268, 274, 276, 278, 279, 303, 304, 306, 374, 488, 509, 518, 525, 537.
Four Brothers (1954-1955, avec Shorty Rogers, Bud Shank, Curtis Counce, Shelly Manne.) Affinity AFF 70
Tangents in jazz (1955, avec Ralph Peña, etc.)
Affinity AFF 60
Dragonfly (1983, avec Pete Levin, etc.)
Soul Note SN 1058
voir aussi B. Cooper, W. Herman (2).

Eddie GLADDEN (dm), 416.
voir D. Gordon, E. Jefferson.

Dieter GLAWISCHNIG (p), 349.

Patrick GLEESON (claviers), 363, 364.
voir H. Hancock.

GLOBE UNITY ORCHESTRA
1 - *Live in Wuppertal* (1973)
FMP (import) 0160
2 - *Compositions* (1979)
Japo (import) 60 027
voir aussi Workshop Freie Musik.

Dusko GOJKOVIC (tp), 256.
voir F. Boland, K. Doldinger.

Stu GOLDBERG (claviers), 353, 354, 361.
Solos-duos-trio (1978, avec Dr L. Subramaniam et Larry Coryell.)
voir aussi J. McLaughlin.
MPS 68.202

Jean GOLDKETTE (chef d'orchestre), 94, 97, 476.

voir McKinney's Cotton Pickers.

Benny GOLSON (ts), 298, 300, 516.
Out of the past (1957-1958, avec Kenny Dorham, J.J. Johnson, Curtis Fuller, Wynton Kelly, Barry Harris, Paul Chambers, Jimmy Merritt, Max Roach et Philly Joe Jones.)
Milestrone 47 048
voir aussi A. Blakey, Ch. Mingus.

Eddie GOMEZ (b), 324, 391, 392, 435.
voir P. Erskine, B. Evans, JCOA, J. Streig, I. Sullivan, B. Wallace, K. Wheeler, etc.

Paul GONSALVES (ts), 103, 299, 301.
Gettin' together (1969, avec Nat Adderley, Wynton Kelly, Sam Jones, Jimmy Cobb.)
Jazzland 68 946
voir aussi R. Charles, D. Ellington (4, 5), E. Fitzgerald (5), E. Hines (2), etc.

Babs GONZALES (voc.), 451.
Live at Small's Paradise (1968, avec Clark Terry, Johnny Griffin, etc.)
Chiaroscuro CR 2025

Benny GOODMAN (cl), 29, 30, 62, 75, 91, 110, 181, 182, 211, 250, 252, 266, 267, 273 à 278, 302, 339, 367, 374, 386, 398, 440, 458, 476, 478, 479, 482, 508.
King of swing (1937-1938, avec différents orchestres.)
CBS 66 420
Swing with Benny Goodman and his orchestra (1951-1953, avec grand orchestre.)
CBS 21124
voir aussi Ch. Christian, S. Asselgard.

Jerry GOODMAN (vln), 174, 434, 497, 531.
voir J. McLaughlin.

Dexter GORDON (ts), 73, 164, 267, 303, 308, 314, 315, 393, 417, 486, 511, 527.
Our man in Paris (1963, avec Bud Powell, Pierre Michelot et Kenny Clarke.)
Blue Note BST 84 146
At Montreux (1970, avec Junior Mance, etc.) Prestige 7861
voir aussi B. Carter (1), S. Criss, D. Gillespie (1).
Great Encounters (1978-1979, avec Eddie Jefferson, Woody Shaw, Johnny Griffin, Curtis Fuller, George Cables, Rufus Reid et Eddie Gladden.)
CBS 83 643

Joe GORDON (tp), 256.
voir H. Silver (2).

Arjen GORTER (b), 393.
voir Workshop Freie Musik.

Dan GOTTLIEB, 412.
voir P. Metheny.

Bob GRAETTINGER (arrangeur), 485.

Larry GRAHAM (b), 394, 547.

Stéphane GRAPPELLI (vln), 165, 432, 433, 434, 435, 436.
And his american all stars (1978, avec Bucky Pizzarelli, Roland Hanna, George Duvivier, Oliver Jackson.)
Black and Blue 33 132
Live (1979, avec David Grisman.)
Warner WB 56 903
voir aussi D. Reinhardt, J. Venuti.

Eric GRAVATT (dm), 412.

Milford GRAVES (dm), 410.

Wardell GRAY (ts), 302, 303, 452, 512.
Live in Hollywood (1952, avec

70, 167, 168, 281, 329, 379, 469, 521.
voir J. Lee.

Lionel HAMPTON (vb), 183, 214, 255, 267, 276, 298, 300, 325, 326, 329, 388, 400, 461, 476, 479, 508.
1 - *Historical recording sessions* (1937-1941, avec différents orchestres.) RCA PM 42 393 PM 42 417
2 - *Flying Home* (1953-1955, avec Oscar Peterson, Teddy Wilson, Ray Brown, Red Callender, Buddy Rich et Gene Krupa.) Verve 813 091-1
voir aussi L. Armstrong, Ch. Christian, Famous Esquire Jazz Concert, B. Goodman (1), Ch. Mingus, etc.

Slide HAMPTON (tb), 266, 267, 489.
The Fabulous Slide Hampton Quartet (1969, avec Joachim Kühn, N.H. Ørsted Pedersen, Philly Joe Jones.) Pathé 155 2621
voir aussi B. Hardman, W. Herman (3).

Herbie HANCOCK (p), 63, 67, 68, 77, 135, 137, 142, 164, 169, 195, 210, 258, 266, 351, 352, 361, 363, 364, 375, 422, 436, 517, 527, 528.
Sextant (1972, avec Eddie Henderson, Julian Priester, Benny Maupin, Buster Williams, Billy Hart, Pat Gleeson et Buck Clarke.) CBS 65 582
Quartet (1982, avec Wynton Marsalis, etc.) CBS 22 219
voir aussi M. Davis, D. Pike, C. Santana, T. Williams, A. Zoller, etc.

George HANDY (p), 488.
voir Ch. Parker (2).

John HANDY (as), 296, 428, 436, 531, 551.
voir Ch. Mingus (1), Mingus Dinasty.

W.C. HANDY (tp, compositeur), 20.
Louis Armstrong plays W.C. Handy. CBS 21 128

Jake HANNA (dm), 416, 417.
voir S. Hamilton.

Roland HANNA (p), 342.
voir S. Grappelli, S. Vaughan.

Lil' HARDING, *voir* Lil' ARMSTRONG, 81.

Bill HARDMANN (tp), 256.
Home (1978, avec Slide Hampton, Mickey Tucker, etc.) Muse MR 5152
voir aussi C. Fuller.

Otto HARDWICKE (as), 100.
voir D. Ellington (2).

Larry HARLOW (perc.), 421.

Johnny HARMAN (voc.), 452.

Billy HARPER (ts), 74, 311, 517.
In Europe (avec Horace Arnold, etc.) Soul Note SN 1001

Tom HARRELL (tp), 256, 258.
Look to the sky (1979, avec John McNeil, Kenny Barron, Buster Williams, Billy Hart.) Steeple Chase SCS 1128
voir aussi H. Silver (4, 5).

Barry HARRIS (p), 342, 344.
voir Xanadu at Montreux, Trombone Album, B. Golson, C. Hawkins, L. Morgan.

Beaver HARRIS (dm), 410.
voir A. Ayler, JCOA, A. Shepp.

Bill HARRIS (tb), 265, 267, 269, 461, 482.

voir W. Herman (2), Trombone Album.

R.H. HARRIS (voc.), 215.
voir the Soul of black music.

Sugar Cane HARRIS (vln), 434, 437.
voir F. Zappa.

George HARRISON (gt, voc.), 209.
voir The Beatles.

Jimmy HARRISON (tb), 262, 264, 403, 474, 538.
voir F. Henderson (1, 2), B. Smith.

Billy HART (dm), 416, 435.
voir M. Davis, H. Galper, H. Hancock, T. Harrell, A. Laverne, Ph. Sanders, D. Schnitter, J. Stowell, etc.

Clyde HART (p), 32.
voir D. Gillespie (1), L. Hampton (1), C. Hawkins (2), L. Young, etc.

Stan HASSELGARD (cl), 278.
Swedish Pastry (1948, avec Benny Goodman, Wardell Gray, Teddy Wilson, Billy Bauer, etc.)
Dragon DRLP 16

Hampton HAWES (p), 342, 343.
Key for two (1968, avec Martial Solal, Pierre Michelot et Kenny Clarke.)
Affinity AFF 31
voir aussi S. Criss, W. Gray.

Coleman HAWKINS (ts), 30, 69, 72, 79, 106 à 109, 113, 114, 135, 180, 184, 186, 187, 195, 197, 228, 250, 285, 291, 297, 298, 299, 300, 301, 307, 309, 312, 316, 319, 321, 334, 387, 388, 407, 474, 519, 538.
1 - *The Indispensable Coleman Hawkins* (1927-1956, avec différents orchestres.)
RCA NL 89 277
2 - *Beans talkin' again* (1944-1949, avec différents orchestres.)
Jazz Legacy 500 056
3 - *The Hawk flies high* (1957, avec Idress Sulieman, J.J. Johnson, Hank Jones, Barry Galbraith, Oscar Pettiford et Jo Jones.)
Riverside 68 940
4 - *Sirius* (1966, avec Barry Harris, Bob Cranshaw et Eddie Locke.)
Pablo 2310 707
voir aussi B. Carter (2), L. Hampton (1), Fl. Henderson (1, 2), S. Hughes, JATP, McKinney's cotton pickers, Th. Monk, Ch. Parker (4), M. Rainey, M. Roach, B. Smith, etc.

Isaac HAYES (claviers, arrangeur), 217.
Shaft (1971, avec J.J. Johnson, etc.) Stax 2628 002

Louis HAYES (dm), 405.
voir Ch. Mangione, W. Montgomery, M. Tyner.

Roy HAYNES (dm), 405, 406.
Out of the afternoon (1962, avec Tommy Flanagan, Rahsan Roland Kirk, etc.)
Jasmine JAS 24
voir aussi G. Burton, N. Brignola, S. Getz, J.J. Johnson, B. Moore, Ch. Parker (4, 5), B. Powell, S. Vaughan, L. Young, etc.

J.C. HEARD (dm), 407.
voir S. Bechet, D. Gillespie, JATP, etc.

Albert HEATH (dm), 405.
voir J. Griffin.

Percy HEATH (b), 389, 487, 514.
voir O. Coleman, M. Davis, B. Evans, D. Gillespie, J.J. Johnson, Modern Jazz Quartet, Th. Monk, S. Rollins, M.L. Williams, etc.

Dick HECKSTALL-SMITH (ss, ts), 60, 166.
voir J. Mayall.

Neal HEFTI (arrangeur), 183.
voir C. Basie (3), W. Herman (1), H. James, Ch. Parker (4).

Mark HELIAS (b), 393.
Anderson-Helias-Memingway : Oahspe (1978)
Auricle Records AUR 2

Julius HEMPHILL (ss, as), 73, 290, 295, 523.
Raw Materials and residuals (1977, avec Abdul Wadud et Famoudou Don Moye.)
Black Saint BSR 0015
voir aussi O. Lake, World Saxophone Quartet.

Bill HENDERSON (dm), 452.
voir E. Coleman.

Eddie HENDERSON (tp), 256, 260, 530.
voir H. Hancock.

Fletcher HENDERSON (p, arrangeur), 91, 101, 106, 108, 109, 111, 114, 136, 182, 191, 193, 250, 262, 264, 385, 400, 403, 464, 472, 473, 474, 476, 478, 479, 493, 494, 506.
1 - *A study in frustration* (1923-1938, avec grand orchestre.)
CBS 66423
2 - *The indispensable Fletcher Henderson* (1927-1936, avec grand orchestre.)
RCA PM 43691
voir aussi Ch. Christian, I. Cox, M. Rainey, B. Smith, E. Waters.

Horace HENDERSON (p, arrangeur).
voir Fl. Henderson (1, 2).

Joe HENDERSON (ts), 311, 355.
Barcelona (1977-1978, avec Wayne Darling et Ed Soph.) Enja 3037
voir aussi A. Hill, L. Morgan, H. Silver (3), M. Waldron.

Michael HENDERSON (b), 395.
voir M. Davis.

Wayne HENDERSON (tb), 268.

Jon HENDRICKS (voc.), 453, 454.
voir C. Basie (3), Lambert-Hendricks-Ross, Lambert-Hendricks-Bavan.

Jimi HENDRIX (gt, voc.), 61, 133, 137, 372, 376 à 381, 491, 547.
Electric Ladyland (1968, avec Steve Winwood, Chris Wood, Noël Redding, etc.)
Polydor 2612 002
Band of gipsys (1970, avec Billy Cox, Philip Catherine, N.H. Ørsted-Pedersen, etc.)
MPS (import) 68 040

Bonnie HERMAN (voc.), 466.
voir Singers Unlimited.

Woody HERMAN (cl, as, arrangeur), 106, 119, 193, 233, 258, 265, 267, 276, 286, 291, 301 à 304, 317, 319, 327, 389, 399, 407, 450, 461, 482, 483, 487, 500, 508.
1 - *The Thundering Herds* (1945-1948, avec grand orchestre.) CBS 66 378
2 - *Early Autumn* (1948-1950, avec grand orchestre.)
The Jazz Club 1804751
3 - *Woody and Friends* (1979, avec grand orchestre.)
Concord Jazz CJ 170
voir aussi D. Ellington.

Michel HERR (p), 355.
Ouverture éclair (1977)
Oryx* 001/MD 014

* Michel Dickensheid Studio, 46, av. du Beau-Site, B-4200 Ougrée, Liège, Belgique.

Freeman, Kenny Kikland, Francisco Centeno, Harvey Mason, Paulinho DaCosta, etc.) Contemporary 14 007
voir aussi The Young Lions.

Alan HOLDSWORTH (gt, vln), 381.
voir G. Beck.

Billie HOLIDAY (voc.), 63, 110, 310, 345, 454, 457 à 460, 466, 467, 477, 509.
1 - *The Golden Years* (1933-1941, avec différents orchestres.) CBS 66 377
2 - *All or nothing at all* (1955-1956, avec différents orchestres.) Verve 2610 053
3 - *Songs for distingué lovers* (1957, avec Harry Edison, Ben Webster, etc.) Verve 2304 243
existe en disque compact.
voir aussi A. Shaw, Famous Esquire Jazz Concert.

Dave HOLLAND (b), 168, 390, 391.
voir N. Brignola, Ch. Corea, M. Davis, S. Rivers, C. Walcott.

Major HOLLEY (b), 386.
Two Big Mice (1977, avec Slam Stewart, Hank Jones, George Duvivier, Oliver Jackson.) Black and Blue 33 124

Bill HOLMAN (ts, arrangeur), 481, 485, 488, 490.
voir E. Fitzgerald, S. Kenton.

Richard Groove HOLMES (o), 359.
Shippin' out (1977, avec Dave Schnitter, etc.) Muse MR 5134

Tristan HONSINGER (violoncelle), 387, 442.
voir Company, Workshop Freie Musik.

John Lee HOOKER (gt, voc.), 198, 205, 446.
This is hip (1955-1963) Charly Records CRB 1004
voir aussi American Folk Blues Festival, Canned Heat.

Elmo HOPE (p), 342.
Trio (1959, avec Jimmy Bond et Frank Butler.) Contemporary S 7620
voir aussi S. Rollins.

Fred HOPKINS (b), 393, 523.
voir AIR, M. Melis, D. Pullen, The Young Lions.

Lightnin' HOPKINS (gt, voc.), 205, 447.
A legend in his own time (1950-1951) Blues Anthology AB 5608

Hugh HOPPER (b), 395.
voir Soft Machine, R. Wyatt.

Paul HORN (as), 71, 293, 321, 322, 324.

Big Walter HORTON (hca, voc.), 440.
With Carey Bell (1972) Sonet SNTF 677

Son HOUSE (gt, voc.), 446.
The legendary 1941-1942 recordings Folklyric 9002
voir aussi The History of the blues.

Clint HOUSTON (b), 391.
voir J.A. Brackeen.

HOWLIN' WOLF (gt, hca, voc.), 206, 446.
The Real Folk Blues (1956-1965, avec Otis Spann, etc.) Chess 515 011

Freddie HUBBARD (tp), 68, 152, 256, 257, 352, 516.
Born to be blue (1981, avec Harold Land, etc.) Pablo 231234
disque compact. 3112-6
voir aussi O. Coleman, J. Coltrane, E. Dolphy, B. Evans, O. Nelson, M. Roach.

Ronald Shannon JACKSON (dm), 141, 156, 270, 414, 415, 533.
And the Decoding Society: Nasty (avec Byard Lancaster, Khan Jamal, etc.) Moers Music 01 086

Illinois JACQUET (ts), 298, 300, 410.
The complete Aladdin Sessions (1945-1947, avec Henry Coker, Sir Charles Thompson, Shadow Wilson, etc.) Aladdin 803

Mick JAGGER (voc.), 547.
voir the Rolling Stones.

Ahmad JAMAL (p), 133, 347.
Alhambra (1961, avec Israel Crosby et Vernell Fournier.) Cadet 515 019
At the Blackhawk (1962, avec les mêmes.) Cadet 515 002

Khan JAMAL (vb).
Dark Warrior (avec Charles Tyler, Johnny Dyani, etc.) Steeple Chase SCS 1196

Bob JAMES (p, arrangeur), 353, 361, 381.
voir H. Laws, G. Mulligan (6).

Elmore JAMES (gt, voc.).
The Legend (1952-1956) Blues Anthology AB 560
voir aussi the History of the blues.

Harry JAMES (tp), 252, 406, 451.
Harry's Choice (1959, avec E. Wilkins, N. Hefti, W. Smith, etc.) Capitol 2C068-54 575
voir aussi L. Hampton, B. Goodman, B. Holiday (1).

Stafford JAMES (b), 391.
voir J. Scofield.

Joseph JARMAN (saxophones, fl.), 284, 288, 290, 295, 522, 524, 550.
voir Art Ensemble of Chicago.

Al JARREAU (voc.), 454.
All fly home (1978, avec Lee Ritenour, Paulinho DaCosta, etc.) Warner Bros 56 546

Keith JARRETT (p), 69, 137, 164, 225, 353, 358, 390, 517, 525, 538, 551.
The Köln concert (1975) ECM 1064/65
disque compact 810 067-2
Standards (1983, avec Gary Preacock et Jack DeJohnette.) ECM 1255
disque compact 825 015-2
Changes (1983, avec Gary Peacock et Jack DeJohnette.) ECM 1276
disque compact 817 436-2
voir aussi J. Garbarek.

Clifford JARVIS (dm), 416.
voir S. Ra.

JATP (Jazz at the Philharmonic)
The Rarest Concerts (1946-1953) Verve 815 149-1

JCOA (Jazz Composer's orchestra), 259.
Grand orchestre dirigé par Mike Mantler et Carla Bley; solistes: Don Cherry, Gato Barbieri, Larry Coryell, Roswell Rudd, Pharoah Sanders et Cecil Taylor (1968) JCOA LP 1001/02

François JEANNEAU (ss, as, ts, fl.), 314.
Humair, Jeanneau, Texier (1979, avec Daniel Humair et Henry Texier.) Owl Records 016
voir aussi G. Gershwin.

Blind Lemon JEFFERSON (gt, voc.), 205, 446, 449, 455.
Blind Lemon Jefferson (1926-1929) Biograph BLP 12000

* The Tomato Music Company Ltd, 611 Broadway, New York NYC 10012, U.S.A.

Four Trombones, C. Hawkins (1), Ch. Parker (2), S. Stitt, Trombone Album, etc.

Lonnie JOHNSON (gt, voc.), 205, 367, 368, 376.
voir the History of the blues, V. Spivey.

Mark JOHNSON (b), 391.
voir B. Evans.

Osie JOHNSON (dm), 407, 408.
voir M. Albam, B. Brookmeyer, M. Buckner, T. Charles, G. Russell, L. Thompson, etc.

Pete JOHNSON (p), 337.
voir A. Ammons, J. Turner.

Robert JOHNSON (voc.), 205, 446, 455.
voir the History of the blues.

Bruce JOHNSTONE (bs), 319.

Pete JOLLY (p), 335, 342, 343.
voir J.J. Johnson.

Bobby JONES (ts), 281, 309.
voir Ch. Mingus.

Booker T. JONES (o), 359.
The Best of Booker T. and the M.G's (1964-1967)
Atlantic 40 072
voir aussi A. King.

Brian JONES (gt, voc.), 61.
voir the Rolling Stones.

Carmell JONES (tp), 256, 257.
voir H. Silver (3).

Claude JONES (tb).
voir D. Ellington (3, 4).

Eddie JONES (b).
voir P. Adams, C. Basie (3), Lambert-Hendricks-Ross, Trombone Album.

Elvin JONES (dm), 39, 65, 148, 149, 151, 228, 270, 312, 405, 406, 408, 416, 417, 428, 513, 517.
voir J. Coltrane, G. Gruntz, E. Hines, St. Lacy, S. Rollins, M. Tyner, etc.

Etta JONES (voc.), 464.
Greatest Hits (avec Budd Johnson, Frank Wess, Kenny Burrell, Art Taylor, Roy Haynes, etc.)

Hank JONES (p), 321, 341, 405, 489.
The Great Jazz Trio at the Village Vanguard (1977, avec Ron Carter et Tony Williams.)
Eastwind 9126 026
voir aussi B. Brookmeyer, M. Ferguson, G. Gryce, C. Hawkins (1, 3), M. Holley, Ch. Parker (4), L. Thompson, C. Tjader, I. Sullivan, M. Tormé, Trombone Album, etc.

Isham JONES (chef d'orchestre), 482.

Jo JONES (dm), 33, 110, 118, 242, 385, 399, 400, 403 à 408, 418.
voir C. Basie (1, 2), C. Hawkins (3), L. Young, etc.

Philly Joe JONES (dm), 132, 417, 517.
voir M. Davis, B. Evans, B. Golson, Sl. Hampton, S. Rollins, C. Terry, F. Wright, etc.

Jonah JONES (tp), 248, 433, 479.
Jonah's Wail (1954, avec Sidney Bechet, etc.)
Jazz Legacy JL 75
voir aussi L. Hampton.

Quincy JONES (arrangeur), 38, 288, 294, 393, 441, 489, 491.
1 - *Les Double-Six rencontrent Quincy Jones.*
Open OP 18
2 - *The Quintessence* (1961, avec grand orchestre.)
Impulse AS 11
voir aussi C. Basie, Cl. Brown, D. Washington.

Ricky Lee JONES (voc.), 466.

* Sackville Records, Box 87, Station J, Toronto, Ontario M4J 4 × 8, Canada.

Steeple Chase SCS 1086
Arnie LAWRENCE (as), 296.
voir Ch. Hamilton.
Elliott LAWRENCE (chef d'orchestre), 317, 487.
Hubert LAWS (fl), 537.
Montreux Summit (1977, avec George Duke, Ralph Mc Donald, etc.)
CBS 88 286
Ronnie LAWS (ss), 290.
Hank LAWSON (tp), 508.
voir E. Condon.
LEADBELLY (gt, voc.), 159, 165, 198, 205, 211, 367, 446, 455.
Sings Folk Songs (avec Woody Guthrie, Sonny Terry, etc.)
Le Chant du monde FWX M 52488
Huddie Ledbetter's best (1944)
Capitol 2C068-80 701
voir aussi W. Guthrie.
LED ZEPPELIN, 211.
IV (1971) Atlantic 50 008
existe en disque compact.
Jeanne LEE (voc.), 468, 469.
The Newest sound around (1961, avec Ran Blake)
RCA PL 42 863
Oasis (1978, avec Gunter Hampel.) Horo HDP 33-34
voir aussi C. Bley (1), M. Melis.
John LEE (b), 395.
John LENNON (gt, voc.), 209.
voir The Beatles.
Harlan LEONARD (chef d'orchestre), 480.
Milcho LEVIEV (p), 353, 354, 362.
voir J. Klemmer, G. Wilson.
Pete LEVIN, 364.
voir J. Giuffre, D. Sanborn.
L.D. LEVY (b, cl), 281.
Lou LEVY (p), 342, 483.
A most musical fella (1956-1957) RCA PM 45138
voir aussi W. Herman (2), W. arsh, Supersax.
George LEWIS (cl.), 272.
voir B. Johnson.
George LEWIS (tb), 69, 270, 271, 281, 364, 523, 524.
George Lewis-Douglas Ewart (1978)
Black Saint BSR 0026
Hommage to Charles Parker (1979, avec Anthony Davis, etc.) Black Saint BSR 0029
voir aussi K. Berger, A. Braxton, L. Jenkins, M. Melis, D. Murray, S. Rivers.
John LEWIS (p), 36, 41, 44, 102, 129, 131, 146, 194, 195, 294, 326, 334, 369, 393, 462, 487.
Piano Paris (1979)
All Life AL 010
voir aussi M. Davis (1, 2), D. Gillespie (1, 2), J.J. Johnson, Modern Jazz Quartet, Ch. Parker (4, 5), Four Trombones.
Meade Lux LEWIS (p), 337.
voir A. Ammons, S. Bechet (2).
Mel LEWIS (dm), 318, 399, 407, 466, 499.
voir E. Fitzgerald, Th. Jones, G. Mulligan (5), M. Tormé, etc.
Ramsey LEWIS (p), 342, 344.
Back to the roots.
Chess 50 005
Victor LEWIS (dm), 416.
voir St. Getz.
Dave LIEBMAN (ss, ts), 289, 290, 315, 517.
If they only knew (1980, avec Terumasa Hino, Ron McClure, John Scofield et Adam Nussbaum.)
Timeless SJP 151

America AM 003/4/5
4 - *Blue Bird* (avec Eddie Preston, Charles McPherson, Bobby Jones, Jaki Byard et Dannie Richmond.)
America AM 6110
5 - *Changes one, changes two* (1974, avec Jack Walrath, George Adams, Hamiett Bluiett, Don Pullen et Dannie Richmond.)
Atlantic 60 108
6 - *Giants of Jazz* (1977, avec Jack Walrath, Woody Shaw, Ricky Ford, Gerry Mulligan, Lionel Hampton, Dannie Richmond, etc.)
Philips 9123 612
voir aussi D. Ellington, J.J. Johnson, Ch. Parker, Four Trombones.

MINGUS DINASTY 353
Chair in the sky (1979, avec John Handy, Joe Farrell, Jimmy Owens, Jimmy Knepper, Don Pullen, Charlie Haden et Dannie Richmond.) WEA 99 081

Billy MITCHELL (ts), 309.
voir Xanadu at Montreux 1978.

Blue MITCHELL (tp), 256.
voir R. Kamuca.

Joni MITCHELL (voc.), 413, 467.
Mingus (1979, avec Phil Woods, Gerry Mulligan, John McLaughlin, Jam Hammer, Stanley Clarke, Tony Williams, Wayne Shorter, Herbie Hancock, Jaco Pastorius et Peter Erskine.)
Asylum 53 091

Red MITCHELL (b), 74, 389, 513.
voir O. Coleman, W. Herman (2), K. Krog, G. Mulligan (2), Cl. Terry.

Roscoe MITCHELL (saxophones), 284, 288, 290, 295, 496, 522, 550.
voir Art Ensemble of Chicago.

Hank MOBLEY (ts), 39, 309, 517.
voir H. Silver (1, 2).

MODERN JAZZ QUARTET
Modern Jazz Quartet (1952-1955, avec Milt Jackson, John Lewis, Percy Heath, Kenny Clarke, Connie Kay.) Prestige 24 005
The Modern Jazz Quartet (1957-1963, avec Milt Jackson, John Lewis, Percy Heath et Connie Kay.)
Atlantic 60 169
Together again (1984, avec Milt Jackson, John Lewis, Percy Heath et Connie Kay.)
Pablo D 2312 142
existe en disque compact.
voir aussi S. Rollins.

Charles MOFFETT (dm), 153, 409, 410.
voir O. Coleman.

Miff MOLE (tb), 262.

Grachan MONCUR III (tb), 268.
voir J. McLean, A. Shepp.

Joe MONDRAGON (b), 389.
voir E. Fitzgerald, W. Gray.

Thelonious MONK (p), 32, 120, 132, 134, 146, 147, 195, 223, 232, 287, 288, 308, 344, 345, 349, 351, 357, 381, 389, 401, 500.
Genius of modern music (1947-1952, avec Idress Sulieman, Sahib Shihab, Milt Jackson, Shadow Wilson, Art Blakey, etc.) Blue Note BLP 1510
BLP 1511
Thelonious Monk (1952-1954, avec Julius Watkins, Sonny

Takeo MORIYAMA (dm), 415.

Butch MORRIS (tp), 247, 259.
voir J. Dyani.

Jim MORRISON (voc.), 61.
The Doors (1967)
Elektra EKS 74 007

Bennie MORTON (tb), 264, 474, 481.
voir C. Basie (1).

Jelly Roll MORTON (p), 19, 22, 27, 39, 82, 116, 191, 195, 263, 273, 331, 332, 348, 367, 429, 430, 472, 473, 507, 511, 523, 545, 548.
The complete Jelly Roll Morton, vol. 1 à 6 (1926-1930, avec différents orchestres.)
RCA
voir aussi J. Dodds.

David MOSS (perc., voc.), 429.
Full House, duets (1984, avec Jamaaladen Tacuma, etc.)
Moers Music 2010
voir aussi B. Hersey.

Sam MOST (fl), 279, 321.
voir Xanadu at Montreux.

Bennie MOTEN (p), 30, 480.
The complete Bennie Moten, vol. 1 à 6 (1926-1932, avec différents orchestres.)
RCA PM 42 410
PM 43 693
PM 45 688

Paul MOTIAN (dm), 416, 417, 525.
voir C. Bley (1), B. Evans, A. Farmer, P. Favre, G. Russell.

Yoshizawa MOTOHARU (b), 393.

Alphonse MOUZON (dm), 66, 270, 412, 417, 528.
voir R. Kenyatta, M. Tyner.

Don MOYE (dm), 414, 427, 522.
voir M. Melis.

George MRAZ (b), 391, 392.
voir T. Flanagan, St. Getz, J. Rowles, Z. Sims.

MTUME (perc.), 137, 427.

MUDDY WATERS (gt, voc.).
The Best of Muddy Waters (1948-1954, avec Little Walter, Big Walter Horton, James Cotton, Otis Spann, etc.)
Chess 515 008
On Chess, vol. 1 & 2 (1948-1959) disques compacts.
Chess 600 052
600 059
voir aussi S.B. Williamson, J. Winter.

Shigeharu MUKAI (tb), 270.

Gerry MULLIGAN (bs), 38, 102, 129, 131, 153, 183, 196, 255, 318, 408, 485, 487, 490, 509, 510, 512, 513, 514, 516.
1 - *Mulligan-Baker* (1951-1965, avec Chet Baker, etc.)
Prestige 68 350
2 - *The fabulous Gerry Mulligan quartet* (1954)
Vogue 400 007
disque compact 600 028
3 - *Blues in time* (1957, avec Paul Desmond, etc.)
Verve 2304 329
4 - *The Gerry Mulligan quartet* (1958-1962) CBS 80 135
5 - *The Concert Jazz Band on tour* (1960, avec grand orchestre.) Verve 2304 401
6 - *Carnegie Hall Concert* (1974, avec Chet Baker, etc.)
CTI 9013/9014
voir aussi M. Davis (1), G. Krupa, Ch. Mingus, (5), B. Moore.

Mark MURPHY (voc.), 452, 453, 471.
The Nat King Cole Songbook.
Muse 5308

* Ray Lawrence ltd, P.O. Box 1987, Studio City, Calif. 91604, U.S.A.

voir C. Basie (3), Trombone Album.

Bud POWELL (p), 35, 36, 307, 310, 330, 338, 340 à 344, 393, 493.
The Amazing Bud Powell (1949-1953, avec Fats Navarro, Sonny Rollins, Tommy Potter, George Duvivier, Curly Russell, Roy Haynes, Max Roach, Art Taylor.)
Blue Note BST 1503/1504
The Genius of Bud Powell (1950-1951, avec Ray Brown et Buddy Rich.)
Verve 2304 112
Jazz at Massey Hall (1953)
Prestige 68 319
voir aussi D. Gillespie, D. Gordon, F. Navarro, Ch. Parker (5, 7).

Mel POWELL (p), 339.
voir B. Goodman (2).

Chano POZO (Luciano Gonzales) (perc.), 241, 419, 422, 487.
voir D. Gillespie (2), F. Navarro.

Perez PRADO (chef d'orchestre), 420.

Elvis PRESLEY (voc.), 207.
The Sun sessions (1954-1956)
RCA APM 1 1675
Elvis Forever
RCA PJL 2 8024

Billy PRESTON (claviers, voc.), 359.
Blue Organ (1963)
Vee Jay S 1123

Sam PRICE (p), 335.
voir T. Buckner, R. Tharpe.

Julian PRIESTER (tb), 266, 530.
voir J. Griffin, H. Hancock, B. Little, M. Roach.

Roland PRINCE (gt), 383, 428.
voir P. La Barbera.

Wesley PRINCE (b), 510.
voir N.K. Cole.

Russell PROCOPE (cl, ts), 510.
voir D. Ellington (3, 4, 5), L. Hampton (1), Fl. Henderson (2).

PROFESSOR LONGHAIR (p, voc.), 331, 449.
Crawfish Fiesta (1979)
Sonet SNTF 830

Tito PUENTE (perc.), 420.
voir S. Stitt.

Dudu PUKWANA (as), 295.
Yi Yole (1978, avec Misha Mengelberg et Han Bennink.)
Instant Composers Pool ICP 0021

Don PULLEN (p), 349, 350, 351.
Warriors (1978, avec Chico Freeman, Fred Hopkins et Bobby Battle.)
Black Saint BSR 0019
voir aussi G. Adams, M. Melis, Ch. Mingus, Mingus Dinasty.

John PURCELL (fl), 295.
voir M.R. Abrams.

Bernard Pretty PURDIE (dm), 412.
voir D. Gillespie, H. Silver (4).

Flora PURIM (voc.), 424, 467, 468, 530.
Humble people (avec Airto Moreira.) Concord 3002

Ike QUEBEC (ts), 298.
Blue & sentimental (1961, avec Grant Green, Paul Chambers et Philly Joe Jones.)
Blue Note BST 84 098

Alvin QUEEN (dm), 416.

Gene QUILL (as).
voir B. Brookmeyer, J. Knepper, G. Mulligan (5).

Paul QUINICHETTE (ts), 307.
voir B. Holiday (2), J. McShann, S. Vaughan.

Boyd RAEBURN (arrangeur), 284, 302, 488.

* Jazzcraft Records, Roedt Joernen 28, DK 2791 Dragoer, Danemark.

Gene ROLAND (p, chef d'orchestre), 303.
voir S. Kenton, J. Knepper, Ch. Parker.

ROLLING STONES, 61, 166, 208, 211, 336.
Big hits, high tide and green grass Decca TXS 101
Rewind Rolling Stones Records 2601 061

Sonny ROLLINS (ts), 39, 111, 113, 195, 228, 301, 303, 306 à 308, 310, 312, 316, 373, 389, 393, 416, 423, 441, 453, 490.
Vintage Sessions (1951-1954, avec the Modern Jazz Quartet, Kenny Dorham, Thelonious Monk, Elmo Hope, Kenny Drew, Tommy Potter, Percy Heath, Miles Davis, Art Taylor, Art Blakey, etc.) Prestige 68 335
Taking care of business (1955-1956, avec John Coltrane, Ray Bryant, Red Garland, Kenny Drew, George Morrow, Paul Chambers, Max Roach et Philly Joe Jones.) Prestige 68 329
The Freedom Suite plus (1957-1958, avec Oscar Pettiford et Max Roach.) Milestone 68 103
What's new? Our man in jazz (1962, avec Don Cherry, Bob Cranshaw et Billy Higgins.) RCA 741 091/92
East Broadway run down (1966, avec Jimmy Garrison et Elvin Jones.) Impulse IMPL 5024
voir aussi Cl. Brown, M. Davis, Th. Monk, F. Navarro, B. Powell.

Aldo ROMANO (dm), 412, 413.
Il Piacere (1978, avec Michel Portal, etc.) Owl Records 015
voir aussi G. Beck, E. Rava.

Don UM ROMAO (perc.), 425, 429.
voir J. Stowell.

Wally ROSE (p), 243.

Bernt ROSENGREN (bs), 314.
voir G. Russell (4).

Frank ROSOLINO (tb), 267, 485.
voir F. Boland, Trombone Album, M. Tormé.

Annie ROSS (voc.), 452, 463.
voir Lambert-Hendricks-Ross.

Diana ROSS (voc.), 465, 466.
Original Series (1970) Motown 535 020
voir aussi The Supremes.

Nino ROTA (compositeur).
Amarcord (avec Jaki Byard, Dave Samuels, Carla Bley, Muhal Richard Abrams, Steve Lacy, Wynton Marsalis, etc.) Hannibal-Records 6313 300

Charlie ROUSE (ts), 309.
Moment's Notice (1977, avec Hugh Lawson, Bob Cranshaw et Ben Riley.) Jazzcraft Records* 4
voir aussi B. Carter (2), Th. Monk.

Jimmy ROWLES (p), 341.
We could make such beautiful music together (1978, avec George Mraz et Leroy Williams.) Xanadu JD 6623
Checkmate (1981, avec Joe Pass.) Pablo 2310 865
disque compact 3112-2
voir aussi B. Holiday (2), R. Kamuca, Z. Sims.

* Amigo Musikproduktion AB, Box 6058 102 31, Stockhom, 6, Danemark.

Badal Roy (perc.), 428.

Ernie Royal (tp), 483.
voir W. Herman (2), G. Krupa.

Rick Rozie (b), 393, 394, 395.
Afro-algonquin (1981, avec Lee Rozie et Rashied Ali.)
Moers Music 01 078

Roswell Rudd (tb), 71, 268, 269, 282, 287, 493, 521.
Roswell Rudd-Giorgio Gaslini duo (1978)
Dischi Della Quercia Q 28 007
voir aussi C. Bley, Jazz Composer's Orchestra, E. Rava, A. Shepp.

Matthias Rüegg (compositeur, arrangeur), 505.
voir Vienna Art Orchestra.

Pete Rugolo (arrangeur), 478, 484.
voir D. Gillespie (2), St. Kenton.

Hilton Ruiz (p), 355.

Howard Rumsey (tuba), 145.

Otis Rush (gt, voc.), 198, 206, 377, 447, 449.
Groaning the blues (1957-1958) Flyright FLY 560

Patrice Rushen (claviers), 353, 361.

Jimmy Rushing (voc.), 448, 451.
Blues and Things (1967, avec Earl Hines, Budd Johnson, etc.) Vogue 500 076
voir aussi C. Basie (1, 2), B. Moten.

George Russell (p, compositeur, arrangeur), 102, 135, 146, 223, 259, 266, 463, 491, 492, 500, 518.
1 - *Ezz-thetic* (1956, avec Art Farmer, Bill Evans, etc.)
RCA PL 42 187
2 - *At the Five Spot* (1960, avec Al Kiger, Dave Baker, Dave Young, Chuck Israel et Joe Hunt.)
MCA 510 200
3 - *Ezz-thetics* (1961, avec Don Ellis, Dave Baker, Eric Dolphy, Steve Swallow et Joe Hunt.) Riverside 68 943
4 - *Vertical Form VI* (1977, avec grand orchestre.)
Soul Note 1019

Luis Russell (chef d'orchestre), 252, 273, 472.
voir L. Armstrong.

Pee Wee Russell (cl.), 95, 274.
The Pied Piper of jazz (1941-1944, avec Joe Sullivan, Jess Stacy, Zutty Singleton, George Wettling, etc.)
Commodore 6.2459
voir aussi B. Beiderbecke, E. Condon, E. Hines (2).

Bill Russo (arrangeur), 102, 106, 146, 195, 263, 485.
voir St. Kenton.

Paul Rutherford (tb), 269.
Old Moers Almanac (1976)
Moers Music 01014
voir aussi Globe Unity orchestra, Workshop Freie Musik.

Terje Rypdal (gt, claviers), 69, 381, 382.
Sunrise (1978, avec Miroslav Vitous et Jack DeJohnette.)
ECM 1125

Eddie Safranski (b), 389, 484.
voir D. Gillespie (2), B. Goodman (2), S. Stitt.

Johnny Saint Cyr (gt), 22, 191, 367, 368.
voir L. Armstrong, K. Oliver.

Saint Louis Jimmy (voc.), 446.

Akira Sakata (as), 295.

Joe Sample (p).
Oasis (avec Abe Laboriel,

New Thing at Newport (1965, avec Bobby Huteherson, Barre Phillips et Joe Chambers.) Impulse AS 94
Mama too tight (1966, avec Tommy Turrentine, Roswell Rudd, Grachan Moncur III, Perry Robinson, Howard Johnson, Charlie Haden et Beaver Harris.) Impulse JAS 18
Live at the panafrican festival (1969, avec Clifford Thornton, Grachan Moncur III, Dave Burrell, Alan Silva, Sunny Murray, etc.) Byg 529 351
A sea of faces (1975, avec Dave Burrell, Cameron Brown, Beaver Harris, etc.) Black Saint BSR 0002
Steam (1976, avec Cameron Brown et Beaver Harris.) Enja 2076
Hi fly (1976, avec Karin Krog, Arild Andersen, Cameron Brown, Beaver Harris, etc.) Compendium Records* FIDARDO 2
Goin' home (1977, avec Horace Parlan.) SteepleChase SCS 1079
Trouble in mind (1980, avec Horace Parlan.) Steeple Chase SCS 1139
Soul Song (1982, avec Ken Werner, etc.) Enja 4050
voir aussi J. Coltrane, G. Evans.

Bobby SHEW (tp), 256.
voir T. Akiyoshi.

Sahib SHIHAB (as), 48, 50, 318, 321, 323, 502.
voir F. Boland, K. Clarke, K. Doldinger, Th. Monk, E. Wilkins.

Johnny SHINES (gt, voc.), 206, 207.
Nobody fault but mine (1972) Black and Blue 33 541

Charlie SHOEMAKE (vb), 327.

Wayne SHORTER (ts), 68, 135, 137, 142, 164, 168, 169, 173, 287, 290, 314, 352, 426, 441, 516, 517, 527, 528.
Speak no evil (1964, avec Freddie Hubbard, Herbie Hancock, Ron Carter et Elvin Jones.) Blue Note BST 84 194
voir aussi A. Blakey, M. Davis, J. Mitchell, J. Pastorius, C. Santana, Weather Report.

Simeon SHTEREV (cl.), 323.

Joe SHULMAN (b), 129.
voir Cl. Thornhill.

Ben SIDRAN (voc.), 353, 453.
The cat and the hat (1979) Horizon AMLJ 741

Alan SILVA (b), 393, 434, 437.
The Celestrial Communication orchestra plays Alan Silva (1978) Sun Records SEB 003
voir aussi A. Ayler, JCOA, A. Shepp, Workshop Freie Musik.

Horace SILVER (p), 39, 40, 131, 195, 217, 260, 342, 344, 510, 511.
1 - *And the Jazz Messengers* (1954-1955) Blue Note BLP 1518
2 - *Silver's blues* (1956, avec Joe Gordon, Donald Byrd, etc.) Epic LA 16 005
3 - *Songs for my father* (1964, avec Carmell Jones, Joe Henderson, etc.)

* Compendium Records, Bernt Ankers gt. 17, Oslo 1, Suède.

Blue Note BST 84 185
4 - *Silver'n brass* (1974)
Blue Note BN-LA 406
5 - *Silver'n percussion* (1977)
Blue Note BN-LA 708
voir aussi A. Blakey, M. Davis, J.J. Johnson.

Omer SIMEON (cl.), 191, 273.
voir L. Hampton (1), E. Hines (1), J.R. Morton.

Norman SIMMONS (p).
voir C. McRae.

Sonny SIMMONS (as).
voir P. Lasha.

Nina SIMONE (p, voc.), 462, 547.
A portrait of Nina Simone
Festival ALB

Zoot SIMS (ts), 279, 289, 303, 307, 482.
Just Friends (1978, avec Harry Edison, Roger Kellaway, etc.) Pablo 2310 841
voir aussi T. Charles, B. Evans, E. Fitzgerald, W. Herman, (1, 2), Ch. Parker (3), G. Mulligan (5).

Frank SINATRA (voc.), 80, 208, 253, 310, 445.
voir T. Dorsey.

SINGERS UNLIMITED
With Rob McConnell and the Boss Brass (1978, avec Bonnie Herman, etc.)
MPS (import) 68.238

Zutty SINGLETON (dm), 397.
voir L. Armstrong, S. Bechet (1), B. Bigard, L. Hampton (1), J. Noone, P.W. Russell.

SIRONE (b), 393.
voir C. Taylor.

Allan SKIDMORE (ts), 314, 521.
voir G. Gruntz.

Steve SLAGLE (fl.), 325.

Carol SLOANE (voc.), 462.

Bessie SMITH (voc.), 27, 79, 89 à 93, 110, 198, 213, 218, 257, 262, 332, 456, 457, 464, 541.
Any woman's blues (1923-1930, avec Clara Smith, Fletcher Henderson, Don Redman, Clarence Williams, Eddie Lang, James P. Johnson, Charlie Green, etc.)
CBS 66 262
The Empress (1924-1928, avec Buster Bailey, Don Redman, Charlie Green, Louis Armstrong, Joe Smith, Coleman Hawkins, Jimmy Harrison, Tommy Ladnier, etc.) CBS 66 264
voir aussi the History of the blues.

Brian SMITH (ss, ts), 393.
voir Ian Carr.

Carson SMITH (b), 389.
voir Ch. Baker.

Clara SMITH (voc.), 91.
voir the History of the blues, B. Smith.

Huey Piano SMITH (p), 331.

Jimmy SMITH (o), 63, 359, 360, 366, 374, 433.
Midnight Special (1960, avec Stanley Turrentine, Kenny Burrell et Dave Bailey.)
Blue Note BSTF 84 078
Off the top (1982, avec Stanley Turrentine, George Benson, Ron Carter et Grady Tate.)
Elektra-Musician MUSK 52 418

Johnny SMITH (gt), 373.
voir B. Goodman (2).

Joe SMITH (tp), 250, 474.
voir I. Cox, Fl. Henderson (1, 2), McKinney's Cotton Pickers, B. Smith, E. Waters.

Leo SMITH (top), 69, 259, 523.
The Haunt (1976, avec Perry

Robinson et Bobby Naughton.) Otic* 1005
voir aussi Company.

Lonnie SMITH (gt, voc.), 359.
voir A. Kirk.

Mamie SMITH (voc.), 91.

Pinetop SMITH (p), 336, 337.

Stuff SMITH (vln), 432, 433, 437.
Stuff Smith (1957, avec Oscar Peterson, Barney Kessel, Ray Brown, etc.) Verve 2304 536

Trixie SMITH (voc.), 91, 447.

Warren SMITH (perc.), 414.
voir D. Sanborn.

Willie SMITH (as), 291.
voir D. Ellington (4), H. James, JATP, L. Young (2).

Willie SMITH the Lion (p), 19, 32, 332, 333.
The original 14+2 (1938-1939, avec Joe Bushkin et Jess Stacy.) Commodore 6.25 491
voir aussi S. Bechet (1).

Willie Mae Ford SMITH (voc.), 215.

Ronald SNYDERS (fl.), 324.

Phoebe SNOW (voc.), 466.

SOFT MACHINE
Third (1970, avec Elton Dean, Hugh Hopper, Robert Wyatt, etc. CBS 66 246

Martial SOLAL (p), 340, 341, 342.
Solal 56 (1955-1956) Jazz Legacy 500 110
Martial Solal Big Band (1981) Gaumont 735 804
Solal et son orchestre jouent André Hodeir (1984) Carlyne CAR 008

* Otic Records, Southbury, Connecticut O6 488, USA.

voir aussi D. Byas, H. Hawes, L. Konitz.

Lew SOLOFF (tp), 260.
voir St. Clarke, D. Sanborn.

Günter Baby SOMMER (dm), 415.

Teddy SOMMERS (dm), 408.

Ed SOPH (dm), 416.
voir J. Henderson.

Mark SOSKIN (p), 356.
voir T. Scott.

THE SOUL OF BLACK MUSIC
avec Dorothy Love, Rev. Isaac Douglas, R.H. Harris, Delois Barrett Campbell, Clara Ward, etc. Sonet 426 001

Eddie SOUTH (vln), 432.
No more blues (1927-1933, avec Everett Barksdale, Milt Hinton, etc.) RCA PM 42 420
voir aussi D. Reinhardt.

Muggsy SPANIER (cornet), 247.

Les SPANN (gt, fl.), 374.
voir S. Stitt.

Otis SPANN (p, voc.), 449.
Goodmorning Mr. Blues (1963) Gamma 6.8907
voir aussi B. Guy, Howlin' Wolf, Muddy Waters, J. Wells.

Tony SPARGO (dm), 398.

James SPAULDING (as, fl.), 294.
voir R. Ford, M. Roach, Ph. Sanders.

SPIRITUALS AND GOSPELS SONGS
The Lord's Servant :
Sister Rosetta Tharpe (1944-1952, avec Sammy Price, Pops Foster, etc.)
Vivian Cooper (1949, avec Sammy Price, etc.)
Marie Knight (1949-1952, avec Vivian Cooper, Sammy Price, etc.)
Katie-Bell Nubuin (1950)

The Sister of Song (1953)
MCA 510197

Victoria SPIVEY (p, voc.), 456.
Kings and the Queen, vol. 1 & 2 (1963-1970, avec Roosevelt Sykes, Lonnie Johnson, Big Joe Williams, Bob Dylan, John Hammond Jr., etc.)
Spivey LP 1004
LP 1014
voir aussi the History of the blues.

Jess STACY (p), 339, 476.
voir B. Goodman (1), L. Hampton (1), W. Smith the Lion.

Heiner STADLER (dm), 74, 413.

Tomasz STANKO (tp), 260, 521.
voir E. Vesala.

Ronald STEEN (dm), 416.

Janusz STEFANSKI (dm), 416.
voir Z. Namyslowski.

Jeremy STEIG (fl), 324, 392.
Jeremy Steig (1970, avec Jan Hammer, Gene Perla, Eddie Gomez et Don Alias.)
America AM 6147
Music for flute and double bass (1978, avec Eddie Gomez.)
CMP Records 6 ST
Rain Forest (1980, avec Eddie Gomez, Mike Nock, Nana Vasconcelos, Steve Gadd, Jack DeJohnette, Ray Baretto et Karl Ratzer.)
CMP Records 12 ST

Bobo STENSON (p), 353.

John STEVENS (dm, cornet), 496, 521.
Endgame (1979, avec Barry Guy, Howard Riley et Trevor Watts.)
Japo (import) 60 028

Herbie STEWARD (ts), 303.
voir W. Herman (1).

Bob STEWART (tuba), 440.
voir G. Evans, Globe Unity orchestra.

Rex STEWART (tp), 30, 86, 247, 251, 287, 474.
voir B. Carter (1), D. Ellington (2), L. Hampton (1), Fl. Henderson (1, 2).

Slam STEWART (b), 386.
voir D. Byas, D. Gillespie (1), M. Holley, A. Tatum, G. Wein.

Bo STIEF (b), 395.
voir K. McIntyre, P. Mikkelborg.

Sonny STITT (as, ts), 63, 127, 143, 292, 301, 303.
Sonny (1966, avec grand orchestre.)
Jazz Legacy 24 JL 74
voir aussi D. Gillespie (1).

Jiři STIVIN (fl.), 323.

STONE ALLIANCE, 422.
Con amigos (avec Steve Grossman, Gene Perla, Don Alias, etc.)
PM Records (import) PMR 015

Sly STONE (tp), 133, 137.

John STOWELL (p).
Golden Delicious (1977, avec Claudio Rodito, Jim McNeely, Mike Richmond, David Friesen et Billy Hart.) Inner City 1030

Billy STRAYHORN (arrangeur et composit. p), 98, 104.
De 1938 (date de leur rencontre) à 1967 (mort de Strayhorn), la carrière et l'œuvre de ce musicien se confondent avec celles de Duke Ellington. Il est peu de disques du Duke datant de cette période dans lesquels Billy Strayhorn n'in-

tervienne pas, parfois comme pianiste, le plus souvent comme arrangeur ou compositeur.

STRING TRIO OF NEW YORK (Billy Bang, James Emery et John Lindberg.)
First String (1979) Black Saint BSR 0031

Frank STROZIER (as), 294.
voir B. Little.

Michael STUART (ts), 311.

Freddy STUDER (perc.), 412, 413.
voir P. Favre.

Dr L. SUBRAMANIAM (vln), 434, 436, 532.
voir St. Goldberg.

Monette SUDLER (gt), 383.
Life in Europe (1978) Steeple Chase SCS 1102

Idrees SULEIMAN (tp), 256, 502.
Bird's Grass (1976, avec Per Goldschmidt, Horace Parlan, N.H. Ørsted-Pedersen et Kenny Clarke.) Steeple Chase 1202
voir aussi K. Clarke, K. Doldinger, Th. Monk.

Charles SULLIVAN (tp), 256.
voir E. Jefferson.

Ira SULLIVAN (polyinstrumentiste), 258.
The Incredible Ira Sullivan (1980, avec Hank Jones, Eddie Gomez et Duffy Jackson.) Stash ST 208

Jim SULLIVAN (gt), 166.

Joe SULLIVAN (p), 95, 338.

Bill SUMMERS (perc.), 429.

SUNNYLAND SLIM (p, voc.), 446.
The Legacy of the blues (1974) Sonet SNTF 671

SUPREMES
Sing Holland-Dozier-Holland (1967, avec Diana Ross, etc.) Motown 535 014

SUN RA (p), 53, 319, 349, 364, 393, 477, 493, 494, 495.
Live at Montreux (1976, avec Vincent Chancey, Marshall Allen, Danny Davis, John Gilmore, Pat Patrick, Clifford Jarvis, etc.) Inner City 1039

SUPERSAX
And L.A. Voices (1983, avec Med Flory, Conte Candoli, Lou Levy, etc.) CBS 25 604

John SURMAN (bs), 69, 168, 281, 288, 319, 521.
Upon Reflection (1979) ECM 1148

Steve SWALLOW (b), 391, 392, 394.
Home (1979, avec Dave Liebmann, etc.) ECM 1160
voir aussi C. Bley (1, 2), G. Burton, Guitar Workshop, JCOA.

Harvie SWARTZ, 391.
voir B. Degen, St. Kuhn.

Earl SWOPE (tb), 483.
voir W. Herman (2).

Roosevelt SYKES (p, voc.), 335, 449.
voir the History of the blues, V. Spivey.

Frank SZABO (tp), 481.
voir C. Basie (4).

Gabor SZABO (gt), 374.

Tomasz SZUKALSKI (ts), 314.

Lew TABACKIN (ts, fl.), 307, 315, 316, 325, 499, 500, 503.
voir T. Akiyoshi, G. Gruntz, JCOA, A. Zoller.

J.J. Johnson, Lambert-Hendricks-Bavan, D. Pike, Sh. Scott, S. Stitt, D. Washington.

Sonny TERRY (hca, voc.), 205, 440.
California Blues (1957, avec Brownie McGhee.)
Fantasy 68 513
voir aussi American Folk Blues Festival, B.B. Fuller, W. Guthrie.

Frank TESCHEMACHER (ts), 95, 274.

Henry TEXIER (b), 391.
La Companera (1985)
Cara 005
voir aussi F. Jeanneau, Ph. Woods.

Sister Rosetta THARPE (gt, voc.), 218.
The Lord's Servant (1944-1952, avec Sam Price, Pops Foster, etc.) MCA 510 197

Eje THELIN (tb), 269, 270.
voir Clarinet Summit, K. Doldinger, G. Gruntz, K. Wheeler.

Woody THEUS (dm), 416.
voir M. Tyner.

Toots THIELEMANS (hca), 440.
Affinity (1978, avec Bill Evans.)
Warner Bros WB 56 617
voir aussi Ph. Catherine, D. Gillespie.

Leon THOMAS (voc.), 216, 449.
voir Ph. Sanders.

Barbara THOMPSON (ss, ts, fl.), 289, 290.
voir United Jazz & Rock ensemble.

Sir Charles THOMPSON (p), 335.
voir B. Clayton, I. Jacquet, L. Hampton (1).

Lucky THOMPSON (ss, ts), 285, 298, 299, 301, 489.
Featuring Oscar Pettiford (1956, avec Hank Jones, Oscar Pettiford, Osie Johnson, Skeeter Best.) Jasmine 1037
Body and Soul (1970, avec Tete Montoliu, etc.)
Nessa N 13
voir aussi B. Carter (1), Ch. Parker (2).

Claude THORNHILL (p), 130, 317, 487, 491.
And his orchestra (1947, avec Red Rodney, Lee Konitz, Joe Shulman, Gil Evans, etc.) CBS 65 392

Big Mama THORNTON (voc.), 456.
In Europe (1965, avec Big Walter Horton, Buddy Guy, etc.) Arhoolie 1028

Clifford THORNTON (cornet).
voir A. Shepp.

Henry THREADGILL (saxophones), 295, 319, 324, 523.
voir Air.

Frank TIBERI (ts), 315, 441.
voir W. Herman (3).

TI-MARCEL (perc.), 427.

Bobby TIMMONS (p), 342, 343, 516.
voir P. Adams, A. Blakey.

Julie TIPPETT (Julie Driscoll) (voc.), 468, 469, 470, 547.
Julie Driscoll, Brian Auger and the Trinity.
Polydor 2384 062

Keith TIPPETT (p), 349, 496.
Frames (1978, avec Mark Charig, Elton Dean, Trevor Watts, Stan Tracey, Peter Kowald, Maggie Nichols, Julie Tippett, etc.)
Ogun OGD 003/004

TI-RORO (perc.), 427.

Juan TIZOL (tb), 102, 263.
voir D. Ellington (1, 2).

Cal TJADER (vb), 327, 421, 422.
The Shining Sea (1981, avec

Scott Hamilton, Hank Jones, etc.) Concord Jazz CJ 159

Masahiko TOGASHI (dm), 325, 415.
Minomoto (1980, avec Masahiko Satoh.)
MPS (import) 15.581

Brian TORFF (b), 396.
voir E. Kitamura.

Mel TORMÉ (voc.), 450.
Swings Shubert Alley (1959-1960, avec Frank Rosolino, Art Pepper, Marty Paich, Red Callender, Mel Lewis, etc.) disque compact.
Verve 8215 812
Together again for the first time (1978, avec le grand orchestre de Buddy Rich : Steve Marcus, Phil Woods, Hank Jones, etc.)
RCA PL 25 178
An evening at Charlie's (1983, avec George Shearing, etc.)
Concord Jazz CJ 248

Dave TOUGH (dm), 33, 95, 232, 233, 398, 399, 406, 407, 418, 482, 508.
voir Ch. Christian, E. Condon, B. Goodman (1), W. Herman (1).

Allen TOUSSAINT (voc.), 431.
Motion (1978, avec Chuck Rainey, Vic Feldman, etc.)
Warner Bros WB 56 473

Ralph TOWNER (gt), 69, 383, 384, 525.
voir Oregon.

Stan TRACEY (p), 356.
voir K. Tippett, B. Webster.

Lennie TRISTANO (p), 37, 39, 42, 135, 223, 227, 268, 293, 294, 301, 307, 341, 342, 343, 355, 373, 374, 380, 466, 483, 511, 512, 520, 537.
Live in Toronto (1952, avec Warne Marsh, Lee Konitz, etc.)
voir aussi D. Gillespie (2).

TROMBONE ALBUM
J.J. Johnson (1947, avec Hank Jones, Shadow Wilson, etc.)
Frank Rosolino (1952, avec Barry Harris, etc.)
Jimmy Cleveland, Henry Coker, Bill Hughes, Benny Powell (1956, avec Frank Wess, Frank Foster, Freddie Gree, Kenny Clarke, etc.)
Bill Harris (1957, avec Phil Woods, Eddie Costa, Gus Johnson, etc.)
Curtis Fuller (1960, avec Lee Morgan, Yusef Lateef, McCoy Tyner, Milt Hinton, Bobby Donaldson.)
Savoy WL 70 523

Gianluigi TROVESI (as), 281.
Dances (1985).
Red Records VPA 181

Frankie TRUMBAUER (ts), 95, 97, 113, 292.
voir B. Beiderbecke, P. Whiteman.

Mickey TUCKER (dm), 356.
voir B. Hardmann.

Big Joe TURNER (voc.), 340, 449, 464, 482.
Jumpin' with Joe (1951-1958)
Charly CRB 1070
In the evening (1976, avec Pee Wee Crayton.)
Pablo 2310 776

Tina TURNER (voc.), 465.
Ike and Tina Turner greatest hits
United Artists UAS 29 940

Tom TURPIN (p), 18.

Stanley TURRENTINE (ts), 309.

Swingin' easy (1957, avec Richard Davis, Roy Haynes, etc.) Emarcy 6372 488
Live in Japan (1973) America AM 6175/76
How long has this been going on? (1978, avec Joe Pass, Oscar Peterson, Ray Brown et Louie Bellson.) Pablo 2310 821
Crazy and mixed up (1982, avec Roland Hanna, etc.) Pablo 2312 137

Caetano VELOSO (voc.), 454.
Uns Philips 812 747-1

Charlie VENTURA (ts), 298, 300, 301, 462, 512.
Bop for the people (avec Jackie Cain, Roy Kral, Conte Candoli, etc.) Affinity AFF 104

Joe VENUTI (vln), 95, 432, 434, 437.
Venupelli Blues (1969, avec Stéphane Grappelli, George Wein, Barney Kessel, Larry Ridley et Don Lamond.) Affinity AFF 29
voir aussi B. Beiderbecke, P. Whiteman.

Edward VESALA (dm), 415.
Heavy Life (1980, avec Chico Freeman, Tomasz Stanko, etc.) Leo Records 009
voir aussi K. Wheeler.

Carlos VIDAL (perc.), 420, 421.
voir Ch. Parker (4).

VIENNA ART ORCHESTRA
Concerto piccolo (1980, avec Matthias Rüegg, Lauren Newton, etc.) Hat Art 1980/81

Tommy VIG (vb), 327.

Leroy VINNEGAR (b), 389.
voir B. Carter (1).

Eddie Cleanhead VINSON (as, voc.), 145.
Sings the blues (1978-1982, avec Arnett Cobb, Buddy Tate, Ray Bryant, George Duvivier, Alan Dawson, etc.) Muse 5310

Miroslav VITOUS (b), 173, 391, 392, 395, 528.
voir H. Mann, T. Rypdal.

Abdul WADUD (violoncelle), 387, 442.
voir M.R. Abrams, B. Altschul, A. Blythe, A. Davis, J. Hemphill, Young Lions.

Freddie WAITS (dm), 416.
voir Ch. Freeman.

Rick WAKEMAN (o, synthétiseur), 365, 366.

Collin WALCOTT (perc., sitar), 71, 428, 443, 525.
Cloud Dance (1975, avec John Abercrombie, Dave Holland et Jack DeJohnette.) ECM 1062
voir aussi Codona, Oregon, T. Scott.

Mal WALDRON (p), 74, 345.
Moods (1978, avec Terumasa Hino, Hermann Breuer, Steve Lacy, Cameron Brown et Makaya Ntshoko.) Enja 3021/23

T-Bone WALKER (gt, voc.), 198, 207, 213, 377.
T-Bone jumps again (1942-1949) Charly CRB 1019
voir aussi American Folk Blues Festival.

Bennie WALLACE (ts), 315.
The Free Will (1980, avec Eddie Gomez, Tommy Flanagan et Dannie Richmond.) Enja 3063
voir aussi F. Ambrosetti, G. Gruntz.

Sippie WALLACE (voc.), 456.
voir J. Dodds.

Fats WALLER (p, o, voc.), 19, 30, 69, 195, 228, 301, 310, 333, 334, 335, 338, 342, 347, 357, 358, 368, 433, 457, 500, 539.
Memorial (1926-1943, avec Gene Sedric, Al Casey, Billy Taylor, etc.)
RCA 730 570/574
731 054/058
Fats Waller (1935-1939)
Nec Plus Ultra 502 003
502 006
voir aussi McKinney's Cotton Pickers.

George WALLINGTON (p), 294, 342, 483.
voir A. Cohn, B. Moore.

Jack WALRATH (tp), 256.
voir Ch. Mingus.

Cedar WALTON (p), 342, 516.
The Second Set (1977, avec Bob Berg, Sam Jones et Billy Higgins.)
Steeple Chase SCS 1113
voir aussi A. Blakey, C. Fuller, B. Higgins, J. McLean.

Clara WARD (voc.), 215, 465.
voir Soul of black music.

Carlos WARD (as, fl.), 295.
voir C. Bley (2), D. Brand.

David S. WARE (ts), 312.
Birth of a being (1977)
Hat Hut Records W

Wilbur WARE (b), 389.

Michel WARLOP (vln), 435, 436.
Michel Warlop (1934-1938, avec Django Reinhardt, etc.) Pathé 1727281

Peter WARREN (b), 387, 393.

Dinah WASHINGTON (voc.), 302, 464.
Dinah's jam (1954, avec Clifford Brown, Maynard Ferguson, Herb Geller, Harold Land, Clark Terry, Max Roach, etc.)
disque compact
Mercury 814 639 2
The Swinging Miss D (1956, avec le grand orchestre de Quincy Jones.)
Mercury 6336 714

Grover WASHINGTON (ts, ss), 290.
Togethering (avec Kenny Burrell, Ron Carter, Jack DeJohnette et Ralph McDonald.)
Blue Note 85 106

Jack WASHINGTON (as, bs), 316, 318.
voir C. Basie (1, 2), B. Moten.

Sadao WATANABE (ts), 296.
Fill up the night (1983, avec Eric Gale, Steve Gadd, Richard Tee, Marcus Miller et Grady Tate.)
Elektra-Musician 6029

Ethel WATERS (voc.), 456.
Jazzin' babies' blues (1921-1927, avec Fletcher Henderson, Joe Smith, Tommy Ladnier, Lovie Austin, etc.)
Biograph BLP 12 026
Performing in person highlights from her illustrious career.
Monmouth/Evergreen Records* MES 6812
voir aussi D. Ellington (1).

Doug WATKINS (b), 387, 389.
voir P. Adams, H. Silver (1, 2).

* Monmouth-Evergreen Records, Park Sheraton, New York NY 10019, U.S.A.

* Mole Records Productions Ltd, 374 Grays Inn Road, London WC1X 8BB, Angleterre.

* Duraphon Records, 4106 Therwil, Suisse.

Shihab, Kenny Drew, etc.)
Matrix* MTX 29 20
voir aussi R. Charles, H. James.

Jack WILKINS (gt), 380.
voir Ch. Mingus.

Buster WILLIAMS (b), 391, 392.
voir H. Hancock, T. Harrell.

Clarence WILLIAMS (p), 91, 192, 273.
voir S. Martin, B. Smith.

Cootie WILLIAMS (tp), 101, 104, 251, 259, 477, 508, 536.
voir Ch. Christian, D. Ellington (1, 2), E. Fitzgerald (5), B. Goodman (1), L. Hampton (1), B. Holiday (1).

Dave WILLIAMS (b), 391.
voir A. Pepper.

Big Joe WILLIAMS (gt, voc.), 205, 208, 448.
& Sonny Boy Williamson (1937-1947)
Blues Classics 21
voir The History of the blues, V. Spivey.

Leroy WILLIAMS (b), 416.
voir J. Rowles.

Marion WILLIAMS (voc.), 215, 465.
Black Nativity (1962, avec Alex Bradford, etc.)
Auvidis AV 4901
Gospel Caravan (1979)
Auvidis AV 4705

Mary Lou WILLIAMS (p), 232, 338, 356, 456, 479, 480.
Black Christ of the Andes (1964, avec Howard Roberts, Percy Heath, Budd Johnson, Grant Green, etc.)
Mary Records* FJ 2843
Embraced (1977, avec Cecil Taylor, Bob Cranshaw et Mickey Roker.)
Pablo 2620 108
My mama pinned a rose on me (1977, avec Butch Williams et Cynthia Tyson.)
Pablo 2310 819
Solo recital (1978)
Pablo 2308 218
voir aussi B. Carter (1).

Richard WILLIAMS (tp), 312.
voir Ch. Mingus, O. Nelson.

Robert Pete WILLIAMS (gt, voc.), 447.
Angola prisoner's blues (1959)
Arhoolie 2011
The Legacy of the blues (1972-1973) Sonet SNTF 649

Tony WILLIAMS (dm), 60, 65, 68, 135, 148, 168, 169, 170, 171, 228, 241, 352, 361, 408, 409, 412, 417, 418, 517, 527, 530.
Spring (1965, avec Wayne Shorter, Sam Rivers, Herbie Hancock et Gary Peacock.)
Blue Note BST 84 216
Turn it over (avec Larry Young, John McLaughlin et Jack Bruce.) Polydor 2425 019
voir aussi St. Clarke, M. Davis, E. Dolphy, H. Hancock, A. Hill, H. Jones, J. Mitchell, S. Rollins, C. Santana.

Claude WILLIAMSON (p), 342, 343.
voir B. Shank.

Sonny Boy WILLIAMSON I (hca, voc.), 205, 440, 446.
Blues Classics (1937-1946, avec Big Joe Williams, Big Bill Broonzy, etc.)

* Matrix Records, Heilsmindevej 1, DK 2920 Charlottenlund, Danemark.

* Mary Records/Folkways Records & Service corp., 165 West 46th Street, New York 36, U.S.A.

Blues Classics 20
voir aussi B.J. Williams.

Sonny Boy WILLIAMSON II (hca, voc.), 205, 440, 446.
Sonny Boy Williamson (1955-1963, avec Otis Spann, Muddy Waters, Buddy Guy, etc.) Chess 427 004
voir aussi B. Guy.

Bob WILLS (chef d'orchestre), 442.

Gerald WILSON (tp), 491.
Calafia (avec Garnett Brown, Ernie Watts, Harold Land, Red Callender, Milcho Leviev, etc.) Trend 537
voir aussi C. Basie (2), C. Counce.

Phil WILSON (tb).
Wilson, that's all (avec Al Cohn, etc.)
Famous Door* HL 109

Phillip WILSON (dm), 414, 522.
voir L. Bowie.

Shadow WILSON (dm), 407.
voir C. Basie, (2), M. Buckner, E. Garner, I. Jacquet, Th. Monk, Trombone Album, L. Young (1).

Teddy WILSON (p), 30, 95, 112, 157, 276, 338, 339, 456, 457, 459, 476, 509.
The complete Teddy Wilson pianos solos (1934-1941)
CBS 66 370
voir aussi L. Armstrong, D. Byas, Famous Esquire Jazz Concert, B. Goodman (1), L. Hampton (1), St. Hasselgard, B. Holiday (1), Ch. Parker (2), L. Young (4).

Lem WINCHESTER (vb), 327 à 329.

Kai WINDING (tb), 39, 129, 266, 269, 317, 484, 513.

* Harry Lim Prod., 40-48 155th Street, Flushing, New York 11 354, U.S.A.

The Kai Winding Trombones (1963, avec Bill Watrous, Jake Hanna, etc.)
voir aussi D. Gillespie (2), J.J. Johnson, G. Krupa.

Gary WINDO (ts), 315.
Dogface (1982)
Europa JP 2011

Norma WINSTONE (voc.), 468, 469.

Johnny WINTER (gt, voc.), 212.
Nothin' but the blues (1977, avec Muddy Waters, James Cotton, etc.)
Blue Sky SKY 82 141

Paul WINTER (ss), 290.

Stevie WINWOOD (gt, o, p, voc.), 359.
Traffic (1968, avec Chris Wood, etc.) Island ILPS 9081
Arc of a diver (1981)
Island 6313 124
voir aussi J. Hendrix.

Jimmy WITHERSPOON (voc.), 207, 448.
And Panama Francis' Savoy Sultans (1980)
Black and Blue 33 177

Mike WOFFORD (p), 356.

Stevie WONDER (p, hca, voc., etc.), 441, 450, 455.
Original Musiquarium (1982)
Motown 428 009

Chris WOOD (fl.), 324.
voir J. Hendrix, St. Winwood.

Jimmy WOODE (b), 389.
voir K. Clarke, D. Ellington (5).

Phil WOODS (as), 127, 294, 489, 513.
Alive and well in Paris (1968, avec George Gruntz, Henri Texier et Daniel Humair.)
Pathé 1727 321

* Free Music Production, Behaimstrasse 4, 1000 Berlin 10 West, République Fédérale Allemande.

2 - *The Aladdin Sessions* (1945-1948, avec différentes petites formations.)
Aladdin 801/802

3 - *Nat King Cole-Lester Young quintet : the historical jazz session* Musidisc CV 983

4 - *Pres and Teddy* (1956, avec Teddy Wilson, Gene Ramey et Jo Jones.)
Verve 2304 213

voir aussi C. Basie (1), B. Holiday (1), JATP.

Trummy YOUNG (tb), 263, 264, 267.
voir L. Armstrong.

The YOUNG LIONS
1982 (avec James Newton, Chico Freeman, Hamiett Bluiett, Wynton Marsalis, John Blake, Abdul Wadud, Jay Hoggard, Anthony Davis, Fred Hopkins, etc.)
Elektra Musician 96.0196.1

Leszek ZADLO (ss, ts, fl.), 314.
voir R. Francis.

Frank ZAPPA (gt, voc.), 380, 433, 498, 528, 547, 548.
Hot Rats (1969, avec Ian Underwood, Sugar Cane Harris, Jean-Luc Ponty, John Guérin, etc.)
Reprise 44 078
Roxy and elsewhere (1974, avec George Duke, etc.)
DiscReet 69 201
In New York (1978, avec Terry Bozzio, Michael et Randy Brecker, etc.)
DiscReet 69 204

Joe ZAWINUL (claviers), 66, 137, 169, 173, 353, 361, 517, 527, 528, 529.
voir M. Davis, Weather Report.

Danny ZEITLIN (p), 353.
Tidal Wave (avec John Abercrombie, Charlie Haden et Peter Donald.)
Palo Alto 8044-N

Elliot ZIGMUND (dm), 416, 417.
voir B. Evans.

Attila ZOLLER (gt), 69, 380.
Attila Zoller (1969, avec Lew Tabackin, Herbie Hancock, Reggie Workman, etc.)
Embryo (US) SD 523
voir aussi K. Doldinger.

Mike ZWERIN (tb).
Not to much noise (1978, avec Christian Escoudé et Gus Nemeth.)
Spotlite SPJLP 19

Cocorico

Le jazz français existe, et fait même preuve d'une belle santé musicale. C'est pourquoi il nous a semblé utile d'adjoindre en complément à la discographie internationale, une liste d'enregistrements dus à des musiciens que le lecteur aura tout le loisir d'aller écouter en club ou en concert (les musiciens cités dans le texte de Joachim Ernst Berendt — Grappelli, Solal, Jeanneau, Capon, Mas, Ferré, etc. — figurent dans la discographie et n'apparaissent donc pas dans ce complément).

Évidemment, il faut une fois encore rappeler tout ce qu'il peut entrer de subjectivité dans une telle sélection : les musiciens et les disques répertoriés ci-dessous ne sont pas, loin s'en faut, les seuls qui méritent d'être connus...

Ne cultivant pas l'esprit cocardier avec trop d'exclusive, nous avons également inclus dans notre choix quelques musiciens suisses et belges.

Gérard BADINI (ts).
French cooking (1980)
Vogue 502 607

Philippe BAUDOUIN (p) et Daniel HUCK (as).
Happy Feet and Friends (1981)
Open OP 16

Eric BOELL et Laurent ROUBACH (gt).
Guitares (1980) Open JZ 01

Hervé BOURDE (saxophones, fl.).
Engatsse (1979)
Marge SR 251

Claude CAGNASSO (chef d'orchestre).
Plein jazz (1977)
Palm Vendémiaire VD 093

Patrice CARATINI (b) et Marc FOSSET (gt).
Boîte à musique (1977)
Productions Patrice Caratini CARA 006

André CECCARELLI (dm).
André Ceccarelli (1981)
JMS 014

Daniel COBBI (p).
Dilatation (1985)
Ulysse Musique AROC 50405

André CONDOUANT (gt).
André Condouant (1982)
Debs HDD 708

Laurent CUGNY (p, chef d'orchestre).
Eaux fortes (1984)
Encore ECO LC 1

Jean-Pierre DEBARBAT (ts).
Rencontre (1980)
RCA PL 37 397

DOUBLE-SIX (voc.).
Double-Six (1960-62)
Open OP 15

Jean-Claude FOHRENBACH (ts).
Mais qu'avez-vous donc fait de la face cachée de la lune, docteur Fohrenbach (1979)
Open OP 10

Raymond FOL (p).
The Sky was blue (1976-79)
Chorus 33.761

Patrice GALAS (p).
Yesterdays (1980) AJCF 02

Jef GILSON (p) et Chris HAYWARD (fl.).
Pages d'écriture (1983)
Europamerica Loco 0330-02

Michel GRAILLIER (p).
Toutes ces choses (1979)
Open OP 11

Marc HEMMELER (p).
Easy does it (1982)
Musica 1043

Antoine HERVÉ (p, chef d'orchestre).
Big Band live in Paris (1983)
Philoé VK 1283

Daniel HUMAIR (dm).
Triple Hip Trips (1979)
OWL 014

Oliver HUTMAN (p).
Six Songs (1983) JMS 030

André JAUME (cl-b, ts).
Saxanimalier (1979)
Hat Hut R

Ivan JULLIEN (tp, chef d'orchestre).
L'orchestre (1983)
Bingow C 3356

Siegfried KESSLER (p).
Corps et Ame (1981)
In and out 1003

Joëlle LÉANDRE (b, voc.).
Sincerely (1985)
Plainisphare 1267-15

Éric LELANN (tp).
Nightbird (1983) JMS 028

Didier LEVALLET (b), Gérard MARAIS b) et Dominique PIFARELY (vln).
Instants chavirés (1982)
Open OP 17

Bernard LUBAT (dm, polyinstrumentiste).
L'idiome sandwich (1985)
Le Chant du Monde
LDX 74 841

Maurice MAGNONI (ss, ts, fl.)
MGM (1981) VDE* 30-309

Sylvain MARC (b).
Nine life (1982)
Cream Records 033

André PERSIANY (p).
Fiddle no end (1977)
Black and Blue 33 127

Michel PÉTRUCCIANI (p).
Michel Pétrucciani (1981)
OWL 025
100 Hearts (1983)
Concord GW 3001
Live at the Vanguard (1984)
Concord GW 3006

Michel ROQUES (ss, ts, fl.).
Pipault (1983) Chorus 33 760

SAXO 1000
Remembering Bobby Jaspar et René Thomas (1980)
BND MD 0060

Marc STECKAR (tuba).
Steckar Tubapack (1981)
JAM 0681

René URTREGER (p).
HUM (1960)
Carlyne Music CAR 007

Michel de VILLERS (as, bs) et Marc FOSSET (gt).
Hershey Bar (1981)
Ahead 33.759

Jacques VIDAL (b) et Frédéric SYLVESTRE (gt).
+ *Éric Lelann, Éric Dervieu* (1981)
Night and Day NAD 1003

WORKSHOP DE LYON
Musique basalte (1983)
ARFI WDL 005

* VDE/Gallo, 46, rue de l'Ale, CH 1000 Lausane 9, Suisse.

Le Livre de Poche

(Extrait du catalogue)

Bird n° 5629

La vie de Charlie Parker

de Ross Russell

Mort en 1955, Charlie Parker aura été l'un des génies les plus fulgurants du jazz. Aujourd'hui, le créateur du style bop reste plus que jamais à l'origine de toute modernité.

Dans son livre *Bird*, l'Américain Ross Russell raconte dans le détail la vie passionnée et tragique du musicien. Sans la volonté d'un musicologue mais dans un style simple, direct, coloré. *Bird* se lit au rythme d'un policier sur fond de drogue, de violence et de dérives diverses. Car à travers le destin d'un créateur hors pair, c'est aussi toute l'histoire d'une époque qui revit. L'époque où le bop répandait sur le monde entier sa lave brûlante.

Dictionnaire de la musique n° 7862

de Gérard Pernon

Les mots qui constituent le vocabulaire musical d'aujourd'hui n'ont été inventés que peu à peu, à mesure que, de tâtonnements en découvertes, artistes et artisans ont fait surgir d'un instrument, d'un accord nouveau, le langage des sons.

C'est pourquoi un dictionnaire de la musique ne saurait être complet sans une histoire de la musique, de ses écoles, de ses tendances, de ses techniques.

C'est ce que nous propose ici Gérard Pernon avec son

Dictionnaire de la musique. Par la diversité des sujets traités, il met à la portée du lecteur une somme d'informations qui devrait satisfaire toutes les curiosités.

L'Opéra n° 7861

Dictionnaire chronologique de 1597 à nos jours

Plus de huit cents œuvres décrites, analysées, commentées, des synopsis complets et détaillés, des informations sur la création des œuvres et les moments marquants qui ont jalonné leur histoire, des précisions sur les décors, la mise en scène, les costumes, des renseignements indispensables sur les voix, les interprètes et les chefs successifs : *c'est tout l'opéra qui vit dans ce livre.* Non seulement le grand répertoire adulé, mais aussi nombre d'œuvres injustement méconnues ou sous-estimées.

Pergolèse, Monteverdi, Mozart, Bellini, Rossini, Bizet, Gounod, Verdi, Puccini, Berg, Prokofiev, Benjamin Britten, etc., l'opéra baroque, romantique, l'italianisme triomphant du XIXe siècle, le théâtre total de Wagner : *l'art lyrique possède enfin son ouvrage de référence.*

Egalement au « Livre de Poche » :

Histoire de la musique n° 4805

d'Émile Vuillermoz

Pour le second versant du XXe siècle, cette édition est complétée par Jacques Lonchampt.

Composition réalisée par C.M.L., Montrouge.

IMPRIMÉ EN FRANCE PAR BRODARD ET TAUPIN
Usine de La Flèche (Sarthe).
LIBRAIRIE GÉNÉRALE FRANÇAISE - 6, rue Pierre-Sarrazin - 75006 Paris.

ISBN : 2 - 253 - 04717 - 1 30/7954/8